QUATREVINGT-TREIZE

LIRE ET VOIR LES CLASSIQUES

collection dirigée par Claude AZIZA

VICTOR HUGO

QUATREVINGT-TREIZE

Préface et commentaires de
Gérard GENGEMBRE

PRESSES POCKET

Le dossier iconographique
a été réalisé par
Anne GAUTHIER
et Matthieu KERROUX

ISBN : 2-266-04887-2

PRÉFACE

« Le dix-huitième siècle atteignit quatrevingt.
Encor treize, le nombre étrange, et le jour vint! »

Depuis longtemps Victor Hugo est fasciné par cette date énigmatique, ce nombre fatidique, à la fois signe d'un moment climatérique de l'Histoire, et révélation dans la convulsion. Écrire le roman de la Révolution s'impose de plus en plus comme une tâche essentielle : « Ce 93 à faire me crée une sorte de servitude; c'est la servitude d'un devoir; car il y a du devoir dans ce livre » (lettre du 3 décembre 1867).

Commencé le 16 décembre 1872, achevé le 9 juin 1873, ultimement révisé jusqu'à la fin de l'année, dernier roman de Hugo, *Quatrevingt-Treize* est l'œuvre d'un septuagénaire, le couronnement de ses idées, écrit selon le même principe que *Les Misérables*, dont Hugo disait : « Ce livre a été composé du dedans au dehors. L'idée engendrant les personnages, les personnages produisant l'action. » S'y exprime une philosophie hugolienne de la Révolution. Tel un fil rouge, elle court tout au long de l'œuvre, s'élaborant, se précisant au fil des années (voir le dossier). La thèse interprète la Terreur comme nuit et aube. Nuit et aube de la Révolution, sans en être le jour, crépuscule de l'Ancien Régime. 1793 vaut comme terrible effet de la volonté divine, non qu'il faille y voir, à l'instar des contre-révolutionnaires mystiques ou théocratiques, un châtiment infligé par la Providence à une France coupable, mais une phase de la dialectique du bien et du mal.

Ainsi *Quatrevingt-Treize* aurait dû initialement être le terme d'une trilogie, ce que confirme la préface de *L'homme qui rit* : Aristocratie, Monarchie, Révolution. Cette dernière y serait apparue comme l'aboutissement d'une évolution, et la Terreur comme la réponse révolutionnaire aux abus en même temps que l'ultime convulsion d'une histoire obéissant à la loi fatale. Hugo écrit en 1866 : « Cette série, qui a aujourd'hui pour prélude *L'homme qui rit*, c'est-à-dire l'Angleterre avant 1688, se continuera par *La France avant 1789* et s'achèvera par *93* », ou bien encore « *L'homme qui rit* est une sorte d'avant-scène du livre *Quatrevingt-Treize* que prépare l'auteur ; 93 est une résultante immense, la Révolution française est un fait produit par toute l'Europe. — L'Europe a deux pôles, la France et l'Angleterre. — L'auteur, dans ce livre, expose et tâche de faire visible l'Angleterre après 1688 ; plus tard, dans un autre livre spécial, il exposera la France avant 1789, puis 93 suivra. » Mais quelques années après, le projet prend une autre dimension : « Ce premier ouvrage est le commencement d'un grand tout. Ne sachant si j'aurai le temps de faire toute l'immense épopée entrevue par moi, j'ai voulu peindre cette première fresque. » L'édition originale comportait un sous-titre : « Premier récit. La guerre civile. » Ainsi le dernier roman devient le premier, mais Hugo ne lui ajoutera aucune suite. Quoi qu'il en soit, il envisageait son texte comme un élément détaché d'un cycle. Ajoutons, pour faire bonne mesure, un long extrait d'un projet de préface, intitulé « Pour la préface si j'en fais une ? » et sous-titré « Pages arrachées d'une histoire de la Révolution » :

> « Dans mes longues heures de solitude, j'ai beaucoup étudié les temps dont nous sommes et les temps dont étaient nos pères.
>
> Ma pensée a pris une empreinte de la Révolution. De cette empreinte aurait pu résulter une histoire.

Mais le temps me manque. J'ai cru devoir, avant de partir, laisser un spécimen de ce travail inachevé. De là ces pages. Si elles ne semblent pas inutiles, j'en publierai d'autres. Mon ambition serait d'éclairer un peu les grandes choses obscures.

Sous ce titre, *Quatrevingt-Treize*, l'auteur publiera une série de récits. S'il lui est donné de terminer son œuvre, l'ensemble de ces récits "qui n'auront d'ailleurs d'autre cohésion entre eux que l'unité historique" [*mots biffés sur le manuscrit*] représentera, sous ses divers aspects, cette fatale et féconde époque, la plus prodigieuse de l'histoire. Chacun de ces récits sera un drame à part, ayant tous d'ailleurs le même sujet, la Révolution, et le même horizon, Quatrevingt-Treize. »

Un roman de l'immanence

1793 s'impose comme année de concentration prodigieuse du mystère de l'Histoire, déploiement de monstres, apogée de l'innommable. Bernard Leuilliot définit lumineusement le sujet du roman : faut-il trouver bon 93 ?, par analogie avec *Les Misérables* qui demandaient : « faut-il trouver bon Waterloo ? » (II, I, 17). Pour Hugo, qui ne fait guère preuve d'originalité, car cette idée parcourt nombre de doctrines au XIXe siècle, le progrès arrive toujours à son but, fût-ce par des voies étranges, selon la loi des ruses de la raison. Mais, par ailleurs, les événements surgissent, ou plutôt fleurissent, mystérieusement. Il est donc vain d'agir. Adviendra ce qui doit être.

Le monde réalise l'unité du visible et de l'invisible : voilà le principe d'immanence. Cette immanence que *Quatrevingt-Treize* exprime, pour la dernière fois, de façon sublime : « La révolution est une action de l'Inconnu [...] Elle semble l'œuvre en commun des grands événements et des grands individus mêlés, mais elle est en réalité la résultante des événements [...]. La révolution est une forme du phénomène immanent qui nous presse de toutes parts et que nous appelons la Nécessité » (p. 197).

Il serait trop long et trop complexe de fouiller plus avant cette notion hugolienne. Disons qu'elle rassemble les corrélations qui dynamisent et rendent signifiante la totalité. De là une conséquence capitale pour l'écriture hugolienne : on ne peut rien écrire en général, et sur la Révolution en particulier, sans mettre en rapport le singulier le plus général et les pluriels les plus singuliers, sans faire glisser les essences posées par les nominations vers les autres. Donc ceci *est* cela, en une infinie chaîne d'équivalences, qui ne se boucle que sur le plein le plus absolu, si absolu qu'il équivaut à son tour à un vide : Dieu, autrement dit un nom recouvrant l'Inconnu, comme Dieu est masqué par le Destin. On voit donc comment l'écriture vertigineuse de Hugo aboutit à une aporie, aporie du langage, aporie de la pensée. Peut-être 93 fait-il alors figure de chiffre algébrique substitué aux mots impuissants...

Si elle renvoie à toute une métaphysique, l'immanence hugolienne prend en charge toute la modernité. Elle informe l'Histoire et l'humanité. On ne tentera pas ici de pénétrer les arcanes de la théologie hugolienne. Il a été justement dit qu'il s'agissait d'une mystique matérialiste – c'est-à-dire le mouvement même des choses –, et spiritualiste tout à la fois. Nature et Dieu s'équivalent, comme deux faces, deux nominations d'une même unité. *Quatrevingt-Treize* énonce, dans son mouvement et ses enjeux mêmes, les turbulences du réel et du surréel. La Révolution, comme l'océan, bouge sous les effets d'une tempête.

Plus profondément, équivalence et dynamisme posent le principe d'une poétique. L'histoire, toute de mouvement et d'enchaînements, de liaisons et de transformations, relève du textuel, comme le dit bien Yves Gohin. Écrire l'Histoire, écrire le sens suppose la maîtrise d'une forme et d'un style où triomphent la métaphore et l'échange. Au fond, le scripteur Hugo mime et commente l'écriture des acteurs de la Révolution, et du plus grand d'entre eux, Dieu. La digression polymorphe occupe donc une place éminente. Loin de retarder ou d'alourdir la narration, comme on le reproche encore parfois au roman hugolien, elle obéit à une loi d'écriture : elle donne à lire l'immanence.

Roman historique ou roman sur le sens de l'histoire?

Hugo a beaucoup réfléchi sur le roman historique en général et Walter Scott en particulier. Celui-ci invente des personnages qu'il situe dans une époque fortement caractérisée. A l'inverse, Vigny refuse cette méthode (voir la Préface de *Cinq-Mars*, 1827), et préfère peindre des protagonistes authentiques. *Notre-Dame de Paris* (1831) s'inspire de Scott, et ne fait évoluer qu'un seul personnage tiré de l'histoire, Louis XI[1]. Hugo procède de même dans les pages historiques des *Misérables* (l'insurrection de 1832). Ainsi, il affirme ne pas écrire de roman historique (« Je n'ai jamais fait de drame historique ni de roman historique », écrit-il à l'éditeur Albert Lacroix, décembre 1868) et *Quatrevingt-Treize* obéit au même principe, puisque la fameuse scène entre Danton, Marat et Robespierre (II, II, 1) fait écho à celle entre Louis XI et ses conseillers : « La légende est aussi fausse et aussi vraie que l'histoire. C'est la légende que j'écris » (Reliquat, projet de préface). Ne nous y trompons pourtant pas : Hugo s'est soigneusement documenté. Ouvrages d'historiens, comme Michelet ou Louis Blanc, de biographes, comme Hamel, auteur d'une vie de Robespierre, témoignages, souvenirs, Mémoires, tels les *Mémoires... qui pourront servir à l'histoire du parti royaliste français durant la dernière révolution*, du comte Joseph de Puisaye (1803), modèle supposé de Lantenac, et documents, comme les *Lettres sur l'origine de la chouannerie* de Duchemin-Descepeaux (1825-1827)... : la matière

1. Voir ce texte dans la même collection (n° 6004).

abonde. Chaque personnage du roman s'inspire donc d'acteurs réels, mais devient un type, voire un symbole. Hugo dispose d'ailleurs son personnel romanesque selon des lignes de force particulièrement efficaces.

Soit par exemple le couple Cimourdain-Lantenac. Le prêtre, où se rassemblent les défroqués terroristes de la réalité historique, a conservé une foi déiste, qu'il partage avec le conventionnel des *Misérables* au chevet duquel s'agenouille l'évêque Myriel. Il donne de l'idéal révolutionnaire une image absolue, éblouissante de pureté, et effrayante comme le glaive de la fatalité. Lantenac lui oppose le même visage et la même volonté implacables. En lui se concentre l'Ancien Régime qui refuse de mourir.

Les figures populaires se répartissent également selon des oppositions : à Radoub et son bataillon répondent Halmalo, Chante-en-hiver et surtout l'Imânus. Paris contre Bretagne, Bleus contre Blancs, révolutionnaires contre paysans attachés à leurs prêtres et leur roi. Même bravoure, même force de conviction, même abnégation. Certes, la préférence hugolienne n'échappe guère. Contre l'ignorance aveugle et le fanatisme, il privilégie la générosité de Radoub. Mais les Chouans ont la parole, ils ne sont pas occultés. Car il s'agit bien de Chouans, comme ceux que Balzac avait déjà mis en scène dans *Les Chouans*[1] (voir le dossier) et non de Vendéens au sens strict du mot. On les confond souvent. A l'origine, les quatre frères Cottereau, chefs de l'insurrection du Maine, et surtout Jean, furent surnommés *chouans* parce qu'ils ralliaient leurs hommes en imitant le cri du chat-huant, signe de reconnaissance du temps de la contrebande du sel. Leur surnom désigna les insurgés. La chouannerie fut une guerre de partisans au nord de la Loire qui se développa parallèlement au soulèvement vendéen et pour les mêmes

1. Disponible dans la même collection (n° 6064).

raisons. Elle eut pour chefs des gens du pays, comme le comte de Bourmont, le marquis de La Rouërie, qui commença dès 1789, ou Frotté en Normandie. Possédant partout agents ou amis, les Chouans évoluent, dans ces terres de bocage, comme un poisson dans l'eau. Ils mènent de meurtrières actions de guérilla, et se battront jusqu'au début de l'Empire, alors que ce qu'on appellera la Vendée militaire verra se dérouler de véritables batailles rangées. Armés de fusils de chasse ou d'armes récupérées sur les Bleus, parfois d'une simple faux, les Chouans, souvent des contrebandiers, des paysans pauvres et pieux, ou des réfractaires au service militaire, font régner la terreur dans les campagnes, traquant les patriotes, se cachant dans des troncs d'arbres creux, se déplaçant furtivement la nuit. Le roman fait revivre tout cela.

Ces Chouans de *Quatrevingt-Treize* valent aux yeux de Hugo pour toute l'insurrection de l'Ouest. Cette guerre civile déploie ses horreurs, et Hugo entreprend de les mettre en scène, sans cacher les crimes, sans perdre de vue l'essentiel : « Disons-le nettement, la Révolution a commis des crimes. Pourquoi le dissimuler ?... Nous sommes de ceux qui constatent la quantité de mal mêlée à la quantité de bien. Le bien l'emporte dans une proportion incommensurable. Tant mieux. Nous n'en jugeons pas moins nécessaire de maintenir au-dessus de tout les principes qui sont le ciel même de la conscience » (Reliquat).

Conscience : voilà un mot capital. Il explique Gauvain. À la rigidité de Cimourdain, à son dogme de l'infaillibilité révolutionnaire, s'oppose la clémence de l'aristocrate rallié, tout aussi vaillant que le commissaire. Aux terribles nécessités de l'heure incarnées par Cimourdain, à la défense frénétique du passé menée par Lantenac, Gauvain, son parent, fait répondre sa vision d'un avenir de paix et d'amour. Sa beauté d'archange se combine au sens profond de son nom, celui de Juliette Drouet, née Gauvain.

Un trio tenant le fil du temps, deux masses de combattants : le tableau serait incomplet si l'on oubliait une humanité spectatrice ou souffrante, les victimes du drame. Le « caimand » Tellmarch (lié aux forces telluriques), l'homme de la forêt, le primitif, commente l'événement, et incarne l'absolue pauvreté. Michelle Fléchard, prise dans le tourbillon de l'histoire, figure l'instinct animal et la maternité douloureuse et n'a pour politique que la sauvegarde de ses enfants. On comprend pourquoi Hugo fait l'économie du romanesque : point d'intrigue amoureuse ni policière comme chez Balzac. L'action doit obéir à la simplicité pour mieux faire ressortir le sens profond, métaphysique.

Ainsi aux couples peut toujours s'adjoindre un troisième élément, comme le montre Yves Gohin, comme si la structure ternaire informait tout le roman. Trois parties, trois lieux (la mer, la ville, la forêt), trois bâtiments (la *Claymore*, la Convention, la Tourgue), trois monstres (la caronade, Marat, l'Imânus). Les personnages composent des trios : à Cimourdain, Lantenac et Gauvain, reliés selon les positions politiques et représentant trois générations symboliques autant que réelles, on associera le triumvirat révolutionnaire et les trois enfants. Une savante combinatoire de dialectiques et de contradictions dynamise donc la fiction, qui échappe de partout à la logique du roman historique, ou plutôt le métamorphose en roman symbolique.

Mais une autre raison, plus fondamentale encore, oppose *Quatrevingt-Treize* au roman historique : l'avenir, et non le passé, détermine l'histoire. La Révolution est bonne selon le progrès. De là l'inscription du présent. Dans son ouvrage désormais classique, *Le Roman historique* (1956, traduit en français en 1965), le marxiste Georg Lukács fait de *Quatrevingt-Treize* le « dernier écho du roman historique romantique », qui, tout en glorifiant la Révolution de manière « romantiquement monumentale », est

« peut-être la première œuvre historique importante où l'on ait tenté d'interpréter l'histoire du passé dans l'esprit du nouvel humanisme protestataire et pris ainsi des voies littérairement différentes de celles des romans historiques des contemporains de Victor Hugo ».

S'il prend en charge le présent, *Quatrevingt-Treize* nous parle-t-il de la Commune ? Guy Rosa signale qu'une seule phrase assimile les deux guerres civiles : « Nous avons revu ces mœurs » (p. 218). Mais cette discrétion ne doit pas faire oublier qu'évoquer la Terreur en 1874 renvoie nécessairement à l'année terrible. Si Hugo a d'abord renvoyé dos à dos la « féroce » Assemblée versaillaise et la Commune « idiote » avant de faire campagne pour l'amnistie des Communards (voir les repères chronologiques), *Quatrevingt-Treize* exhibe les atrocités des deux camps, mais, justifiant l'implacable nécessité de la Terreur et faisant l'apologie de l'œuvre révolutionnaire, semble excuser *ipso facto* la Commune.

Tout n'est pourtant pas si simple. Si la Vendée se définit comme sédition de l'ignorance, si l'insurrection est criminelle dans une république, la Commune se voit condamnée par… la Révolution elle-même. Réversibilité qui pose une angoissante question : pourquoi, à deux reprises, juin 1848 et mars 1871, le peuple s'insurge-t-il contre la République ? Pourquoi celle-ci réprime-t-elle si violemment la sédition ? Il faut qu'une perversion soit à l'œuvre dans la République : elle provient de ses origines révolutionnaires mêmes. D'où un élargissement de la perspective ; raconter un épisode de la Terreur et de la guerre civile sert aussi à répondre à cette question : que faut-il pour qu'une révolution engendre vraiment un nouvel ordre ?

Revenons à nos personnages. Les héros adoptent des positions contraires à celles que leur origine sociale aurait dû leur inspirer. L'aristocrate Gauvain a des idées plutôt girondines et l'héroïque grandeur vertueuse du volontaire de l'an II. Le prêtre défroqué Cimourdain est un jacobin. Même Lantenac change de camp quand il sauve les enfants, puisqu'il « rentre dans l'humanité » (p. 392), autrement dit dans le peuple, puisque le peuple c'est l'Homme. En somme, les individus incarnent des idées et ne renient que des préjugés. Ils sont *de* l'humanité et *dans* l'humanité, que la République extériorise politiquement.

Mais cet idéal se révèle inhumanité, voire monstruosité. Si l'Imânus s'avère bestialement satanique, Gauvain et Cimourdain se révèlent inhumains de pureté, d'angélisme. Cette différence psychologique se traduit par leur mort nécessaire. Littérairement, historiquement peut-être, ils n'ont rien de « réaliste », au sens où Radoub et — pour l'essentiel — Lantenac le sont, qui luttent pour leurs intérêts de classe ; ils doivent donc disparaître du récit, comme s'ils ne pouvaient s'inscrire véritablement dans l'histoire. Ils appartiennent à l'ordre surnaturel.

Il y a plus grave : pour faire advenir le progrès et l'harmonie, la Révolution suppose des âmes déjà converties à l'idéal pacifique, une humanité de Gauvain. Ainsi son effet est déjà une cause. Cruelle aporie, ironique contradiction que reflète la Terreur : outil nécessaire, elle prive les idées dont elle se réclame de toute efficience, et, « calomnie de la Révolution » (p. 266), elle la nie. De là la double mort à valeur symbolique : une exécution et un suicide. Ira-t-on jusqu'à dire, comme Guy Rosa, que *Quatrevingt-Treize* est le « roman de l'impuissance à penser la Révolution »? La fiction a en tout cas besoin d'une révélation pour (re)trouver un sens et sortir de l'impasse. C'est l'envol des deux âmes réconciliées. Le roman se clôt sur un acte de foi et un message d'espoir.

Lux *et* nox, *ou les ressorts du drame*

Entre *L'Éducation sentimentale* (1869) et *L'Assommoir* (1877)[1], romans de la modernité, sous les dehors d'un mélodrame recourant aux procédés du feuilleton dumasien ou du roman populaire, *Quatrevingt-Treize* nous offre une action aussi tendue qu'une tragédie cornélienne. Les trois héros multiplient les liens affectifs et familiaux : Gauvain, neveu de Lantenac, est fils spirituel de Cimourdain. Ils sont aussi liés par la logique politique : Gauvain doit abattre Lantenac, Cimourdain doit surveiller et assister Gauvain. Quelques semaines suffisent, scandées par l'inexorable marche des événements. Tout est inexorable dans ce roman, qui eût pu s'intituler *Les Inexorables* comme pour répondre aux *Misérables*. Tout conduit à la Tourgue, quintessence de la féodalité, lieu du paroxysme.

Par le retournement de Lantenac, provisoire conversion, moment d'illumination, Michelle Fléchard et les enfants sont sauvés, et du même coup évacués du récit. Ce premier dénouement laisse le trio héroïque face au dilemme du devoir. Lieu d'un terrible débat, l'âme de Gauvain lui dicte sa conduite. Voilà le deuxième dénouement. Quant à l'ultime décision de Cimourdain, elle constitue le troisième et dernier dénouement. Il ouvre sur le ciel pur des idées et l'avenir de l'humanité. Ici-bas et au-delà : le roman relie le visible et l'invisible. La narration épique, visant à rendre sensibles grandeur et terreur, transposant le sujet en images, se transmue en souffle poétique qui rappelle Homère ou Dante, trouve son aboutissement.

On aimerait rendre justice aux superbes descriptions qui adornent la fiction. L'ornement n'est en rien gratuit : tout fait sens et crée un univers orienté, peuplé de symboles. Ainsi, un motif parcourt-il le

1. Disponibles dans la même collection (n°s 6014 et 6039).

roman : l'ombre. Ombre de la forêt, ombre de la « mer sombre ». Océan et forêt composent une géographie fabuleuse, un paysage mental, où prolifèrent de noires figures maléfiques. D'autant que l'obscurité s'associe au chaos, générant les ténèbres, cet espace métaphysique des monstres. L'inextricable forêt bretonne grouille d'êtres à la « conscience reptile », habiles à disparaître dans les labyrinthiques cavités, véritables tanières. L'Imânus n'est-il pas celui qui raisonne « en spirale », « comme les serpents rampent » (p. 240) ? Obscurité-obscurantisme : la forêt engendre aussi la surdité, cette autre face de l'absurdité. La Vendée devient « l'absurdité en rut, bâtissant contre la lumière un garde-fou de ténèbres » (p. 225). Ces réseaux métaphoriques déploient leurs antithèses, selon la loi bien connue de l'écriture hugolienne. La Vendée s'avère l'une des hypostases du combat du bien et du mal, du vrai et du faux, de la lumière et des ténèbres. Son destin est bien au fond « d'arranger les choses » à sa « sombre façon » (p. 225).

À cette dichotomie, qui fonde le poème — car *Quatrevingt-Treize* est bien un poème —, échappe le destin des enfants. Rappelons d'abord qu'ils doivent la vie à Lantenac, qui, d'homme du préjugé et de la servitude, devient en cet instant le Lucifer céleste, le porteur de lumière digne de *La Fin de Satan* (poème qui parle lui aussi de la Révolution, et met en rapport Lucifer et prise de la Bastille). « Cependant le soleil se lève », comme l'indique le titre du dernier chapitre. Le temps de l'Histoire trouve sa finalité, sa fin peut-être, alors que s'achève le temps de la narration.

Soulignons ensuite l'importance de la destruction de l'« in-quarto magnifique et mémorable ». Vandalisme analogue à celui des révolutionnaires ? Sans doute, mais aussi abolition métaphorique de la Saint-Barthélemy, autre grande convulsion de l'Histoire et abomination du fanatisme. Si succombent les enluminures, sont aussi anéanties les ténèbres. Crime de l'innocence angélique, cet épisode ouvre sur l'avenir tout en mettant en scène une joyeuse iconoclastie. Il prend valeur de mise en abyme, mais déplace également la perspective en plaçant des enfants au premier plan.

Ainsi, après *Les Misérables, Les Travailleurs de la mer* et *L'homme qui rit*, se retrouvent les mêmes procédés, la même force de l'antithèse, la même puissance visionnaire et prophétique. Lutte de titans, explosion de couleurs, fracas de l'Histoire, scènes inoubliables : la Révolution trouve ici l'un de ses virtuoses. « Histoire écoutée aux portes de la légende », le roman prend la mesure de l'affrontement et se met à son diapason : qui a dit que les Français n'avaient pas la tête épique ?

QUATREVINGT-TREIZE

PREMIÈRE PARTIE

EN MER

LIVRE PREMIER

LE BOIS DE LA SAUDRAIE

Dans les derniers jours de mai 1793, un des bataillons parisiens amenés en Bretagne par Santerre[1] fouillait le redoutable bois de la Saudraie en Astillé. On n'était pas plus de trois cents, car le bataillon était décimé par cette rude guerre. C'était l'époque où, après l'Argonne, Jemmapes et Valmy, du premier bataillon de Paris, qui était de six cents volontaires, il restait vingt-sept hommes, du deuxième trente-trois, et du troisième cinquante-sept. Temps des luttes épiques.

Les bataillons envoyés de Paris en Vendée comptaient neuf cent douze hommes. Chaque bataillon avait trois pièces de canon. Ils avaient été rapidement mis sur pied. Le 25 avril, Gohier étant ministre de la justice et Bouchotte étant ministre de la guerre, la section du Bon-Conseil avait proposé d'envoyer des bataillons de volontaires en Vendée ; le membre de la commune Lubin avait fait le rapport ; le 1er mai, Santerre était prêt à faire partir douze mille soldats, trente pièces de campagne et un bataillon de canonniers. Ces bataillons, faits si vite, furent si bien faits, qu'ils servent aujourd'hui de modèles ; c'est d'après leur mode de composition qu'on forme les compagnies de ligne ; ils ont changé l'ancienne proportion

1. Santerre : révolutionnaire parisien qui devint général de division en Vendée (1752-1809).

entre le nombre des soldats et le nombre des sous-officiers.

Le 28 avril, la commune de Paris avait donné aux volontaires de Santerre cette consigne : *Point de grâce, point de quartier*. A la fin de mai, sur les douze mille partis de Paris, huit mille étaient morts.

Le bataillon engagé dans le bois de la Saudraie se tenait sur ses gardes. On ne se hâtait point. On regardait à la fois à droite et à gauche, devant soi et derrière soi ; Kléber a dit : *Le soldat a un œil dans le dos*. Il y avait longtemps qu'on marchait. Quelle heure pouvait-il être ? à quel moment du jour en était-on ? Il eût été difficile de le dire, car il y a toujours une sorte de soir dans de si sauvages halliers[1], et il ne fait jamais clair dans ce bois-là.

Le bois de la Saudraie était tragique. C'était dans ce taillis que, dès le mois de novembre 1792, la guerre civile avait commencé ses crimes ; Mousqueton, le boiteux féroce, était sorti de ces épaisseurs funestes ; la quantité de meurtres qui s'étaient commis là faisait dresser les cheveux. Pas de lieu plus épouvantable. Les soldats s'y enfonçaient avec précaution. Tout était plein de fleurs ; on avait autour de soi une tremblante muraille de branches d'où tombait la charmante fraîcheur des feuilles ; des rayons de soleil trouaient çà et là ces ténèbres vertes ; à terre, le glaïeul, la flambe des marais, le narcisse des prés, la gênotte, cette petite fleur qui annonce le beau temps, le safran printanier, brodaient et passementaient un profond tapis de végétation où fourmillaient toutes les formes de la mousse, depuis celle qui ressemble à la chenille jusqu'à celle qui ressemble à l'étoile. Les soldats avançaient pas à pas, en silence, en écartant doucement les broussailles. Les oiseaux gazouillaient au-dessus des bayonnettes.

La Saudraie était un de ces halliers où jadis, dans les temps paisibles, on avait fait la Houiche-ba, qui

1. Halliers : groupe de buissons serrés et touffus.

est la chasse aux oiseaux pendant la nuit ; maintenant on y faisait la chasse aux hommes.

Le taillis était tout de bouleaux, de hêtres et de chênes ; le sol plat ; la mousse et l'herbe épaisse amortissaient le bruit des hommes en marche ; aucun sentier, ou des sentiers tout de suite perdus ; des houx, des prunelliers sauvages, des fougères, des haies d'arrête-bœufs, de hautes ronces ; impossibilité de voir un homme à dix pas.

Par instants passait dans le branchage un héron ou une poule d'eau indiquant le voisinage des marais.

On marchait. On allait à l'aventure, avec inquiétude et en craignant de trouver ce qu'on cherchait.

De temps en temps on rencontrait des traces de campements, des places brûlées, des herbes foulées, des bâtons en croix, des branches sanglantes. Là on avait fait la soupe, là on avait dit la messe, là on avait pansé des blessés. Mais ceux qui avaient passé avaient disparu. Où étaient-ils ? bien loin peut-être. Peut-être là tout près, cachés, l'espingole[1] au poing. Le bois semblait désert. Le bataillon redoublait de prudence. Solitude, donc défiance. On ne voyait personne ; raison de plus pour redouter quelqu'un. On avait affaire à une forêt mal famée.

Une embuscade était probable.

Trente grenadiers, détachés en éclaireurs et commandés par un sergent, marchaient en avant à une assez grande distance du gros de la troupe. La vivandière du bataillon les accompagnait. Les vivandières se joignent volontiers aux avant-gardes. On court des dangers, mais on va voir quelque chose. La curiosité est une des formes de la bravoure féminine.

Tout à coup les soldats de cette petite troupe d'avant-garde eurent ce tressaillement connu des chasseurs qui indique qu'on touche au gîte. On avait entendu comme un souffle au centre d'un fourré, et il semblait qu'on venait de voir un mouvement dans les feuilles. Les soldats se firent signe.

1. Espingole : fusil court à canon évasé, chargé de chevrotines.

Dans l'espèce de guet et de quête confiée aux éclaireurs, les officiers n'ont pas besoin de s'en mêler ; ce qui doit être fait se fait de soi-même.

En moins d'une minute le point où l'on avait remué fut cerné ; un cercle de fusils braqués l'entoura ; le centre obscur du hallier fut couché en joue de tous les côtés à la fois, et les soldats, le doigt sur la détente, l'œil sur le lieu suspect, n'attendirent plus pour le mitrailler que le commandement du sergent.

Cependant la vivandière s'était hasardée à regarder à travers les broussailles, et au moment où le sergent allait crier : Feu ! cette femme cria : Halte !

Et se tournant vers les soldats : — Ne tirez pas, camarades !

Et elle se précipita dans le taillis. On l'y suivit.

Il y avait quelqu'un là en effet.

Au plus épais du fourré, au bord d'une de ces petites clairières rondes que font dans les bois les fourneaux à charbon en brûlant les racines des arbres, dans une sorte de trou de branches, espèce de chambre de feuillage, entr'ouverte comme une alcôve, une femme était assise sur la mousse, ayant au sein un enfant qui tétait et sur ses genoux les deux têtes blondes de deux enfants endormis.

C'était là l'embuscade.

— Qu'est-ce que vous faites ici, vous ? cria la vivandière.

La femme leva la tête.

La vivandière ajouta furieuse :

— Êtes-vous folle d'être là !

Et elle reprit :

— Un peu plus, vous étiez exterminée !

Et, s'adressant aux soldats, la vivandière ajouta :

— C'est une femme.

— Pardine, nous le voyons bien ! dit un grenadier.

La vivandière poursuivit :

— Venir dans les bois se faire massacrer ! a-t-on idée de faire des bêtises comme ça !

La femme stupéfaite, effarée, pétrifiée, regardait

autour d'elle, comme à travers un rêve, ces fusils, ces sabres, ces bayonnettes, ces faces farouches.

Les deux enfants s'éveillèrent et crièrent.

— J'ai faim, dit l'un.

— J'ai peur, dit l'autre.

Le petit continuait de téter.

La vivandière lui adressa la parole.

— C'est toi qui as raison, lui dit-elle.

La mère était muette d'effroi.

Le sergent lui cria :

— N'ayez pas peur, nous sommes le bataillon du Bonnet-Rouge.

La femme trembla de la tête aux pieds. Elle regarda le sergent, rude visage dont on ne voyait que les sourcils, les moustaches et deux braises qui étaient les deux yeux.

— Le bataillon de la ci-devant Croix-Rouge, ajouta la vivandière.

Et le sergent continua :

— Qui es-tu, madame?

La femme le considérait, terrifiée. Elle était maigre, jeune, pâle, en haillons; elle avait le gros capuchon des paysannes bretonnes et la couverture de laine rattachée au cou avec une ficelle. Elle laissait voir son sein nu avec une indifférence de femelle. Ses pieds, sans bas ni souliers, saignaient.

— C'est une pauvre, dit le sergent.

Et la vivandière reprit de sa voix soldatesque et féminine, douce en dessous :

— Comment vous appelez-vous?

La femme murmura dans un bégaiement presque indistinct :

— Michelle Fléchard.

Cependant la vivandière caressait avec sa grosse main la petite tête du nourrisson.

— Quel âge a ce môme? demanda-t-elle.

La mère ne comprit pas. La vivandière insista.

— Je vous demande l'âge de ça.

— Ah! dit la mère, dix-huit mois.

— C'est vieux, dit la vivandière. Ça ne doit plus téter. Il faudra me sevrer ça. Nous lui donnerons de la soupe.

La mère commençait à se rassurer. Les deux petits qui s'étaient réveillés étaient plus curieux qu'effrayés. Ils admiraient les plumets.

— Ah ! dit la mère, ils ont bien faim.

Et elle ajouta :

— Je n'ai plus de lait.

— On leur donnera à manger, cria le sergent, et à toi aussi. Mais ce n'est pas tout ça. Quelles sont tes opinions politiques ?

La femme regarda le sergent et ne répondit pas.

— Entends-tu ma question ?

Elle balbutia :

— J'ai été mise au couvent toute jeune, mais je me suis mariée, je ne suis pas religieuse. Les sœurs m'ont appris à parler français. On a mis le feu au village. Nous nous sommes sauvés si vite que je n'ai pas eu le temps de mettre des souliers.

— Je te demande quelles sont tes opinions politiques.

— Je ne sais pas ça.

Le sergent poursuivit :

— C'est qu'il y a des espionnes. Ça se fusille, les espionnes. Voyons. Parle. Tu n'es pas bohémienne ? Quelle est ta patrie ?

Elle continua de le regarder comme ne comprenant pas. Le sergent répéta :

— Quelle est ta patrie ?

— Je ne sais pas, dit-elle.

— Comment, tu ne sais pas quel est ton pays ?

— Ah ! mon pays. Si fait.

— Eh bien, quel est ton pays ?

La femme répondit :

— C'est la métairie de Siscoignard, dans la paroisse d'Azé.

Ce fut le tour du sergent d'être stupéfait. Il demeura un moment pensif, puis il reprit :

— Tu dis ?

— Siscoignard.

— Ce n'est pas une patrie, ça.

— C'est mon pays.

Et la femme, après un instant de réflexion, ajouta :

— Je comprends, monsieur. Vous êtes de France, moi je suis de Bretagne.

— Eh bien ?

— Ce n'est pas le même pays.

— Mais c'est la même patrie ! cria le sergent.

La femme se borna à répondre :

— Je suis de Siscoignard.

— Va pour Siscoignard, repartit le sergent. C'est de là qu'est ta famille ?

— Oui.

— Que fait-elle ?

— Elle est toute morte. Je n'ai plus personne.

Le sergent, qui était un peu beau parleur, continua l'interrogatoire.

— On a des parents, que diable ! ou on en a eu. Qui es-tu ? Parle.

La femme écouta, ahurie, cet — *ou on en a eu* — qui ressemblait plus à un cri de bête qu'à une parole humaine.

La vivandière sentit le besoin d'intervenir. Elle se remit à caresser l'enfant qui tétait, et donna une tape sur la joue aux deux autres.

— Comment s'appelle la téteuse ? demanda-t-elle ; car c'est une fille, ça.

La mère répondit : Georgette.

— Et l'aîné ? car c'est un homme, ce polisson-là.

— René-Jean.

— Et le cadet ? car lui aussi, il est un homme, et joufflu encore !

— Gros-Alain, dit la mère.

— Ils sont gentils, ces petits, dit la vivandière ; ça vous a déjà des airs d'être des personnes.

Cependant le sergent insistait.

— Parle donc, madame. As-tu une maison ?

— J'en avais une.
— Où ça ?
— A Azé.
— Pourquoi n'es-tu pas dans ta maison ?
— Parce qu'on l'a brûlée.
— Qui ça ?
— Je ne sais pas. Une bataille.
— D'où viens-tu ?
— De là.
— Où vas-tu ?
— Je ne sais pas.
— Arrive au fait. Qui es-tu ?
— Je ne sais pas.
— Tu ne sais pas qui tu es ?
— Nous sommes des gens qui nous sauvons.
— De quel parti es-tu ?
— Je ne sais pas.
— Es-tu des bleus ? Es-tu des blancs ? Avec qui es-tu ?
— Je suis avec mes enfants.

Il y eut une pause. La vivandière dit :

— Moi, je n'ai pas eu d'enfants. Je n'ai pas eu le temps.

Le sergent recommença.

— Mais tes parents ! Voyons, madame, mets-nous au fait de tes parents. Moi, je m'appelle Radoub ; je suis sergent, je suis de la rue du Cherche-Midi, mon père et ma mère en étaient, je peux parler de mes parents. Parle-nous des tiens. Dis-nous ce que c'était que tes parents.

— C'étaient les Fléchard. Voilà tout.

— Oui, les Fléchard sont les Fléchard, comme les Radoub sont les Radoub. Mais on a un état. Quel était l'état de tes parents ? Qu'est-ce qu'ils faisaient ? Qu'est-ce qu'ils font ? Qu'est-ce qu'ils fléchardaient, tes Fléchard ?

— C'étaient des laboureurs[1]. Mon père était

1. Laboureurs : catégorie de paysans.

infirme et ne pouvait travailler à cause qu'il avait reçu des coups de bâton que le seigneur, son seigneur, notre seigneur, lui avait fait donner, ce qui était une bonté, parce que mon père avait pris un lapin, pour le fait de quoi on était jugé à mort ; mais le seigneur avait fait grâce et avait dit : Donnez-lui seulement cent coups de bâton ; et mon père était demeuré estropié.

— Et puis ?

— Mon grand-père était huguenot. Monsieur le curé l'a fait envoyer aux galères. J'étais toute petite.

— Et puis ?

— Le père de mon mari était un faux-saulnier[1]. Le roi l'a fait pendre.

— Et ton mari, qu'est-ce qu'il fait ?

— Ces jours-ci, il se battait.

— Pour qui ?

— Pour le roi.

— Et puis ?

— Dame, pour son seigneur.

— Et puis ?

— Dame, pour monsieur le curé.

— Sacré mille noms de noms de brutes ! cria un grenadier.

La femme eut un soubresaut d'épouvante.

— Vous voyez, madame, nous sommes des Parisiens, dit gracieusement la vivandière.

La femme joignit les mains et cria :

— Ô mon Dieu seigneur Jésus !

— Pas de superstitions, reprit le sergent.

La vivandière s'assit à côté de la femme et attira entre ses genoux l'aîné des enfants, qui se laissa faire. Les enfants sont rassurés comme ils sont effarouchés, sans qu'on sache pourquoi. Ils ont on ne sait quels avertissements intérieurs.

— Ma pauvre bonne femme de ce pays-ci, vous

1. Faux-saulnier : contrebandier faisant la contrebande du sel, qui était soumis à un impôt, la gabelle.

avez de jolis mioches, c'est toujours ça. On devine leur âge. Le grand a quatre ans, son frère a trois ans. Par exemple, la momignarde qui tette est fameusement gouliafre. Ah ! la monstre ! Veux-tu bien ne pas manger ta mère comme ça ! Voyez-vous, madame, ne craignez rien. Vous devriez entrer dans le bataillon. Vous feriez comme moi. Je m'appelle Houzarde ; c'est un sobriquet. Mais j'aime mieux m'appeler Houzarde que mamzelle Bicorneau, comme ma mère. Je suis la cantinière, comme qui dirait celle qui donne à boire quand on se mitraille et qu'on s'assassine. Le diable et son train. Nous avons à peu près le même pied, je vous donnerai des souliers à moi. J'étais à Paris le 10 août. J'ai donné à boire à Westermann. Ça a marché. J'ai vu guillotiner Louis XVI, Louis Capet, qu'on appelle. Il ne voulait pas. Dame, écoutez donc. Dire que le 13 janvier il faisait cuire des marrons et qu'il riait avec sa famille ! Quand on l'a couché de force sur la bascule, qu'on appelle, il n'avait plus ni habit ni souliers ; il n'avait que sa chemise, une veste piquée, une culotte de drap gris et des bas de soie gris. J'ai vu ça, moi. Le fiacre où on l'a amené était peint en vert. Voyez-vous, venez avec nous, on est des bons garçons dans le bataillon ; vous serez la cantinière numéro deux ; je vous montrerai l'état. Oh ! c'est bien simple ! on a son bidon et sa clochette, on s'en va dans le vacarme, dans les feux de peloton, dans les coups de canon, dans le hourvari, en criant : Qui est-ce qui veut boire un coup, les enfants ? Ce n'est pas plus malaisé que ça. Moi, je verse à boire à tout le monde. Ma foi oui. Aux blancs comme aux bleus, quoique je sois une bleue. Et même une bonne bleue. Mais je donne à boire à tous. Les blessés, ça a soif. On meurt sans distinction d'opinion. Les gens qui meurent, ça devrait se serrer la main. Comme c'est godiche de se battre ! Venez avec nous. Si je suis tuée, vous aurez ma survivance. Voyez-vous, j'ai l'air comme ça ; mais je suis une bonne femme et un brave homme. Ne craignez rien.

Quand la vivandière eut cessé de parler, la femme murmura :

— Notre voisine s'appelait Marie-Jeanne et notre servante s'appelait Marie-Claude.

Cependant le sergent Radoub admonestait le grenadier.

— Tais-toi. Tu as fait peur à madame. On ne jure pas devant les dames.

— C'est que c'est tout de même un véritable massacrement pour l'entendement d'un honnête homme, répliqua le grenadier, que de voir des Iroquois de la Chine qui ont eu leur beau-père estropié par le seigneur, leur grand-père galérien par le curé et leur père pendu par le roi, et qui se battent, nom d'un petit bonhomme ! et qui se fichent en révolte et qui se font écrabouiller pour le seigneur, le curé et le roi !

Le sergent cria :

— Silence dans les rangs !

— On se tait, sergent, reprit le grenadier ; mais ça n'empêche pas que c'est ennuyeux qu'une jolie femme comme ça s'expose à se faire casser la gueule pour les beaux yeux d'un calotin.

— Grenadier, dit le sergent, nous ne sommes pas ici au club de la section des Piques. Pas d'éloquence.

Et il se tourna vers la femme.

— Et ton mari, madame ? que fait-il ? Qu'est-ce qu'il est devenu ?

— Il est devenu rien, puisqu'on l'a tué.

— Où ça ?

— Dans la haie.

— Quand ça ?

— Il y a trois jours.

— Qui ça ?

— Je ne sais pas.

— Comment, tu ne sais pas qui a tué ton mari ?

— Non.

— Est-ce un bleu ? Est-ce un blanc ?

— C'est un coup de fusil.

— Et il y a trois jours ?

— Oui.

— De quel côté ?

— Du côté d'Ernée. Mon mari est tombé. Voilà.

— Et depuis que ton mari est mort, qu'est-ce que tu fais ?

— J'emporte mes petits.

— Où les emportes-tu ?

— Devant moi.

— Où couches-tu ?

— Par terre.

— Qu'est-ce que tu manges ?

— Rien.

Le sergent eut cette moue militaire qui fait toucher le nez par les moustaches.

— Rien ?

— C'est-à-dire des prunelles, des mûres dans les ronces, quand il y en a de reste de l'an passé, des graines de myrtille, des pousses de fougère.

— Oui. Autant dire rien.

L'aîné des enfants, qui semblait comprendre, dit : J'ai faim.

Le sergent tira de sa poche un morceau de pain de munition et le tendit à la mère. La mère rompit le pain en deux morceaux et les donna aux enfants. Les petits mordirent avidement.

— Elle n'en a pas gardé pour elle, grommela le sergent.

— C'est qu'elle n'a pas faim, dit un soldat.

— C'est qu'elle est la mère, dit le sergent.

Les enfants s'interrompirent.

— A boire, dit l'un.

— A boire, répéta l'autre.

— Il n'y a pas de ruisseau dans ce bois du diable ? dit le sergent.

La vivandière prit le gobelet de cuivre qui pendait à sa ceinture à côté de sa clochette, tourna le robinet du bidon qu'elle avait en bandoulière, versa quelques gouttes dans le gobelet et approcha le gobelet des lèvres des enfants.

Le premier but et fit la grimace.

Le second but et cracha.

— C'est pourtant bon, dit la vivandière.

— C'est du coupe-figure ? demanda le sergent.

— Oui, et du meilleur. Mais ce sont des paysans.

Et elle essuya son gobelet.

Le sergent reprit :

— Et comme ça, madame, tu te sauves ?

— Il faut bien.

— A travers champs, va comme je te pousse ?

— Je cours de toutes mes forces, et puis je marche, et puis je tombe.

— Pauvre paroissienne ! dit la vivandière.

— Les gens se battent, balbutia la femme. Je suis tout entourée de coups de fusil. Je ne sais pas ce qu'on se veut. On m'a tué mon mari. Je n'ai compris que ça.

Le sergent fit sonner à terre la crosse de son fusil, et cria :

— Quelle bête de guerre ! nom d'une bourrique !

La femme continua :

— La nuit passée, nous avons couché dans une émousse.

— Tous les quatre ?

— Tous les quatre.

— Couché ?

— Couché.

— Alors, dit le sergent, couché debout.

Et il se tourna vers les soldats :

— Camarades, un gros vieux arbre creux et mort où un homme peut se fourrer comme dans une gaine, ces sauvages appellent ça une émousse. Qu'est-ce que vous voulez ? Ils ne sont pas forcés d'être de Paris.

— Coucher dans le creux d'un arbre ! dit la vivandière, et avec trois enfants !

— Et, reprit le sergent, quand les petits gueulaient, pour les gens qui passaient et qui ne voyaient rien du tout, ça devait être drôle d'entendre un arbre crier : *Papa, maman !*

— Heureusement c'est l'été, soupira la femme.

Elle regardait la terre, résignée, ayant dans les yeux l'étonnement des catastrophes.

Les soldats silencieux faisaient cercle autour de cette misère.

Une veuve, trois orphelins, la fuite, l'abandon, la solitude, la guerre grondant tout autour de l'horizon, la faim, la soif, pas d'autre nourriture que l'herbe, pas d'autre toit que le ciel.

Le sergent s'approcha de la femme et fixa ses yeux sur l'enfant qui tétait. La petite quitta le sein, tourna doucement la tête, regarda avec ses belles prunelles bleues l'effrayante face velue, hérissée et fauve qui se penchait sur elle, et se mit à sourire.

Le sergent se redressa et l'on vit une grosse larme rouler sur sa joue et s'arrêter au bout de sa moustache comme une perle.

Il éleva la voix.

— Camarades, de tout ça je conclus que le bataillon va devenir père. Est-ce convenu ? Nous adoptons ces trois enfants-là.

— Vive la République ! crièrent les grenadiers.

— C'est dit, fit le sergent.

Et il étendit les deux mains au-dessus de la mère et des enfants.

— Voilà, dit-il, les enfants du bataillon du Bonnet-Rouge.

La vivandière sauta de joie.

— Trois têtes dans un bonnet, cria-t-elle.

Puis elle éclata en sanglots, embrassa éperdument la pauvre veuve et lui dit :

— Comme la petite a déjà l'air gamine !

— Vive la République ! répétèrent les soldats.

Et le sergent dit à la mère :

— Venez, citoyenne.

LIVRE DEUXIÈME

LA CORVETTE *CLAYMORE*

I

ANGLETERRE ET FRANCE MÊLÉES

Au printemps de 1793, au moment où la France, attaquée à la fois à toutes ses frontières, avait la pathétique distraction de la chute des Girondins, voici ce qui se passait dans l'archipel de la Manche.

Un soir, le 1er juin, à Jersey, dans la petite baie déserte de Bonnenuit, une heure environ avant le coucher du soleil, par un de ces temps brumeux qui sont commodes pour s'enfuir parce qu'ils sont dangereux pour naviguer, une corvette mettait à la voile. Ce bâtiment était monté par un équipage français, mais faisait partie de la flottille anglaise placée en station et comme en sentinelle à la pointe orientale de l'île. Le prince de la Tour-d'Auvergne, qui était de la maison de Bouillon, commandait la flottille anglaise, et c'était par ses ordres, et pour un service urgent et spécial, que la corvette en avait été détachée.

Cette corvette, immatriculée à la Trinity-House sous le nom de *the Claymore*, était en apparence une corvette de charge, mais en réalité une corvette de guerre. Elle avait la lourde et pacifique allure marchande ; il ne fallait pas s'y fier pourtant. Elle avait été construite à deux fins, ruse et force ; tromper, s'il est possible, combattre, s'il est nécessaire. Pour le service qu'elle avait à faire cette nuit-là, le chargement avait été remplacé dans l'entrepont par trente caronades de fort calibre. Ces trente caronades, soit qu'on prévît une tempête, soit plutôt qu'on voulût donner une figure débonnaire au navire, étaient à la serre, c'est-à-dire fortement amarrées en dedans par de triples chaînes et la volée appuyée aux écoutilles tamponnées ; rien ne se voyait au-dehors ; les sabords étaient aveuglés ; les panneaux étaient fermés ; c'était comme un masque mis à la corvette. Les corvettes d'ordonnance n'ont de canons que sur le pont ; celle-ci, faite pour la surprise et l'embûche, était à pont désarmé, et avait été construite de façon à pouvoir porter, comme on vient de le voir, une batterie d'entre-pont. *La Claymore* était d'un gabarit massif et trapu, et pourtant bonne marcheuse ; c'était la coque la plus solide de toute la marine anglaise, et au combat elle valait presque une frégate, quoiqu'elle n'eût pour mât d'artimon qu'un mâtereau avec une simple brigantine. Son gouvernail, de forme rare et savante, avait une membrure courbe presque unique qui avait coûté cinquante livres sterling dans les chantiers de Southampton.

L'équipage, tout français, était composé d'officiers émigrés et de matelots déserteurs. Ces hommes étaient triés ; pas un qui ne fût bon marin, bon soldat et bon royaliste. Ils avaient le triple fanatisme du navire, de l'épée et du roi.

Un demi-bataillon d'infanterie de marine, pouvant au besoin être débarqué, était amalgamé à l'équipage.

La corvette *la Claymore* avait pour capitaine un chevalier de Saint-Louis, le comte du Boisberthelot, un des meilleurs officiers de l'ancienne marine royale, pour second le chevalier de La Vieuville qui avait commandé aux gardes-françaises la compagnie où Hoche avait été sergent, et pour pilote le plus sagace patron de Jersey, Philip Gacquoil.

On devinait que ce navire avait à faire quelque chose d'extraordinaire. Un homme, en effet, venait de s'y embarquer, qui avait tout l'air d'entrer dans une aventure. C'était un haut vieillard, droit et robuste, à figure sévère, dont il eût été difficile de préciser l'âge, parce qu'il semblait à la fois vieux et jeune; un de ces hommes qui sont pleins d'années et de force, qui ont des cheveux blancs sur le front et un éclair dans le regard; quarante ans pour la vigueur et quatre-vingts ans pour l'autorité. Au moment où il était monté sur la corvette, son manteau de mer s'était entr'ouvert, et l'on avait pu le voir vêtu, sous ce manteau, de larges braies dites *bragou-bras*, de bottes-jambières, et d'une veste en peau de chèvre montrant en dessus le cuir passementé de soie, et en dessous le poil hérissé et sauvage, costume complet du paysan breton. Ces anciennes vestes bretonnes étaient à deux fins, servaient aux jours de fête comme aux jours de travail, et se retournaient, offrant à volonté le côté velu ou le côté brodé; peaux de bête toute la semaine, habits de gala le dimanche. Le vêtement de paysan que portait ce vieillard était, comme pour ajouter à une vraisemblance cherchée et voulue, usé aux genoux et aux coudes, et paraissait avoir été longtemps porté, et le manteau de mer, de grosse étoffe, ressemblait à un haillon de pêcheur. Ce vieillard avait sur la tête le chapeau rond du temps, à haute forme et à large bord, qui, rabattu, a l'aspect campagnard, et, relevé d'un côté par une ganse à cocarde, a l'aspect militaire. Il portait ce chapeau rabaissé à la paysanne, sans ganse ni cocarde.

Lord Balcarras, gouverneur de l'île, et le prince de la Tour-d'Auvergne, l'avaient en personne conduit et installé à bord. L'agent secret des princes, Gélambre, ancien garde du corps de M. le comte d'Artois, avait lui-même veillé à l'aménagement de sa cabine, poussant le soin et le respect, quoique fort bon gentilhomme, jusqu'à porter derrière ce vieillard sa valise. En le quittant pour retourner à terre, M. de

Gélambre avait fait à ce paysan un profond salut ; lord Balcarras lui avait dit : *Bonne chance, général*, et le prince de la Tour-d'Auvergne lui avait dit : *Au revoir, mon cousin.*

« Le paysan », c'était en effet le nom sous lequel les gens de l'équipage s'étaient mis tout de suite à désigner leur passager, dans les courts dialogues que les hommes de mer ont entre eux ; mais, sans en savoir plus long, ils comprenaient que ce paysan n'était pas plus un paysan que la corvette de guerre n'était une corvette de charge.

Il y avait peu de vent. *La Claymore* quitta Bonnenuit, passa devant Boulay-Bay, et fut quelque temps en vue, courant des bordées ; puis elle décrut dans la nuit croissante, et s'effaça.

Une heure après, Gélambre, rentré chez lui à Saint-Hélier, expédia, par l'exprès de Southampton, à M. le comte d'Artois, au quartier général du duc d'York, les trois lignes qui suivent :

« Monseigneur, le départ vient d'avoir lieu. Succès certain. Dans huit jours toute la côte sera en feu, de Granville à Saint-Malo. »

Quatre jours auparavant, par émissaire secret, le représentant Prieur, de la Marne, en mission près de l'armée des côtes de Cherbourg, et momentanément en résidence à Granville, avait reçu, écrit de la même écriture que la dépêche précédente, le message qu'on va lire :

« Citoyen représentant, le 1er juin, à l'heure de la marée, la corvette de guerre *la Claymore*, à batterie masquée, appareillera pour déposer sur la côte de France un homme dont voici le signalement : haute taille, vieux, cheveux blancs, habits de paysan, mains d'aristocrate. Je vous enverrai demain plus de détails. Il débarquera le 2 au matin. Avertissez la croisière, capturez la corvette, faites guillotiner l'homme. »

II

NUIT SUR LE NAVIRE ET SUR LE PASSAGER

La corvette, au lieu de prendre par le sud et de se diriger vers Sainte-Catherine, avait mis le cap au nord, puis avait tourné à l'ouest et s'était résolument engagée entre Serk et Jersey dans le bras de mer qu'on appelle le Passage de la Déroute. Il n'y avait alors de phare sur aucun point de ces deux côtes.

Le soleil s'était bien couché ; la nuit était noire, plus que ne le sont d'ordinaire les nuits d'été ; c'était une nuit de lune, mais de vastes nuages, plutôt de l'équinoxe que du solstice, plafonnaient le ciel, et, selon toute apparence, la lune ne serait visible que lorsqu'elle toucherait l'horizon, au moment de son coucher. Quelques nuées pendaient jusque sur la mer et la couvraient de brume.

Toute cette obscurité était favorable.

L'intention du pilote Gacquoil était de laisser Jersey à gauche et Guernesey à droite, et de gagner, par une marche hardie entre les Hanois et les Douvres, une baie quelconque du littoral de Saint-Malo, route moins courte que par les Minquiers, mais plus sûre, la croisière française ayant pour consigne habituelle de faire surtout le guet entre Saint-Hélier et Granville.

Si le vent s'y prêtait, si rien ne survenait, et en couvrant la corvette de toile, Gacquoil espérait toucher la côte de France au point du jour.

Tout allait bien ; la corvette venait de dépasser Gros-Nez ; vers neuf heures, le temps fit mine de bouder, comme disent les marins, et il y eut du vent et de la mer ; mais ce vent était bon, et cette mer était forte sans être violente. Pourtant, à de certains coups de lame, l'avant de la corvette embarquait.

Le « paysan » que lord Balcarras avait appelé *général*, et auquel le prince de la Tour-d'Auvergne avait dit : *Mon cousin*, avait le pied marin et se promenait avec une gravité tranquille sur le pont de la corvette. Il n'avait pas l'air de s'apercevoir qu'elle était fort secouée. De temps en temps il tirait de la poche de sa veste une tablette de chocolat dont il cassait et mâchait un morceau; ses cheveux blancs n'empêchaient pas qu'il eût toutes ses dents.

Il ne parlait à personne, si ce n'est, par instants, bas et brièvement, au capitaine, qui l'écoutait avec déférence et semblait considérer ce passager comme plus commandant que lui-même.

La Claymore, habilement pilotée, côtoya, inaperçue dans le brouillard, le long escarpement nord de Jersey, serrant de près la côte, à cause du redoutable écueil Pierres-de-Leeq qui est au milieu du bras de mer entre Jersey et Serk. Gacquoil, debout à la barre, signalant tour à tour la Grève de Leeq, Gros-Nez, Plémont, faisait glisser la corvette parmi ces chaînes de récifs, en quelque sorte à tâtons, mais avec certitude, comme un homme qui est de la maison et qui connaît les êtres de l'Océan. La corvette n'avait pas de feu à l'avant, de crainte de dénoncer son passage dans ces mers surveillées. On se félicitait du brouillard. On atteignit la Grande-Étaque ; la brume était si épaisse qu'à peine distinguait-on la haute silhouette du Pinacle. On entendit dix heures sonner au clocher de Saint-Ouen, signe que le vent se maintenait vent arrière. Tout continuait d'aller bien; la mer devenait plus houleuse à cause du voisinage de la Corbière.

Un peu après dix heures, le comte du Boisberthelot et le chevalier de La Vieuville reconduisirent l'homme aux habits de paysan jusqu'à sa cabine qui était la propre chambre du capitaine. Au moment d'y entrer, il leur dit en baissant la voix :

— Vous le savez, messieurs, le secret importe. Silence jusqu'au moment de l'explosion. Vous seuls connaissez ici mon nom.

— Nous l'emporterons au tombeau, répondit Boisberthelot.

— Quant à moi, repartit le vieillard, fussé-je devant la mort, je ne le dirais pas.

Et il entra dans sa chambre.

III

NOBLESSE ET ROTURE MÊLÉES

Le commandant et le second remontèrent sur le pont et se mirent à marcher côte à côte en causant. Ils parlaient évidemment de leur passager, et voici à peu près le dialogue que le vent dispersait dans les ténèbres.

Boisberthelot grommela à mi-voix à l'oreille de La Vieuville :

— Nous allons voir si c'est un chef.

La Vieuville répondit :

— En attendant, c'est un prince.

— Presque.

— Gentilhomme en France, mais prince en Bretagne.

— Comme les La Trémoille, comme les Rohan.

— Dont il est l'allié.

Boisberthelot reprit :

— En France et dans les carrosses du roi, il est marquis comme je suis comte et comme vous êtes chevalier.

— Ils sont loin les carrosses ! s'écria La Vieuville. Nous en sommes au tombereau.

Il y eut un silence.

Boisberthelot repartit :

— A défaut d'un prince français, on prend un prince breton.

— Faute de grives... — Non, faute d'un aigle, on prend un corbeau.

— J'aimerais mieux un vautour, dit Boisberthelot.

Et La Vieuville répliqua :

— Certes ! un bec et des griffes.

— Nous allons voir.

— Oui, reprit La Vieuville, il est temps qu'il y ait

un chef. Je suis de l'avis de Tinténiac : *un chef, et de la poudre!* Tenez, commandant, je connais à peu près tous les chefs possibles et impossibles; ceux d'hier, ceux d'aujourd'hui et ceux de demain; pas un n'est la caboche de guerre qu'il nous faut. Dans cette diable de Vendée, il faut un général qui soit en même temps un procureur; il faut ennuyer l'ennemi, lui disputer le moulin, le buisson, le fossé, le caillou, lui faire de mauvaises querelles, tirer parti de tout, veiller à tout, massacrer beaucoup, faire des exemples, n'avoir ni sommeil ni pitié. A cette heure, dans cette armée de paysans, il y a des héros, il n'y a pas de capitaines. D'Elbée est nul, Lescure est malade, Bonchamps fait grâce; il est bon, c'est bête; La Rochejaquelein est un magnifique sous-lieutenant; Silz est un officier de rase campagne, impropre à la guerre d'expédients. Cathelineau est un charretier naïf, Stofflet est un garde-chasse rusé, Bérard est inepte, Boulainvilliers est ridicule, Charette est horrible. Et je ne parle pas du barbier Gaston. Car, mordemonbleu! à quoi bon chamailler la révolution et quelle différence y a-t-il entre les républicains et nous si nous faisons commander les gentilshommes par les perruquiers?

— C'est que cette chienne de révolution nous gagne, nous aussi.

— Une gale qu'a la France!

— Gale du tiers état, reprit Boisberthelot. L'Angleterre seule peut nous tirer de là.

— Elle nous en tirera, n'en doutez pas, capitaine.

— En attendant, c'est laid.

— Certes, des manants partout; la monarchie qui a pour général en chef Stofflet, garde-chasse de M. de Maulevrier, n'a rien à envier à la république qui a pour ministre Pache, fils du portier du duc de Castries. Quel vis-à-vis que cette guerre de la Vendée : d'un côté Santerre le brasseur, de l'autre Gaston le merlan[1]!

1. Merlan : perruquier.

— Mon cher La Vieuville, je fais un certain cas de ce Gaston. Il n'a point mal agi dans son commandement de Guéménée. Il a gentiment arquebusé trois cents bleus après leur avoir fait creuser leur fosse par eux-mêmes.

— A la bonne heure ; mais je l'eusse fait tout aussi bien que lui.

— Pardieu, sans doute. Et moi aussi.

— Les grands actes de guerre, reprit La Vieuville, veulent de la noblesse dans qui les accomplit. Ce sont choses de chevaliers et non de perruquiers.

— Il y a pourtant dans ce tiers état, répliqua Boisberthelot, des hommes estimables. Tenez, par exemple, cet horloger Joly. Il avait été sergent au régiment de Flandre ; il se fait chef vendéen ; il commande une bande de la côte ; il a un fils, qui est républicain, et, pendant que le père sert dans les blancs, le fils sert dans les bleus. Rencontre. Bataille. Le père fait prisonnier son fils, et lui brûle la cervelle.

— Celui-là est bien, dit La Vieuville.

— Un Brutus royaliste, reprit Boisberthelot.

— Cela n'empêche pas qu'il est insupportable d'être commandé par un Coquereau, un Jean-Jean, un Moulins, un Focart, un Bouju, un Chouppes !

— Mon cher chevalier, la colère est la même de l'autre côté. Nous sommes pleins de bourgeois ; ils sont pleins de nobles. Croyez-vous que les sans-culottes soient contents d'être commandés par le comte de Canclaux, le vicomte de Miranda, le vicomte de Beauharnais, le comte de Valence, le marquis de Custine et le duc de Biron !

— Quel gâchis !

— Et le duc de Chartres !

— Fils d'Égalité. Ah çà, quand sera-t-il roi, celui-là ?

— Jamais.

— Il monte au trône. Il est servi par ses crimes.

— Et desservi par ses vices, dit Boisberthelot.

Il y eut encore un silence, et Boisberthelot poursuivit :

— Il avait pourtant voulu se réconcilier. Il était venu voir le roi. J'étais là, à Versailles, quand on lui a craché dans le dos.

— Du haut du grand escalier?

— Oui.

— On a bien fait.

— Nous l'appelions Bourbon le Bourbeux.

— Il est chauve, il a des pustules, il est régicide, pouah!

Et La Vieuville ajouta :

— Moi, j'étais à Ouessant avec lui.

— Sur *le Saint-Esprit*?

— Oui.

— S'il eût obéi au signal de tenir le vent que lui faisait l'amiral d'Orvilliers, il empêchait les Anglais de passer.

— Certes.

— Est-il vrai qu'il se soit caché à fond de cale?

— Non. Mais il faut le dire tout de même.

Et La Vieuville éclata de rire.

Boisberthelot repartit :

— Il y a des imbéciles. Tenez, ce Boulainvilliers dont vous parliez, La Vieuville, je l'ai connu, je l'ai vu de près. Au commencement, les paysans étaient armés de piques; ne s'était-il pas fourré dans la tête d'en faire des piquiers? Il voulait leur apprendre l'exercice de la pique-en-biais et de la pique-traînante-le-fer-devant. Il avait rêvé de transformer ces sauvages en soldats de ligne. Il prétendait leur enseigner à émousser les angles d'un carré et à faire des bataillons à centre vide. Il leur baragouinait la vieille langue militaire; pour dire un chef d'escouade, il disait un *cap d'escade*, ce qui était l'appellation des caporaux sous Louis XIV. Il s'obstinait à créer un régiment avec tous ces braconniers; il avait des compagnies régulières dont les sergents se rangeaient en rond tous les soirs, recevant le mot et le contre-mot du sergent de la colonelle qui les disait tout bas au sergent de la lieutenance, lequel les disait à son voisin qui les transmettait au plus proche, et ainsi d'oreille en oreille jusqu'au dernier. Il cassa un officier qui ne s'était pas levé tête nue pour recevoir le mot d'ordre de la bouche du sergent. Vous jugez comme cela a réussi. Ce butor ne comprenait pas que les paysans veulent être menés à la paysanne, et qu'on ne fait pas des hommes de caserne avec des hommes des bois. Oui, j'ai connu ce Boulainvilliers-là.

Ils firent quelques pas, chacun songeant de son côté.

Puis la causerie continua :

— A propos, se confirme-t-il que Dampierre soit tué ?

— Oui, commandant.

— Devant Condé ?

— Au camp de Pamars; d'un boulet de canon.

Boisberthelot soupira.

— Le comte de Dampierre. Encore un des nôtres qui était des leurs !

— Bon voyage ! dit La Vieuville.

— Et Mesdames ? où sont-elles ?

— A Trieste.

— Toujours ?

— Toujours.

Et La Vieuville s'écria :

— Ah ! cette république ! Que de dégâts pour peu de chose ! Quand on pense que cette révolution est venue pour un déficit de quelques millions !

— Se défier des petits points de départ, dit Boisberthelot.

— Tout va mal, reprit La Vieuville.

— Oui, La Rouarie est mort, Du Dresnay est idiot. Quels tristes meneurs que tous ces évêques, ce Coucy, l'évêque de La Rochelle, ce Beaupoil Saint-Aulaire, l'évêque de Poitiers, ce Mercy, l'évêque de Luçon, amant de madame de l'Eschasserie...

— Laquelle s'appelle Servanteau, vous savez, commandant : l'Eschasserie est un nom de terre.

— Et ce faux évêque d'Agra, qui est curé de je ne sais quoi !

— De Dol. Il s'appelle Guillot de Folleville. Il est brave, du reste, et se bat.

— Des prêtres quand il faudrait des soldats ! Des évêques qui ne sont pas des évêques ! des généraux qui ne sont pas des généraux !

La Vieuville interrompit Boisberthelot.

— Commandant, vous avez *le Moniteur* dans votre cabine ?

— Oui.

— Qu'est-ce donc qu'on joue à Paris dans ce moment-ci ?

— *Adèle et Paulin*, et *la Caverne*.

— Je voudrais voir ça.

— Vous le verrez. Nous serons à Paris dans un mois.

Boisberthelot réfléchit un moment et ajouta :

— Au plus tard. M. Windham l'a dit à milord Hood.

— Mais alors, commandant, tout ne va pas si mal ?

— Tout irait bien, parbleu, à la condition que la guerre de Bretagne fût bien conduite.

La Vieuville hocha la tête.

— Commandant, reprit-il, débarquerons-nous l'infanterie de marine ?

— Oui, si la côte est pour nous ; non, si elle est hostile. Quelquefois il faut que la guerre enfonce les portes, quelquefois il faut qu'elle se glisse. La guerre civile doit toujours avoir dans sa poche une fausse clef. On fera le possible. Ce qui importe, c'est le chef.

Et Boisberthelot, pensif, ajouta :

— La Vieuville, que penseriez-vous du chevalier de Dieuzie ?

— Du jeune ?

— Oui.

— Pour commander ?

— Oui.

— Que c'est encore un officier de plaine et de bataille rangée. La broussaille ne connaît que le paysan.

— Alors, résignez-vous au général Stofflet et au général Cathelineau.

La Vieuville rêva un moment et dit :

— Il faudrait un prince, un prince de France, un prince du sang. Un vrai prince.

— Pourquoi ? Qui dit prince...

— Dit poltron. Je le sais, commandant. Mais c'est pour l'effet sur les gros yeux bêtes des gars.

— Mon cher chevalier, les princes ne veulent pas venir.

— On s'en passera.

Boisberthelot fit ce mouvement machinal qui consiste à se presser le front avec la main, comme pour en faire sortir une idée.

Il reprit :

— Enfin, essayons de ce général-ci.

— C'est un grand gentilhomme.

— Croyez-vous qu'il suffira ?

— Pourvu qu'il soit bon ! dit La Vieuville.

— C'est-à-dire féroce, dit Boisberthelot.

Le comte et le chevalier se regardèrent.

— Monsieur du Boisberthelot, vous avez dit le mot. Féroce. Oui, c'est là ce qu'il nous faut. Ceci est la guerre sans miséricorde. L'heure est aux sanguinaires. Les régicides ont coupé la tête à Louis XVI, nous arracherons les quatre membres aux régicides. Oui, le général nécessaire est le général Inexorable. Dans l'Anjou et le haut Poitou, les chefs font les magnanimes ; on patauge dans la générosité ; rien ne va. Dans le Marais et dans le pays de Retz, les chefs sont atroces, tout marche. C'est parce que Charette est féroce qu'il tient tête à Parrein. Hyène contre hyène.

Boisberthelot n'eut pas le temps de répondre à La Vieuville : La Vieuville eut la parole brusquement coupée par un cri désespéré, et en même temps on entendit un bruit qui ne ressemblait à aucun des bruits qu'on entend. Ce cri et ces bruits venaient du dedans du navire.

Le capitaine et le lieutenant se précipitèrent vers l'entre-pont, mais ne purent y entrer. Tous les canonniers remontaient éperdus.

Une chose effrayante venait d'arriver.

IV

TORMENTUM BELLI[1]

Une des caronades de la batterie, une pièce de vingt-quatre, s'était détachée.

Ceci est le plus redoutable peut-être des événements de mer. Rien de plus terrible ne peut arriver à un navire de guerre au large et en pleine marche.

Un canon qui casse son amarre devient brusquement on ne sait quelle bête surnaturelle. C'est une machine qui se transforme en un monstre. Cette masse court sur ses roues, a des mouvements de bille de billard, penche avec le roulis, plonge avec le tangage, va, vient, s'arrête, paraît méditer, reprend sa course, traverse comme une flèche le navire d'un bout à l'autre, pirouette, se dérobe, s'évade, se cabre, heurte, ébrèche, tue, extermine. C'est un bélier qui bat à sa fantaisie une muraille. Ajoutez ceci : le bélier est de fer, la muraille est de bois. C'est l'entrée en liberté de la matière ; on dirait que cet esclave éternel se venge ; il semble que la méchanceté qui est dans ce que nous appelons les objets inertes sorte et éclate tout à coup ; cela a l'air de perdre patience et de prendre une étrange revanche obscure ; rien de plus inexorable que la colère de l'inanimé. Ce bloc forcené a les sauts de la panthère, la lourdeur de l'éléphant, l'agilité de la souris, l'opiniâtreté de la cognée, l'inattendu de la houle, les coups de coude de l'éclair, la surdité du sépulcre. Il pèse dix mille, et il ricoche comme une balle d'enfant. Ce sont des tournoiements

1. *Tormentum belli* : machine de guerre.

brusquement coupés d'angles droits. Et que faire ? Comment en venir à bout ? Une tempête cesse, un cyclone passe, un vent tombe, un mât brisé se remplace, une voie d'eau se bouche, un incendie s'éteint ; mais que devenir avec cette énorme brute de bronze ? De quelle façon s'y prendre ? Vous pouvez raisonner un dogue, étonner un taureau, fasciner un boa, effrayer un tigre, attendrir un lion ; aucune ressource avec ce monstre, un canon lâché. Vous ne pouvez pas le tuer, il est mort ; et en même temps, il vit. Il vit d'une vie sinistre qui lui vient de l'infini. Il a sous lui son plancher qui le balance. Il est remué par le navire, qui est remué par la mer, qui est remuée par le vent. Cet exterminateur est un jouet. Le navire, les flots, les souffles, tout cela le tient ; de là sa vie affreuse. Que faire à cet engrenage ? Comment entraver ce mécanisme monstrueux du naufrage ? Comment prévoir ces allées et venues, ces retours, ces arrêts, ces chocs ? Chacun de ces coups au bordage peut défoncer le navire. Comment deviner ces affreux méandres ? On a affaire à un projectile qui se ravise, qui a l'air d'avoir des idées, et qui change à chaque instant de direction. Comment arrêter ce qu'il faut éviter ? L'horrible canon se démène, avance, recule, frappe à droite, frappe à gauche, fuit, passe, déconcerte l'attente, broie l'obstacle, écrase les hommes comme des mouches. Toute la terreur de la situation est dans la mobilité du plancher. Comment combattre un plan incliné qui a des caprices ? Le navire a, pour ainsi dire, dans le ventre la foudre prisonnière qui cherche à s'échapper ; quelque chose comme un tonnerre roulant sur un tremblement de terre.

En un instant tout l'équipage fut sur pied. La faute était au chef de pièce qui avait négligé de serrer l'écrou de la chaîne d'amarrage et mal entravé les quatre roues de la caronade ; ce qui donnait du jeu à la semelle et au châssis, désaccordait les deux plateaux, et avait fini par disloquer la brague. Le combleau s'était cassé, de sorte que le canon n'était plus ferme à l'affût. La brague fixe, qui empêche le recul, n'était pas encore en usage à cette époque. Un paquet de mer étant venu frapper le sabord, la caronade mal amarrée avait reculé et brisé sa chaîne, et s'était mise à errer formidablement dans l'entre-pont.

Qu'on se figure, pour avoir une idée de ce glissement étrange, une goutte d'eau courant sur une vitre.

Au moment où l'amarre cassa, les canonniers étaient dans la batterie. Les uns groupés, les autres épars, occupés aux ouvrages de mer que font les marins en prévoyance d'un branle-bas de combat. La caronade, lancée par le tangage, fit une trouée dans ce tas d'hommes et en écrasa quatre du premier coup, puis, reprise et décochée par le roulis, elle coupa en deux un cinquième misérable, et alla heurter à la muraille de bâbord une pièce de la batterie qu'elle démonta. De là le cri de détresse qu'on venait d'entendre. Tous les hommes se pressèrent à l'escalier-échelle. La batterie se vida en un clin d'œil.

L'énorme pièce avait été laissée seule. Elle était livrée à elle-même. Elle était sa maîtresse, et la maîtresse du navire. Elle pouvait en faire ce qu'elle voulait. Tout cet équipage accoutumé à rire dans la bataille tremblait. Dire l'épouvante est impossible.

Le capitaine Boisberthelot et le lieutenant La Vieuville, deux intrépides pourtant, s'étaient arrêtés au haut de l'escalier, et, muets, pâles, hésitants, regardaient dans l'entre-pont. Quelqu'un les écarta du coude et descendit.

C'était leur passager, le paysan, l'homme dont ils venaient de parler le moment d'auparavant.

Arrivé au bas de l'escalier-échelle, il s'arrêta.

V

VIS ET VIR[1]

Le canon allait et venait dans l'entre-pont. On eût dit le chariot vivant de l'Apocalypse. Le falot de marine, oscillant sous l'étrave de la batterie, ajoutait à cette vision un vertigineux balancement d'ombre et de lumière. La forme du canon s'effaçait dans la violence de sa course, et il apparaissait, tantôt noir dans la clarté, tantôt reflétant de vagues blancheurs dans l'obscurité.

Il continuait l'exécution du navire. Il avait déjà fracassé quatre autres pièces et fait dans la muraille deux crevasses heureusement au-dessus de la flottaison, mais par où l'eau entrerait, s'il survenait une bourrasque. Il se ruait frénétiquement sur la membrure; les porques très robustes résistaient, les bois courbes ont une solidité particulière; mais on entendait leurs craquements sous cette massue démesurée, frappant, avec une sorte d'ubiquité inouïe, de tous les côtés à la fois. Un grain de plomb secoué dans une bouteille n'a pas des percussions plus insensées et plus rapides. Les quatre roues passaient et repassaient sur les hommes tués, les coupaient, les dépeçaient et les déchiquetaient, et des cinq cadavres avaient fait vingt tronçons qui roulaient à travers la batterie; les têtes mortes semblaient crier; des ruisseaux de sang se tordaient sur le plancher selon les balancements du roulis. Le vaigrage, avarié en plusieurs endroits, commençait à s'entr'ouvrir. Tout le navire était plein d'un bruit monstrueux.

Le capitaine avait promptement repris son sang-froid, et sur son ordre on avait jeté par le carré, dans l'entre-pont, tout ce qui pouvait amortir et entraver la course effrénée du canon, les matelas, les hamacs, les

1. *Vis et vir* : la violence et l'homme.

rechanges de voiles, les rouleaux de cordages, les sacs d'équipage, et les ballots de faux assignats dont la corvette avait tout un chargement, cette infamie anglaise étant regardée comme de bonne guerre.

Mais que pouvaient faire ces chiffons ? Personne n'osant descendre pour les disposer comme il eût fallu, en quelques minutes ce fut de la charpie.

Il y avait juste assez de mer pour que l'accident fût aussi complet que possible. Une tempête eût été désirable ; elle eût peut-être culbuté le canon, et, une fois les quatre roues en l'air, on eût pu s'en rendre maître. Cependant le ravage s'aggravait. Il y avait des écorchures et même des fractures aux mâts, qui, emboîtés dans la charpente de la quille, traversent les étages des navires et y font comme de gros piliers ronds. Sous les frappements convulsifs du canon, le mât de misaine s'était lézardé, le grand mât lui-même était entamé. La batterie se disloquait. Dix pièces sur trente étaient hors de combat ; les brèches au bordage se multipliaient et la corvette commençait à faire eau.

Le vieux passager descendu dans l'entre-pont semblait un homme de pierre au bas de l'escalier. Il jetait sur cette dévastation un œil sévère. Il ne bougeait point. Il paraissait impossible de faire un pas dans la batterie.

Chaque mouvement de la caronade en liberté ébauchait l'effondrement du navire. Encore quelques instants, et le naufrage était inévitable.

Il fallait périr ou couper court au désastre ; prendre un parti, mais lequel ?

Quelle combattante que cette caronade !

Il s'agissait d'arrêter cette épouvantable folle.

Il s'agissait de colleter cet éclair.

Il s'agissait de terrasser cette foudre.

Boisberthelot dit à La Vieuville :

— Croyez-vous en Dieu, chevalier ?

La Vieuville répondit :

— Oui. Non. Quelquefois.

— Dans la tempête ?

— Oui. Et dans des moments comme celui-ci.

— Il n'y a en effet que Dieu qui puisse nous tirer de là, dit Boisberthelot.

Tous se taisaient, laissant la caronade faire son fracas horrible.

Du dehors, le flot battant le navire répondait aux chocs du canon par des coups de mer. On eût dit deux marteaux alternant.

Tout à coup, dans cette espèce de cirque inabordable où bondissait le canon échappé, on vit un homme apparaître, une barre de fer à la main. C'était l'auteur de la catastrophe, le chef de pièce coupable de négligence et cause de l'accident, le maître de la caronade. Ayant fait le mal, il voulait le réparer. Il avait empoigné une barre d'anspect d'une main, une drosse à nœud coulant de l'autre main, et il avait sauté par le carré dans l'entre-pont.

Alors une chose farouche commença; spectacle titanique; le combat du canon contre le canonnier; la bataille de la matière et de l'intelligence, le duel de la chose contre l'homme.

L'homme s'était posté dans un angle, et, sa barre et sa corde dans ses deux poings, adossé à une porque, affermi sur ses jarrets qui semblaient deux piliers d'acier, livide, calme, tragique, comme enraciné dans le plancher, il attendait.

Il attendait que le canon passât près de lui.

Le canonnier connaissait sa pièce, et il lui semblait qu'elle devait le connaître. Il vivait depuis longtemps avec elle. Que de fois il lui avait fourré la main dans la gueule! C'était son monstre familier. Il se mit à lui parler comme à son chien.

— Viens, disait-il.

Il l'aimait peut-être.

Il paraissait souhaiter qu'elle vînt à lui.

Mais venir à lui, c'était venir sur lui. Et alors il était perdu. Comment éviter l'écrasement? Là était la question. Tous regardaient, terrifiés.

Pas une poitrine ne respirait librement, excepté peut-être celle du vieillard qui était seul dans l'entre-pont avec les deux combattants, témoin sinistre.

Il pouvait lui-même être broyé par la pièce. Il ne bougeait pas.

Sous eux le flot, aveugle, dirigeait le combat.

Au moment où, acceptant ce corps-à-corps effroyable, le canonnier vint provoquer le canon, un hasard des balancements de la mer fit que la caronade demeura un moment immobile et comme stupéfaite. « Viens donc ! » lui disait l'homme. Elle semblait écouter.

Subitement elle sauta sur lui. L'homme esquiva le choc.

La lutte s'engagea. Lutte inouïe. Le fragile se colletant avec l'invulnérable. Le belluaire de chair attaquant la bête d'airain. D'un côté une force, de l'autre une âme.

Tout cela se passait dans une pénombre. C'était comme la vision indistincte d'un prodige.

Une âme ; chose étrange, on eût dit que le canon en avait une, lui aussi ; mais une âme de haine et de rage. Cette cécité paraissait avoir des yeux. Le monstre avait l'air de guetter l'homme. Il y avait, on l'eût pu croire du moins, de la ruse dans cette masse. Elle aussi choisissait son moment. C'était on ne sait quel gigantesque insecte de fer ayant ou semblant avoir une volonté de démon. Par moments, cette sauterelle colossale cognait le plafond bas de la batterie, puis elle retombait sur ses quatre roues comme un tigre sur ses quatre griffes, et se remettait à courir sur l'homme. Lui, souple, agile, adroit, se tordait comme une couleuvre sous tous ces mouvements de foudre. Il évitait les rencontres, mais les coups auxquels il se dérobait tombaient sur le navire et continuaient de le démolir.

Un bout de chaîne cassée était resté accroché à la caronade. Cette chaîne s'était enroulée on ne sait comment dans la vis du bouton de culasse. Une extrémité de la chaîne était fixée à l'affût. L'autre, libre, tournoyait éperdument autour du canon dont elle exagérait tous les soubresauts. La vis la tenait comme une main fermée, et cette chaîne, multipliant les coups de bélier par des coups de lanière, faisait autour du canon un tourbillon terrible, fouet de fer dans un poing d'airain. Cette chaîne compliquait le combat.

Pourtant l'homme luttait. Même, par instants, c'était l'homme qui attaquait le canon ; il rampait le long du bordage, sa barre et sa corde à la main ; et le canon avait l'air de comprendre, et, comme s'il devinait un piège, fuyait. L'homme, formidable, le poursuivait.

De telles choses ne peuvent durer longtemps. Le canon sembla se dire tout à coup : Allons ! il faut en finir ! et il s'arrêta. On sentit l'approche du dénoûment. Le canon, comme en suspens, semblait avoir ou avait, car pour tous c'était un être, une préméditation féroce. Brusquement, il se précipita sur le canonnier. Le canonnier se rangea de côté, le laissa passer, et lui cria en riant : « A refaire ! » Le canon, comme furieux, brisa une caronade à bâbord ; puis ressaisi par la fronde invisible qui le tenait, il s'élança à tribord sur l'homme, qui échappa. Trois caronades s'effondrèrent sous la poussée du canon ; alors, comme aveugle et ne sachant plus ce qu'il faisait, il tourna le dos à l'homme, roula de l'arrière à l'avant, détraqua l'étrave et alla faire une brèche à la muraille de proue. L'homme s'était réfugié au pied de l'escalier, à quelques pas du vieillard témoin. Le canonnier tenait sa barre d'anspect en arrêt. Le canon parut l'apercevoir, et, sans prendre la peine de se retourner, recula sur l'homme avec une promptitude de coup de hache. L'homme acculé au bordage était perdu. Tout l'équipage poussa un cri.

Mais le vieux passager jusqu'alors immobile s'était élancé lui-même plus rapide que toutes ces rapidités farouches. Il avait saisi un ballot de faux assignats, et, au risque d'être écrasé, il avait réussi à le jeter entre les roues de la caronade. Ce mouvement décisif et périlleux n'eût pas été exécuté avec plus de justesse et de précision par un homme rompu à tous les exercices décrits dans le livre de Durosel sur la *Manœuvre du canon de mer*.

Le ballot fit l'effet d'un tampon. Un caillou enraye un bloc, une branche d'arbre détourne une avalanche. La caronade trébucha. Le canonnier à son tour, saisissant ce joint redoutable, plongea sa barre de fer entre les rayons d'une des roues d'arrière. Le canon s'arrêta.

Il penchait. L'homme, d'un mouvement de levier imprimé à la barre, le fit basculer. La lourde masse se renversa, avec le bruit d'une cloche qui s'écroule, et l'homme se ruant à corps perdu, ruisselant de sueur, passa le nœud coulant de la drosse au cou de bronze du monstre terrassé.

C'était fini. L'homme avait vaincu. La fourmi avait eu raison du mastodonte ; le pygmée avait fait le tonnerre prisonnier.

Les soldats et les marins battirent des mains.

Tout l'équipage se précipita avec des câbles et des chaînes, et en un instant le canon fut amarré.

Le canonnier salua le passager.

— Monsieur, lui dit-il, vous m'avez sauvé la vie.

Le vieillard avait repris son attitude impassible, et ne répondit pas.

VI

LES DEUX PLATEAUX DE LA BALANCE

L'homme avait vaincu, mais on pouvait dire que le canon avait vaincu aussi. Le naufrage immédiat était évité, mais la corvette n'était point sauvée. Le délabrement du navire paraissait irrémédiable. Le bordage avait cinq brèches, dont une fort grande à l'avant ; vingt caronades sur trente gisaient dans leur cadre. La caronade ressaisie et remise à la chaîne était elle-même hors de service ; la vis du bouton de culasse était forcée, et par conséquent le pointage impossible. La batterie était réduite à neuf pièces. La cale faisait eau. Il fallait tout de suite courir aux avaries et faire jouer les pompes.

L'entre-pont, maintenant qu'on le pouvait regarder, était effroyable à voir. Le dedans d'une cage d'éléphant furieux n'est pas plus démantelé.

Quelle que fût pour la corvette la nécessité de ne pas être aperçue, il y avait une nécessité plus impérieuse encore, le sauvetage immédiat. Il avait fallu éclairer le pont par quelques falots plantés çà et là dans le bordage.

Cependant, tout le temps qu'avait duré cette diversion tragique, l'équipage étant absorbé par une question de vie ou de mort, on n'avait guère su ce qui se passait hors de la corvette. Le brouillard s'était épaissi ; le temps avait changé ; le vent avait fait du navire ce qu'il avait voulu, on était hors de route, à découvert de Jersey et de Guernesey, plus au sud qu'on ne devait l'être ; on se trouvait en présence d'une mer démontée. De grosses vagues venaient baiser les plaies béantes de la corvette, baisers redoutables. Le bercement de la mer était menaçant. La brise devenait bise. Une bourrasque, une tempête peut-être, se dessinait. On ne voyait pas à quatre lames devant soi.

Pendant que les hommes d'équipage réparaient en hâte et sommairement les ravages de l'entre-pont, aveuglaient les voies d'eau et remettaient en batterie les pièces échappées au désastre, le vieux passager était remonté sur le pont.

Il s'était adossé au grand mât.

Il n'avait point pris garde à un mouvement qui avait eu lieu dans le navire. Le chevalier de La Vieuville avait fait mettre en bataille des deux côtés du grand mât les soldats d'infanterie de marine, et, sur un coup de sifflet du maître d'équipage, les matelots occupés à la manœuvre s'étaient rangés debout sur les vergues.

Le comte du Boisberthelot s'avança vers le passager.

Derrière le capitaine marchait un homme hagard, haletant, les habits en désordre, l'air satisfait pourtant.

C'était le canonnier qui venait de se montrer si à propos dompteur de monstres, et qui avait eu raison du canon.

Le comte fit au vieillard vêtu en paysan le salut militaire, et lui dit :

— Mon général, voilà l'homme.

Le canonnier se tenait debout, les yeux baissés, dans l'attitude d'ordonnance.

Le comte du Boisberthelot reprit :

— Mon général, en présence de ce qu'a fait cet homme, ne pensez-vous pas qu'il y a pour ses chefs quelque chose à faire ?

— Je le pense, dit le vieillard.

— Veuillez donner des ordres, repartit Boisberthelot.

— C'est à vous de les donner. Vous êtes le capitaine.

— Mais vous êtes le général, reprit Boisberthelot.

Le vieillard regarda le canonnier.

— Approche, dit-il.

Le canonnier fit un pas.

Le vieillard se tourna vers le comte du Boisberthelot, détacha la croix de Saint-Louis du capitaine, et la noua à la vareuse du canonnier.

— Hurrah ! crièrent les matelots.

Les soldats de marine présentèrent les armes.

Et le vieux passager, montrant du doigt le canonnier ébloui, ajouta :

— Maintenant, qu'on fusille cet homme.

La stupeur succéda à l'acclamation.

Alors, au milieu d'un silence de tombe, le vieillard éleva la voix. Il dit :

— Une négligence a compromis ce navire. A cette heure il est peut-être perdu. Être en mer, c'est être devant l'ennemi. Un navire qui fait une traversée est une armée qui livre une bataille. La tempête se cache, mais ne s'absente pas. Toute la mer est une embuscade. Peine de mort à toute faute commise en présence de l'ennemi. Il n'y a pas de faute réparable. Le courage doit être récompensé, et la négligence doit être punie.

Ces paroles tombaient l'une après l'autre, lentement, gravement, avec une sorte de mesure inexorable, comme des coups de cognée sur un chêne.

Et le vieillard, regardant les soldats, ajouta :

— Faites.

L'homme à la veste duquel brillait la croix de Saint-Louis courba la tête.

Sur un signe du comte de Boisberthelot, deux matelots descendirent dans l'entre-pont, puis revinrent apportant le hamac-suaire; l'aumônier du bord, qui depuis le départ était en prière dans le carré des officiers, accompagnait les deux matelots; un sergent détacha de la ligne de bataille douze soldats qu'il rangea sur deux rangs, six par six; le canonnier, sans dire un mot, se plaça entre les deux files. L'aumônier, le crucifix en main, s'avança et se mit près de lui. « Marche », dit le sergent. — Le peloton se dirigea à pas lents vers l'avant. Les deux matelots, portant le suaire, suivaient.

Un morne silence se fit sur la corvette. Un ouragan lointain soufflait.

Quelques instants après, une détonation éclata dans les ténèbres, une lueur passa, puis tout se tut, et l'on entendit le bruit que fait un corps en tombant dans la mer.

Le vieux passager, toujours adossé au grand mât, avait croisé les bras, et songeait.

Boisberthelot, dirigeant vers lui l'index de sa main gauche, dit bas à La Vieuville :

— La Vendée a une tête.

VII

QUI MET À LA VOILE MET À LA LOTERIE

Mais qu'allait devenir la corvette?

Les nuages, qui toute la nuit s'étaient mêlés aux vagues, avaient fini par s'abaisser tellement qu'il n'y avait plus d'horizon et que toute la mer était comme sous un manteau. Rien que le brouillard. Situation toujours périlleuse, même pour un navire bien portant.

A la brume s'ajoutait la houle.

On avait mis le temps à profit ; on avait allégé la corvette en jetant à la mer tout ce qu'on avait pu déblayer du dégât fait par la caronade, les canons démontés, les affûts brisés, les membrures tordues ou déclouées, les pièces de bois et de fer fracassées ; on avait ouvert les sabords, et l'on avait fait glisser sur des planches dans les vagues les cadavres et les débris humains enveloppés dans des prélarts.

La mer commençait à n'être plus tenable. Non que la tempête devînt précisément imminente ; il semblait au contraire qu'on entendît décroître l'ouragan qui bruissait derrière l'horizon, et la rafale s'en allait au nord ; mais les lames restaient très hautes, ce qui indiquait un mauvais fond de mer, et, malade comme était la corvette, elle était peu résistante aux secousses, et les grandes vagues pouvaient lui être funestes.

Gacquoil était à la barre, pensif.

Faire bonne mine à mauvais jeu, c'est l'habitude des commandants de mer.

La Vieuville, qui était une nature d'homme gai dans les désastres, accosta Gacquoil.

— Eh bien, pilote, dit-il, l'ouragan rate. L'envie d'éternuer n'aboutit pas. Nous nous en tirerons. Nous aurons du vent. Voilà tout.

Gacquoil, sérieux, répondit :

— Qui a du vent a du flot.

Ni riant, ni triste, tel est le marin. La réponse avait un sens inquiétant. Pour un navire qui fait eau, avoir du flot, c'est s'emplir vite. Gacquoil avait souligné ce pronostic d'un vague froncement de sourcil. Peut-être, après la catastrophe du canon et du canonnier, La Vieuville avait-il dit, un peu trop tôt, des paroles presque joviales et légères. Il y a des choses qui portent malheur quand on est au large. La mer est secrète ; on ne sait jamais ce qu'elle a. Il faut prendre garde.

La Vieuville sentit le besoin de redevenir grave.

— Où sommes-nous, pilote ? demanda-t-il.

Le pilote répondit :

— Nous sommes dans la volonté de Dieu.

Un pilote est un maître ; il faut toujours le laisser faire et il faut souvent le laisser dire.

D'ailleurs cette espèce d'homme parle peu. La Vieuville s'éloigna.

La Vieuville avait fait une question au pilote, ce fut l'horizon qui répondit.

La mer se découvrit tout à coup.

Les brumes qui traînaient sur les vagues se déchirèrent, tout l'obscur bouleversement des flots s'étala à perte de vue dans un demi-jour crépusculaire, et voici ce qu'on vit.

Le ciel avait comme un couvercle de nuages ; mais les nuages ne touchaient plus la mer ; à l'est apparaissait une blancheur qui était le lever du jour, à l'ouest blêmissait une autre blancheur qui était le coucher de la lune. Ces deux blancheurs faisaient sur l'horizon, vis-à-vis l'une de l'autre, deux bandes étroites de lueur pâle entre la mer sombre et le ciel ténébreux.

Sur ces deux clartés se dessinaient, droites et immobiles, des silhouettes noires.

Au couchant, sur le ciel éclairé par la lune, se découpaient trois hautes roches, debout comme des peulvens celtiques.

Au levant, sur l'horizon pâle du matin, se dressaient huit voiles rangées en ordre et espacées d'une façon redoutable.

Les trois roches étaient un écueil ; les huit voiles étaient une escadre.

On avait derrière soi les Minquiers, un rocher qui avait mauvaise réputation, devant soi la croisière française. A l'ouest l'abîme, à l'est le carnage ; on était entre un naufrage et un combat.

Pour faire face à l'écueil, la corvette avait une coque trouée, un gréement disloqué, une mâture ébranlée dans sa racine ; pour faire face à la bataille, elle avait une artillerie dont vingt et un canons sur trente étaient démontés, et dont les meilleurs canonniers étaient morts.

Le point du jour était très faible, et l'on avait un peu de nuit dcvant soi. Cette nuit pouvait même durer encore assez longtemps, étant surtout faite par les nuages, qui étaient hauts, épais et profonds, et avaient l'aspect solide d'une voûte.

Le vent qui avait fini par emporter les brumes d'en bas drossait la corvette sur les Minquiers.

Dans l'excès de fatigue et de délabrement où elle était, elle n'obéissait presque plus à la barre, elle roulait plutôt qu'elle ne voguait, et, souffletée par le flot, elle se laissait faire par lui.

Les Minquiers, écueil tragique, étaient plus âpres encore en ce temps-là qu'aujourd'hui. Plusieurs tours de cette citadelle de l'abîme ont été rasées par l'incessant dépècement que fait la mer ; la configuration des écueils change ; ce n'est pas en vain que les flots s'appellent les lames ; chaque marée est un trait de scie. A cette époque, toucher les Minquiers, c'était périr.

Quant à la croisière, c'était cette escadre de Cancale, devenue depuis célèbre sous le commandement de ce capitaine Duchesne que Léquinio appelait « le père Duchêne ».

La situation était critique. La corvette avait, sans le savoir, pendant le déchaînement de la caronade, dévié et marché plutôt vers Granville que vers Saint-Malo. Quand même elle eût pu naviguer et faire voile, les Minquiers lui barraient le retour vers Jersey et la croisière lui barrait l'arrivée en France.

Du reste, de tempête point. Mais, comme l'avait dit le pilote, il y avait du flot. La mer, roulant sous un vent rude et sur un fond déchirant, était sauvage.

La mer ne dit jamais tout de suite ce qu'elle veut. Il

y a de tout dans le gouffre, même de la chicane. On pourrait presque dire que la mer a une procédure; elle avance et recule, elle propose et se dédit, elle ébauche une bourrasque et elle y renonce, elle promet l'abîme et ne le tient pas, elle menace le nord et frappe le sud. Toute la nuit, la corvette *la Claymore* avait eu le brouillard et craint la tourmente; la mer venait de se démentir, mais d'une façon farouche; elle avait esquissé la tempête et réalisé l'écueil. C'était toujours, sous une autre forme, le naufrage.

Et à la perte sur les brisants s'ajoutait l'extermination par le combat. Un ennemi complétant l'autre.

La Vieuville s'écria à travers son vaillant rire :

— Naufrage ici, bataille là. Des deux côtés nous avons le quine[1].

VIII

9 = 380

La corvette n'était presque plus qu'une épave.

Dans la blême clarté éparse, dans la noirceur des nuées, dans les mobilités confuses de l'horizon, dans les mystérieux froncements des vagues, il y avait une solennité sépulcrale. Excepté le vent soufflant d'un souffle hostile, tout se taisait. La catastrophe sortait du gouffre avec majesté. Elle ressemblait plutôt à une apparition qu'à une attaque. Rien ne bougeait dans les rochers, rien ne remuait dans les navires. C'était on ne sait quel colossal silence. Avait-on affaire à quelque chose de réel? On eût dit un rêve passant sur la mer. Les légendes ont de ces visions; la corvette était en quelque sorte entre l'écueil démon et la flotte fantôme.

Le comte du Boisberthelot donna à demi-voix des ordres à La Vieuville qui descendit dans la batterie,

1. Quine : suite de cinq numéros gagnants à la loterie.

puis le capitaine saisit sa longue-vue et vint se placer à l'arrière à côté du pilote.

Tout l'effort de Gacquoil était de maintenir la corvette debout au flot ; car, prise de côté par le vent et par la mer, elle eût inévitablement chaviré.

— Pilote, dit le capitaine, où sommes-nous ?

— Sur les Minquiers.

— De quel côté ?

— Du mauvais.

— Quel fond ?

— Roche criarde.

— Peut-on s'embosser ?

— On peut toujours mourir, dit le pilote.

Le capitaine dirigea sa lunette d'approche vers l'ouest et examina les Minquiers ; puis il la tourna vers l'est et considéra les voiles en vue.

Le pilote continua, comme se parlant à lui-même :

— C'est les Minquiers. Cela sert de reposoir à la mouette rieuse quand elle s'en va de Hollande et au grand goëland à manteau noir.

Cependant le capitaine avait compté les voiles.

Il y avait bien en effet huit navires correctement disposés et dressant sur l'eau leur profil de guerre. On apercevait au centre la haute stature d'un vaisseau à trois ponts.

Le capitaine questionna le pilote :

— Connaissez-vous ces voiles ?

— Certes ! répondit Gacquoil.

— Qu'est-ce ?

— C'est l'escadre.

— De France ?

— Du diable.

Il y eut un silence. Le capitaine reprit :

— Toute la croisière est-elle là ?

— Pas toute.

En effet, le 2 avril, Valazé avait annoncé à la Convention que dix frégates et six vaisseaux de ligne croisaient dans la Manche. Ce souvenir revint à l'esprit du capitaine.

— Au fait, dit-il, l'escadre est de seize bâtiments. Il n'y en a ici que huit.

— Le reste, dit Gacquoil, traîne par là-bas sur toute la côte, et espionne.

Le capitaine, tout en regardant à travers sa longue-vue, murmura :

— Un vaisseau à trois ponts, deux frégates de premier rang, cinq de deuxième rang.

— Mais moi aussi, grommela Gacquoil, je les ai espionnés.

— Bons bâtiments, dit le capitaine. J'ai un peu commandé tout cela.

— Moi, dit Gacquoil, je les ai vus de près. Je ne prends pas l'un pour l'autre. J'ai leur signalement dans la cervelle.

Le capitaine passa sa longue-vue au pilote.

— Pilote, distinguez-vous bien le bâtiment de haut bord?

— Oui, mon commandant, c'est le vaisseau *la Côte-d'Or*.

— Qu'ils ont débaptisé, dit le capitaine. C'était autrefois *les États-de-Bourgogne*. Un navire neuf. Cent vingt-huit canons.

Il tira de sa poche un carnet et un crayon, et écrivit sur le carnet le chiffre 128.

Il poursuivit :

— Pilote, quelle est la première voile à bâbord?

— C'est *l'Expérimentée*.

— Frégate de premier rang. Cinquante-deux canons. Elle était en armement à Brest il y a deux mois.

Le capitaine marqua sur son carnet le chiffre 52.

— Pilote, reprit-il, quelle est la deuxième voile à bâbord?

— *La Dryade*.

— Frégate de premier rang. Quarante canons de dix-huit. Elle a été dans l'Inde. Elle a une belle histoire militaire.

Et il écrivit au-dessous du chiffre 52 le chiffre 40; puis, relevant la tête :

— A tribord, maintenant.

— Mon commandant, ce sont toutes des frégates de second rang. Il y en a cinq.

— Quelle est la première à partir du vaisseau?

— *La Résolue.*

— Trente-deux pièces de dix-huit. Et la seconde?

— *La Richemont.*

— Même force. Après?

— *L'Athée*[1].

— Drôle de nom pour aller en mer. Après?

— *La Calypso.*

— Après?

— *La Preneuse.*

— Cinq frégates de trente-deux chaque.

Le capitaine écrivit au-dessous des premiers chiffres, 160.

— Pilote, dit-il, vous les reconnaissez bien?

— Et vous, répondit Gacquoil, vous les connaissez bien, mon commandant. Reconnaître est quelque chose, connaître est mieux.

Le capitaine avait l'œil fixé sur son carnet et additionnait entre ses dents.

— Cent vingt-huit, cinquante-deux, quarante, cent soixante.

En ce moment La Vieuville remontait sur le pont.

— Chevalier, lui cria le capitaine, nous sommes en présence de trois cent quatre-vingts pièces de canon.

— Soit, dit La Vieuville.

— Vous revenez de l'inspection, La Vieuville; combien décidément avons-nous de pièces en état de faire feu?

— Neuf.

— Soit, dit à son tour Boisberthelot.

Il reprit la longue-vue des mains du pilote, et regarda l'horizon.

Les huit navires silencieux et noirs semblaient immobiles, mais ils grandissaient.

1. *Archives de la marine*. État de la flotte en mars 1793 (Note de V.H.).

Ils se rapprochaient insensiblement.

La Vieuville fit le salut militaire.

— Commandant, dit La Vieuville, voici mon rapport. Je me défiais de cette corvette *Claymore*. C'est toujours ennuyeux d'être embarqué brusquement sur un navire qui ne vous connaît pas ou qui ne vous aime pas. Navire anglais, traître aux Français. La chienne de caronade l'a prouvé. J'ai fait la visite. Bonnes ancres. Ce n'est pas du fer de loupe, c'est forgé avec des barres soudées au martinet. Les cigales des ancres sont solides. Câbles excellents, faciles à débiter, ayant la longueur d'ordonnance, cent vingt brasses. Force munitions. Six canonniers morts. Cent soixante et onze coups à tirer par pièce.

— Parce qu'il n'y a plus que neuf pièces, murmura le capitaine.

Boisberthelot braqua sa longue-vue sur l'horizon. La lente approche de l'escadre continuait.

Les caronades ont un avantage, trois hommes suffisent pour les manœuvrer ; mais elles ont un inconvénient, elles portent moins loin et tirent moins juste que les canons. Il fallait donc laisser arriver l'escadre à portée de caronade.

Le capitaine donna ses ordres à voix basse. Le silence se fit dans le navire. On ne sonna point le branle-bas, mais on l'exécuta. La corvette était aussi hors de combat contre les hommes que contre les flots. On tira tout le parti possible de ce reste d'un navire de guerre. On accumula près des drosses, sur le passavant, tout ce qu'il y avait d'aussières et de grelins de rechange pour raffermir au besoin la mâture. On mit en ordre le poste des blessés. Selon la mode navale d'alors, on bastingua le pont, ce qui est une garantie contre les balles, mais non contre les boulets. On apporta les passe-balles, bien qu'il fût un peu tard pour vérifier les calibres ; mais on n'avait pas prévu tant d'incidents. Chaque matelot reçut une giberne et mit dans sa ceinture une paire de pistolets et un poignard. On plia les branles ; on pointa l'artillerie ; on prépara la mousqueterie ; on disposa les haches et les grappins ; on tint prêtes les soutes à gargousses et les soutes à boulets ; on ouvrit la soute aux poudres. Chaque homme prit son poste. Tout cela sans dire une parole et comme dans la chambre d'un mourant. Ce fut rapide et lugubre.

Puis on embossa la corvette. Elle avait six ancres comme une frégate. On les mouilla toutes les six ; l'ancre de veille à l'avant, l'ancre de toue à l'arrière, l'ancre de flot du côté du large, l'ancre de jusant du côté des brisants, l'ancre d'affourche à tribord et la maîtresse-ancre à bâbord.

Les neuf caronades qui restaient vivantes furent mises en batterie toutes les neuf d'un seul côté, du côté de l'ennemi.

L'escadre, non moins silencieuse, avait, elle aussi, complété sa manœuvre. Les huit bâtiments formaient maintenant un demi-cercle dont les Minquiers faisaient la corde. *La Claymore*, enfermée dans ce demi-cercle, et d'ailleurs garrottée par ses propres ancres, était adossée à l'écueil, c'est-à-dire au naufrage.

C'était comme une meute autour d'un sanglier, ne donnant pas de voix, mais montrant les dents.

Il semblait de part et d'autre qu'on s'attendait.

Les canonniers de *la Claymore* étaient à leurs pièces.

Boisberthelot dit à La Vieuville :

— Je tiendrais à commencer le feu.

— Plaisir de coquette, dit La Vieuville.

IX

QUELQU'UN ÉCHAPPE

Le passager n'avait pas quitté le pont, il observait tout, impassible.

Boisberthelot s'approcha de lui.

— Monsieur, lui dit-il, les préparatifs sont faits. Nous voilà maintenant cramponnés à notre tombeau, nous ne lâcherons pas prise. Nous sommes prisonniers de l'escadre ou de l'écueil. Nous rendre à l'ennemi ou sombrer dans les brisants, nous n'avons pas d'autre choix. Il nous reste une ressource, mourir. Combattre vaut mieux que naufrager. J'aime mieux être mitraillé que noyé ; en fait de mort, je préfère le feu à l'eau. Mais mourir, c'est notre affaire à nous autres, ce n'est pas la vôtre, à vous. Vous êtes l'homme choisi par les princes, vous avez une grande mission, diriger la guerre de Vendée. Vous de moins, c'est peut-être la monarchie perdue ; vous devez donc vivre. Notre honneur à nous est de rester ici, le vôtre est d'en sortir. Vous allez, mon général, quitter le navire. Je vais vous donner un homme et un canot. Gagner la côte par un détour n'est pas impossible. Il n'est pas encore jour, les lames sont hautes, la mer est obscure, vous échapperez. Il y a des cas où fuir, c'est vaincre.

Le vieillard fit, de sa tête sévère, un grave signe d'acquiescement.

Le comte du Boisberthelot éleva la voix :

— Soldats et matelots, cria-t-il.

Tous les mouvements s'arrêtèrent, et de tous les points du navire, les visages se tournèrent vers le capitaine.

Il poursuivit :

— L'homme qui est parmi nous représente le roi. Il nous est confié, nous devons le conserver. Il est nécessaire au trône de France ; à défaut d'un prince, il sera, c'est du moins notre attente, le chef de la Vendée. C'est un grand officier de guerre. Il devait aborder en France avec nous, il faut qu'il y aborde sans nous. Sauver la tête, c'est tout sauver.

— Oui ! oui ! oui ! crièrent toutes les voix de l'équipage.

Le capitaine continua :

— Il va courir, lui aussi, de sérieux dangers. Atteindre la côte n'est pas aisé. Il faudrait que le canot fût grand pour affronter la haute mer et il faut qu'il soit petit pour échapper à la croisière. Il s'agit d'aller atterrir à un point quelconque, qui soit sûr, et plutôt du côté de Fougères que du côté de Coutances. Il faut un matelot solide, bon rameur et bon nageur ; qui soit du pays et qui connaisse les passes. Il y a encore assez de nuit pour que le canot puisse s'éloigner de la corvette sans être aperçu. Et puis, il va y avoir de la fumée qui achèvera de le cacher. Sa petitesse l'aidera à se tirer des bas-fonds. Où la panthère est prise, la belette échappe. Il n'y a pas d'issue pour nous ; il y en a pour lui. Le canot s'éloignera à force de rames ; les navires ennemis ne le verront pas ; et d'ailleurs pendant ce temps-là, nous ici, nous allons les amuser. Est-ce dit ?

— Oui ! oui ! oui ! cria l'équipage.

— Il n'y a pas une minute à perdre, reprit le capitaine. Y a-t-il un homme de bonne volonté ?

Un matelot dans l'obscurité sortit des rangs et dit :

— Moi.

X

ÉCHAPPE-T-IL ?

Quelques instants après, un de ces petits canots qu'on appelle you-yous et qui sont spécialement affectés au service des capitaines s'éloignait du navire. Dans ce canot, il y avait deux hommes, le vieux passager qui était à l'arrière, et le matelot « de bonne volonté » qui était à l'avant. La nuit était encore très obscure. Le matelot, conformément aux indications du capitaine, ramait vigoureusement dans la direction des Minquiers. Aucune autre issue n'était d'ailleurs possible.

On avait jeté au fond du canot quelques provisions, un sac de biscuits, une langue de bœuf fumée et un baril d'eau.

Au moment où le you-you prit la mer, La Vieuville, goguenard devant le gouffre, se pencha par-dessus l'étambot du gouvernail de la corvette, et ricana cet adieu au canot :

— C'est bon pour s'échapper, et excellent pour se noyer.

— Monsieur, dit le pilote, ne rions plus.

L'écart se fit vite et il y eut promptement bonne distance entre la corvette et le canot. Le vent et le flot étaient d'accord avec le rameur, et la petite barque fuyait rapidement, ondulant dans le crépuscule et cachée par les grands plis des vagues.

Il y avait sur la mer on ne sait quelle sombre attente.

Tout à coup, dans ce vaste et tumultueux silence de l'océan, il s'éleva une voix qui, grossie par le porte-voix comme par le masque d'airain de la tragédie antique, semblait presque surhumaine.

C'était le capitaine Boisberthelot qui prenait la parole.

— Marins du roi, cria-t-il, clouez le pavillon blanc au grand mât. Nous allons voir se lever notre dernier soleil.

Et un coup de canon partit de la corvette.

— Vive le roi ! cria l'équipage.

Alors on entendit au fond de l'horizon un autre cri, immense, lointain, confus, distinct pourtant :

— Vive la République !

Et un bruit pareil au bruit de trois cents foudres éclata dans les profondeurs de l'océan.

La lutte commençait.

La mer se couvrit de fumée et de feu.

Les jets d'écume que font les boulets en tombant dans l'eau piquèrent les vagues de tous les côtés.

La Claymore se mit à cracher de la flamme sur les huit navires. En même temps toute l'escadre groupée en demi-lune autour de *la Claymore* faisait feu de toutes ses batteries. L'horizon s'incendia. On eût dit un volcan qui sort de la mer. Le vent tordait cette immense pourpre de la bataille où les navires apparaissaient et disparaissaient comme des spectres. Au premier plan, le squelette noir de la corvette se dessinait sur ce fond rouge.

On distinguait à la pointe du grand mât le pavillon fleurdelysé.

Les deux hommes qui étaient dans le canot se taisaient.

Le bas-fond triangulaire des Minquiers, sorte de trinacrie sous-marine, est plus vaste que l'île entière de

Jersey; la mer le couvre; il a pour point culminant un plateau qui émerge des plus hautes marées et duquel se détachent au nord-est six puissants rochers rangés en droite ligne, qui font l'effet d'une grande muraille écroulée çà et là. Le détroit entre le plateau et les six écueils n'est praticable qu'aux barques d'un très faible tirant d'eau. Au delà de ce détroit, on trouve le large.

Le matelot qui s'était chargé du sauvetage du canot engagea l'embarcation dans le détroit. De cette façon il mettait les Minquiers entre la bataille et le canot. Il nagea avec adresse dans l'étroit chenal, évitant les récifs à bâbord comme à tribord; les rochers maintenant masquaient la bataille. La lueur de l'horizon et le fracas furieux de la canonnade commençaient à décroître, à cause de la distance qui augmentait; mais, à la continuité des détonations, on pouvait comprendre que la corvette tenait bon et qu'elle voulait épuiser, jusqu'à la dernière, ses cent quatre-vingt-onze bordées.

Bientôt, le canot se trouva dans une eau libre, hors de l'écueil, hors de la bataille, hors de la portée des projectiles.

Peu à peu le modelé de la mer devenait moins sombre, les luisants brusquement noyés de noirceurs s'élargissaient, les écumes compliquées se brisaient en jets de lumière, des blancheurs flottaient sur les méplats des vagues. Le jour parut.

Le canot était hors de l'atteinte de l'ennemi; mais le plus difficile restait à faire. Le canot était sauvé de la mitraille, mais non du naufrage. Il était en haute mer, coque imperceptible, sans pont, sans voile, sans mât, sans boussole, n'ayant de ressource que la rame, en présence de l'océan et de l'ouragan, atome à la merci des colosses.

Alors, dans cette immensité, dans cette solitude, levant sa face que blêmissait le matin, l'homme qui était à l'avant du canot regarda fixement l'homme qui était à l'arrière et lui dit :

— Je suis le frère de celui que vous avez fait fusiller.

LIVRE TROISIÈME

HALMALO

I

LA PAROLE, C'EST LE VERBE[1]

Le vieillard redressa lentement la tête.

L'homme qui lui parlait avait environ trente ans. Il avait sur le front le hâle de la mer; ses yeux étaient étranges; c'était le regard sagace du matelot dans la prunelle candide du paysan. Il tenait puissamment les rames dans ses deux poings. Il avait l'air doux.

On voyait à sa ceinture un poignard, deux pistolets et un rosaire.

— Qui êtes-vous? dit le vieillard.

— Je viens de vous le dire.

— Qu'est-ce que vous me voulez?

L'homme quitta les avirons, croisa les bras et répondit :

— Vous tuer.

— Comme vous voudrez, dit le vieillard.

L'homme haussa la voix.

— Préparez-vous.

— A quoi?

— A mourir.

1. Référence au début de l'Évangile selon saint Jean : « Car le mot, c'est le Verbe, et le Verbe, c'est Dieu. »

— Pourquoi? demanda le vieillard.

Il y eut un silence. L'homme sembla un moment comme interdit de la question. Il reprit :

— Je dis que je veux vous tuer.

— Et je vous demande pourquoi.

Un éclair passa dans les yeux du matelot.

— Parce que vous avez tué mon frère.

Le vieillard repartit avec calme :

— J'ai commencé par lui sauver la vie.

— C'est vrai. Vous l'avez sauvé d'abord et tué ensuite.

— Ce n'est pas moi qui l'ai tué.

— Qui donc l'a tué?

— Sa faute.

Le matelot, béant, regarda le vieillard; puis ses sourcils reprirent leur froncement farouche.

— Comment vous appelez-vous? dit le vieillard.

— Je m'appelle Halmalo, mais vous n'avez pas besoin de savoir mon nom pour être tué par moi.

En ce moment le soleil se leva. Un rayon frappa le matelot en plein visage et éclaira vivement cette figure sauvage. Le vieillard le considérait attentivement.

La canonnade, qui se prolongeait toujours, avait maintenant des interruptions et des saccades d'agonie. Une vaste fumée s'affaissait sur l'horizon. Le canot, que ne maniait plus le rameur, allait à la dérive.

Le matelot saisit de sa main droite un des pistolets de sa ceinture et de sa main gauche son chapelet.

Le vieillard se dressa debout :

— Tu crois en Dieu? dit-il.

— Notre Père qui est au ciel, répondit le matelot.

Et il fit le signe de la croix.

— As-tu ta mère?

— Oui.

Il fit un deuxième signe de croix. Puis il reprit :

— C'est dit. Je vous donne une minute, monseigneur.

Et il arma le pistolet.

— Pourquoi m'appelles-tu monseigneur?

— Parce que vous êtes un seigneur. Cela se voit.

— As-tu un seigneur, toi?

— Oui, et un grand. Est-ce qu'on vit sans seigneur?

— Où est-il?

— Je ne sais pas. Il a quitté le pays. Il s'appelle monsieur le marquis de Lantenac, vicomte de Fontenay, prince en Bretagne; il est le seigneur des Sept-Forêts. Je ne l'ai jamais vu, ce qui ne l'empêche pas d'être mon maître.

— Et si tu le voyais, lui obéirais-tu?

— Certes. Je serais donc un païen, si je ne lui obéissais pas! on doit obéissance à Dieu, et puis au roi qui est comme Dieu, et puis au seigneur qui est comme le roi. Mais ce n'est pas tout ça, vous avez tué mon frère, il faut que je vous tue.

Le vieillard répondit :

— D'abord, j'ai tué ton frère, j'ai bien fait.

Le matelot crispa son poing sur son pistolet.

— Allons, dit-il.

— Soit, dit le vieillard.

Et, tranquille, il ajouta :

— Où est le prêtre?

Le matelot le regarda.

— Le prêtre?

— Oui, le prêtre. J'ai donné un prêtre à ton frère, tu me dois un prêtre.

— Je n'en ai pas, dit le matelot.

Et il continua :

— Est-ce qu'on a des prêtres en pleine mer?

On entendait les détonations convulsives du combat de plus en plus lointain.

— Ceux qui meurent là-bas ont le leur, dit le vieillard.

— C'est vrai, murmura le matelot. Ils ont monsieur l'aumônier.

Le vieillard poursuivit :

— Tu perds mon âme, ce qui est grave.

Le matelot baissa la tête, pensif.

— Et en perdant mon âme, reprit le vieillard, tu perds la tienne. Écoute. J'ai pitié de toi. Tu feras ce que tu voudras. Moi, j'ai fait mon devoir tout à l'heure, d'abord en sauvant la vie à ton frère et ensuite en la lui ôtant, et je fais mon devoir à présent en tâchant de sauver ton âme. Réfléchis. Cela te regarde. Entends-tu les coups de canon dans ce moment-ci ? Il y a là des hommes qui périssent, il y a là des désespérés qui agonisent, il y a là des maris qui ne reverront plus leurs femmes, des pères qui ne reverront plus leur enfant, des frères qui, comme toi, ne reverront plus leur frère. Et par la faute de qui ? par la faute de ton frère à toi. Tu crois en Dieu, n'est-ce pas ? Eh bien, tu sais que Dieu souffre en ce moment ; Dieu souffre dans son fils très-chrétien le roi de France qui est enfant comme l'enfant Jésus et qui est en prison dans la tour du Temple ; Dieu souffre dans son église de Bretagne ; Dieu souffre dans ses cathédrales insultées, dans ses évangiles déchirés, dans ses maisons de prière violées ; Dieu souffre dans ses prêtres assassinés. Qu'est-ce que nous venions faire, nous, dans ce navire qui périt en ce moment ? Nous venions secourir Dieu. Si ton frère avait été un bon serviteur, s'il avait fidèlement fait son office d'homme sage et utile, le malheur de la caronade ne serait pas arrivé, la corvette n'eût pas été désemparée, elle n'eût pas manqué sa route, elle ne fût pas tombée dans cette flotte de perdition, et nous débarquerions à cette heure en France, tous, en vaillants hommes de guerre et de mer que nous sommes, sabre au poing, drapeau blanc déployé, nombreux, contents, joyeux, et nous viendrions aider les braves paysans de Vendée à sauver la France, à sauver le roi, à sauver Dieu. Voilà ce que nous venions faire, voilà ce que nous ferions. Voilà ce que, moi, le seul qui reste, je viens faire. Mais tu t'y opposes. Dans cette lutte des impies contre les prêtres, dans cette lutte des régicides contre le roi, dans cette lutte de Satan contre Dieu, tu es pour Satan. Ton frère a été le premier auxiliaire du démon, tu es le second. Il a commencé, tu achèves. Tu es pour les régicides contre le trône, tu es pour les impies contre l'Église. Tu ôtes à Dieu sa dernière ressource. Parce que je ne serai point là, moi qui représente le roi, les hameaux vont continuer de brûler, les familles de pleurer, les prêtres de saigner, la Bretagne de souffrir, et le roi d'être en prison, et Jésus-Christ d'être en détresse. Et qui aura fait cela ? Toi. Va, c'est ton affaire. Je comptais sur toi pour tout le contraire. Je me suis trompé. Ah oui, c'est vrai, tu as raison, j'ai tué ton frère. Ton frère avait été courageux, je l'ai récompensé ; il avait été coupable, je l'ai puni. Il avait manqué à son devoir, je n'ai pas manqué au mien. Ce que j'ai fait, je le ferais encore. Et, je le jure par la grande sainte Anne d'Auray qui nous regarde, en pareil cas, de même que j'ai fait fusiller ton frère, je ferais fusiller mon fils. Maintenant, tu es le maître. Oui, je te plains. Tu as menti à ton capitaine. Toi, chrétien, tu es sans foi ; toi, Breton, tu es sans honneur ; j'ai été confié à ta loyauté et accepté par ta trahison ; tu donnes ma mort à ceux à qui tu as promis ma vie. Sais-tu qui tu perds ici ? C'est toi. Tu prends ma vie au roi et tu donnes ton éternité au démon. Va, commets ton crime, c'est bien. Tu fais bon marché de ta part de paradis. Grâce à toi, le diable vaincra, grâce à toi, les églises tomberont, grâce à toi, les païens continueront de fondre les cloches et d'en faire des canons ; on mitraillera les hommes avec ce qui sauvait les âmes. En ce moment où je parle, la cloche qui a sonné ton baptême tue peut-être ta mère. Va, aide le démon. Ne t'arrête pas. Oui, j'ai condamné ton frère, mais sache cela, je suis un instrument de Dieu. Ah ! tu juges les moyens de Dieu ! tu vas donc te mettre à juger la foudre qui est dans le ciel ? Malheureux, tu seras jugé par elle. Prends garde à ce que tu vas faire. Sais-tu seulement si je suis en état de grâce? Non. Va tout de même. Fais ce que tu voudras. Tu es libre de me jeter en enfer et de t'y jeter avec moi. Nos deux damnations sont dans ta main. Le responsable devant Dieu, ce sera toi. Nous sommes seuls et face à face dans l'abîme. Continue, termine, achève. Je suis vieux et tu es jeune; je suis sans armes et tu es armé; tue-moi.

Pendant que le vieillard, debout, d'une voix plus haute que le bruit de la mer, disait ces paroles, les ondulations de la vague le faisaient apparaître tantôt dans l'ombre, tantôt dans la lumière; le matelot était devenu livide; de grosses gouttes de sueur lui tombaient du front; il tremblait comme la feuille; par moments il baisait son rosaire; quand le vieillard eut fini, il jeta son pistolet et tomba à genoux.

— Grâce, monseigneur! pardonnez-moi, cria-t-il; vous parlez comme le bon Dieu. J'ai tort. Mon frère a eu tort. Je ferai tout pour réparer son crime. Disposez de moi. Ordonnez. J'obéirai.

— Je te fais grâce, dit le vieillard.

II

MÉMOIRE DE PAYSAN VAUT SCIENCE DE CAPITAINE

Les provisions qui étaient dans le canot ne furent pas inutiles.

Les deux fugitifs, obligés à de longs détours, mirent trente-six heures à atteindre la côte. Ils passèrent une nuit en mer; mais la nuit fut belle, avec trop de lune cependant pour des gens qui cherchaient à se dérober.

Ils durent d'abord s'éloigner de France et gagner le large vers Jersey.

Ils entendirent la suprême canonnade de la corvette foudroyée, comme on entend le dernier rugissement du lion que les chasseurs tuent dans les bois. Puis le silence se fit sur la mer.

Cette corvette *la Claymore* mourut de la même façon que *le Vengeur*; mais la gloire l'a ignoré. On n'est pas héros contre son pays.

Halmalo était un marin surprenant. Il fit des miracles de dextérité et d'intelligence; cette improvisation d'un itinéraire à travers les écueils, les vagues et le guet de l'ennemi fut un chef-d'œuvre. Le vent avait décru et la mer était devenue maniable.

Halmalo évita les Caux des Minquiers, contourna la Chaussée-aux-Bœufs, s'y abrita, afin d'y prendre quelques heures de repos dans la petite crique qui s'y fait au nord à mer basse, et, redescendant au sud, trouva moyen de passer entre Granville et les îles Chausey sans être aperçu ni de la vigie de Chausey ni de la vigie de Granville. Il s'engagea dans la baie de Saint-Michel, ce qui était hardi à cause du voisinage de Cancale, lieu d'ancrage de la croisière.

Le soir du second jour, environ une heure avant le coucher du soleil, il laissa derrière lui le mont Saint-Michel, et vint atterrir à une grève qui est toujours déserte, parce qu'elle est dangereuse; on s'y enlise.

Heureusement la marée était haute.

Halmalo poussa l'embarcation le plus avant qu'il put, tâta le sable, le trouva solide, y échoua le canot et sauta à terre.

Le vieillard après lui enjamba le bord et examina l'horizon.

— Monseigneur, dit Halmalo, nous sommes ici à l'embouchure du Couesnon. Voilà Beauvoir à tribord et Huisnes à bâbord. Le clocher devant nous, c'est Ardevon.

Le vieillard se pencha dans le canot, y prit un biscuit qu'il mit dans sa poche, et dit à Halmalo :

— Prends le reste.

Halmalo mit dans le sac ce qui restait de viande avec ce qui restait de biscuit, et chargea le sac sur son épaule. Cela fait, il dit :

— Monseigneur, faut-il vous conduire ou vous suivre?

— Ni l'un ni l'autre.

Halmalo stupéfait regarda le vieillard.

Le vieillard continua :

— Halmalo, nous allons nous séparer. Être deux ne vaut rien. Il faut être mille ou seul.

Il s'interrompit, et tira d'une de ses poches un nœud de soie verte, assez pareil à une cocarde, au centre duquel était brodée une fleur de lys en or. Il reprit :

— Sais-tu lire ?

— Non.

— C'est bien. Un homme qui lit, ça gêne. As-tu bonne mémoire ?

— Oui.

— C'est bien. Écoute, Halmalo. Tu vas prendre à droite et moi à gauche. J'irai du côté de Fougères, toi du côté de Bazouges. Garde ton sac qui te donne l'air d'un paysan. Cache tes armes. Coupe-toi un bâton dans les haies. Rampe dans les seigles qui sont hauts. Glisse-toi derrière les clôtures. Enjambe les échaliers pour aller à travers champs. Laisse à distance les passants. Évite les chemins et les ponts. N'entre pas à Pontorson. Ah ! tu auras à traverser le Couesnon. Comment le passeras-tu ?

— A la nage.

— C'est bien. Et puis il y a un gué. Sais-tu où il est ?

— Entre Ancey et Vieux-Viel.

— C'est bien. Tu es vraiment du pays.

— Mais la nuit vient. Où monseigneur couchera-t-il ?

— Je me charge de moi. Et toi, où coucheras-tu ?

— Il y a des émousses. Avant d'être matelot j'ai été paysan.

— Jette ton chapeau de marin qui te trahirait. Tu trouveras bien quelque part une carapousse.

— Oh ! un tapabor, cela se trouve partout. Le premier pêcheur venu me vendra le sien.

— C'est bien. Maintenant, écoute. Tu connais les bois ?

— Tous.

— De tout le pays?

— Depuis Noirmoutier jusqu'à Laval.

— Connais-tu aussi les noms?

— Je connais les bois, je connais les noms, je connais tout.

— Tu n'oublieras rien?

— Rien.

— C'est bien. A présent, attention. Combien peux-tu faire de lieues par jour?

— Dix, quinze, dix-huit, vingt, s'il le faut.

— Il le faudra. Ne perds pas un mot de ce que je vais te dire. Tu iras au bois de Saint-Aubin.

— Près de Lamballe?

— Oui. Sur la lisière du ravin qui est entre Saint-Rieul et Plédéliac il y a un gros châtaignier. Tu t'arrêteras là. Tu ne verras personne.

— Ce qui n'empêche pas qu'il y aura quelqu'un. Je sais.

— Tu feras l'appel. Sais-tu faire l'appel?

Halmalo enfla ses joues, se tourna du côté de la mer, et l'on entendit le hou-hou de la chouette.

On eût dit que cela venait des profondeurs nocturnes; c'était ressemblant et sinistre.

— Bien, dit le vieillard. Tu en es.

Il tendit à Halmalo le nœud de soie verte.

— Voici mon nœud de commandement. Prends-le. Il importe que personne encore ne sache mon nom. Mais ce nœud suffit. La fleur de lys a été brodée par Madame Royale dans la prison du Temple.

Halmalo mit un genou en terre. Il reçut avec un tremblement le nœud fleurdelysé, et en approcha ses lèvres; puis s'arrêtant comme effrayé de ce baiser :

— Le puis-je? demanda-t-il.

— Oui, puisque tu baises le crucifix.

Halmalo baisa la fleur de lys.

— Relève-toi, dit le vieillard.

Halmalo se releva et mit le nœud dans sa poitrine.

Le vieillard poursuivit :

— Écoute bien ceci. Voici l'ordre : *Insurgez-vous. Pas de quartier.* Donc, sur la lisière du bois de Saint-Aubin tu feras l'appel. Tu le feras trois fois. A la troisième fois tu verras un homme sortir de terre.

— D'un trou sous les arbres. Je sais.

— Cet homme, c'est Planchenault, qu'on appelle aussi Cœur-de-Roi. Tu lui montreras ce nœud. Il comprendra. Tu iras ensuite, par les chemins que tu inventeras, au bois d'Astillé ; tu y trouveras un homme cagneux qui est surnommé Mousqueton, et qui ne fait miséricorde à personne. Tu lui diras que je l'aime, et qu'il mette en branle ses paroisses. Tu iras ensuite au bois de Couesbon qui est à une lieue de Ploërmel. Tu feras l'appel de la chouette ; un homme sortira d'un trou ; c'est M. Thuault, sénéchal de Ploërmel, qui a été de ce qu'on appelle l'Assemblée constituante, mais du bon côté. Tu lui diras d'armer le château de Couesbon qui est au marquis de Guer, émigré. Ravins, petits bois, terrain inégal, bon endroit. M. Thuault est un homme droit et d'esprit. Tu iras ensuite à Saint-Ouen-les-Toits, et tu parleras à Jean Chouan, qui est à mes yeux le vrai chef. Tu iras ensuite au bois de Ville-Anglose, tu y verras Guitter, qu'on appelle Saint-Martin, tu lui diras d'avoir l'œil sur un certain Courmesnil, qui est gendre du vieux Goupil de Préfeln et qui mène la jacobinière d'Argentan. Retiens bien tout. Je n'écris rien parce qu'il ne faut rien écrire. La Rouarie a écrit une liste ; cela a tout perdu. Tu iras ensuite au bois de Rougefeu où est Miélette qui saute par-dessus les ravins en s'arc-boutant sur une longue perche.

— Cela s'appelle une ferte.

— Sais-tu t'en servir ?

— Je ne serais donc pas Breton et je ne serais donc pas paysan ? La ferte, c'est notre amie. Elle agrandit nos bras et allonge nos jambes.

— C'est-à-dire qu'elle rapetisse l'ennemi et raccourcit le chemin. Bon engin.

— Une fois, avec ma ferte, j'ai tenu tête à trois gabeloux qui avaient des sabres.

— Quand ça ?
— Il y a dix ans.
— Sous le roi ?
— Mais oui.
— Tu t'es donc battu sous le roi ?
— Mais oui.
— Contre qui ?
— Ma foi, je ne sais pas. J'étais faux-saulnier.
— C'est bien.
— On appelait cela se battre contre les gabelles. Les gabelles, est-ce que c'est la même chose que le roi ?
— Oui. Non. Mais il n'est pas nécessaire que tu comprennes cela.
— Je demande pardon à monseigneur d'avoir fait une question à monseigneur.
— Continuons. Connais-tu la Tourgue ?
— Si je connais la Tourgue ! j'en suis.
— Comment ?
— Oui, puisque je suis de Parigné.
— En effet, la Tourgue est voisine de Parigné.
— Si je connais la Tourgue ! Le gros château rond qui est le château de famille de mes seigneurs ! Il y a une grosse porte de fer qui sépare le bâtiment neuf du bâtiment vieux et qu'on n'enfoncerait pas avec du canon. C'est dans le bâtiment neuf qu'est le fameux livre sur saint Barthélemy qu'on venait voir par curiosité. Il y a des grenouilles dans l'herbe. J'ai joué tout petit avec ces grenouilles-là. Et la passe souterraine ! je la connais. Il n'y a peut-être plus que moi qui la connaisse.
— Quelle passe souterraine ? Je ne sais pas ce que tu veux dire.
— C'était pour autrefois, dans les temps, quand la Tourgue était assiégée. Les gens du dedans pouvaient se sauver dehors en passant par un passage sous terre qui va aboutir à la forêt.
— En effet, il y a un passage souterrain de ce genre au château de la Jupellière, et au château de la

Hunaudaye, et à la tour de Champéon; mais il n'y a rien de pareil à la Tourgue.

— Si fait, monseigneur. Je ne connais pas ces passages-là dont monseigneur parle. Je ne connais que celui de la Tourgue, parce que je suis du pays. Et, encore, il n'y a guère que moi qui sache cette passe-là. On n'en parlait pas. C'était défendu, parce que ce passage avait servi du temps des guerres de M. de Rohan. Mon père savait le secret et il me l'a montré. Je connais le secret pour entrer et le secret pour sortir. Si je suis dans la forêt, je puis aller dans la tour, et si je suis dans la tour, je puis aller dans la forêt, sans qu'on me voie. Et quand les ennemis entrent, il n'y a plus personne. Voilà ce que c'est que la Tourgue. Ah! je la connais.

Le vieillard demeura un moment silencieux.

— Tu te trompes évidemment, s'il y avait un tel secret, je le saurais.

— Monseigneur, j'en suis sûr. Il y a une pierre qui tourne.

— Ah bon! Vous autres paysans, vous croyez aux pierres qui tournent, aux pierres qui chantent, aux pierres qui vont boire la nuit au ruisseau d'à côté. Tas de contes.

— Mais puisque je l'ai fait tourner, la pierre...

— Comme d'autres l'ont entendue chanter. Camarade, la Tourgue est une bastille sûre et forte, facile à défendre; mais celui qui compterait sur une issue souterraine pour s'en tirer serait naïf.

— Mais, monseigneur...

Le vieillard haussa les épaules.

— Ne perdons pas de temps, parlons de nos affaires.

Ce ton péremptoire coupa court à l'insistance de Halmalo.

Le vieillard reprit :

— Poursuivons. Écoute. De Rougefeu, tu iras au bois de Montchevrier, où est Bénédicité, qui est le chef des Douze. C'est encore un bon. Il dit son *Benedicite* pendant qu'il fait arquebuser les gens. En guerre, pas de sensiblerie. De Montchevrier, tu iras...

Il s'interrompit.

— J'oubliais l'argent.

Il prit dans sa poche et mit dans la main de Halmalo une bourse et un portefeuille.

— Voilà dans ce portefeuille trente mille francs en assignats, quelque chose comme trois livres dix sous ; il faut dire que les assignats sont faux, mais les vrais valent juste autant ; et voici dans cette bourse, attention, cent louis en or. Je te donne tout ce que j'ai. Je n'ai plus besoin de rien ici. D'ailleurs, il vaut mieux qu'on ne puisse pas trouver d'argent sur moi. Je reprends. De Montchevrier tu iras à Antrain, où tu verras M. de Frotté ; d'Antrain à la Jupellière, où tu verras M. de Rochecotte ; de la Jupellière à Noirieux, où tu verras l'abbé Baudouin. Te rappelleras-tu tout cela ?

— Comme mon *Pater*.

— Tu verras M. Dubois-Guy à Saint-Brice-en-Cogle, M. de Turpin, à Morannes, qui est un bourg fortifié, et le prince de Talmont, à Château-Gonthier.

— Est-ce qu'un prince me parlera ?

— Puisque je te parle.

Halmalo ôta son chapeau.

— Tout le monde te recevra bien en voyant cette fleur de lys de Madame. N'oublie pas qu'il faut que tu ailles dans des endroits où il y a des montagnards et des patauds[1]. Tu te déguiseras. C'est facile. Ces républicains sont si bêtes, qu'avec un habit bleu, un chapeau à trois cornes et une cocarde tricolore on passe partout. Il n'y a plus de régiments, il n'y a plus d'uniformes, les corps n'ont pas de numéros ; chacun met la guenille qu'il veut. Tu iras à Saint-Mhervé. Tu y verras Gaulier, dit Grand-Pierre. Tu iras au cantonnement de Parné où sont les hommes aux visages noircis. Ils mettent du gravier dans leurs fusils et double charge de poudre pour faire plus de bruit, ils font bien ; mais surtout dis-leur de tuer, de tuer, de

1. Patauds : républicains, patriotes. Régionalisme.

tuer. Tu iras au camp de la Vache-Noire qui est sur une hauteur, au milieu du bois de la Charnie, puis au camp de l'Avoine, puis au camp Vert, puis au camp des Fourmis. Tu iras au Grand-Bordage, qu'on appelle aussi le Haut-des-Prés, et qui est habité par une veuve dont Treton, dit l'Anglais, a épousé la fille. Le Grand-Bordage est dans la paroisse de Quelaines. Tu visiteras Épineux-le-Chevreuil, Sillé-le-Guillaume, Parannes, et tous les hommes qui sont dans tous les bois. Tu auras des amis et tu les enverras sur la lisière du haut et du bas Maine ; tu verras Jean Treton dans la paroisse de Vaisges, Sans-Regret au Bignon, Chambord à Bonchamps, les frères Corbin à Maisoncelles, et le Petit-Sans-Peur, à Saint-Jean-sur-Erve. C'est le même qui s'appelle Bourdoiseau. Tout cela fait, et le mot d'ordre, *Insurgez-vous, Pas de quartier*, donné partout, tu joindras la grande armée, l'armée catholique et royale, où elle sera. Tu verras MM. d'Elbée, de Lescure, de La Rochejaquelein, ceux des chefs qui vivront alors. Tu leur montreras mon nœud de commandement. Ils savent ce que c'est. Tu n'es qu'un matelot, mais Cathelineau n'est qu'un charretier. Tu leur diras de ma part ceci : Il est temps de faire les deux guerres ensemble ; la grande et la petite. La grande fait plus de tapage, la petite plus de besogne. La Vendée est bonne, la Chouannerie est pire ; et en guerre civile, c'est la pire qui est la meilleure. La bonté d'une guerre se juge à la quantité de mal qu'elle fait.

Il s'interrompit.

— Halmalo, je te dis tout cela. Tu ne comprends pas les mots, mais tu comprends les choses. J'ai pris confiance en toi en te voyant manœuvrer le canot ; tu ne sais pas la géométrie, et tu fais des mouvements de mer surprenants ; qui sait mener une barque peut piloter une insurrection ; à la façon dont tu as manié l'intrigue de la mer, j'affirme que tu te tireras bien de toutes mes commissions. Je reprends. Tu diras donc ceci aux chefs, à peu près, comme tu pourras, mais ce sera bien. J'aime mieux la guerre des forêts que la guerre des plaines ; je ne tiens pas à aligner cent mille paysans sous la mitraille des soldats bleus et sous l'artillerie de monsieur Carnot ; avant un mois je veux avoir cinq cent mille tueurs embusqués dans les bois. L'armée républicaine est mon gibier. Braconner, c'est guerroyer. Je suis le stratège des broussailles. Bon, voilà encore un mot que tu ne saisiras pas, c'est égal, tu saisiras ceci : Pas de quartier ! et des embuscades partout ! Je veux faire plus de Chouannerie que de Vendée. Tu ajouteras que les Anglais sont avec nous. Prenons la république entre deux feux. L'Europe nous aide. Finissons-en avec la révolution. Les rois lui font la guerre des royaumes, faisons-lui la guerre des paroisses. Tu diras cela. As-tu compris ?

— Oui. Il faut tout mettre à feu et à sang.

— C'est ça.

— Pas de quartier.

— A personne. C'est ça.

— J'irai partout.

— Et prends garde. Car dans ce pays-ci on est facilement un homme mort.

— La mort, cela ne me regarde point. Qui fait son premier pas use peut-être ses derniers souliers.

— Tu es un brave.

— Et si l'on me demande le nom de monseigneur ?

— On ne doit pas le savoir encore. Tu diras que tu ne le sais pas, et ce sera la vérité.

— Où reverrai-je monseigneur ?

— Où je serai.

— Comment le saurai-je ?

— Parce que tout le monde le saura. Avant huit jours on parlera de moi, je ferai des exemples, je vengerai le roi et la religion, et tu reconnaîtras bien que c'est de moi qu'on parle.

— J'entends.

— N'oublie rien.

— Soyez tranquille.

— Pars maintenant. Que Dieu te conduise. Va.

– Je ferai tout ce que vous m'avez dit. J'irai. Je parlerai. J'obéirai. Je commanderai.

– Bien.

– Et si je réussis...

– Je te ferai chevalier de Saint-Louis.

– Comme mon frère; et si je ne réussis pas, vous me ferez fusiller.

– Comme ton frère.

– C'est dit, monseigneur.

Le vieillard baissa la tête et sembla tomber dans une sévère rêverie. Quand il releva les yeux, il était seul. Halmalo n'était plus qu'un point noir s'enfonçant dans l'horizon.

Le soleil venait de se coucher.

Les goëlands et les mouettes à capuchon rentraient; la mer c'est dehors.

On sentait dans l'espace cette espèce d'inquiétude qui précède la nuit; les rainettes coassaient, les jaquets s'envolaient des flaques d'eau en sifflant, les mauves, les freux, les carabins, les grolles, faisaient leur vacarme du soir; les oiseaux de rivage s'appelaient; mais pas un bruit humain. La solitude était profonde. Pas une voile dans la baie, pas un paysan dans la campagne. A perte de vue l'étendue déserte. Les grands chardons des sables frissonnaient. Le ciel blanc du crépuscule jetait sur la grève une vaste clarté livide. Au loin les étangs dans la plaine sombre ressemblaient à des plaques d'étain posées à plat sur le sol. Le vent soufflait du large.

LIVRE QUATRIÈME

TELLMARCH

I

LE HAUT DE LA DUNE

Le vieillard laissa disparaître Halmalo, puis serra son manteau de mer autour de lui, et se mit en marche. Il cheminait à pas lents, pensif. Il se dirigeait vers Huisnes, pendant que Halmalo s'en allait vers Beauvoir.

Derrière lui se dressait, énorme triangle noir, avec sa tiare de cathédrale et sa cuirasse de forteresse, avec ses deux grosses tours du levant, l'une ronde, l'autre carrée, qui aident la montagne à porter le poids de l'église et du village, le mont Saint-Michel, qui est à l'océan ce que Chéops est au désert.

Les sables mouvants de la baie du mont Saint-Michel déplacent insensiblement leurs dunes. Il y avait à cette époque entre Huisnes et Ardevon une dune très haute, effacée aujourd'hui. Cette dune, qu'un coup d'équinoxe a nivelée, avait cette rareté d'être ancienne et de porter à son sommet une pierre milliaire érigée au XIIe siècle en commémoration du concile tenu à Avranches contre les assassins de saint Thomas de Cantorbéry. Du haut de cette dune on découvrait tout le pays et l'on pouvait s'orienter.

Le vieillard marcha vers cette dune et y monta.

Quand il fut sur le sommet, il s'adossa à la pierre milliaire, s'assit sur une des quatre bornes qui en marquaient les angles, et se mit à examiner l'espèce de carte de géographie qu'il avait sous les pieds. Il semblait chercher une route dans un pays d'ailleurs connu. Dans ce vaste paysage, trouble à cause du crépuscule, il n'y avait de précis que l'horizon, noir sur le ciel blanc.

On y apercevait les groupes de toits de onze bourgs et villages ; on distinguait à plusieurs lieues de distance tous les clochers de la côte, qui sont très hauts, afin de servir au besoin de points de repère aux gens qui sont en mer.

Au bout de quelques instants, le vieillard sembla avoir trouvé dans ce clair-obscur ce qu'il cherchait ; son regard s'arrêta sur un enclos d'arbres, de murs et de toitures, à peu près visible au milieu de la plaine et des bois, et qui était une métairie ; il eut ce hochement de tête satisfait d'un homme qui se dit mentalement : C'est là ; et il se mit à tracer avec son doigt dans l'espace l'ébauche d'un itinéraire à travers les haies et les cultures. De temps en temps il examinait un objet informe et peu distinct, qui s'agitait au-dessus du toit principal de la métairie, et il semblait se demander : Qu'est-ce que c'est ? Cela était incolore et confus à cause de l'heure ; ce n'était pas une girouette puisque cela flottait, et il n'y avait aucune raison pour que ce fût un drapeau.

Il était las ; il restait volontiers assis sur cette borne où il était ; et il se laissait aller à cette sorte de vague oubli que donne aux hommes fatigués la première minute de repos.

Il y a une heure du jour qu'on pourrait appeler l'absence de bruit, c'est l'heure sereine, l'heure du soir. On était dans cette heure-là. Il en jouissait ; il regardait, il écoutait, quoi ? la tranquillité. Les farouches eux-mêmes ont leur instant de mélancolie. Subitement, cette tranquillité fut, non troublée, mais accentuée par des voix qui passaient ; c'étaient des voix de femmes et d'enfants. Il y a parfois dans l'ombre de ces carillons de joie inattendus. On ne voyait point, à cause des broussailles, le groupe d'où sortaient les voix, mais ce groupe cheminait au pied de la dune et s'en allait vers la plaine et la forêt. Ces voix montaient claires et fraîches jusqu'au vieillard pensif ; elles étaient si près qu'il n'en perdait rien.

Une voix de femme disait :

— Dépêchons-nous, la Flécharde. Est-ce par ici ?

— Non, c'est par là.

Et le dialogue continuait entre les deux voix, l'une haute, l'autre timide.

— Comment appelez-vous cette métairie que nous habitons en ce moment ?

— L'Herbe-en-Pail.

— En sommes-nous encore loin ?

— A un bon quart d'heure.

— Dépêchons-nous d'aller manger la soupe.

— C'est vrai que nous sommes en retard.

— Il faudrait courir. Mais vos mômes sont fatigués. Nous ne sommes que deux femmes, nous ne pouvons pas porter trois mioches. Et puis, vous en portez déjà un, vous, la Flécharde. Un vrai plomb. Vous l'avez sevrée, cette goinfre, mais vous la portez toujours. Mauvaise habitude. Faites-moi donc marcher ça. Ah ! tant pis, la soupe sera froide.

— Ah ! les bons souliers que vous m'avez donnés là ! On dirait qu'ils sont faits pour moi.

— Ça vaut mieux que d'aller nu-pattes.

— Dépêche-toi donc, René-Jean.

— C'est pourtant lui qui nous a retardées. Il faut qu'il parle à toutes les petites paysannes qu'on rencontre. Ça fait son homme.

— Dame, il va sur cinq ans.

— Dis donc, René-Jean, pourquoi as-tu parlé à cette petite dans le village ?

Une voix d'enfant, qui était une voix de garçon, répondit :

— Parce que c'est une que je connais.

La femme reprit :

— Comment, tu la connais?

— Oui, répondit le petit garçon, puisqu'elle m'a donné des bêtes ce matin.

— Voilà qui est fort! s'écria la femme, nous ne sommes dans le pays que depuis trois jours, c'est gros comme le poing, et ça vous a déjà une amoureuse!

Les voix s'éloignèrent. Tout bruit cessa.

II

AURES HABET, ET NON AUDIET[1]

Le vieillard restait immobile. Il ne pensait pas; à peine songeait-il. Autour de lui tout était sérénité, assoupissement, confiance, solitude. Il faisait grand jour encore sur la dune, mais presque nuit dans la plaine et tout à fait nuit dans les bois. La lune montait à l'orient. Quelques étoiles piquaient le bleu pâle du zénith. Cet homme, bien que plein de préoccupations violentes, s'abîmait dans l'inexprimable mansuétude de l'infini. Il sentait monter en lui cette aube obscure, l'espérance, si le mot espérance peut s'appliquer aux attentes de la guerre civile. Pour l'instant, il lui semblait qu'en sortant de cette mer qui venait d'être si inexorable, et en touchant la terre, tout danger s'était évanoui. Personne ne savait son nom, il était seul, perdu pour l'ennemi, sans trace derrière lui, car la surface de la mer ne garde rien, caché, ignoré, pas même soupçonné. Il sentait on ne sait quel apaisement suprême. Un peu plus il se serait endormi.

Ce qui, pour cet homme, en proie au dedans comme au dehors à tant de tumultes, donnait un charme étrange à cette heure calme qu'il traversait, c'était, sur la terre comme au ciel, un profond silence.

1. « Il a des oreilles, et il n'entendra pas » : variation sur une phrase d'un psaume.

On n'entendait que le vent qui venait de la mer, mais le vent est une basse continue et cesse presque d'être un bruit, tant il devient une habitude.

Tout à coup, il se dressa debout.

Son attention venait d'être brusquement réveillée ; il considéra l'horizon. Quelque chose donnait à son regard une fixité particulière.

Ce qu'il regardait, c'était le clocher de Cormeray qu'il avait devant lui au fond de la plaine. On ne sait quoi d'extraordinaire se passait en effet dans ce clocher.

La silhouette de ce clocher se découpait nettement ; on voyait la tour surmontée de la pyramide, et, entre la tour et la pyramide, la cage de la cloche, carrée, à jour, sans abat-vent, et ouverte aux regards des quatre côtés, ce qui est la mode des clochers bretons.

Or cette cage apparaissait alternativement ouverte et fermée, à intervalles égaux ; sa haute fenêtre se dessinait toute blanche, puis toute noire ; on voyait le ciel à travers, puis on ne le voyait plus ; il y avait clarté, puis occultation, et l'ouverture et la fermeture se succédaient d'une seconde à l'autre avec la régularité du marteau sur l'enclume.

Le vieillard avait ce clocher de Cormeray devant lui, à une distance d'environ deux lieues ; il regarda à sa droite le clocher de Baguer-Pican, également droit sur l'horizon ; la cage de ce clocher s'ouvrait et se fermait comme celle de Cormeray.

Il regarda à sa gauche le clocher de Tanis ; la cage du clocher de Tanis s'ouvrait et se fermait comme celle de Baguer-Pican.

Il regarda tous les clochers de l'horizon l'un après l'autre, à sa gauche les clochers de Courtils, de Précey, de Crollon et de la Croix-Avranchin ; à sa droite les clochers de Raz-sur-Couesnon, de Mordrey et des Pas ; en face de lui, le clocher de Pontorson. La cage de tous ces clochers était alternativement noire et blanche.

Qu'est-ce que cela voulait dire ?

Cela signifiait que toutes les cloches étaient en branle.

Il fallait, pour apparaître et disparaître ainsi, qu'elles fussent furieusement secouées.

Qu'était-ce donc? évidemment le tocsin.

On sonnait le tocsin, on le sonnait frénétiquement, on le sonnait partout, dans tous les clochers, dans toutes les paroisses, dans tous les villages, et l'on n'entendait rien.

Cela tenait à la distance qui empêchait les sons d'arriver et au vent de mer qui soufflait du côté opposé et qui emportait tous les bruits de la terre hors de l'horizon.

Toutes ces cloches forcenées appelant de toutes parts, et en même temps ce silence, rien de plus sinistre.

Le vieillard regardait et écoutait.

Il n'entendait pas le tocsin, et il le voyait. Voir le tocsin, sensation étrange.

A qui en voulaient ces cloches?

Contre qui ce tocsin?

III

UTILITÉ DES GROS CARACTÈRES

Certainement quelqu'un était traqué.

Qui?

Cet homme d'acier eut un frémissement.

Ce ne pouvait être lui. On n'avait pu deviner son arrivée, il était impossible que les représentants en mission fussent déjà informés; il venait à peine de débarquer. La corvette avait évidemment sombré sans qu'un homme échappât. Et dans la corvette même, excepté Boisberthelot et La Vieuville, personne ne savait son nom.

Les clochers continuaient leur jeu farouche. Il les examinait et les comptait machinalement, et sa rêverie, poussée d'une conjecture à l'autre, avait cette fluctuation que donne le passage d'une sécurité profonde à une certitude terrible. Pourtant, après tout, ce tocsin pouvait s'expliquer de bien des façons, et il finissait par se rassurer en se répétant : « En somme, personne ne sait mon arrivée et personne ne sait mon nom. »

Depuis quelques instants il se faisait un léger bruit au-dessus de lui et derrière lui. Ce bruit ressemblait au froissement d'une feuille d'arbre agitée. Il n'y prit d'abord pas garde ; puis, comme le bruit persistait, on pourrait dire insistait, il finit par se retourner. C'était une feuille en effet, mais une feuille de papier. Le vent était en train de décoller au-dessus de sa tête une large affiche appliquée sur la pierre milliaire. Cette affiche était placardée depuis peu de temps, car elle était encore humide et offrait prise au vent qui s'était mis à jouer avec elle et qui la détachait.

Le vieillard avait gravi la dune du côté opposé et n'avait pas vu cette affiche en arrivant.

Il monta sur la borne où il était assis, et posa sa main sur le coin du placard que le vent soulevait ; le ciel était serein, les crépuscules sont longs en juin ; le bas de la dune était ténébreux, mais le haut était éclairé ; une partie de l'affiche était imprimée en grosses lettres, et il faisait encore assez de jour pour qu'on pût les lire. Il lut ceci :

RÉPUBLIQUE FRANÇAISE,
UNE ET INDIVISIBLE.

« Nous, Prieur, de la Marne, représentant du peuple en mission près de l'armée des Côtes-de-Cherbourg, – ordonnons : – Le ci-devant marquis de Lantenac, vicomte de Fontenay, soi-disant prince breton, furtivement débarqué sur la côte de Granville, est mis hors la loi. – Sa tête est mise à prix. – Il sera payé à qui le livrera, mort ou vivant, la somme de soixante mille livres. – Cette somme ne sera point payée en assignats, mais en or. – Un bataillon de l'armée des Côtes-de-Cherbourg sera immédiatement envoyé à la rencontre et à la recherche du ci-devant marquis de Lantenac. — Les communes sont requises de prêter main-forte. — Fait en la maison commune de Granville, le 2 juin 1793. — Signé :

« PRIEUR, DE LA MARNE. »

Au-dessous de ce nom il y avait une autre signature, qui était en beaucoup plus petit caractère, et qu'on ne pouvait lire à cause du peu de jour qui restait.

Le vieillard rabaissa son chapeau sur ses yeux, croisa sa cape de mer jusque sous son menton, et descendit rapidement la dune. Il était évidemment inutile de s'attarder sur ce sommet éclairé.

Il y avait été peut-être trop longtemps déjà ; le haut de la dune était le seul point du paysage qui fût resté visible.

Quand il fut en bas et dans l'obscurité, il ralentit le pas.

Il se dirigeait dans le sens de l'itinéraire qu'il s'était tracé vers la métairie, ayant probablement des raisons de sécurité de ce côté-là.

Tout était désert. C'était l'heure où il n'y avait plus de passants.

Derrière une broussaille, il s'arrêta, défit son manteau, retourna sa veste du côté velu, rattacha à son cou son manteau qui était une guenille nouée d'une corde, et se remit en route.

Il faisait clair de lune.

Il arriva à un embranchement de deux chemins où se dressait une vieille croix de pierre. Sur le piédestal de la croix on distinguait un carré blanc qui était vraisemblablement une affiche pareille à celle qu'il venait de lire. Il s'en approcha.

— Où allez-vous ? lui dit une voix.

Il se retourna.

Un homme était là dans les haies, de haute taille comme lui, vieux comme lui, comme lui en cheveux blancs, et plus en haillons encore que lui-même. Presque son pareil.

Cet homme s'appuyait sur un long bâton.

L'homme reprit :

— Je vous demande où vous allez.

— D'abord où suis-je ? dit-il, avec un calme presque hautain.

L'homme répondit :

— Vous êtes dans la seigneurie de Tanis, et j'en suis le mendiant, et vous en êtes le seigneur.

— Moi ?

— Oui, vous, monsieur le marquis de Lantenac.

IV

LE CAIMAND

Le marquis de Lantenac, nous le nommerons par son nom désormais, répondit gravement :

— Soit. Livrez-moi.

L'homme poursuivit :

— Nous sommes tous deux chez nous ici, vous dans le château, moi dans le buisson.

— Finissons. Faites. Livrez-moi, dit le marquis.

L'homme continua :

— Vous alliez à la métairie d'Herbe-en-Pail, n'est-ce pas ?

— Oui.

— N'y allez point.

— Pourquoi ?

— Parce que les bleus y sont.

— Depuis quand ?

— Depuis trois jours.

— Les habitants de la ferme et du hameau ont-ils résisté ?

— Non. Ils ont ouvert toutes les portes.

— Ah ! dit le marquis.

L'homme montra du doigt le toit de la métairie

qu'on apercevait à quelque distance par-dessus les arbres.

— Voyez-vous le toit, monsieur le marquis?

— Oui.

— Voyez-vous ce qu'il y a dessus?

— Qui flotte?

— Oui.

— C'est un drapeau.

— Tricolore, dit l'homme.

C'était l'objet qui avait déjà attiré l'attention du marquis quand il était au haut de la dune.

— Ne sonne-t-on pas le tocsin? demanda le marquis.

— Oui.

— A cause de quoi?

— Évidemment à cause de vous.

— Mais on ne l'entend pas?

— C'est le vent qui empêche.

L'homme continua :

— Vous avez vu votre affiche?

— Oui.

— On vous cherche.

Et, jetant un regard du côté de la métairie, il ajouta :

— Il y a là un demi-bataillon.

— De républicains?

— Parisiens.

— Eh bien, dit le marquis, marchons.

Et il fit un pas vers la métairie.

L'homme lui saisit le bras.

— N'y allez pas.

— Et où voulez-vous que j'aille?

— Chez moi.

Le marquis regarda le mendiant.

— Écoutez, monsieur le marquis, ce n'est pas beau chez moi, mais c'est sûr. Une cabane plus basse qu'une cave. Pour plancher un lit de varech, pour plafond un toit de branches et d'herbe. Venez. A la métairie vous seriez fusillé. Chez moi vous dormirez.

Vous devez être las; et demain matin les bleus se seront remis en marche, et vous irez où vous voudrez.

Le marquis considérait cet homme.

— De quel côté êtes-vous donc? demanda le marquis; êtes-vous républicain? êtes-vous royaliste?

— Je suis un pauvre.

— Ni royaliste, ni républicain?

— Je ne crois pas.

— Êtes-vous pour ou contre le roi?

— Je n'ai pas le temps de ça.

— Qu'est-ce que vous pensez de ce qui se passe?

— Je n'ai pas de quoi vivre.

— Pourtant vous venez à mon secours.

— J'ai vu que vous étiez hors la loi. Qu'est-ce que c'est que cela, la loi? On peut donc être dehors. Je ne comprends pas. Quant à moi, suis-je dans la loi? suis-je hors la loi? Je n'en sais rien. Mourir de faim, est-ce être dans la loi?

— Depuis quand mourez-vous de faim?

— Depuis toute ma vie.

— Et vous me sauvez?

— Oui.

— Pourquoi?

— Parce que j'ai dit : Voilà encore un plus pauvre que moi. J'ai le droit de respirer, lui ne l'a pas.

— C'est vrai. Et vous me sauvez?

— Sans doute. Nous voilà frères, monseigneur. Je demande du pain, vous demandez la vie. Nous sommes deux mendiants.

— Mais savez-vous que ma tête est mise à prix?

— Oui.

— Comment le savez-vous?

— J'ai lu l'affiche.

— Vous savez lire?

— Oui. Et écrire aussi. Pourquoi serais-je une brute?

— Alors, puisque vous savez lire, et puisque vous avez lu l'affiche, vous savez qu'un homme qui me livrerait gagnerait soixante mille francs?

— Je le sais.

— Pas en assignats.

— Oui, je sais, en or.

— Vous savez que soixante mille francs, c'est une fortune ?

— Oui.

— Et que quelqu'un qui me livrerait ferait sa fortune ?

— Eh bien, après ?

— Sa fortune !

— C'est justement ce que j'ai pensé. En vous voyant je me suis dit : Quand je pense que quelqu'un qui livrerait cet homme-ci gagnerait soixante mille francs et ferait sa fortune ! Dépêchons-nous de le cacher.

Le marquis suivit le pauvre.

Ils entrèrent dans un fourré. La tanière du mendiant était là. C'était une sorte de chambre qu'un grand vieux chêne avait laissé prendre chez lui à cet homme ; elle était creusée sous ses racines et couverte de ses branches. C'était obscur, bas, caché, invisible. Il y avait place pour deux.

— J'ai prévu que je pouvais avoir un hôte, dit le mendiant.

Cette espèce de logis sous terre, moins rare en Bretagne qu'on ne croit, s'appelle en langue paysanne *carnichot*. Ce nom s'applique aussi à des cachettes pratiquées dans l'épaisseur des murs.

C'est meublé de quelques pots, d'un grabat de paille ou de goëmon lavé et séché, d'une grosse couverture de créseau, et de quelques mèches de suif avec un briquet et des tiges creuses de braneursine pour allumettes.

Ils se courbèrent, rampèrent un peu, pénétrèrent dans la chambre où les grosses racines de l'arbre découpaient des compartiments bizarres, et s'assirent sur un tas de varech sec qui était le lit. L'intervalle de deux racines par où l'on entrait et qui servait de porte donnait quelque clarté. La nuit était venue, mais le regard se proportionne à la lumière, et l'on finit par trouver toujours un peu de jour dans l'ombre. Un reflet du clair de lune blanchissait vaguement l'entrée. Il y avait dans un coin une cruche d'eau, une galette de sarrasin et des châtaignes.

— Soupons, dit le pauvre.

Ils se partagèrent les châtaignes ; le marquis donna son morceau de biscuit ; ils mordirent à la même miche de blé noir et burent à la cruche l'un après l'autre.

Ils causèrent.

Le marquis se mit à interroger cet homme.

— Ainsi, tout ce qui arrive ou rien, c'est pour vous la même chose ?

— A peu près. Vous êtes des seigneurs, vous autres. Ce sont vos affaires.

— Mais enfin, ce qui se passe...

— Ça se passe là-haut.

Le mendiant ajouta :

— Et puis il y a des choses qui se passent encore plus haut, le soleil qui se lève, la lune qui augmente ou diminue, c'est de celles-là que je m'occupe.

Il but une gorgée à la cruche et dit :

— La bonne eau fraîche !

Et il reprit :

— Comment trouvez-vous cette eau, monseigneur ?

— Comment vous appelez-vous ? dit le marquis.

— Je m'appelle Tellmarch, et l'on m'appelle le Caimand.

— Je sais. Caimand est un mot du pays.

— Qui veut dire mendiant. On me surnomme aussi le Vieux.

Il poursuivit :

— Voilà quarante ans qu'on m'appelle le Vieux.

— Quarante ans ! mais vous étiez jeune ?

— Je n'ai jamais été jeune. Vous l'êtes toujours, vous, monsieur le marquis. Vous avez des jambes de vingt ans, vous escaladez la grande dune ; moi, je commence à ne plus marcher ; au bout d'un quart de lieue je suis las. Nous sommes pourtant du même âge ; mais les riches, ça a sur nous un avantage, c'est que ça mange tous les jours. Manger conserve.

Le mendiant, après un silence, continua :

— Les pauvres, les riches, c'est une terrible affaire. C'est ce qui produit les catastrophes. Du moins, ça me fait cet effet-là. Les pauvres veulent être riches, les riches ne veulent pas être pauvres. Je crois que c'est un peu là le fond. Je ne m'en mêle pas. Les événements sont les événements. Je ne suis ni pour le créancier, ni pour le débiteur. Je sais qu'il y a une dette et qu'on la paye. Voilà tout. J'aurais mieux aimé qu'on ne tuât pas le roi, mais il me serait difficile de dire pourquoi. Après ça, on me répond : Mais autrefois, comme on vous accrochait les gens aux arbres pour rien du tout ! Tenez, moi, pour un méchant coup de fusil tiré à un chevreuil du roi, j'ai vu pendre un homme qui avait une femme et sept enfants. Il y a à dire des deux côtés.

Il se tut encore, puis ajouta :

— Vous comprenez, je ne sais pas au juste, on va, on vient, il se passe des choses ; moi, je suis là sous les étoiles.

Tellmarch eut encore une interruption de rêverie, puis continua :

— Je suis un peu rebouteux, un peu médecin, je connais les herbes, je tire parti des plantes, les paysans me voient attentif devant rien, et cela me fait passer pour sorcier. Parce que je songe, on croit que je sais.

— Vous êtes du pays ? dit le marquis.

— Je n'en suis jamais sorti.

— Vous me connaissez ?

— Sans doute. La dernière fois que je vous ai vu, c'est à votre dernier passage, il y a deux ans. Vous êtes allé d'ici en Angleterre. Tout à l'heure j'ai aperçu un homme au haut de la dune. Un homme de grande taille. Les hommes grands sont rares ; c'est un pays d'hommes petits, la Bretagne. J'ai bien regardé, j'avais lu l'affiche. J'ai dit : tiens ! Et quand vous êtes descendu, il y avait de la lune, je vous ai reconnu.

— Pourtant, moi, je ne vous connais pas.

— Vous m'avez vu, mais vous ne m'avez pas vu.

Et Tellmarch le Caimand ajouta :

— Je vous voyais, moi. De mendiant à passant, le regard n'est pas le même.

— Est-ce que je vous avais rencontré autrefois ?

— Souvent, puisque je suis votre mendiant. J'étais le pauvre du bas du chemin de votre château. Vous m'avez dans l'occasion fait l'aumône ; mais celui qui donne ne regarde pas, celui qui reçoit examine et observe. Qui dit mendiant dit espion. Mais moi, quoique souvent triste, je tâche de ne pas être un mauvais espion. Je tendais la main, vous ne voyiez que la main, et vous y jetiez l'aumône dont j'avais besoin le matin pour ne pas mourir de faim le soir. On est des fois des vingt-quatre heures sans manger. Quelquefois un sou, c'est la vie. Je vous dois la vie, je vous la rends.

— C'est vrai, vous me sauvez.

— Oui, je vous sauve, monseigneur.

Et la voix de Tellmarch devint grave.

— A une condition.

— Laquelle ?

— C'est que vous ne venez pas ici pour faire le mal.

— Je viens ici pour faire le bien, dit le marquis.

— Dormons, dit le mendiant.

Ils se couchèrent côte à côte sur le lit de varech. Le mendiant fut tout de suite endormi. Le marquis, bien que très las, resta un moment rêveur, puis, dans cette ombre, il regarda le pauvre, et se coucha. Se coucher sur ce lit, c'était se coucher sur le sol ; il en profita pour coller son oreille à terre, et il écouta. Il y avait sous la terre un sombre bourdonnement ; on sait que le son se propage dans les profondeurs du sol ; on entendait le bruit des cloches.

Le tocsin continuait.

Le marquis s'endormit.

V

SIGNÉ GAUVAIN

Quand il se réveilla, il faisait jour.

Le mendiant était debout, non dans la tanière, car on ne pouvait s'y tenir droit, mais dehors et sur le seuil. Il était appuyé sur son bâton. Il y avait du soleil sur son visage.

— Monseigneur, dit Tellmarch, quatre heures du matin viennent de sonner au clocher de Tanis. J'ai entendu les quatre coups. Donc le vent a changé ; c'est le vent de terre ; je n'entends aucun autre bruit ; donc le tocsin a cessé. Tout est tranquille dans la métairie et dans le hameau d'Herbe-en-Pail. Les bleus dorment ou sont partis. Le plus fort du danger est passé ; il est sage de nous séparer. C'est mon heure de m'en aller.

Il désigna un point de l'horizon.

— Je m'en vais par là.

Et il désigna le point opposé.

— Vous, allez-vous-en par ici.

Le mendiant fit au marquis un grave salut de la main.

Il ajouta en montrant ce qui restait du souper :

— Emportez des châtaignes, si vous avez faim.

Un moment après, il avait disparu sous les arbres.

Le marquis se leva, et s'en alla du côté que lui avait indiqué Tellmarch.

C'était l'heure charmante que la vieille langue paysanne normande appelle la « piperette du jour ». On entendait jaser les cardrounettes et les moineaux de haie. Le marquis suivit le sentier par où ils étaient venus la veille. Il sortit du fourré et se retrouva à l'embranchement de routes marqué par la croix de pierre. L'affiche y était, blanche et comme gaie au soleil levant. Il se rappela qu'il y avait au bas de l'affiche quelque chose qu'il n'avait pu lire la veille à cause de la finesse des lettres et du peu de jour qu'il faisait. Il alla au piédestal de la croix. L'affiche se terminait en effet, au-dessous de la signature PRIEUR, DE LA MARNE, par ces deux lignes en petits caractères :

« L'identité du ci-devant marquis de Lantenac constatée, il sera immédiatement passé par les armes. — Signé : *le chef de bataillon, commandant la colonne d'expédition*, GAUVAIN. »

— Gauvain ! dit le marquis.

Il s'arrêta profondément pensif, l'œil fixé sur l'affiche.

— Gauvain ! répéta-t-il.

Il se remit en marche, se retourna, regarda la croix, revint sur ses pas, et lut l'affiche encore une fois.

Puis il s'éloigna à pas lents. Quelqu'un qui eût été près de lui l'eût entendu murmurer à demi-voix : « Gauvain ! »

Du fond des chemins creux où il se glissait, on ne voyait pas les toits de la métairie qu'il avait laissée à sa gauche. Il côtoyait une éminence abrupte, toute couverte d'ajoncs en fleur, de l'espèce dite longue-épine. Cette éminence avait pour sommet une de ces pointes de terre qu'on appelle dans le pays une « hure ». Au pied de l'éminence, le regard se perdait tout de suite sous les arbres. Les feuillages étaient comme trempés de lumière. Toute la nature avait la joie profonde du matin.

Tout à coup ce paysage fut terrible. Ce fut comme une embuscade qui éclate. On ne sait quelle trombe faite de cris sauvages et de coups de fusil s'abattit sur ces champs et ces bois pleins de rayons, et l'on vit s'élever, du côté où était la métairie, une grande fumée coupée de flammes claires, comme si le hameau et la ferme n'étaient plus qu'une botte de paille qui brûlait. Ce fut subit et lugubre, le passage brusque du calme à la furie, une explosion de l'enfer en pleine aurore, l'horreur sans transition. On se battait du côté d'Herbe-en-Pail. Le marquis s'arrêta.

Il n'est personne qui, en pareil cas, ne l'ait éprouvé, la curiosité est plus forte que le danger; on veut savoir, dût-on périr. Il monta sur l'éminence au bas de laquelle passait le chemin creux. De là on était vu, mais on voyait. Il fut sur la hure en quelques minutes. Il regarda.

En effet, il y avait une fusillade et un incendie. On entendait des clameurs, on voyait du feu. La métairie était comme le centre d'on ne sait quelle catastrophe. Qu'était-ce? La métairie d'Herbe-en-Pail était-elle attaquée? Mais par qui? Était-ce un combat? N'était-ce pas plutôt une exécution militaire? Les bleus, et cela leur était ordonné par un décret révolutionnaire, punissaient très souvent, en y mettant le feu, les fermes et les villages réfractaires; on brûlait, pour l'exemple, toute métairie et tout hameau qui n'avaient point fait les abatis d'arbres prescrits par la loi et qui n'avaient pas ouvert et taillé dans les fourrés des passages pour la cavalerie républicaine. On avait notamment exécuté ainsi tout récemment la paroisse de Bourgon, près d'Ernée. Herbe-en-Pail était-il dans le même cas? Il était visible qu'aucune des percées stratégiques commandées par le décret n'avait été faite dans les halliers et dans les enclos de Tanis et d'Herbe-en-Pail. Était-ce le châtiment? Était-il arrivé un ordre à l'avant-garde qui occupait la métairie? Cette avant-garde ne faisait-elle pas partie d'une de ces colonnes d'expédition surnommées *colonnes infernales?*

Un fourré très hérissé et très fauve entourait de toutes parts l'éminence au sommet de laquelle le marquis s'était placé en observation. Ce fourré, qu'on appelait le bocage d'Herbe-en-Pail, mais qui avait les proportions d'un bois, s'étendait jusqu'à la métairie, et cachait, comme tous les halliers bretons, un réseau de ravins, de sentiers et de chemins creux, labyrinthes où les armées républicaines se perdaient.

L'exécution, si c'était une exécution, avait dû être féroce, car elle fut courte. Ce fut, comme toutes les choses brutales, tout de suite fait. L'atrocité des guerres civiles comporte ces sauvageries. Pendant que le marquis, multipliant les conjectures, hésitant à descendre, hésitant à rester, écoutait et épiait, ce fracas d'extermination cessa, ou pour mieux dire se dispersa. Le marquis constata dans le hallier comme l'éparpillement d'une troupe furieuse et joyeuse. Un effrayant fourmillement se fit sous les arbres. De la métairie on se jetait dans le bois. Il y avait des tambours qui battaient la charge. On ne tirait plus de coups de fusil. Cela ressemblait maintenant à une battue ; on semblait fouiller, poursuivre, traquer ; il était évident qu'on cherchait quelqu'un ; le bruit était diffus et profond ; c'était une confusion de paroles de colère et de triomphe, une rumeur composée de clameurs ; on n'y distinguait rien ; brusquement, comme un linéament se dessine dans une fumée, quelque chose devint articulé et précis dans ce tumulte, c'était un nom, un nom répété par mille voix, et le marquis entendit nettement ce cri :

« Lantenac ! Lantenac ! le marquis de Lantenac ! »

C'était lui qu'on cherchait.

VI

LES PÉRIPÉTIES DE LA GUERRE CIVILE

Et subitement, autour de lui, et de tous les côtés à la fois, le fourré se remplit de fusils, de bayonnettes et de sabres, un drapeau tricolore se dressa dans la pénombre, le cri *Lantenac !* éclata à son oreille, et à ses pieds, à travers les ronces et les branches, des faces violentes apparurent.

Le marquis était seul, debout sur un sommet, visible de tous les points du bois. Il voyait à peine ceux qui criaient son nom, mais il était vu de tous. S'il y avait mille fusils dans le bois, il était là comme une cible. Il ne distinguait rien dans le taillis que des prunelles ardentes fixées sur lui.

Il ôta son chapeau, en retroussa le bord, arracha une longue épine sèche à un ajonc, tira de sa poche une cocarde blanche, fixa avec l'épine le bord retroussé et la cocarde à la forme du chapeau, et, remettant sur la tête le chapeau dont le bord relevé laissait voir son front et sa cocarde, il dit d'une voix haute, parlant à toute la forêt à la fois :

— Je suis l'homme que vous cherchez. Je suis le marquis de Lantenac, vicomte de Fontenay, prince breton, lieutenant général des armées du roi. Finissons-en. En joue ! Feu !

Et, écartant de ses deux mains sa veste de peau de chèvre, il montra sa poitrine nue.

Il baissa les yeux, cherchant du regard les fusils braqués, et se vit entouré d'hommes à genoux.

Un immense cri s'éleva : « Vite Lantenac ! Vive monseigneur ! Vive le général ! »

En même temps des chapeaux sautaient en l'air, des sabres tournoyaient joyeusement, et l'on voyait dans tout le taillis se dresser des bâtons au bout desquels s'agitaient des bonnets de laine brune.

Ce qu'il avait autour de lui, c'était une bande vendéenne.

Cette bande s'était agenouillée en le voyant.

La légende raconte qu'il y avait dans les vieilles forêts thuringiennes des êtres étranges, race des géants, plus et moins qu'hommes, qui étaient considérés par les Romains comme des animaux horribles et par les Germains comme des incarnations divines, et qui, selon la rencontre, couraient la chance d'être exterminés ou adorés.

Le marquis éprouva quelque chose de pareil à ce que devait ressentir un de ces êtres quand, s'attendant à être traité comme un monstre, il était brusquement traité comme un dieu.

Tous ces yeux pleins d'éclairs redoutables se

fixaient sur le marquis avec une sorte de sauvage amour.

Cette cohue était armée de fusils, de sabres, de faulx, de pioches, de bâtons; tous avaient de grands feutres ou des bonnets bruns, avec des cocardes blanches, une profusion de rosaires et d'amulettes, de larges culottes ouvertes au genou, des casaques de poil, des guêtres en cuir, le jarret nu, les cheveux longs, quelques-uns l'air féroce, tous l'œil naïf.

Un homme jeune et de belle mine traversa les gens agenouillés et monta à grands pas vers le marquis. Cet homme était, comme les paysans, coiffé d'un feutre à bord relevé et à cocarde blanche, et vêtu d'une casaque de poil, mais il avait les mains blanches et une chemise fine, et il portait par-dessus sa veste une écharpe de soie blanche à laquelle pendait une épée à poignée dorée.

Parvenu sur la hure, il jeta son chapeau, détacha son écharpe, mit un genou en terre, présenta au marquis l'écharpe et l'épée, et dit :

– Nous vous cherchions en effet, nous vous avons trouvé. Voici l'épée de commandement. Ces hommes sont maintenant à vous. J'étais leur commandant, je monte en grade, je suis votre soldat. Acceptez notre hommage, monseigneur. Donnez vos ordres, mon général.

Puis il fit un signe, et des hommes qui portaient un drapeau tricolore sortirent du bois. Ces hommes montèrent jusqu'au marquis et déposèrent le drapeau à ses pieds. C'était le drapeau qu'il venait d'entrevoir à travers les arbres.

– Mon général, dit le jeune homme qui lui avait présenté l'épée et l'écharpe, ceci est le drapeau que nous venons de prendre aux bleus qui étaient dans la ferme d'Herbe-en-Pail. Monseigneur, je m'appelle Gavard. J'ai été au marquis de la Rouarie.

– C'est bien, dit le marquis.

Et, calme et grave, il ceignit l'écharpe.

Puis il tira l'épée, et l'agitant nue au-dessus de sa tête :

— Debout ! dit-il, et vive le roi !

Tous se levèrent.

Et l'on entendit dans les profondeurs du bois une clameur éperdue et triomphante : *Vive le roi ! Vive notre marquis ! Vive Lantenac !*

Le marquis se tourna vers Gavard.

— Combien donc êtes-vous ?

— Sept mille.

Et tout en descendant de l'éminence, pendant que les paysans écartaient les ajoncs devant les pas du marquis de Lantenac, Gavard continua :

— Monseigneur, rien de plus simple. Tout cela s'explique d'un mot. On n'attendait qu'une étincelle. L'affiche de la république, en révélant votre présence, a insurgé le pays pour le roi. Nous avions en outre été avertis sous main par le maire de Granville qui est un homme à nous, le même qui a sauvé l'abbé Olivier. Cette nuit on a sonné le tocsin.

— Pour qui ?

— Pour vous.

— Ah ! dit le marquis.

— Et nous voilà, reprit Gavard.

— Et vous êtes sept mille ?

— Aujourd'hui. Nous serons quinze mille demain. C'est le rendement du pays. Quand M. Henri de La Rochejaquelein est parti pour l'armée catholique, on a sonné le tocsin, et en une nuit six paroisses, Isernay, Corqueux, les Échaubroignes, les Aubiers, Saint-Aubin et Nueil, lui ont amené dix mille hommes. On n'avait pas de munitions, on a trouvé chez un maçon soixante livres de poudre de mine, et M. de La Rochejaquelein est parti avec cela. Nous pensions bien que vous deviez être quelque part dans cette forêt, et nous vous cherchions.

— Et vous avez attaqué les bleus dans la ferme d'Herbe-en-Pail ?

— Le vent les avait empêchés d'entendre le tocsin. Ils ne se défiaient pas ; les gens du hameau, qui sont pataud[1], les avaient bien reçus. Ce matin, nous

1. Voir note p. 89.

avons investi la ferme, les bleus dormaient, et en un tour de main la chose a été faite. J'ai un cheval. Daignez-vous l'accepter, mon général?

— Oui.

Un paysan amena un cheval blanc militairement harnaché. Le marquis, sans user de l'aide que lui offrait Gavard, monta à cheval.

— Hurrah! crièrent les paysans. Car les cris anglais sont fort usités sur la côte bretonne-normande, en commerce perpétuel avec les îles de la Manche.

Gavard fit le salut militaire et demanda :

— Quel sera votre quartier général, monseigneur?

— D'abord la forêt de Fougères.

— C'est une de vos sept forêts, monsieur le marquis.

— Il faut un prêtre.

— Nous en avons un.

— Qui?

— Le vicaire de la Chapelle-Erbrée.

— Je le connais. Il a fait le voyage de Jersey.

Un prêtre sortit des rangs et dit :

— Trois fois.

Le marquis tourna la tête.

— Bonjour, monsieur le vicaire. Vous allez avoir de la besogne.

— Tant mieux, monsieur le marquis.

— Vous aurez du monde à confesser. Ceux qui voudront. On ne force personne.

— Monsieur le marquis, dit le prêtre, Gaston, à Guéménée, force les républicains à se confesser.

— C'est un perruquier, dit le marquis; mais la mort doit être libre.

Gavard, qui était allé donner quelques consignes, revint :

— Mon général, j'attends vos commandements.

— D'abord, le rendez-vous est à la forêt de Fougères. Qu'on se disperse et qu'on y aille.

— L'ordre est donné.

— Ne m'avez-vous pas dit que les gens d'Herbe-en-Pail avaient bien reçu les bleus?

— Oui, mon général.

— Vous avez brûlé la ferme?

— Oui.

— Avez-vous brûlé le hameau?

— Non.

— Brûlez-le.

— Les bleus ont essayé de se défendre; mais ils étaient cent cinquante et nous étions sept mille.

— Qu'est-ce que c'est que ces bleus-là?

— Des bleus de Santerre.

— Qui a commandé le roulement de tambours pendant qu'on coupait la tête au roi. Alors c'est un bataillon de Paris?

— Un demi-bataillon.

— Comment s'appelle ce bataillon?

— Mon général, il y a sur le drapeau : Bataillon du Bonnet-Rouge.

— Des bêtes féroces.

— Que faut-il faire des blessés?

— Achevez-les.

— Que faut-il faire des prisonniers?

— Fusillez-les.

— Il y en a environ quatre-vingts.

— Fusillez tout.

— Il y a deux femmes.

— Aussi.

— Il y a trois enfants.

— Emmenez-les. On verra ce qu'on en fera.

Et le marquis poussa son cheval.

VII

PAS DE GRÂCE (MOT D'ORDRE DE LA COMMUNE) PAS DE QUARTIER (MOT D'ORDRE DES PRINCES)

Pendant que ceci se passait près de Tanis, le mendiant s'en était allé vers Crollon. Il s'était enfoncé dans les ravins, sous les vastes feuillées sourdes, inattentif à tout et attentif à rien, comme il l'avait dit lui-même, rêveur plutôt que pensif, car le pensif a un but et le rêveur n'en a pas, errant, rôdant, s'arrêtant, mangeant çà et là une pousse d'oseille sauvage, buvant aux sources, dressant la tête par moments à des fracas lointains, puis rentrant dans l'éblouissante fascination de la nature, offrant ses haillons au soleil, entendant peut-être le bruit des hommes, mais écoutant le chant des oiseaux.

Il était vieux et lent ; il ne pouvait aller loin ; comme il l'avait dit au marquis de Lantenac, un quart de lieue le fatiguait ; il fit un court circuit vers la Croix-Avranchin, et le soir était venu quand il s'en retourna.

Un peu au delà de Macey, le sentier qu'il suivait le conduisit sur une sorte de point culminant dégagé d'arbres, d'où l'on voit de très loin et d'où l'on découvre tout l'horizon de l'ouest jusqu'à la mer.

Une fumée appela son attention.

Rien de plus doux qu'une fumée, rien de plus effrayant. Il y a les fumées paisibles et il y a les fumées scélérates. Une fumée, l'épaisseur et la couleur d'une fumée, c'est toute la différence entre la paix et la guerre, entre la fraternité et la haine, entre l'hospitalité et le sépulcre, entre la vie et la mort. Une fumée qui monte dans les arbres peut signifier ce qu'il y a de plus charmant au monde, le foyer, ou ce qu'il y a de plus affreux, l'incendie ; et tout le bonheur comme tout le malheur de l'homme sont parfois dans cette chose éparse au vent.

La fumée que regardait Tellmarch était inquiétante.

Elle était noire avec des rougeurs subites comme si le brasier d'où elle sortait avait des intermittences et achevait de s'éteindre, et elle s'élevait au-dessus d'Herbe-en-Pail.

Tellmarch hâta le pas et se dirigea vers cette fumée. Il était bien las, mais il voulait savoir ce que c'était.

Il arriva au sommet d'un coteau auquel étaient adossés le hameau et la métairie.

Il n'y avait plus ni métairie ni hameau.

Un tas de masures brûlait, et c'était là Herbe-en-Pail.

Il y a quelque chose de plus poignant à voir brûler qu'un palais, c'est une chaumière. Une chaumière en feu est lamentable. La dévastation s'abattant sur la misère, le vautour s'acharnant sur le ver de terre, il y a là on ne sait quel contre-sens qui serre le cœur.

A en croire la légende biblique, un incendie regardé change une créature humaine en statue; Tellmarch fut un moment cette statue. Le spectacle qu'il avait sous les yeux le fit immobile. Cette destruction s'accomplissait en silence. Pas un cri ne s'élevait; pas un soupir humain ne se mêlait à cette fumée; cette fournaise travaillait et achevait de dévorer ce village sans qu'on entendît d'autre bruit que le craquement des charpentes et le pétillement des chaumes. Par moments la fumée se déchirait, les toits effondrés laissaient voir les chambres béantes, le brasier montrait tous ses rubis, des guenilles écarlates et de pauvres vieux meubles couleur de pourpre se dressaient dans ces intérieurs vermeils, et Tellmarch avait le sinistre éblouissement du désastre.

Quelques arbres d'une châtaigneraie contiguë aux maisons avaient pris feu et flambaient.

Il écoutait, tâchant d'entendre une voix, un appel, une clameur; rien ne remuait, excepté les flammes :

tout se taisait, excepté l'incendie. Est-ce donc que tous avaient fui ?

Où était ce groupe vivant et travaillant d'Herbe-en-Pail ? Qu'était devenu tout ce petit peuple ?

Tellmarch descendit du coteau.

Une énigme funèbre était devant lui. Il s'en approchait sans hâte et l'œil fixe. Il avançait vers cette ruine avec une lenteur d'ombre ; il se sentait fantôme dans cette tombe.

Il arriva à ce qui avait été la porte de la métairie, et il regarda dans la cour qui, maintenant, n'avait plus de murailles et se confondait avec le hameau groupé autour d'elle.

Ce qu'il avait vu n'était rien. Il n'avait encore aperçu que le terrible, l'horrible lui apparut.

Au milieu de la cour il y avait un monceau noir, vaguement modelé d'un côté par la flamme, de l'autre par la lune ; ce monceau était un tas d'hommes ; ces hommes étaient morts.

Il y avait autour de ce tas une grande mare qui fumait un peu ; l'incendie se reflétait dans cette mare ; mais elle n'avait pas besoin du feu pour être rouge ; c'était du sang.

Tellmarch s'approcha. Il se mit à examiner, l'un après l'autre, ces corps gisants ; tous étaient des cadavres.

La lune éclairait, l'incendie aussi.

Ces cadavres étaient des soldats. Tous étaient pieds nus ; on leur avait pris leurs souliers ; on leur avait aussi pris leurs armes ; ils avaient encore leurs uniformes qui étaient bleus ; çà et là on distinguait, dans l'amoncellement des membres et des têtes, des chapeaux troués avec des cocardes tricolores. C'étaient des républicains. C'étaient ces Parisiens qui, la veille encore, étaient là tous vivants, et tenaient garnison dans la ferme d'Herbe-en-Pail. Ces hommes avaient été suppliciés, ce qu'indiquait la chute symétrique des corps ; ils avaient été foudroyés sur place, et avec soin. Ils étaient tous morts. Pas un râle ne sortait du tas.

Tellmarch passa cette revue des cadavres, sans en omettre un seul; tous étaient criblés de balles.

Ceux qui les avaient mitraillés, pressés probablement d'aller ailleurs, n'avaient pas pris le temps de les enterrer.

Comme il allait se retirer, ses yeux tombèrent sur un mur bas qui était dans la cour, et il vit quatre pieds qui passaient de derrière l'angle de ce mur.

Ces pieds avaient des souliers; ils étaient plus petits que les autres; Tellmarch approcha. C'étaient des pieds de femme.

Deux femmes étaient gisantes côte à côte derrière le mur, fusillées aussi.

Tellmarch se pencha sur elles. L'une de ces femmes avait une sorte d'uniforme; à côté d'elle était un bidon brisé et vidé; c'était une vivandière. Elle avait quatre balles dans la tête. Elle était morte.

Tellmarch examina l'autre. C'était une paysanne. Elle était blême et béante. Ses yeux étaient fermés. Elle n'avait aucune plaie à la tête. Ses vêtements, dont les fatigues, sans doute, avaient fait des haillons, s'étaient ouverts dans sa chute, et laissaient voir son torse à demi nu. Tellmarch acheva de les écarter, et vit à une épaule la plaie ronde que fait une balle; la clavicule était cassée. Il regarda ce sein livide.

— Mère et nourrice, murmura-t-il.

Il la toucha. Elle n'était pas froide.

Elle n'avait pas d'autre blessure que la clavicule cassée et la plaie à l'épaule.

Il posa la main sur le cœur et sentit un faible battement. Elle n'était pas morte.

Tellmarch se redressa debout et cria d'une voix terrible :

— Il n'y a donc personne ici?

— C'est toi, le Caimand! répondit une voix, si basse qu'on l'entendait à peine.

Et en même temps une tête sortit d'un trou de ruine.

Puis une autre face apparut dans une autre masure.

C'étaient deux paysans qui s'étaient cachés; les seuls qui survécussent.

La voix connue du Caimand les avait rassurés et les avait fait sortir des recoins où ils se blottissaient.

Ils avancèrent vers Tellmarch, fort tremblants encore.

Tellmarch avait pu crier, mais ne pouvait parler; les émotions profondes sont ainsi.

Il leur montra du doigt la femme étendue à ses pieds.

— Est-ce qu'elle est encore en vie? dit l'un des paysans.

Tellmarch fit de la tête signe que oui.

— L'autre femme est-elle vivante? demanda l'autre paysan.

Tellmarch fit signe que non.

Le paysan qui s'était montré le premier, reprit :

— Tous les autres sont morts, n'est-ce pas? J'ai vu cela. J'étais dans ma cave. Comme on remercie Dieu dans ces moments-là de n'avoir pas de famille! Ma maison brûlait. Seigneur Jésus! on a tout tué. Cette femme-ci avait des enfants. Trois enfants, tout petits! Les enfants criaient : Mère! La mère criait : Mes enfants! On a tué la mère et on a emmené les enfants. J'ai vu cela, mon Dieu! mon Dieu! mon Dieu! Ceux qui ont tout massacré sont partis. Ils étaient contents. Ils ont emmené les petits et tué la mère. Mais elle n'est pas morte, n'est-ce pas, elle n'est pas morte? Dis donc, le Caimand, est-ce que tu crois que tu pourrais la sauver? veux-tu que nous t'aidions à la porter dans ton carnichot?

Tellmarch fit signe que oui.

Le bois touchait à la ferme. Ils eurent vite fait un brancard avec des feuillages et des fougères. Ils placèrent sur le brancard la femme toujours immobile et se mirent en marche dans le hallier, les deux paysans portant le brancard, l'un à la tête, l'autre aux pieds, Tellmarch soutenant le bras de la femme et lui tâtant le pouls.

Tout en cheminant, les deux paysans causaient, et, par-dessus la femme sanglante dont la lune éclairait la face pâle, ils échangeaient des exclamations effarées.

– Tout tuer !

– Tout brûler !

– Ah ! monseigneur Dieu ! est-ce qu'on va être comme ça à présent ?

– C'est ce grand homme vieux qui l'a voulu.

– Oui, c'est lui qui commandait.

– Je ne l'ai pas vu quand on a fusillé. Est-ce qu'il était là ?

– Non. Il était parti. Mais c'est égal, tout s'est fait par son commandement.

– Alors, c'est lui qui a tout fait.

– Il avait dit : Tuez ! brûlez ! pas de quartier !

– C'est un marquis ?

– Oui, puisque c'est notre marquis.

– Comment s'appelle-t-il donc déjà ?

– C'est monsieur de Lantenac.

Tellmarch leva les yeux au ciel et murmura entre ses dents :

– Si j'avais su !

DEUXIÈME PARTIE

À PARIS

LIVRE PREMIER

CIMOURDAIN

I

LES RUES DE PARIS DANS CE TEMPS-LÀ

On vivait en public, on mangeait sur des tables dressées devant les portes, les femmes assises sur les perrons des églises faisaient de la charpie en chantant *la Marseillaise*, le parc Monceaux et le Luxembourg étaient des champs de manœuvre, il y avait dans tous les carrefours des armureries en plein travail, on fabriquait des fusils sous les yeux des passants qui battaient des mains ; on n'entendait que ce mot dans toutes les bouches : *Patience. Nous sommes en révolution*. On souriait héroïquement. On allait au spectacle comme à Athènes pendant la guerre du Péloponèse ; on voyait affichés au coin des rues : *Le Siège de Thionville. – La Mère de famille sauvée des flammes. – Le Club des Sans-Soucis. – L'Aînée des papesses Jeanne. – Les Philosophes soldats. – L'Art d'aimer au village*. – Les Allemands étaient aux portes ; le bruit courait que le roi de Prusse avait fait retenir des loges à l'Opéra. Tout était effrayant et personne n'était effrayé. La ténébreuse loi des suspects, qui est le crime de Merlin de Douai, faisait la guillotine visible au-dessus de toutes les têtes. Un procureur, nommé Séran, dénoncé, attendait qu'on vînt l'arrêter, en robe de chambre et en pantoufles, et en jouant de la flûte à sa fenêtre. Personne ne semblait avoir le temps. Tout le monde se hâtait. Pas un chapeau qui n'eût une cocarde. Les femmes disaient : *Nous sommes jolies sous le bonnet rouge*. Paris semblait plein d'un déménagement. Les marchands de bric-à-brac étaient encombrés de couronnes, de mitres, de sceptres en bois doré et de fleurs de lys, défroques des maisons royales ; c'était la démolition de la monarchie qui passait. On voyait chez les fripiers des chapes et des rochets à vendre au *décroche-moi-ça*. Aux Porcherons et chez Ramponneau, des hommes affublés de surplis et d'étoles, montés sur des ânes caparaçonnés de chasubles, se faisaient verser le vin du cabaret dans les ciboires des cathédrales. Rue Saint-Jacques, des paveurs, pieds nus, arrêtaient la brouette d'un colporteur qui offrait des chaussures à vendre, se cotisaient et achetaient quinze paires de souliers qu'ils envoyaient à la Convention pour nos soldats. Les bustes de Franklin, de Rousseau, de Brutus, et il faut ajouter de Marat, abondaient ; au-dessous d'un de ces bustes de Marat, rue Cloche-Perce, était accroché sous verre, dans un cadre de bois noir, un réquisitoire contre Malouet, avec faits à l'appui et ces deux lignes en marge : « Ces détails m'ont été donnés par la maîtresse de Sylvain Bailly, bonne patriote qui a des bontés pour moi. — Signé : MARAT. » Sur la place du Palais-Royal, l'inscription de la fontaine : *Quantos effundit in usus !* était cachée par deux grandes toiles peintes à la détrempe, représentant l'une, Cahier de Gerville dénonçant à l'Assemblée nationale le signe de ralliement des « chiffonnistes » d'Arles ; l'autre, Louis XVI ramené de Varennes dans son carrosse royal, et sous ce carrosse une planche liée par des cordes portant à ses deux bouts deux grenadiers, la bayonnette au fusil. Peu de grandes boutiques étaient ouvertes ; des merceries et des bimbeloteries roulantes circulaient traînées par des femmes, éclairées par des chandelles, les suifs fondant sur les marchandises ; des boutiques en plein vent étaient tenues par des ex-religieuses en perruque blonde ; telle ravaudeuse, raccommodant des bas dans une échoppe, était une comtesse ; telle couturière était une marquise ; madame de Boufflers habitait un grenier d'où elle voyait son hôtel. Des crieurs couraient, offrant les « papiers-nouvelles ». On appelait *écrouelleux* ceux qui cachaient leur menton dans leur cravate. Les chanteurs ambulants pullulaient. La foule huait Pitou, le chansonnier royaliste, vaillant d'ailleurs, car il fut emprisonné vingt-deux fois et fut traduit devant le tribunal révolutionnaire pour s'être frappé le bas des reins en prononçant le mot *civisme* ; voyant sa tête en danger, il s'écria : *Mais c'est le contraire de ma tête qui est coupable !* ce qui fit rire les juges et le sauva. Ce Pitou raillait la mode des noms grecs et latins ; sa chanson favorite était sur un savetier qu'il appelait *Cujus*, et dont il appelait la femme *Cujusdam*[1]. On faisait des rondes de carmagnole ; on ne disait pas *le cavalier et la dame*, on disait : « le citoyen et la citoyenne ». On dansait dans les cloîtres en ruine, avec des lampions sur l'autel, à la voûte deux bâtons en croix portant quatre chandelles, et des tombes sous la danse. — On portait des vestes bleu de tyran. On avait des épingles de chemise « au bonnet de la liberté » faites de pierres blanches, bleues et rouges. La rue de Richelieu se nommait rue de la Loi ; le faubourg Saint-Antoine se nommait le faubourg de Gloire ; il y avait sur la place de la Bastille une statue de la Nature. On se montrait certains passants connus, Chatelet, Didier, Nicolas et Garnier-Delaunay, qui veillaient à la porte du menuisier Duplay ; Voullant, qui ne manquait pas un jour de guillotine et suivait les charretées de condamnés, et qui appelait cela « aller à la messe rouge » ; Montflabert, juré révolutionnaire et marquis, lequel se faisait appeler *Dix-Août*. On regardait défiler les

1. *Cujus* se prononce « couillousse »...

élèves de l'École militaire, qualifiés par les décrets de la Convention « aspirants à l'école de Mars », et par le peuple « pages de Robespierre ». On lisait les proclamations de Fréron, dénonçant les suspects du crime de « négotiantisme ». Les « muscadins », ameutés aux portes des mairies, raillaient les mariages civils, s'attroupaient au passage de l'épousée et de l'époux, et disaient : « mariés *municipaliter* ». Aux Invalides les statues des saints et des rois étaient coiffées du bonnet phrygien. On jouait aux cartes sur la borne des carrefours ; les jeux de cartes étaient, eux aussi, en pleine révolution ; les rois étaient remplacés par les génies, les dames par les libertés, les valets par les égalités, et les as par les lois. On labourait les jardins publics ; la charrue travaillait aux Tuileries. A tout cela était mêlée, surtout dans les partis vaincus, on ne sait quelle hautaine lassitude de vivre ; un homme écrivait à Fouquier-Tinville : « Ayez la bonté de me délivrer de la vie. Voici mon adresse. » Champcenetz était arrêté pour s'être écrié en plein Palais-Royal : « A quand la révolution de Turquie ? Je voudrais voir la république à la Porte[1]. » Partout des journaux. Des garçons perruquiers crêpaient en public des perruques de femmes, pendant que le patron lisait à haute voix le *Moniteur* ; d'autres commentaient au milieu des groupes, avec force gestes, le journal *Entendons-nous*, de Dubois-Crancé, ou la *Trompette du Père Bellerose*. Quelquefois les barbiers étaient en même temps charcutiers ; et l'on voyait des jambons et des andouilles pendre à côté d'une poupée coiffée de cheveux d'or. Des marchands vendaient sur la voie publique « des vins d'émigrés » ; un marchand affichait des vins de *cinquante-deux espèces* ; d'autres brocantaient des pendules en lyre et des sophas à la duchesse ; un perruquier avait pour enseigne ceci : « Je rase le clergé, je peigne la noblesse, j'accommode le tiers-

1. La Turquie s'appelait aussi « La Sublime Porte ».

état. » On allait se faire tirer les cartes par Martin, au n° 173 de la rue d'Anjou, ci-devant Dauphine. Le pain manquait, le charbon manquait, le savon manquait; on voyait passer des bandes de vaches laitières arrivant des provinces. A la Vallée, l'agneau se vendait quïnze francs la livre. Une affiche de la Commune assignait à chaque bouche une livre de viande par décade. On faisait queue aux portes des marchands; une de ces queues est restée légendaire, elle allait de la porte d'un épicier de la rue du Petit-Carreau jusqu'au milieu de la rue Montorgueil. Faire queue, cela s'appelait « tenir la ficelle », à cause d'une longue corde que prenaient dans leur main, l'un derrière l'autre, ceux qui étaient à la file. Les femmes dans cette misère étaient vaillantes et douces. Elles passaient les nuits à attendre leur tour d'entrer chez le boulanger. Les expédients réussissaient à la révolution; elle soulevait cette vaste détresse avec deux moyens périlleux, l'assignat et le maximum; l'assignat était le levier, le maximum était le point d'appui. Cet empirisme sauva la France. L'ennemi, aussi bien l'ennemi de Coblentz que l'ennemi de Londres, agiotait sur l'assignat. Des filles allaient et venaient, offrant de l'eau de lavande, des jarretières et des cadenettes, et faisant l'agio; il y avait les agioteurs du Perron de la rue Vivienne, en souliers crottés, en cheveux gras, en bonnet à poil à queue de renard, et les mayolets de la rue de Valois en bottes cirées, le cure-dents à la bouche, le chapeau velu sur la tête, tutoyés par les filles. Le peuple leur faisait la chasse, ainsi qu'aux voleurs, que les royalistes appelaient « citoyens actifs ». Du reste, très peu de vols. Un dénûment farouche, une probité stoïque. Les va-nu-pieds et les meurt-de-faim passaient, les yeux gravement baissés, devant les devantures des bijoutiers du Palais-Égalité. Dans une visite domiciliaire que fit la section Antoine chez Beaumarchais, une femme cueillit dans le jardin une fleur; le peuple la souffleta. Le bois coûtait quatre cents francs, argent, la corde; on voyait dans les rues des gens scier leur bois de lit; l'hiver, les fontaines étaient gelées; l'eau coûtait vingt sous la voie; tout le monde se faisait porteur d'eau. Le louis d'or valait trois mille neuf cent cinquante francs. Une course en fiacre coûtait six cents francs. Après une journée de fiacre on entendait ce dialogue : — Cocher, combien vous dois-je? — Six mille livres. Une marchande d'herbe vendait pour vingt mille francs par jour. Un mendiant disait : *Par charité, secourez-moi! il me manque deux cent trente livres pour payer mes souliers*. A l'entrée des ponts, on voyait des colosses sculptés et peints par David que Mercier insultait : *Énormes polichinelles de bois*, disait-il. Ces colosses figuraient le fédéralisme et la coalition terrassés. Aucune défaillance dans ce peuple. La sombre joie d'en avoir fini avec les trônes. Les volontaires affluaient, offrant leurs poitrines. Chaque rue donnait un bataillon. Les drapeaux des districts allaient et venaient, chacun avec sa devise. Sur le drapeau du district des Capucins on lisait : *Nul ne nous fera la barbe*. Sur un autre : *Plus de noblesse que dans le cœur*. Sur tous les murs, des affiches, grandes, petites, blanches, jaunes, vertes, rouges, imprimées, manuscrites, où on lisait ce cri : *Vive la République!* Les petits enfants bégayaient *Ça ira*.

Ces petits enfants, c'était l'immense avenir.

Plus tard, à la ville tragique succéda la ville cynique; les rues de Paris ont eu deux aspects révolutionnaires très distincts, avant et après le 9 thermidor; le Paris de Saint-Just fit place au Paris de Tallien; et, ce sont là les continuelles antithèses de Dieu, immédiatement après le Sinaï, la Courtille apparut.

Un accès de folie publique, cela se voit. Cela s'était déjà vu quatre-vingts ans auparavant. On sort de Louis XIV comme on sort de Robespierre, avec un grand besoin de respirer; de là la Régence qui ouvre le siècle et le Directoire qui le termine. Deux saturnales après deux terrorismes. La France prend la clef des champs, hors du cloître puritain comme hors du cloître monarchique, avec une joie de nation échappée.

Après le 9 thermidor, Paris fut gai, d'une gaieté égarée. Une joie malsaine déborda. A la frénésie de mourir succéda la frénésie de vivre, et la grandeur s'éclipsa. On eut un Trimalcion qui s'appela Grimod de la Reynière ; on eut l'*Almanach des Gourmands*. On dîna au bruit des fanfares dans les entre-sols du Palais-Royal, avec des orchestres de femmes battant du tambour et sonnant de la trompette ; « le rigaudinier », l'archet au poing, régna ; on soupa « à l'orientale » chez Méot, au milieu des cassolettes pleines de parfums. Le peintre Boze peignait ses filles, innocentes et charmantes têtes de seize ans, « en guillotinées », c'est-à-dire décolletées avec des chemises rouges. Aux danses violentes dans les églises en ruine succédèrent les bals de Ruggieri, de Luquet, de Wenzel, de Mauduit, de la Montansier, aux graves citoyennes qui faisaient de la charpie succédèrent les sultanes, les sauvages, les nymphes ; aux pieds nus des soldats couverts de sang, de boue et de poussière succédèrent les pieds nus des femmes ornés de diamants ; en même temps que l'impudeur, l'improbité reparut ; il y eut en haut les fournisseurs et en bas « la petite pègre » ; un fourmillement de filous emplit Paris, et chacun dut veiller sur son « luc », c'est-à-dire sur son portefeuille : un des passe-temps était d'aller voir, place du Palais-de-Justice, les voleuses au tabouret ; on était obligé de leur lier les jupes ; à la sortie des théâtres, des gamins offraient des cabriolets en disant : *Citoyen et citoyenne, il y a place pour deux* ; on ne criait plus *le Vieux Cordelier* et *l'Ami du peuple*, on criait *la Lettre de Polichinelle* et *la Pétition des Galopins* ; le marquis de Sade présidait la section des Piques, place Vendôme. La réaction était joviale et féroce : les *Dragons de la Liberté* de 92 renaissaient sous le nom de *Chevaliers du Poignard*. En même temps surgit sur les tréteaux ce type, Jocrisse. On eut les « merveilleuses », et au delà des merveilleuses les « inconcevables » ; on jura par sa *paole victimée* et par sa *paole verte*; on recula de Mirabeau jusqu'à Bobèche. C'est ainsi que Paris va et vient, il est l'énorme pendule de la civilisation ; il touche tour à tour un pôle et l'autre, les Thermopyles et Gomorrhe. Après 93, la Révolution traversa une occultation singulière, le siècle sembla oublier de finir ce qu'il avait commencé, on ne sait quelle orgie s'interposa, prit le premier plan, fit reculer au second l'effrayante apocalypse, voila la vision démesurée, et éclata de rire après l'épouvante ; la tragédie disparut dans la parodie, et au fond de l'horizon une fumée de carnaval effaça vaguement Méduse.

Mais en 93, où nous sommes, les rues de Paris avaient encore tout l'aspect grandiose et farouche des commencements. Elles avaient leurs orateurs, Varlet qui promenait une baraque roulante du haut de laquelle il haranguait les passants, leurs héros, dont un s'appelait « le capitaine des bâtons ferrés », leurs favoris, Guffroy, l'auteur du pamphlet *Rougiff*. Quelques-unes de ces popularités étaient malfaisantes ; d'autres étaient saines. Une entre toutes était honnête et fatale : c'était celle de Cimourdain.

II

CIMOURDAIN

Cimourdain était une conscience pure, mais sombre. Il avait en lui l'absolu. Il avait été prêtre, ce qui est grave. L'homme peut, comme le ciel, avoir une sérénité noire ; il suffit que quelque chose fasse en lui la nuit. La prêtrise avait fait la nuit dans Cimourdain. Qui a été prêtre l'est.

Ce qui fait la nuit en nous peut laisser en nous les étoiles. Cimourdain était plein de vertus et de vérités, mais qui brillaient dans les ténèbres.

Son histoire était courte à faire. Il avait été curé de village et précepteur dans une grande maison ; puis un petit héritage lui était venu, et il s'était fait libre.

C'était par-dessus tout un opiniâtre. Il se servait de la méditation comme on se sert d'une tenaille ; il ne se croyait le droit de quitter une idée que lorsqu'il était arrivé au bout ; il pensait avec acharnement. Il savait toutes les langues de l'Europe et un peu les autres ; cet homme étudiait sans cesse, ce qui l'aidait à porter sa chasteté, mais rien de plus dangereux qu'un tel refoulement.

Prêtre, il avait, par orgueil, hasard ou hauteur d'âme, observé ses vœux ; mais il n'avait pu garder sa croyance. La science avait démoli sa foi ; le dogme s'était évanoui en lui. Alors, s'examinant, il s'était senti comme mutilé, et, ne pouvant se défaire prêtre, il avait travaillé à se refaire homme, mais d'une façon austère ; on lui avait ôté la famille, il avait adopté la patrie ; on lui avait refusé une femme, il avait épousé l'humanité. Cette plénitude énorme, au fond, c'est le vide.

Ses parents, paysans, en le faisant prêtre, avaient voulu le faire sortir du peuple ; il était rentré dans le peuple.

Et il y était rentré passionnément. Il regardait les souffrants avec une tendresse redoutable. De prêtre il était devenu philosophe, et de philosophe athlète. Louis XV vivait encore que déjà Cimourdain se sentait vaguement républicain. De quelle république ? De la république de Platon peut-être, et peut-être aussi de la république de Dracon.

Défense lui étant faite d'aimer, il s'était mis à haïr. Il haïssait les mensonges, la monarchie, la théocratie, son habit de prêtre ; il haïssait le présent, et il appelait à grands cris l'avenir ; il le pressentait, il l'entrevoyait d'avance, il le devinait effrayant et magnifique ; il comprenait, pour le dénoûment de la lamentable misère humaine, quelque chose comme un vengeur qui serait un libérateur. Il adorait de loin la catastrophe.

En 1789, cette catastrophe était arrivée, et l'avait trouvé prêt. Cimourdain s'était jeté dans ce vaste renouvellement humain avec logique, c'est-à-dire, pour un esprit de sa trempe, inexorablement ; la logique ne s'attendrit pas. Il avait vécu les grandes années révolutionnaires, et avait eu le tressaillement de tous ces souffles : 89, la chute de la Bastille, la fin du supplice des peuples ; 90, le 19 juin, la fin de la féodalité ; 91, Varennes, la fin de la royauté ; 92, l'avènement de la République. Il avait vu se lever la Révolution ; il n'était pas homme à avoir peur de cette géante ; loin de là, cette croissance de tout l'avait vivifié ; et quoique déjà presque vieux — il avait cinquante ans, — et un prêtre est plus vite vieux qu'un autre homme, il s'était mis à croître, lui aussi. D'année en année, il avait regardé les événements grandir, et il avait grandi comme eux. Il avait craint d'abord que la Révolution n'avortât, il l'observait, elle avait la raison et le droit, il exigeait qu'elle eût aussi le succès ; et à mesure qu'elle effrayait, il se sentait rassuré. Il voulait que cette Minerve, couronnée des étoiles de l'avenir, fût aussi Pallas et eût pour bouclier le masque aux serpents. Il voulait que son œil divin pût au besoin jeter aux démons la lueur infernale, et leur rendre terreur pour terreur.

Il était arrivé ainsi à 93.

93 est la guerre de l'Europe contre la France et de la France contre Paris. Et qu'est-ce que la Révolution ? C'est la victoire de la France sur l'Europe et de Paris sur la France. De là, l'immensité de cette minute épouvantable, 93, plus grande que tout le reste du siècle.

Rien de plus tragique, l'Europe attaquant la France et la France attaquant Paris. Drame qui a la stature de l'épopée.

93 est une année intense. L'orage est là dans toute sa colère et dans toute sa grandeur. Cimourdain s'y sentait à l'aise. Ce milieu éperdu, sauvage et splendide convenait à son envergure. Cet homme avait,

comme l'aigle de mer, un profond calme intérieur, avec le goût du risque au dehors. Certaines natures ailées, farouches et tranquilles sont faites pour les grands vents. Les âmes de tempête, cela existe.

Il avait une pitié à part, réservée seulement aux misérables. Devant l'espèce de souffrance qui fait horreur, il se dévouait. Rien ne lui répugnait. C'était là son genre de bonté. Il était hideusement secourable, et divinement. Il cherchait les ulcères pour les baiser. Les belles actions laides à voir sont les plus difficiles à faire ; il préférait celles-là. Un jour à l'Hôtel-Dieu, un homme allait mourir, étouffé par une tumeur à la gorge, abcès fétide, affreux, contagieux peut-être et qu'il fallait vider sur-le-champ. Cimourdain était là ; il appliqua sa bouche à la tumeur, la pompa, recrachant à mesure que sa bouche était pleine, vida l'abcès, et sauva l'homme. Comme il portait encore à cette époque son habit de prêtre, quelqu'un lui dit : — Si vous faisiez cela au roi, vous seriez évêque. — Je ne le ferais pas au roi, répondit Cimourdain. L'acte et la réponse le firent populaire dans les quartiers sombres de Paris.

Si bien qu'il faisait de ceux qui souffrent, qui pleurent et qui menacent, ce qu'il voulait. A l'époque des colères contre les accapareurs, colères si fécondes en méprises, ce fut Cimourdain qui, d'un mot, empêcha le pillage d'un bateau chargé de savon sur le port Saint-Nicolas et qui dissipa les attroupements furieux arrêtant les voitures à la barrière Saint-Lazare.

Ce fut lui qui, deux jours après le 10 août, mena le peuple jeter bas les statues des rois. En tombant elles tuèrent ; place Vendôme, une femme, Reine Violet, fut écrasée par Louis XIV au cou duquel elle avait mis une corde qu'elle tirait. Cette statue de Louis XIV avait été cent ans debout ; elle avait été érigée le 12 août 1692, elle fut renversée le 12 août 1792. Place de la Concorde, un nommé Guinguerlot ayant appelé les démolisseurs : canailles ! fut assommé sur le piédestal de Louis XV. La statue fut mise en pièces. Plus tard on en fit des sous. Le bras seul échappa ; c'était le bras droit que Louis XV étendait avec un geste d'empereur romain. Ce fut sur la demande de Cimourdain que le peuple donna et qu'une députation porta ce bras à Latude, l'homme enterré trente-sept ans à la Bastille. Quand Latude, le carcan au cou, la chaîne au ventre, pourrissait vivant au fond de cette prison par ordre de ce roi dont la statue dominait Paris, qui lui eût dit que cette prison tomberait, que cette statue tomberait, qu'il sortirait du sépulcre et que la monarchie y entrerait, que lui, le prisonnier, il serait le maître de cette main de bronze qui avait signé son écrou, et que de ce roi de boue il ne resterait que ce bras d'airain !

Cimourdain était de ces hommes qui ont en eux une voix, et qui l'écoutent. Ces hommes-là semblent distraits ; point ; ils sont attentifs.

Cimourdain savait tout et ignorait tout. Il savait tout de la science et ignorait tout de la vie. De là sa rigidité. Il avait les yeux bandés comme la Thémis d'Homère. Il avait la certitude aveugle de la flèche qui ne voit que le but et qui y va. En révolution rien de redoutable comme la ligne droite. Cimourdain allait devant lui, fatal.

Cimourdain croyait que, dans les genèses sociales, le point extrême est le terrain solide ; erreur propre aux esprits qui remplacent la raison par la logique. Il dépassait la Convention ; il dépassait la Commune ; il était de l'Évêché.

La réunion, dite l'Évêché, parce qu'elle tenait ses séances dans une salle du vieux palais épiscopal, était plutôt une complication d'hommes qu'une réunion. Là assistaient, comme à la Commune, ces spectateurs silencieux et significatifs qui avaient sur eux, comme dit Garat, « autant de pistolets que de poches ». L'Évêché était un pêle-mêle étrange ; pêle-mêle cosmopolite et parisien, ce qui ne s'exclut point, Paris étant le lieu où bat le cœur des peuples. Là était la grande incandescence plébéienne. Près de l'Évêché la

Convention était froide et la Commune était tiède. L'Évêché était une de ces formations révolutionnaires pareilles aux formations volcaniques ; l'Évêché contenait de tout, de l'ignorance, de la bêtise, de la probité, de l'héroïsme, de la colère et de la police. Brunswick y avait des agents. Il y avait là des hommes dignes de Sparte et des hommes dignes du bagne. La plupart étaient forcenés et honnêtes. La Gironde, par la bouche d'Isnard, président momentané de la Convention, avait dit un mot monstrueux : – *Prenez garde, Parisiens. Il ne restera pas pierre sur pierre de votre ville, et l'on cherchera un jour la place où fut Paris.* – Ce mot avait créé l'Évêché. Des hommes, et, nous venons de le dire, des hommes de toutes nations, avaient senti la nécessité de se serrer autour de Paris. Cimourdain s'était rallié à ce groupe.

Ce groupe réagissait contre les réacteurs. Il était né de ce besoin public de violence qui est le côté redoutable et mystérieux des révolutions. Fort de cette force, l'Évêché s'était tout de suite fait sa part. Dans les commotions de Paris, c'était la Commune qui tirait le canon, c'était l'Évêché qui sonnait le tocsin.

Cimourdain croyait, dans son ingénuité implacable, que tout est équité au service du vrai ; ce qui le rendait propre à dominer les partis extrêmes. Les coquins le sentaient honnête, et étaient contents. Des crimes sont flattés d'être présidés par une vertu. Cela les gêne et leur plaît. Palloy, l'architecte qui avait exploité la démolition de la Bastille, vendant ces pierres à son profit, et qui, chargé de badigeonner le cachot de Louis XVI, avait, par zèle, couvert le mur de barreaux, de chaînes et de carcans ; Gonchon, l'orateur suspect du faubourg Saint-Antoine dont on a retrouvé plus tard des quittances ; Fournier, l'Américain qui, le 17 juillet, avait tiré sur Lafayette un coup de pistolet payé, disait-on, par Lafayette ; Henriot, qui sortait de Bicêtre, et qui avait été valet, saltimbanque, voleur et espion avant d'être général et de pointer des canons sur la Convention ; La Reynie, l'ancien grand vicaire de Chartres, qui avait remplacé son bréviaire par le *Père Duchesne* ; tous ces hommes étaient tenus en respect par Cimourdain, et, à de certains moments, pour empêcher les pires de broncher, il suffisait qu'ils sentissent en arrêt devant eux cette redoutable candeur convaincue. C'est ainsi que Saint-Just terrifiait Schneider. En même temps, la majorité de l'Évêché, composée surtout de pauvres et d'hommes violents, qui étaient bons, croyait en Cimourdain et le suivait. Il avait pour vicaire ou pour aide de camp, comme on voudra, cet autre prêtre républicain, Danjou, que le peuple aimait pour sa haute taille et avait baptisé l'abbé Six-Pieds. Cimourdain eût mené où il eût voulu cet intrépide chef qu'on appelait le *général la Pique*, et ce hardi Truchon, dit le Grand-Nicolas, qui avait voulu sauver madame de Lamballe, et qui lui avait donné le bras et fait enjamber les cadavres ; ce qui eût réussi sans la féroce plaisanterie du barbier Charlot.

La Commune surveillait la Convention, l'Évêché surveillait la Commune ; Cimourdain, esprit droit et répugnant à l'intrigue, avait cassé plus d'un fil mystérieux dans la main de Pache, que Beurnonville appelait « l'homme noir ». Cimourdain, à l'Évêché, était de plain-pied avec tous. Il était consulté par Dobsent et Momoro. Il parlait espagnol à Gusman, italien à Pio, anglais à Arthur, flamand à Pereyra, allemand à l'Autrichien Proly, bâtard d'un prince. Il créait l'entente entre ces discordances. De là une situation obscure et forte. Hébert le craignait.

Cimourdain avait, dans ces temps et dans ces groupes tragiques, la puissance des inexorables. C'était un impeccable qui se croit infaillible. Personne ne l'avait vu pleurer. Vertu inaccessible et glaciale. Il était l'effrayant homme juste.

Pas de milieu pour un prêtre dans la révolution. Un prêtre ne pouvait se donner à la prodigieuse aventure flagrante que pour les motifs les plus bas ou les plus hauts ; il fallait qu'il fût infâme ou qu'il fût sublime.

Cimourdain était sublime ; mais sublime dans l'isolement, dans l'escarpement, dans la lividité inhospitalière ; sublime dans un entourage de précipices. Les hautes montagnes ont cette virginité sinistre.

Cimourdain avait l'apparence d'un homme ordinaire ; vêtu de vêtements quelconques, d'aspect pauvre. Jeune, il avait été tonsuré ; vieux, il était chauve. Le peu de cheveux qu'il avait étaient gris. Son front était large, et sur ce front, il y avait pour l'observateur un signe. Cimourdain avait une façon de parler brusque, passionnée et solennelle ; la voix brève ; l'accent péremptoire ; la bouche triste et amère ; l'œil clair et profond, et sur tout le visage on ne sait quel air indigné.

Tel était Cimourdain.

Personne aujourd'hui ne sait son nom. L'histoire a de ces inconnus terribles.

III

UN COIN NON TREMPÉ DANS LE STYX

Un tel homme était-il un homme ? Le serviteur du genre humain pouvait-il avoir une affection ? N'était-il pas trop une âme pour être un cœur ? Cet embrassement énorme qui admettait tout et tous, pouvait-il se réserver à quelqu'un ? Cimourdain pouvait-il aimer ? Disons-le. Oui.

Étant jeune et précepteur dans une maison presque princière, il avait eu un élève, fils et héritier de la maison, et il l'aimait. Aimer un enfant est si facile. Que ne pardonne-t-on pas à un enfant ? On lui pardonne d'être seigneur, d'être prince, d'être roi. L'innocence de l'âge fait oublier les crimes de la race ; la faiblesse de l'être fait oublier l'exagération du rang. Il est si petit qu'on lui pardonne d'être grand. L'esclave lui pardonne d'être le maître. Le vieillard nègre idolâtre le marmot blanc. Cimourdain avait pris en passion son élève. L'enfance a cela d'ineffable qu'on peut épuiser sur elle tous les amours. Tout ce qui pouvait aimer dans Cimourdain s'était abattu, pour ainsi dire, sur cet enfant ; ce doux être innocent était devenu une sorte de proie pour ce cœur condamné à la solitude. Il l'aimait de toutes les tendresses à la fois, comme père, comme frère, comme ami, comme créateur. C'était son fils ; le fils, non de sa chair, mais de son esprit. Il n'était pas le père, et ce n'était pas son œuvre ; mais il était le maître, et c'était son chef-d'œuvre. De ce petit seigneur, il avait fait un homme. Qui sait ? Un grand homme peut-être. Car tels sont les rêves. A l'insu de la famille, — a-t-on besoin de permission pour créer une intelligence, une volonté et une droiture ? — il avait communiqué au jeune vicomte, son élève, tout le progrès qu'il avait en lui ; il lui avait inoculé le virus redoutable de sa vertu ; il lui avait infusé dans les veines sa conviction, sa conscience, son idéal ; dans ce cerveau d'aristocrate, il avait versé l'âme du peuple.

L'esprit allaite ; l'intelligence est une mamelle. Il y a analogie entre la nourrice qui donne son lait et le précepteur qui donne sa pensée. Quelquefois le précepteur est plus père que le père, de même que souvent la nourrice est plus mère que la mère.

Cette profonde paternité spirituelle liait Cimourdain à son élève. La seule vue de cet enfant l'attendrissait.

Ajoutons ceci : remplacer le père était facile, l'enfant n'en avait plus ; il était orphelin ; son père était mort, sa mère était morte ; il n'avait pour veiller sur lui qu'une grand'mère aveugle et un grand-oncle absent. La grand'mère mourut ; le grand-oncle, chef de la famille, homme d'épée et de grande seigneurie, pourvu de charges à la cour, fuyait le vieux donjon de famille, vivait à Versailles, allait aux armées, et laissait l'orphelin seul dans le château solitaire. Le précepteur était donc le maître, dans toute l'acception du mot.

Ajoutons ceci encore : Cimourdain avait vu naître l'enfant qui avait été son élève. L'enfant, orphelin tout petit, avait eu une maladie grave. Cimourdain, en ce danger de mort, l'avait veillé jour et nuit ; c'est le médecin qui soigne, c'est le garde-malade qui sauve, et Cimourdain avait sauvé l'enfant. Non seulement son élève lui avait dû l'éducation, l'instruction, la science ; mais il lui avait dû la convalescence et la santé ; non seulement son élève lui devait de penser ; mais il lui devait de vivre. Ceux qui nous doivent tout, on les adore ; Cimourdain adorait cet enfant.

L'écart naturel de la vie s'était fait. L'éducation finie, Cimourdain avait dû quitter l'enfant devenu jeune homme. Avec quelle froide et inconsciente cruauté ces séparations-là se font ! Comme les familles congédient tranquillement le précepteur qui laisse sa pensée dans un enfant, et la nourrice qui y laisse ses entrailles ! Cimourdain, payé et mis dehors, était sorti du monde d'en haut et rentré dans le monde d'en bas ; la cloison entre les grands et les petits s'était refermée ; le jeune seigneur, officier de naissance et fait d'emblée capitaine, était parti pour une garnison quelconque ; l'humble précepteur, déjà au fond de son cœur prêtre insoumis, s'était hâté de redescendre dans cet obscur rez-de-chaussée de l'Église, qu'on appelait le bas clergé ; et Cimourdain avait perdu de vue son élève.

La Révolution était venue ; le souvenir de cet être dont il avait fait un homme, avait continué de couver en lui, caché, mais non éteint, par l'immensité des choses publiques.

Modeler une statue et lui donner la vie, c'est beau ; modeler une intelligence et lui donner la vérité, c'est plus beau encore. Cimourdain était le Pygmalion d'une âme.

Un esprit peut avoir un enfant.

Cet élève, cet enfant, cet orphelin, était le seul être qu'il aimât sur la terre.

Mais, même dans une telle affection, un tel homme était-il vulnérable ?

On va le voir.

À [illegible]. Cependant [illegible] notre
l'enfant [illegible]
tout petit, [illegible] une maladie grave. [illegible]
en ce danger [illegible] c'est
le médecin, [illegible] ont
sauvé, et [illegible]
[illegible] quelque
[illegible]
santé [illegible] le devoir de penser
[illegible]
[illegible]
[illegible]
[illegible]
[illegible]
[illegible]. Comme les
familles [illegible]
laisse sa pensée [illegible]
[illegible]
était [illegible]
[illegible]
[illegible]
[illegible]
[illegible]
[illegible]
[illegible]
[illegible]
avait perdu de vue son enfant.
[illegible] souvent [illegible]
[illegible] avait [illegible]
[illegible]
[illegible] publique.
[illegible]
[illegible]
plus [illegible]
[illegible]
[illegible] avoir un enfant.
Cependant, cet enfant [illegible]
[illegible]
Mais, même [illegible]
[illegible]
[illegible]

LIVRE DEUXIÈME

LE CABARET DE LA RUE DU PAON

I

MINOS, ÉAQUE ET RHADAMANTE[1]

Il y avait rue du Paon un cabaret qu'on appelait café. Ce café avait une arrière-chambre, aujourd'hui historique. C'était là que se rencontraient parfois à peu près secrètement des hommes tellement puissants et tellement surveillés qu'ils hésitaient à se parler en public. C'était là qu'avait été échangé, le 23 octobre 1792, un baiser fameux entre la Montagne et la Gironde. C'était là que Garat, bien qu'il n'en convienne pas dans ses *Mémoires*, était venu aux renseignements dans cette nuit lugubre où, après avoir mis Clavière en sûreté rue de Beaune, il arrêta sa voiture sur le Pont-Royal pour écouter le tocsin.

Le 28 juin 1793, trois hommes étaient réunis autour d'une table dans cette arrière-chambre. Leurs chaises ne se touchaient pas ; ils étaient assis chacun à un des côtés de la table, laissant vide le quatrième. Il était environ huit heures du soir ; il faisait jour encore dans la rue, mais il faisait nuit dans l'arrière-chambre, et un quinquet accroché au plafond, luxe d'alors, éclairait la table.

1. Dans la mythologie, juges au tribunal des morts.

Le premier de ces trois hommes était pâle, jeune, grave, avec les lèvres minces et le regard froid. Il avait dans la joue un tic nerveux qui devait le gêner pour sourire. Il était poudré, ganté, brossé, boutonné ; son habit bleu clair ne faisait pas un pli. Il avait une culotte de nankin, des bas blancs, une haute cravate, un jabot plissé, des souliers à boucles d'argent. Les deux autres hommes étaient, l'un, une espèce de géant, l'autre, une espèce de nain. Le grand, débraillé dans un vaste habit de drap écarlate, le col nu dans une cravate dénouée tombant plus bas que le jabot, la veste ouverte avec des boutons arrachés, était botté de bottes à revers et avait les cheveux tout hérissés, quoiqu'on y vît un reste de coiffure et d'apprêt ; il y avait de la crinière dans sa perruque. Il avait la petite vérole sur la face, une ride de colère entre les sourcils, le pli de la bonté au coin de la bouche, les lèvres épaisses, les dents grandes, un poing de portefaix, l'œil éclatant. Le petit était un homme jaune qui, assis, semblait difforme ; il avait la tête renversée en arrière, les yeux injectés de sang, des plaques livides sur le visage, un mouchoir noué sur ses cheveux gras et plats, pas de front, une bouche énorme et terrible. Il avait un pantalon à pied, des pantoufles, un gilet qui semblait avoir été de satin blanc, et par-dessus ce gilet une rouppe dans les plis de laquelle une ligne dure et droite laissait deviner un poignard.

Le premier de ces hommes s'appelait Robespierre, le second Danton, le troisième Marat.

Ils étaient seuls dans cette salle. Il y avait devant Danton un verre et une bouteille de vin couverte de poussière, rappelant la chope de bière de Luther, devant Marat une tasse de café, devant Robespierre des papiers.

Auprès des papiers on voyait un de ces lourds encriers de plomb, ronds et striés, que se rappellent ceux qui étaient écoliers au commencement de ce siècle. Une plume était jetée à côté de l'écritoire. Sur les papiers était posé un gros cachet de cuivre sur lequel on lisait *Palloy fecit*[1], et qui figurait un petit modèle exact de la Bastille.

Une carte de France était étalée au milieu de la table.

A la porte et dehors se tenait le chien de garde de Marat, ce Laurent Basse, commissionnaire du numéro 18 de la rue des Cordeliers, qui, le 13 juillet, environ quinze jours après ce 28 juin, devait assener un coup de chaise sur la tête d'une femme nommée Charlotte Corday, laquelle en ce moment-là était à Caen, songeant vaguement. Laurent Basse était le porteur d'épreuves de *l'Ami du peuple*. Ce soir-là, amené par son maître au café de la rue du Paon, il avait la consigne de tenir fermée la salle où étaient Marat, Danton et Robespierre, et de n'y laisser pénétrer personne, à moins que ce ne fût quelqu'un du Comité de salut public, de la Commune ou de l'Évêché.

Robespierre ne voulait pas fermer la porte à Saint-Just, Danton ne voulait pas la fermer à Pache, Marat ne voulait pas la fermer à Gusman.

La conférence durait depuis longtemps déjà. Elle avait pour sujet les papiers étalés sur la table et dont Robespierre avait donné lecture. Les voix commençaient à s'élever. Quelque chose comme de la colère grondait entre ces trois hommes. Du dehors on entendait par moment des éclats de parole. A cette époque l'habitude des tribunes publiques semblait avoir créé le droit d'écouter. C'était le temps où l'expéditionnaire Fabricius Pâris regardait par le trou de la serrure ce que faisait le Comité de salut public. Ce qui, soit dit en passant, ne fut pas inutile, car ce fut Pâris qui avertit Danton la nuit du 30 au 31 mars 1794. Laurent Basse avait appliqué son oreille contre la porte de l'arrière-salle où étaient Danton, Marat et Robespierre. Laurent Basse servait Marat, mais il était de l'Évêché.

1. « Œuvre de Palloy » : le démolisseur de la Bastille.

II

MAGNA TESTANTUR VOCE PER UMBRAS[1]

Danton venait de se lever ; il avait vivement reculé sa chaise.

— Écoutez, cria-t-il. Il n'y a qu'une urgence, la République en danger. Je ne connais qu'une chose, délivrer la France de l'ennemi. Pour cela tous les moyens sont bons. Tous ! tous ! tous ! Quand j'ai affaire à tous les périls, j'ai recours à toutes les ressources, et quand je crains tout, je brave tout. Ma pensée est une lionne. Pas de demi-mesures. Pas de pruderie en révolution. Némésis n'est pas une bégueule. Soyons épouvantables et utiles. Est-ce que l'éléphant regarde où il met sa patte ? Écrasons l'ennemi.

Robespierre répondit avec douceur :

— Je veux bien.

Et il ajouta :

— La question est de savoir où est l'ennemi.

— Il est dehors, et je l'ai chassé, dit Danton.

— Il est dedans, et je le surveille, dit Robespierre.

— Et je le chasserai encore, reprit Danton.

— On ne chasse pas l'ennemi du dedans.

— Qu'est-ce donc qu'on fait ?

— On l'extermine.

— J'y consens, dit à son tour Danton.

Et il reprit :

— Je vous dis qu'il est dehors, Robespierre.

— Danton, je vous dis qu'il est dedans.

— Robespierre, il est à la frontière.

— Danton, il est en Vendée.

— Calmez-vous, dit une troisième voix, il est partout ; et vous êtes perdus.

1. « Ils (se) prennent à témoin de leur grande voix qui retentit à travers les ombres » : transposition d'un vers de Virgile.

C'était Marat qui parlait.

Robespierre regarda Marat et repartit tranquillement :

— Trêve aux généralités. Je précise. Voici des faits.

— Pédant ! grommela Marat.

Robespierre posa la main sur les papiers étalés devant lui et continua :

— Je viens de vous lire les dépêches de Prieur de la Marne. Je viens de vous communiquer les renseignements donnés par ce Gélambre. Danton, écoutez, la guerre étrangère n'est rien, la guerre civile est tout. La guerre étrangère, c'est une écorchure qu'on a au coude ; la guerre civile, c'est l'ulcère qui vous mange le foie. De tout ce que je viens de vous lire, il résulte ceci : la Vendée, jusqu'à ce jour éparse entre plusieurs chefs, est au moment de se concentrer. Elle va désormais avoir un capitaine unique...

— Un brigand central, murmura Danton.

— C'est, poursuivit Robespierre, l'homme débarqué près de Pontorson le 2 juin. Vous avez vu ce qu'il est. Remarquez que ce débarquement coïncide avec l'arrestation des représentants en mission, Prieur de la Côte-d'Or et Romme, à Bayeux, par ce district traître du Calvados, le 2 juin, le même jour.

— Et leur translation au château de Caen, dit Danton.

Robespierre reprit :

— Je continue de résumer les dépêches. La guerre de forêt s'organise sur une vaste échelle. En même temps une descente anglaise se prépare ; Vendéens et Anglais, c'est Bretagne avec Bretagne. Les hurons du Finistère parlent la même langue que les topinambous du Cornouailles. J'ai mis sous vos yeux une lettre interceptée de Puisaye où il est dit que « vingt mille habits rouges distribués aux insurgés en feront lever cent mille ». Quand l'insurrection paysanne sera complète, la descente anglaise se fera. Voici le plan, suivez-le sur la carte.

Robespierre posa le doigt sur la carte, et poursuivit :

— Les Anglais ont le choix du point de descente, de Cancale à Paimpol. Craig préférerait la baie de Saint-Brieuc, Cornwallis la baie de Saint-Cast. C'est un détail. La rive gauche de la Loire est gardée par l'armée vendéenne rebelle, et quant aux vingt-huit lieues à découvert entre Ancenis et Pontorson, quarante paroisses normandes ont promis leur concours. La descente se fera sur trois points, Plérin, Iffiniac et Pléneuf ; de Plérin on ira à Saint-Brieuc, et de Pléneuf à Lamballe ; le deuxième jour on gagnera Dinan où il y a neuf cents prisonniers anglais, et l'on occupera en même temps Saint-Jouan et Saint-Méen ; on y laissera de la cavalerie ; le troisième jour, deux colonnes se dirigeront l'une de Jouan sur Bédée, l'autre de Dinan sur Becherel qui est une forteresse naturelle, et où l'on établira deux batteries ; le quatrième jour, on est à Rennes. Rennes, c'est la clef de la Bretagne. Qui a Rennes a tout. Rennes prise, Châteauneuf et Saint-Malo tombent. Il y a à Rennes un million de cartouches et cinquante pièces d'artillerie de campagne...

— Qu'ils rafleraient, murmura Danton.

Robespierre continua :

— Je termine. De Rennes trois colonnes se jetteront l'une sur Fougères, l'autre sur Vitré, l'autre sur Redon. Comme les ponts sont coupés, les ennemis se muniront, vous avez vu ce fait précisé, de pontons et de madriers, et ils auront des guides pour les points guéables à la cavalerie. De Fougères on rayonnera sur Avranches, de Redon sur Ancenis, de Vitré sur Laval. Nantes se rendra, Brest se rendra. Redon donne tout le cours de la Vilaine, Fougères donne la route de Normandie, Vitré donne la route de Paris. Dans quinze jours on aura une armée de brigands de trois cent mille hommes, et toute la Bretagne sera au roi de France.

— C'est-à-dire au roi d'Angleterre, dit Danton.

— Non, au roi de France.

Et Robespierre ajouta :

— Le roi de France est pire. Il faut quinze jours pour chasser l'étranger, et dix-huit cents ans pour éliminer la monarchie.

Danton, qui s'était rassis, mit ses coudes sur la table et sa tête dans ses mains, rêveur.

— Vous voyez le péril, dit Robespierre. Vitré donne la route de Paris aux Anglais.

Danton redressa le front et rabattit ses deux grosses mains crispées sur la carte, comme sur une enclume.

— Robespierre, est-ce que Verdun ne donnait pas la route de Paris aux Prussiens ?

— Eh bien ?

— Eh bien, on chassera les Anglais comme on a chassé les Prussiens.

Et Danton se leva de nouveau.

Robespierre posa sa main froide sur le poing fiévreux de Danton.

— Danton, la Champagne n'était pas pour les Prussiens et la Bretagne est pour les Anglais. Reprendre Verdun, c'est de la guerre étrangère ; reprendre Vitré, c'est de la guerre civile.

Et Robespierre murmura avec un accent froid et profond :

— Sérieuse différence.

Il reprit :

— Rasseyez-vous, Danton, et regardez la carte au lieu de lui donner des coups de poing.

Mais Danton était tout à sa pensée.

— Voilà qui est fort ! s'écria-t-il, voir la catastrophe à l'ouest quand elle est à l'est. Robespierre, je vous accorde que l'Angleterre se dresse sur l'Océan ; mais l'Espagne se dresse aux Pyrénées, mais l'Italie se dresse aux Alpes, mais l'Allemagne se dresse sur le Rhin. Et le grand ours russe est au fond. Robespierre, le danger est un cercle et nous sommes dedans. A l'extérieur la coalition, à l'intérieur la trahison. Au midi Servant entre-bâille la porte de la France au roi d'Espagne. Au nord Dumouriez passe à l'ennemi. Au reste il avait toujours moins menacé la Hollande que Paris. Nerwinde efface Jemmapes et Valmy. Le philosophe Rabaut Saint-Étienne, traître comme un protestant qu'il est, correspond avec le courtisan Montesquiou. L'armée est décimée. Pas un bataillon qui ait maintenant plus de quatre cents hommes ; le vaillant régiment de Deux-Ponts est réduit à cent cinquante hommes ; le camp de Pamars est livré ; il ne reste plus à Givet que cinq cents sacs de farine ; nous rétrogradons sur Landau ; Wurmser presse Kléber ; Mayence succombe vaillamment, Condé lâchement. Valenciennes aussi. Ce qui n'empêche pas Chancel qui défend Valenciennes et le vieux Féraud qui défend Condé d'être deux héros, aussi bien que Meunier qui défendait Mayence. Mais tous les autres trahissent. Dharville trahit à Aix-la-Chapelle, Mouton trahit à Bruxelles, Valence trahit à Bréda, Neuilly trahit à Limbourg, Miranda trahit à Maëstricht ; Stengel, traître, Lanoue, traître, Ligonnier, traître, Menou, traître, Dillon, traître ; monnaie hideuse de Dumouriez. Il faut des exemples. Les contre-marches de Custine me sont suspectes ; je soupçonne Custine de préférer la prise lucrative de Francfort à la prise utile de Coblentz. Francfort peut payer quatre millions de contributions de guerre, soit. Qu'est-ce que cela à côté du nid des émigrés écrasé ? Trahison, dis-je. Meunier est mort le 13 juin. Voilà Kléber seul. En attendant, Brunswick grossit et avance. Il arbore le drapeau allemand sur toutes les places françaises qu'il prend. Le margrave de Brandebourg est aujourd'hui l'arbitre de l'Europe ; il empoche nos provinces ; il s'adjugera la Belgique, vous verrez ; on dirait que c'est pour Berlin que nous travaillons ; si cela continue, et si nous n'y mettons ordre, la révolution française se sera faite au profit de Potsdam ; elle aura eu pour unique résultat d'agrandir le petit État de Frédéric II, et nous aurons tué le roi de France pour le roi de Prusse.

Et Danton, terrible, éclata de rire.

Le rire de Danton fit sourire Marat.

— Vous avez chacun votre dada ; vous, Danton, la Prusse ; vous, Robespierre, la Vendée. Je vais préciser, moi aussi. Vous ne voyez pas le vrai péril ; le voici : les cafés et les tripots. Le café de Choiseul est jacobin, le café Patin est royaliste, le café du Rendez-Vous attaque la garde nationale, le café de la Porte-Saint-Martin la défend, le café de la Régence est contre Brissot, le café Corazza est pour, le café Procope jure par Diderot, le café du Théâtre-Français jure par Voltaire, à la Rotonde on déchire les assignats, les cafés Saint-Marceau sont en fureur, le café Manouri agite la question des farines, au café de Foy tapages et gourmades, au Perron bourdonnement des frêlons de finance. Voilà ce qui est sérieux.

Danton ne riait plus. Marat souriait toujours. Sourire de nain, pire qu'un rire de colosse.

— Vous moquez-vous, Marat ? gronda Danton.

Marat eut ce mouvement de hanche convulsif, qui était célèbre. Son sourire s'était effacé.

— Ah ! je vous retrouve, citoyen Danton. C'est bien vous qui en pleine Convention m'avez appelé « l'individu Marat ». Écoutez. Je vous pardonne. Nous traversons un moment imbécile. Ah ! je me moque ? En effet, quel homme suis-je ? J'ai dénoncé Chazot, j'ai dénoncé Pétion, j'ai dénoncé Kersaint, j'ai dénoncé Moreton, j'ai dénoncé Dufriche-Valazé, j'ai dénoncé Ligonnier, j'ai dénoncé Menou, j'ai dénoncé Banneville, j'ai dénoncé Gensonné, j'ai dénoncé Biron, j'ai dénoncé Lidon et Chambon ; ai-je eu tort ? je flaire la trahison dans le traître, et je trouve utile de dénoncer le criminel avant le crime. J'ai l'habitude de dire la veille ce que vous autres vous dites le lendemain. Je suis l'homme qui a proposé à l'Assemblée un plan complet de législation criminelle. Qu'ai-je fait jusqu'à présent ? J'ai demandé qu'on instruise les sections afin de les discipliner à la révolution, j'ai fait lever les scellés des trente-deux cartons, j'ai réclamé les diamants déposés dans les mains de Roland, j'ai prouvé que les Brissotins avaient donné au Comité de sûreté générale des mandats d'arrêt en blanc, j'ai signalé les omissions du rapport de Lindet sur les crimes de Capet, j'ai voté le supplice du tyran dans les vingt-quatre heures, j'ai défendu les bataillons le Mauconseil et le Républicain, j'ai empêché la lecture de la lettre de Narbonne et de Malouet, j'ai fait une motion pour les soldats blessés, j'ai fait supprimer la commission des six, j'ai pressenti dans l'affaire de Mons la trahison de Dumouriez, j'ai demandé qu'on prît cent mille parents d'émigrés comme otages pour les commissaires livrés à l'ennemi, j'ai proposé de déclarer traître tout représentant qui passerait les barrières, j'ai démasqué la faction rolandine dans les troubles de Marseille, j'ai insisté pour qu'on mît à prix la tête d'Égalité fils, j'ai défendu Bouchotte, j'ai voulu l'appel nominal pour chasser Isnard du fauteuil, j'ai fait déclarer que les Parisiens ont bien mérité de la patrie; c'est pourquoi je suis traité de pantin par Louvet, le Finistère demande qu'on m'expulse, la ville de Loudun souhaite qu'on m'exile, la ville d'Amiens désire qu'on me mette une muselière, Cobourg veut qu'on m'arrête, et Lecointe-Puiraveau propose à la Convention de me décréter fou. Ah çà! citoyen Danton, pourquoi m'avez-vous fait venir à votre conciliabule, si ce n'est pour avoir mon avis? Est-ce que je vous demandais d'en être? loin de là. Je n'ai aucun goût pour les tête-à-tête avec des contre-révolutionnaires tels que Robespierre et vous. Du reste, je devais m'y attendre, vous ne m'avez pas compris; pas plus vous que Robespierre, pas plus Robespierre que vous. Il n'y a donc pas d'homme d'État ici? Il faut donc vous faire épeler la politique, il faut donc vous mettre les points sur les *i*. Ce que je vous ai dit voulait dire ceci : vous vous trompez tous les deux. Le danger n'est ni à Londres, comme le croit Robespierre, ni à Berlin, comme le croit Danton; il est à Paris. Il est dans l'absence d'unité, dans le droit qu'a chacun de tirer de son côté, à commencer par vous deux, dans la mise en poussière des esprits, dans l'anarchie des volontés...

– L'anarchie ! interrompit Danton, qui la fait, si ce n'est vous ?

Marat ne s'arrêta pas.

– Robespierre, Danton, le danger est dans ce tas de cafés, dans ce tas de brelans, dans ce tas de clubs, club des Noirs, club des Fédérés, club des Dames, club des Impartiaux, qui date de Clermont-Tonnerre, et qui a été le club monarchique de 1790, cercle social imaginé par le prêtre Claude Fauchet, club des Bonnets de laine, fondé par le gazetier Prudhomme, *et cætera* ; sans compter votre club des Jacobins, Robespierre, et votre club des Cordeliers, Danton. Le danger est dans la famine, qui fait que le porte-sacs Blin a accroché à la lanterne de l'Hôtel de ville le boulanger du marché Palu, François Denis, et dans la justice, qui a pendu le porte-sacs Blin pour avoir pendu le boulanger Denis. Le danger est dans le papier-monnaie qu'on déprécie. Rue du Temple, un assignat de cent francs est tombé à terre, et un passant, un homme du peuple, a dit : *Il ne vaut pas la peine d'être ramassé.* Les agioteurs et les accapareurs, voilà le danger. Arborer le drapeau noir à l'Hôtel de ville, la belle avance ! Vous arrêtez le baron de Trenck, cela ne suffit pas. Tordez-moi le cou à ce vieil intrigant de prison. Vous croyez-vous tirés d'affaire parce que le président de la Convention pose une couronne civique sur la tête de Labertèche, qui a reçu quarante et un coups de sabre à Jemmapes, et dont Chénier se fait le cornac ? Comédies et batelages. Ah ! vous ne regardez pas Paris ! Ah ! vous cherchez le danger loin, quand il est près. A quoi vous sert votre police, Robespierre ? Car vous avez vos espions, Payan, à la Commune, Coffinhal, au Tribunal révolutionnaire, David, au Comité de sûreté générale, Couthon, au Comité de salut public. Vous voyez que je suis informé. Eh bien, sachez ceci : le danger est sur vos têtes, le danger est sous vos pieds; on conspire, on conspire, on conspire; les passants dans les rues s'entre-lisent les journaux et se font des signes de tête; six mille hommes, sans cartes de civisme, émigrés rentrés, muscadins et mathevons, sont cachés dans les caves et dans les greniers, et dans les galeries de bois du Palais-Royal; on fait queue chez les boulangers; les bonnes femmes, sur le pas des portes, joignent les mains et disent : Quand aura-t-on la paix? Vous avez beau aller vous enfermer, pour être entre vous, dans la salle du Conseil exécutif, on sait tout ce que vous y dites; et la preuve, Robespierre, c'est que voici les paroles que vous avez dites hier soir à Saint-Just : « Barbaroux commence à prendre du ventre, cela va le gêner dans sa fuite. » Oui, le danger est partout, et surtout au centre. A Paris, les ci-devant complotent, les patriotes vont pieds nus, les aristocrates arrêtés le 9 mars sont déjà relâchés, les chevaux de luxe qui devraient être attelés aux canons sur la frontière nous éclaboussent dans les rues, le pain de quatre livres vaut trois francs douze sous, les théâtres jouent des pièces impures, et Robespierre fera guillotiner Danton.

– Ouiche! dit Danton.

Robespierre regardait attentivement la carte.

– Ce qu'il faut, cria brusquement Marat, c'est un dictateur. Robespierre, vous savez que je veux un dictateur.

Robespierre releva la tête.

– Je sais, Marat, vous ou moi.

– Moi ou vous, dit Marat.

Danton grommela entre ses dents :

– La dictature, touchez-y!

Marat vit le froncement de sourcil de Danton.

– Tenez, reprit-il. Un dernier effort. Mettons-nous d'accord. La situation en vaut la peine. Ne nous sommes-nous déjà pas mis d'accord pour la journée du 31 mai? La question d'ensemble est plus grave encore que le girondinisme qui est une question de détail. Il y a du vrai dans ce que vous dites ; mais le vrai, tout le vrai, le vrai vrai, c'est ce que je dis. Au midi, le fédéralisme ; à l'ouest, le royalisme ; à Paris, le duel de la Convention et de la Commune ; aux frontières, la reculade de Custine et la trahison de Dumouriez. Qu'est-ce que tout cela ? Le démembrement. Que nous faut-il ? L'unité. Là est le salut ; mais hâtons-nous. Il faut que Paris prenne le gouvernement de la Révolution. Si nous perdons une heure, demain les Vendéens peuvent être à Orléans, et les Prussiens à Paris. Je vous accorde ceci, Danton, je vous concède cela, Robespierre. Soit. Eh bien, la conclusion, c'est la dictature. Prenons la dictature, à nous trois nous représentons la Révolution. Nous sommes les trois têtes de Cerbère. De ces trois têtes, l'une parle, c'est vous, Robespierre ; l'autre rugit, c'est vous, Danton...

— L'autre mord, dit Danton, c'est vous, Marat.

— Toutes trois mordent, dit Robespierre.

Il y eut un silence. Puis le dialogue, plein de secousses sombres, recommença.

— Écoutez, Marat, avant de s'épouser, il faut se connaître. Comment avez-vous su le mot que j'ai dit hier à Saint-Just ?

— Ceci me regarde, Robespierre.

— Marat !

— C'est mon devoir de m'éclairer, et c'est mon affaire de me renseigner.

— Marat !

— J'aime à savoir.

— Marat !

— Robespierre, je sais ce que vous dites à Saint-Just, comme je sais ce que Danton dit à Lacroix ; comme je sais ce qui se passe quai des Théatins, à l'hôtel de Labriffe, repaire où se rendent les nymphes de l'émigration ; comme je sais ce qui se passe dans la maison des Thilles, près Gonesse, qui est à Valmerange, l'ancien administrateur des postes, où allaient jadis Maury et Cazalès, où sont allés depuis Sieyès et Vergniaud, et où, maintenant, on va une fois par semaine.

En prononçant cet *on*, Marat regarda Danton.

Danton s'écria :

— Si j'avais deux liards de pouvoir, ce serait terrible.

Marat poursuivit :

— Je sais ce que vous dites, Robespierre, comme je sais ce qui se passait à la tour du Temple quand on y engraissait Louis XVI, si bien que, seulement dans le mois de septembre, le loup, la louve et les louveteaux ont mangé quatre-vingt-six paniers de pêches. Pendant ce temps-là le peuple est affamé. Je sais cela, comme je sais que Roland a été caché dans un logis donnant sur une arrière-cour, rue de la Harpe; comme je sais que six cents des piques du 14 juillet avaient été fabriquées par Faure, serrurier du duc d'Orléans; comme je sais ce qu'on fait chez la Saint-Hilaire, maîtresse de Sillery; les jours de bal, c'est le vieux Sillery qui frotte lui-même, avec de la craie, les parquets du salon jaune de la rue Neuve-des-Mathurins; Buzot et Kersaint y dînaient. Saladin y a dîné le 27, et avec qui, Robespierre? Avec votre ami Lasource.

— Verbiage, murmura Robespierre. Lasource n'est pas mon ami.

Et il ajouta, pensif :

— En attendant il y a à Londres dix-huit fabriques de faux assignats.

Marat continua d'une voix tranquille, mais avec un léger tremblement, qui était effrayant :

— Vous êtes la faction des importants. Oui, je sais tout, malgré ce que Saint-Just appelle *le silence d'État*...

Marat souligna ce mot par l'accent, regarda Robespierre, et poursuivit :

— Je sais ce qu'on dit à votre table les jours où Lebas invite David à venir manger la cuisine faite par sa promise, Élisabeth Duplay, votre future belle-sœur, Robespierre. Je suis l'œil énorme du peuple, et du fond de ma cave, je regarde. Oui, je vois, oui, j'entends, oui, je sais. Les petites choses vous suffisent. Vous vous admirez. Robespierre se fait contempler par sa madame de Chalabre, la fille de ce marquis de Chalabre qui fit le whist avec Louis XV le soir de l'exécution de Damiens. Oui, on porte haut la tête. Saint-Just habite une cravate. Legendre est correct ; lévite neuve et gilet blanc, et un jabot pour faire oublier son tablier. Robespierre s'imagine que l'histoire voudra savoir qu'il avait une redingote olive à la Constituante et un habit bleu ciel à la Convention. Il a son portrait sur tous les murs de sa chambre...

Robespierre interrompit d'une voix plus calme encore que celle de Marat.

— Et vous, Marat, vous avez le vôtre dans tous les égouts.

Ils continuèrent sur un ton de causerie dont la lenteur accentuait la violence des répliques et des ripostes, et ajoutait on ne sait quelle ironie à la menace.

— Robespierre, vous avez qualifié ceux qui veulent le renversement des trônes, *les Don Quichottes du genre humain*.

— Et vous, Marat, après le 4 août, dans votre numéro 559 de *l'Ami du Peuple*, ah ! j'ai retenu le chiffre, c'est utile, vous avez demandé qu'on rendît aux nobles leurs titres. Vous avez dit : *Un duc est toujours un duc*.

— Robespierre, dans la séance du 7 décembre, vous avez défendu la femme Roland contre Viard.

— De même que mon frère vous a défendu, Marat, quand on vous a attaqué aux Jacobins. Qu'est-ce que cela prouve ? rien.

— Robespierre, on connaît le cabinet des Tuileries où vous avez dit à Garat : *Je suis las de la Révolution*.

— Marat, c'est ici, dans ce cabaret, que, le 29 octobre, vous avez embrassé Barbaroux.

— Robespierre, vous avez dit à Buzot : *La République, qu'est-ce que cela?*

— Marat, c'est dans ce cabaret que vous avez invité à déjeuner trois Marseillais par compagnie.

— Robespierre, vous vous faites escorter d'un fort de la halle armé d'un bâton.

— Et vous, Marat, la veille du 10 août, vous avez demandé à Buzot de vous aider à fuir à Marseille déguisé en jockey.

— Pendant les justices de septembre, vous vous êtes caché, Robespierre.

— Et vous, Marat, vous vous êtes montré.

— Robespierre, vous avez jeté à terre le bonnet rouge.

— Oui, quand un traître l'arborait. Ce qui pare Dumouriez souille Robespierre.

— Robespierre, vous avez refusé, pendant le passage des soldats de Chateauvieux, de couvrir d'un voile la tête de Louis XVI.

— J'ai fait mieux que lui voiler la tête, je la lui ai coupée.

Danton intervint, mais comme l'huile intervient dans le feu.

— Robespierre, Marat, dit-il, calmez-vous.

Marat n'aimait pas à être nommé le second. Il se retourna.

— De quoi se mêle Danton? dit-il.

Danton bondit.

— De quoi je me mêle? de ceci. Qu'il ne faut pas de fratricide; qu'il ne faut pas de lutte entre deux hommes qui servent le peuple; que c'est assez de la guerre étrangère, que c'est assez de la guerre civile, et que ce serait trop de la guerre domestique; que c'est moi qui ai fait la Révolution, et que je ne veux pas qu'on la défasse. Voilà de quoi je me mêle.

Marat répondit sans élever la voix.

— Mêlez-vous de rendre vos comptes.

— Mes comptes! cria Danton. Allez les demander aux défilés de l'Argonne, à la Champagne délivrée, à la Belgique conquise, aux armées où j'ai été quatre fois déjà offrir ma poitrine à la mitraille! allez les demander à la place de la Révolution, à l'échafaud du 21 janvier, au trône jeté à terre, à la guillotine, cette veuve...

Marat interrompit Danton.

— La guillotine est une vierge; on se couche sur elle, on ne la féconde pas.

— Qu'en savez-vous? répliqua Danton, je la féconderais, moi!

— Nous verrons, dit Marat.

Et il sourit.

Danton vit ce sourire.

— Marat, cria-t-il, vous êtes l'homme caché, moi je suis l'homme du grand air et du grand jour. Je hais la vie reptile. Être cloporte ne me va pas. Vous habitez une cave; moi j'habite la rue. Vous ne communiquez avec personne; moi, quiconque passe peut me voir et me parler.

— Joli garçon, voulez-vous monter chez moi? grommela Marat.

Et, cessant de sourire, il reprit d'un accent péremptoire :

— Danton, rendez compte des trente-trois mille écus, argent sonnant, que Montmorin vous a payés au nom du roi, sous prétexte de vous indemniser de votre charge de procureur au Châtelet.

— J'étais du 14 juillet, dit Danton avec hauteur.

— Et le garde-meuble? et les diamants de la couronne?

— J'étais du 6 octobre.

— Et les vols de votre *alter ego*, Lacroix, en Belgique?

— J'étais du 20 juin.

— Et les prêts faits à la Montansier?

— Je poussais le peuple au retour de Varennes.

— Et la salle de l'Opéra qu'on bâtit avec de l'argent fourni par vous?

— J'ai armé les sections de Paris.

— Et les cent mille livres de fonds secrets du ministère de la Justice?

— J'ai fait le 10 août.

— Et les deux millions de dépenses secrètes de l'Assemblée dont vous avez pris le quart?

— J'ai arrêté l'ennemi en marche et j'ai barré le passage aux rois coalisés.

— Prostitué! dit Marat.

Danton se dressa, effrayant.

— Oui, cria-t-il! je suis une fille publique, j'ai vendu mon ventre, mais j'ai sauvé le monde.

Robespierre s'était remis à se ronger les ongles. Il ne pouvait, lui, ni rire, ni sourire. Le rire, éclair de Danton, et le sourire, piqûre de Marat, lui manquaient.

Danton reprit :

— Je suis comme l'océan; j'ai mon flux et mon reflux; à mer basse on voit mes bas-fonds, à mer haute on voit mes flots.

— Votre écume, dit Marat.

— Ma tempête, dit Danton.

En même temps que Danton, Marat s'était levé. Lui aussi éclata. La couleuvre devint subitement dragon.

— Ah! cria-t-il, ah! Robespierre! ah! Danton! vous ne voulez pas m'écouter! Eh bien, je vous le dis, vous êtes perdus. Votre politique aboutit à des impossibilités d'aller plus loin; vous n'avez plus d'issue; et vous faites des choses qui ferment devant vous toutes les portes, excepté celle du tombeau.

— C'est notre grandeur, dit Danton.

Et il haussa les épaules.

Marat continua :

— Danton, prends garde. Vergniaud aussi a la bouche large et les lèvres épaisses et les sourcils en colère; Vergniaud aussi est grêlé comme Mirabeau et comme toi; cela n'a pas empêché le 31 mai. Ah! tu hausses les épaules. Quelquefois hausser les épaules fait tomber la tête. Danton, je te le dis, ta grosse voix, ta cravate lâche, tes bottes molles, tes petits soupers, tes grandes poches, cela regarde Louisette.

Louisette était le nom d'amitié que Marat donnait à la guillotine.

Il poursuivit :

— Et quant à toi, Robespierre, tu es un modéré, mais cela ne te servira de rien. Va, poudre-toi, coiffe-toi, brosse-toi, fais le faraud, aie du linge, sois pincé, frisé, calamistré, tu n'en iras pas moins place de Grève ; lis la déclaration de Brunswick ; tu n'en seras pas moins traité comme le régicide Damiens, et tu es tiré à quatre épingles en attendant que tu sois tiré à quatre chevaux.

— Écho de Coblentz ! dit Robespierre entre ses dents.

— Robespierre, je ne suis l'écho de rien, je suis le cri de tout. Ah ! vous êtes jeunes, vous. Quel âge as-tu, Danton ? trente-quatre ans. Quel âge as-tu, Robespierre ? trente-trois ans. Eh bien, moi, j'ai toujours vécu, je suis la vieille souffrance humaine, j'ai six mille ans.

— C'est vrai, répliqua Danton, depuis six mille ans, Caïn s'est conservé dans la haine comme le crapaud dans la pierre, le bloc se casse, Caïn saute parmi les hommes, et c'est Marat.

— Danton ! cria Marat.

Et une lueur livide apparut dans ses yeux.

— Eh bien quoi ? dit Danton.

Ainsi parlaient ces trois hommes formidables. Querelle de tonnerres.

III

TRESSAILLEMENT DES FIBRES PROFONDES

Le dialogue eut un répit ; ces titans rentrèrent un moment chacun dans sa pensée.

Les lions s'inquiètent des hydres. Robespierre était devenu très pâle et Danton très rouge. Tous deux avaient un frémissement. La prunelle fauve de Marat s'était éteinte ; le calme, un calme impérieux, s'était refait sur la face de cet homme, redouté des redoutables.

Danton se sentait vaincu, mais ne voulait pas se rendre. Il reprit :

— Marat parle très haut de dictature et d'unité, mais il n'a qu'une puissance, dissoudre.

Robespierre, desserrant ses lèvres étroites, ajouta :

— Moi, je suis de l'avis d'Anacharsis Cloots ; je dis : Ni Roland, ni Marat.

— Et moi, répondit Marat, je dis : Ni Danton, ni Robespierre.

Il les regarda tous deux fixement et ajouta :

— Laissez-moi vous donner un conseil, Danton. Vous êtes amoureux, vous songez à vous remarier, ne vous mêlez plus de politique, soyez sage.

Et reculant d'un pas vers la porte pour sortir, il leur fit ce salut sinistre :

— Adieu, messieurs.

Danton et Robespierre eurent un frisson.

En ce moment une voix s'éleva au fond de la salle, et dit :

— Tu as tort, Marat.

Tous se retournèrent. Pendant l'explosion de Marat, et sans qu'ils s'en fussent aperçus, quelqu'un était entré par la porte du fond.

— C'est toi, citoyen Cimourdain ? dit Marat. Bonjour.

C'était Cimourdain en effet.

— Je dis que tu as tort, Marat, reprit-il.

Marat verdit, ce qui était sa façon de pâlir.

Cimourdain ajouta :

— Tu es utile, mais Robespierre et Danton sont nécessaires. Pourquoi les menacer ? Union ! union, citoyens ! le peuple veut qu'on soit uni.

Cette entrée fit un effet d'eau froide, et, comme l'arrivée d'un étranger dans une querelle de ménage, apaisa, sinon le fond, du moins la surface.

Cimourdain s'avança vers la table.

Danton et Robespierre le connaissaient. Ils avaient souvent remarqué dans les tribunes publiques de la Convention ce puissant homme obscur que le peuple saluait. Robespierre pourtant, formaliste, demanda :

— Citoyen, comment êtes-vous entré ?

— Il est de l'Évêché, répondit Marat d'une voix où l'on sentait on ne sait quelle soumission.

Marat bravait la Convention, menait la Commune et craignait l'Évêché.

Ceci est une loi.

Mirabeau sent remuer à une profondeur inconnue Robespierre, Robespierre sent remuer Marat, Marat sent remuer Hébert, Hebert sent remuer Babeuf. Tant que les couches souterraines sont tranquilles, l'homme politique peut marcher ; mais sous le plus révolutionnaire il y a un sous-sol, et les plus hardis s'arrêtent inquiets quand ils sentent sous leurs pieds le mouvement qu'ils ont créé sur leur tête.

Savoir distinguer le mouvement qui vient des convoitises du mouvement qui vient des principes, combattre l'un et seconder l'autre, c'est là le génie et la vertu des grands révolutionnaires.

Danton vit plier Marat.

— Oh ! le citoyen Cimourdain n'est pas de trop, dit-il.

Et il tendit la main à Cimourdain.

Puis :

— Parbleu, dit-il, expliquons la situation au citoyen Cimourdain. Il vient à propos. Je représente la Montagne, Robespierre représente le Comité de salut public, Marat représente la Commune, Cimourdain représente l'Évêché. Il va nous départager.

— Soit, dit Cimourdain, grave et simple. De quoi s'agit-il ?

— De la Vendée, répondit Robespierre.

— La Vendée ! dit Cimourdain.

Et il reprit :

— C'est la grande menace. Si la Révolution meurt,

elle mourra par la Vendée. Une Vendée est plus redoutable que dix Allemagnes. Pour que la France vive, il faut tuer la Vendée.

Ces quelques mots lui gagnèrent Robespierre.

Robespierre pourtant fit cette question :

— N'êtes-vous pas un ancien prêtre ?

L'air prêtre n'échappait pas à Robespierre. Il reconnaissait hors de lui ce qu'il avait au dedans de lui.

Cimourdain répondit :

— Oui, citoyen.

— Qu'est-ce que cela fait ? s'écria Danton. Quand les prêtres sont bons, ils valent mieux que les autres. En temps de révolution, les prêtres se fondent en citoyens comme les cloches en sous et en canons. Danjou est prêtre, Daunou est prêtre. Thomas Lindet est évêque d'Évreux. Robespierre, vous vous asseyez à la Convention coude à coude avec Massieu, évêque de Beauvais. Le grand-vicaire Vaugeois était du comité d'insurrection du 10 août. Chabot est capucin. C'est dom Gerle qui a fait le serment du Jeu de paume ; c'est l'abbé Audran qui a fait déclarer l'Assemblée nationale supérieure au roi ; c'est l'abbé Goutte qui a demandé à la Législative qu'on ôtât le dais du fauteuil de Louis XVI ; c'est l'abbé Grégoire qui a provoqué l'abolition de la royauté.

— Appuyé, ricana Marat, par l'histrion Collot-d'Herbois. A eux deux, ils ont fait la besogne ; le prêtre a renversé le trône, le comédien a jeté bas le roi.

— Revenons à la Vendée, dit Robespierre.

— Eh bien, demanda Cimourdain, qu'y a-t-il ? qu'est-ce qu'elle fait, cette Vendée ?

Robespierre répondit :

— Ceci : elle a un chef. Elle va devenir épouvantable.

— Qui est ce chef, citoyen Robespierre ?

— C'est un ci-devant marquis de Lantenac, qui s'intitule prince breton.

Cimourdain fit un mouvement.

— Je le connais, dit-il. J'ai été prêtre chez lui.

Il songea un moment, et reprit :

— C'était un homme à femmes avant d'être un homme de guerre.

— Comme Biron qui a été Lauzun, dit Danton.

Et Cimourdain, pensif, ajouta :

— Oui, c'est un ancien homme de plaisir. Il doit être terrible.

— Affreux, dit Robespierre. Il brûle les villages, achève les blessés, massacre les prisonniers, fusille les femmes.

— Les femmes ?

— Oui. Il a fait fusiller entre autres une mère de trois enfants. On ne sait ce que les enfants sont devenus. En outre, c'est un capitaine. Il sait la guerre.

— En effet, répondit Cimourdain. Il a fait la guerre de Hanovre, et les soldats disaient : Richelieu en dessus, Lantenac en dessous ; c'est Lantenac qui a été le vrai général. Parlez-en à Dussaulx, votre collègue.

Robespierre resta un moment pensif, puis le dialogue reprit entre lui et Cimourdain.

— Eh bien, citoyen Cimourdain, cet homme-là est en Vendée.

— Depuis quand ?

— Depuis trois semaines.

— Il faut le mettre hors la loi.

— C'est fait.

— Il faut mettre sa tête à prix.

— C'est fait.

— Il faut offrir, à qui le prendra, beaucoup d'argent.

— C'est fait.

— Pas en assignats.

— C'est fait.

— En or.

— C'est fait.

— Et il faut le guillotiner.

— Ce sera fait.

— Par qui ?

— Par vous.

— Par moi ?

— Oui, vous serez délégué du Comité de salut public, avec pleins pouvoirs.

— J'accepte, dit Cimourdain.

Robespierre était rapide dans ses choix ; qualité d'homme d'État. Il prit dans le dossier qui était devant lui une feuille de papier blanc sur laquelle on lisait cet en-tête imprimé : RÉPUBLIQUE FRANÇAISE, UNE ET INDIVISIBLE. COMITÉ DE SALUT PUBLIC.

Cimourdain continua :

— Oui, j'accepte. Terrible contre terrible. Lantenac est féroce, je le serai. Guerre à mort avec cet homme. J'en délivrerai la République, s'il plaît à Dieu.

Il s'arrêta, puis reprit :

— Je suis prêtre ; c'est égal, je crois en Dieu.

— Dieu a vieilli, dit Danton.

— Je crois en Dieu, dit Cimourdain impassible.

D'un signe de tête, Robespierre, sinistre, approuva.

Cimourdain reprit :

— Près de qui serai-je délégué ?

Robespierre répondit :

— Près du commandant de la colonne expéditionnaire envoyée contre Lantenac. Seulement, je vous en préviens, c'est un noble.

Danton s'écria :

— Voilà encore de quoi je me moque. Un noble ? Eh bien, après ? Il en est du noble comme du prêtre. Quand il est bon, il est excellent. La noblesse est un préjugé ; mais il ne faut pas plus l'avoir dans un sens que dans l'autre, pas plus contre que pour. Robespierre, est-ce que Saint-Just n'est pas un noble ? Florelle de Saint-Just, parbleu ! Anarcharsis Cloots est baron. Notre ami Charles Hesse, qui ne manque pas une séance des Cordeliers, est prince et frère du landgrave régnant de Hesse-Rothenbourg. Montaut, l'intime de Marat, est marquis de Montaut. Il y a dans le tribunal révolutionnaire un juré qui est prêtre, Vilate, et un juré qui est noble, Leroy, marquis de Montflabert. Tous deux sont sûrs.

— Et vous oubliez, ajouta Robespierre, le chef du jury révolutionnaire...

— Antonelle?

— Qui est le marquis Antonelle, dit Robespierre.

Danton reprit :

— C'est un noble, Dampierre, qui vient de se faire tuer devant Condé pour la République, et c'est un noble, Beaurepaire, qui s'est brûlé la cervelle plutôt que d'ouvrir les portes de Verdun aux Prussiens.

— Ce qui n'empêche pas, grommela Marat, que, le jour où Condorcet a dit : *Les Gracques étaient des nobles*, Danton n'ait crié à Condorcet : *Tous les nobles sont des traîtres, à commencer par Mirabeau et à finir par toi.*

La voix grave de Cimourdain s'éleva.

— Citoyen Danton, citoyen Robespierre, vous avez raison peut-être de vous confier, mais le peuple se défie, et il n'a pas tort de se défier. Quand c'est un prêtre qui est chargé de surveiller un noble, la responsabilité est double, et il faut que le prêtre soit inflexible.

— Certes, dit Robespierre.

Cimourdain ajouta :

— Et inexorable.

Robespierre reprit :

— C'est bien dit, citoyen Cimourdain. Vous aurez affaire à un jeune homme. Vous aurez de l'ascendant sur lui, ayant le double de son âge. Il faut le diriger, mais le ménager. Il paraît qu'il a des talents militaires, tous les rapports sont unanimes là-dessus. Il fait partie d'un corps qu'on a détaché de l'armée du Rhin pour aller en Vendée. Il arrive de la frontière où il a été admirable d'intelligence et de bravoure. Il mène supérieurement la colonne expéditionnaire. Depuis quinze jours, il tient en échec ce vieux marquis de Lantenac. Il le réprime et le chasse devant lui. Il finira par l'acculer à la mer et par l'y culbuter. Lantenac a la ruse d'un vieux général et lui a l'audace d'un jeune capitaine. Ce jeune homme a déjà des ennemis et des envieux. L'adjudant général Léchelle est jaloux de lui...

— Ce Léchelle, interrompit Danton, il veut être général en chef! il n'a pour lui qu'un calembour : *Il faut Léchelle pour monter sur Charette.* En attendant Charette le bat.

— Et il ne veut pas, poursuivit Robespierre, qu'un autre que lui batte Lantenac. Le malheur de la guerre de Vendée est dans ces rivalités-là. Des héros mal commandés, voilà nos soldats. Un simple capitaine de hussards, Chérin, entre dans Saumur avec un trompette en sonnant *Ça ira*; il prend Saumur; il pourrait continuer et prendre Cholet, mais il n'a pas d'ordres, et il s'arrête. Il faut remanier tous les commandements de la Vendée. On éparpille les corps de garde, on disperse les forces; une armée éparse est une armée paralysée; c'est un bloc dont on fait de la poussière. Au camp de Paramé il n'y a plus que des tentes. Il y a entre Tréguier et Dinan cent petits postes inutiles avec lesquels on pourrait faire une division et couvrir tout le littoral. Léchelle, appuyé par Parein, dégarnit la côte nord sous prétexte de protéger la côte sud, et ouvre ainsi la France aux Anglais. Un demi-million de paysans soulevés, et une descente de l'Angleterre en France, tel est le plan de Lantenac. Le jeune commandant de la colonne expéditionnaire met l'épée aux reins à ce Lantenac et le presse et le bat, sans la permission de Léchelle; or Léchelle est son chef; aussi Léchelle le dénonce. Les avis sont partagés sur ce jeune homme. Léchelle veut le faire fusiller. Prieur de la Marne veut le faire adjudant général.

— Ce jeune homme, dit Cimourdain, me semble avoir de grandes qualités.

— Mais il a un défaut !

L'interruption était de Marat.

— Lequel ? demanda Cimourdain.

— La clémence, dit Marat.

Et Marat poursuivit :

— C'est ferme au combat, et mou après. Ça donne dans l'indulgence, ça pardonne, ça fait grâce, ça protège les religieuses et les nonnes, ça sauve les femmes et les filles des aristocrates, ça relâche les prisonniers, ça met en liberté les prêtres.

— Grave faute, murmura Cimourdain.

— Crime, dit Marat.

— Quelquefois, dit Danton.

— Souvent, dit Robespierre.

— Presque toujours, reprit Marat.

— Quand on a affaire aux ennemis de la patrie, toujours, dit Cimourdain.

Marat se tourna vers Cimourdain.

— Et que ferais-tu donc d'un chef républicain qui mettrait en liberté un chef royaliste ?

— Je serais de l'avis de Léchelle, je le ferais fusiller.

— Ou guillotiner, dit Marat.

— Au choix, dit Cimourdain.

Danton se mit à rire.

— J'aime autant l'un que l'autre.

— Tu es sûr d'avoir l'un ou l'autre, grommela Marat.

Et son regard, quittant Danton, revint sur Cimourdain.

— Ainsi, citoyen Cimourdain, si un chef républicain bronchait, tu lui ferais couper la tête ?

— Dans les vingt-quatre heures.

— Eh bien, repartit Marat, je suis de l'avis de Robespierre, il faut envoyer le citoyen Cimourdain comme commissaire délégué du Comité de salut public, près du commandant de la colonne expéditionnaire de l'armée des côtes. Comment s'appelle-t-il déjà, ce commandant ?

Robespierre répondit :

– C'est un ci-devant, un noble.

Et il se mit à feuilleter le dossier.

– Donnons au prêtre le noble à garder, dit Danton. Je me défie d'un prêtre qui est seul ; je me défie d'un noble qui est seul ; quand ils sont ensemble, je ne les crains pas ; l'un surveille l'autre, et ils vont.

L'indignation propre au sourcil de Cimourdain s'accentua, mais trouvant sans doute l'observation juste au fond, il ne se tourna point vers Danton, et il éleva sa voix sévère.

– Si le commandant républicain qui m'est confié fait un faux pas, peine de mort.

Robespierre, les yeux sur le dossier, dit :

– Voici le nom. Citoyen Cimourdain, le commandant sur qui vous aurez pleins pouvoirs est un ci-devant vicomte, il s'appelle Gauvain.

Cimourdain pâlit.

– Gauvain ! s'écria-t-il.

Marat vit la pâleur de Cimourdain.

– Le vicomte Gauvain ! répéta Cimourdain.

– Oui, dit Robespierre.

– Eh bien ? dit Marat, l'œil fixé sur Cimourdain.

Il y eut un temps d'arrêt. Marat reprit :

– Citoyen Cimourdain, aux conditions indiquées par vous-même, acceptez-vous la mission de commissaire délégué près le commandant Gauvain ? Est-ce dit ?

– C'est dit, répondit Cimourdain.

Il était de plus en plus pâle.

Robespierre prit la plume qui était près de lui, écrivit de son écriture lente et correcte quatre lignes sur la feuille de papier portant en tête : COMITÉ DE SALUT PUBLIC, signa, et passa la feuille et la plume à Danton ; Danton signa, et Marat, qui ne quittait pas des yeux la face livide de Cimourdain, signa après Danton.

Robespierre, reprenant la feuille, la data et la remit à Cimourdain qui lut :

AN II DE LA RÉPUBLIQUE

« Pleins pouvoirs sont donnés au citoyen Cimourdain, commissaire délégué du Comité de salut public près le citoyen Gauvain, commandant la colonne expéditionnaire de l'armée des côtes.

« ROBESPIERRE. — DANTON. — MARAT. »

Et au-dessous des signatures :

« 28 juin 1793. »

Le calendrier révolutionnaire, dit calendrier civil, n'existait pas encore légalement à cette époque, et ne devait être adopté par la Convention, sur la proposition de Romme, que le 5 octobre 1793.

Pendant que Cimourdain lisait, Marat le regardait.

Marat dit à demi-voix, comme se parlant à lui-même :

— Il faudra faire préciser tout cela par un décret de la Convention ou par un arrêté spécial du Comité de salut public. Il reste quelque chose à faire.

— Citoyen Cimourdain, demanda Robespierre, où demeurez-vous ?

— Cour du Commerce.

— Tiens, moi aussi, dit Danton, vous êtes mon voisin.

Robespierre reprit :

— Il n'y a pas un moment à perdre. Demain vous recevrez votre commission en règle, signée de tous les membres du Comité de salut public. Ceci est une confirmation de la commission, qui vous accréditera spécialement près des représentants en mission, Philippeaux, Prieur de la Marne, Lecointre, Alquier et les autres. Nous savons qui vous êtes. Vos pouvoirs sont illimités. Vous pouvez faire Gauvain général ou l'envoyer à l'échafaud. Vous aurez votre commission demain à trois heures. Quand partirez-vous ?

— A quatre heures, dit Cimourdain.

Et ils se séparèrent.

En rentrant chez lui, Marat prévint Simonne Évrard qu'il irait le lendemain à la Convention.

LIVRE TROISIÈME

LA CONVENTION

I

LA CONVENTION

I

Nous approchons de la grande cime.

Voici la Convention.

Le regard devient fixe en présence de ce sommet.

Jamais rien de plus haut n'est apparu sur l'horizon des hommes.

Il y a l'Himalaya et il y a la Convention.

La Convention est peut-être le point culminant de l'histoire.

Du vivant de la Convention, car cela vit, une assemblée, on ne se rendait pas compte de ce qu'elle était. Ce qui échappait aux contemporains, c'était précisément sa grandeur; on était trop effrayé pour être ébloui. Tout ce qui est grand a une horreur sacrée. Admirer les médiocres et les collines, c'est aisé; mais ce qui est trop haut, un génie aussi bien qu'une montagne, une assemblée aussi bien qu'un chef-d'œuvre, vus de trop près, épouvantent. Toute cime semble une exagération. Gravir fatigue. On s'essouffle aux escarpements, on glisse sur les pentes, on se blesse à des aspérités qui sont des beautés; les torrents, en écumant, dénoncent les précipices, les nuages cachent les sommets; l'ascension terrifie autant que la chute. De là plus d'effroi que d'admiration. On éprouve ce sentiment bizarre, l'aversion du grand. On voit les abîmes, on ne voit pas les sublimités; on voit le monstre, on ne voit pas le prodige. Ainsi fut d'abord jugée la Convention. La Convention fut toisée par les myopes, elle, faite pour être contemplée par les aigles.

Aujourd'hui elle est en perspective, et elle dessine sur le ciel profond, dans un lointain serein et tragique, l'immense profil de la révolution française.

II

Le 14 juillet avait délivré.

Le 10 août avait foudroyé.

Le 21 septembre fonda.

Le 21 septembre, l'équinoxe, l'équilibre. *Libra*. La balance. Ce fut, suivant la remarque de Romme, sous ce signe de l'Égalité et de la Justice que la république fut proclamée. Une constellation fit l'annonce.

La Convention est le premier avatar du peuple. C'est par la Convention que s'ouvrit la grande page nouvelle et que l'avenir d'aujourd'hui commença.

A toute idée il faut une enveloppe visible, à tout principe il faut une habitation; une église, c'est Dieu entre quatre murs; à tout dogme, il faut un temple. Quand la Convention fut, il y eut un premier problème à résoudre, loger la Convention.

On prit d'abord le Manège, puis les Tuileries. On y dressa un châssis, un décor, une grande grisaille peinte par David, des bancs symétriques, une tribune carrée, des pilastres parallèles, des socles pareils à des billots, de longues étraves rectilignes, des alvéoles rectangulaires où se pressait la multitude et qu'on appelait les tribunes publiques, un velarium romain, des draperies grecques, et dans ces angles droits et dans ces lignes droites on installa la Convention; dans cette géométrie on mit la tempête. Sur la tribune le bonnet rouge était peint en gris. Les royalistes commencèrent par rire de ce bonnet rouge gris, de cette salle postiche, de ce monument de carton, de ce sanctuaire de papier mâché, de ce panthéon de boue et de crachat. Comme cela devait disparaître vite! Les colonnes étaient en douves de tonneau, les voûtes étaient en volige, les bas-reliefs étaient en mastic, les entablements étaient en sapin, les statues étaient en plâtre, les marbres étaient en peinture, les murailles étaient en toile, et dans ce provisoire la France a fait de l'éternel.

Les murailles de la salle du Manège, quand la Convention vint y tenir séance, étaient toutes couvertes des affiches qui avaient pullulé dans Paris à l'époque du retour de Varennes. On lisait sur l'une : — *Le roi rentre. Bâtonner qui l'applaudira, pendre qui l'insultera.* — Sur une autre : — *Paix là. Chapeaux sur la tête. Il va passer devant ses juges.* — Sur une autre : — *Le roi a couché la nation en joue. Il a fait long feu, à la nation de tirer maintenant.* — Sur une autre : — *La Loi! la Loi!* Ce fut entre ces murs-là que la Convention jugea Louis XVI.

Aux Tuileries, où la Convention vint siéger le 10 mai 1793, et qui s'appelèrent le Palais-National, la salle des séances occupait tout l'intervalle entre le pavillon de l'Horloge appelé pavillon-Unité et le pavillon Marsan appelé pavillon-Liberté. Le pavillon de Flore s'appelait pavillon-Égalité. C'est par le grand escalier de Jean Bullant qu'on montait à la salle des séances. Sous le premier étage occupé par l'assemblée, tout le rez-de-chaussée du palais était une sorte de longue salle des gardes encombrée des faisceaux et des lits de camp des troupes de toutes armes qui veillaient autour de la Convention. L'assemblée avait une garde d'honneur qu'on appelait « les grenadiers de la Convention ».

Un ruban tricolore séparait le château où était l'assemblée du jardin où le peuple allait et venait.

III

Ce qu'était la salle des séances, achevons de le dire. Tout intéresse de ce lieu terrible.

Ce qui, en entrant, frappait d'abord le regard, c'était entre deux larges fenêtres une haute statue de la Liberté.

Quarante-deux mètres de longueur, dix mètres de largeur, onze mètres de hauteur, telles étaient les dimensions de ce qui avait été le théâtre du roi et de ce qui devint le théâtre de la révolution. L'élégante et magnifique salle bâtie par Vigarani pour les courtisans disparut sous la sauvage charpente qui en 93 dut subir le poids du peuple. Cette charpente, sur laquelle s'échafaudaient les tribunes publiques, avait, détail qui vaut la peine d'être noté, pour point d'appui unique un poteau. Ce poteau était d'un seul morceau, et avait dix mètres de portée. Peu de cariatides ont travaillé comme ce poteau ; il a soutenu pendant des années la rude poussée de la révolution. Il a porté l'acclamation, l'enthousiasme, l'injure, le bruit, le tumulte, l'immense chaos des colères, l'émeute. Il n'a pas fléchi. Après la Convention, il a vu le conseil des Anciens. Le 18 brumaire l'a relayé.

Percier alors remplaça le pilier de bois par des colonnes de marbre, qui ont moins duré.

L'idéal des architectes est parfois singulier ; l'architecte de la rue de Rivoli a eu pour idéal la trajectoire d'un boulet de canon, l'architecte de Carlsruhe a eu pour idéal un éventail ; un gigantesque tiroir de commode, tel semble avoir été l'idéal de l'architecte qui construisit la salle où la Convention vint siéger le 10 mai 1793 ; c'était long, haut et plat. A l'un des grands côtés du parallélogramme était adossé un vaste demi-cirque, c'était l'amphithéâtre des bancs des représentants, sans tables ni pupitres ; Garan-Coulon, qui écrivait beaucoup, écrivait sur son genou ; en face des bancs, la tribune ; devant la tribune, le buste de Lepelletier-Saint-Fargeau ; derrière la tribune, le fauteuil du président.

La tête du buste dépassait un peu le rebord de la tribune ; ce qui fit que, plus tard, on l'ôta de là.

L'amphithéâtre se composait de dix-neuf bancs demi-circulaires, étagés les uns derrière les autres ; des tronçons de bancs prolongeaient cet amphithéâtre dans les deux encoignures.

En bas, dans le fer à cheval au pied de la tribune, se tenaient les huissiers.

D'un autre côté de la tribune, dans un cadre de bois noir, était appliquée au mur une pancarte de neuf pieds de haut, portant sur deux pages séparées par une sorte de sceptre la Déclaration des droits de l'homme ; de l'autre côté il y avait une place vide qui plus tard fut occupée par un cadre pareil contenant la Constitution de l'an II, dont les deux pages étaient séparées par un glaive. Au-dessus de la tribune, au-dessus de la tête de l'orateur, frissonnaient, sortant d'une profonde loge à deux compartiments pleine de peuple, trois immenses drapeaux tricolores, presque horizontaux, appuyés à un autel sur lequel on lisait ce mot : LA LOI. Derrière cet autel se dressait, comme la sentinelle de la parole libre, un énorme faisceau romain, haut comme une colonne. Des statues colossales, droites contre le mur, faisaient face aux représentants. Le président avait à sa droite Lycurgue et à sa gauche Solon ; au-dessus de la Montagne il y avait Platon.

Ces statues avaient pour piédestaux de simples dés, posés sur une longue corniche saillante qui faisait le tour de la salle et séparait le peuple de l'assemblée. Les spectateurs s'accoudaient à cette corniche.

Le cadre de bois noir du placard des *Droits de l'Homme* montait jusqu'à la corniche et entamait le dessin de l'entablement, effraction de la ligne droite qui faisait murmurer Chabot. – *C'est laid*, disait-il à Vadier.

Sur les têtes des statues, alternaient des couronnes de chêne et de laurier.

Une draperie verte, où étaient peintes en vert plus

foncé les mêmes couronnes, descendait à gros plis droits de la corniche de pourtour et tapissait tout le rez-de-chaussée de la salle occupée par l'assemblée. Au-dessus de cette draperie la muraille était blanche et froide. Dans cette muraille se creusaient, coupés comme à l'emporte-pièce, sans moulure ni rinceau, deux étages de tribunes publiques, les carrées en bas, les rondes en haut ; selon la règle, car Vitruve n'était pas détrôné, les archivoltes étaient superposées aux architraves. Il y avait dix tribunes sur chacun des grands côtés de la salle, et à chacune des deux extrémités deux loges démesurées ; en tout vingt-quatre. Là s'entassaient les foules.

Les spectateurs des tribunes inférieures débordaient sur tous les plats-bords et se groupaient sur tous les reliefs de l'architecture. Une longue barre de fer, solidement scellée à hauteur d'appui, servait de garde-fou aux tribunes hautes, et garantissait les spectateurs contre la pression des cohues montant les escaliers. Une fois pourtant un homme fut précipité dans l'Assemblée, il tomba un peu sur Massieu, évêque de Beauvais, ne se tua pas, et dit : *Tiens ! c'est donc bon à quelque chose, un évêque !*

La salle de la Convention pouvait contenir deux mille personnes, et les jours d'insurrection, trois mille.

La Convention avait deux séances, une du jour, une du soir.

Le dossier du président était rond, à clous dorés. Sa table était contrebutée par quatre monstres ailés à un seul pied, qu'on eût dit sortis de l'Apocalypse pour assister à la révolution. Ils semblaient avoir été dételés du char d'Ézéchiel pour venir traîner le tombereau de Sanson.

Sur la table du président il y avait une grosse sonnette, presque une cloche, un large encrier de cuivre, et un in-folio relié en parchemin qui était le livre des procès-verbaux.

Des têtes coupées, portées au bout d'une pique, se sont égouttées sur cette table.

On montait à la tribune par un degré de neuf marches. Ces marches étaient hautes, roides et assez difficiles ; elles firent un jour trébucher Gensonné qui les gravissait. *C'est un escalier d'échafaud!* dit-il. – *Fais ton apprentissage*, lui cria Carrier.

Là où le mur avait paru trop nu, dans les angles de la salle, l'architecte avait appliqué pour ornements des faisceaux, la hache en dehors.

A droite et à gauche de la tribune, des socles portaient deux candélabres de douze pieds de haut, ayant à leur sommet quatre paires de quinquets. Il y avait dans chaque loge publique un candélabre pareil. Sur les socles de ces candélabres étaient sculptés des ronds que le peuple appelait « colliers de guillotine ».

Les bancs de l'Assemblée montaient presque jusqu'à la corniche des tribunes ; les représentants et le peuple pouvaient dialoguer.

Les vomitoires des tribunes se dégorgeaient dans un labyrinthe de corridors plein parfois d'un bruit farouche.

La Convention encombrait le palais et refluait jusque dans les hôtels voisins, l'hôtel de Longueville, l'hôtel de Coigny. C'est à l'hôtel de Coigny qu'après le 10 août, si l'on en croit une lettre de lord Bradford, on transporta le mobilier royal. Il fallut deux mois pour vider les Tuileries.

Les comités étaient logés aux environs de la salle ; au pavillon-Égalité, la législation, l'agriculture et le commerce ; au pavillon-Liberté, la marine, les colonies, les finances, les assignats, le salut public ; au pavillon-Unité, la guerre.

Le Comité de sûreté générale communiquait directement avec le Comité de salut public par un couloir obscur, éclairé nuit et jour d'un réverbère, où allaient et venaient les espions de tous les partis. On n'y parlait pas.

La barre de la Convention a été plusieurs fois déplacée. Habituellement elle était à droite du président.

Aux deux extrémités de la salle, les deux cloisons verticales qui fermaient du côté droit et du côté gauche les demi-cercles concentriques de l'amphithéâtre laissaient entre elles et le mur deux couloirs étroits et profonds sur lesquels s'ouvraient deux sombres portes carrées. On entrait et on sortait par là.

Les représentants entraient directement dans la salle par une porte donnant sur la terrasse des Feuillants.

Cette salle, peu éclairée le jour par de pâles fenêtres, mal éclairée, quand venait le crépuscule, par des flambeaux livides, avait on ne sait quoi de nocturne. Ce demi-éclairage s'ajoutait aux ténèbres du soir ; les séances aux lampes étaient lugubres. On ne se voyait pas ; d'un bout de la salle à l'autre, de la droite à la gauche, des groupes de faces vagues s'insultaient. On se rencontrait sans se reconnaître. Un jour Laignelot, courant à la tribune, se heurte, dans le couloir de descente, à quelqu'un. — Pardon, Robespierre, dit-il. — Pour qui me prends-tu ? répond une voix rauque. — Pardon, Marat, dit Laignelot.

En bas, à droite et à gauche du président, deux tribunes étaient réservées ; car, chose étrange, il y avait à la Convention des spectateurs privilégiés. Ces tribunes étaient les seules qui eussent une draperie. Au milieu de l'architrave, deux glands d'or relevaient cette draperie. Les tribunes du peuple étaient nues.

Tout cet ensemble était violent, sauvage, régulier. Le correct dans le farouche ; c'est un peu toute la révolution. La salle de la Convention offrait le plus complet spécimen de ce que les artistes ont appelé depuis « l'architecture messidor » ; c'était massif et grêle. Les bâtisseurs de ce temps-là prenaient le symétrique pour le beau. Le dernier mot de la Renaissance avait été dit sous Louis XV, et une réaction s'était faite. On avait poussé le noble jusqu'au fade, et la pureté jusqu'à l'ennui. La pruderie existe en architecture. Après les éblouissantes orgies de forme et de couleur du dix-huitième siècle, l'art s'était mis à la diète, et ne se permettait plus que la ligne droite. Ce genre de progrès aboutit à la laideur. L'art réduit au squelette, tel est le phénomène. C'est l'inconvénient de ces sortes de sagesses et d'abstinences; le style est si sobre qu'il devient maigre.

En dehors de toute émotion politique, et à ne voir que l'architecture, un certain frisson se dégageait de cette salle. On se rappelait confusément l'ancien théâtre, les loges enguirlandées, le plafond d'azur et de pourpre, le lustre à facettes, les girandoles à reflets de diamants, les tentures gorge de pigeon, la profusion d'amours et de nymphes sur le rideau et sur les draperies, toute l'idylle royale et galante, peinte, sculptée et dorée, qui avait empli de son sourire ce lieu sévère, et l'on regardait partout autour de soi ces durs angles rectilignes, froids et tranchants comme l'acier; c'était quelque chose comme Boucher guillotiné par David.

IV

Qui voyait l'Assemblée ne songeait plus à la salle. Qui voyait le drame ne pensait plus au théâtre. Rien de plus difforme et de plus sublime. Un tas de héros, un troupeau de lâches. Des fauves sur une montagne, des reptiles dans un marais. Là fourmillaient, se coudoyaient, se provoquaient, se menaçaient, luttaient et vivaient tous ces combattants qui sont aujourd'hui des fantômes.

Dénombrement titanique.

A droite, la Gironde, légion de penseurs; à gauche, la Montagne, groupe d'athlètes. D'un côté, Brissot, qui avait reçu les clefs de la Bastille ; Barbaroux, auquel obéissaient les Marseillais; Kervélégan, qui avait sous la main le bataillon de Brest caserné au faubourg Saint-Marceau; Gensonné, qui avait établi la suprématie des représentants sur les généraux; le fatal Guadet, auquel une nuit, aux Tuileries, la reine avait montré le dauphin endormi ; Guadet baisa le front de l'enfant et fit tomber la tête du père ; Salles, le dénonciateur chimérique des intimités de la Montagne avec l'Autriche ; Sillery, le boiteux de la droite, comme Couthon était le cul-de-jatte de la gauche ; Lause-Duperret, qui, traité de *scélérat* par un journaliste, l'invita à dîner en lui disant : « *Je sais que* "scélérat" *veut simplement dire "l'homme qui ne pense pas comme nous"* » ; Rabaut-Saint-Étienne, qui avait commencé son Almanach de 1790 par ce mot : *La Révolution est finie* ; Quinette, un de ceux qui précipitèrent Louis XVI ; le janséniste Camus, qui rédigeait la constitution civile du clergé, croyait aux miracles du diacre Pâris, et se prosternait toutes les nuits devant un Christ de sept pieds de haut cloué au mur de sa chambre ; Fauchet, un prêtre qui, avec Camille Desmoulins, avait fait le 14 juillet ; Isnard, qui commit le crime de dire : *Paris sera détruit*, au moment même où Brunswick disait : *Paris sera brûlé* ; Jacob Dupont, le premier qui cria : *Je suis athée*, et à qui Robespierre répondit : *L'athéisme est aristocratique* ; Lanjuinais, dure, sagace et vaillante tête bretonne ; Ducos, l'Euryale de Boyer-Fonfrède ; Rebecqui, le Pylade de Barbaroux ; Rebecqui donnait sa démission parce qu'on n'avait pas encore guillotiné Robespierre ; Richaud, qui combattait la permanence des sections ; Lasource, qui avait émis cet apophtegme meurtrier : *Malheur aux nations reconnaissantes !* et qui, au pied de l'échafaud, devait se contredire par cette fière parole jetée aux montagnards : *Nous mourons parce que le peuple dort, et vous mourrez parce que le peuple se réveillera* ; Biroteau, qui fit décréter l'abolition de l'inviolabilité, fut ainsi, sans le savoir, le forgeron du couperet, et dressa l'échafaud pour lui-même ; Charles Villatte, qui abrita sa conscience sous cette protestation : *Je ne veux pas voter sous les couteaux* ; Louvet, l'auteur de *Faublas*, qui devait finir libraire au Palais-Royal avec

Lodoïska au comptoir; Mercier, l'auteur du *Tableau de Paris*, qui s'écriait : *Tous les rois ont senti sur leurs nuques le 21 janvier*; Marec, qui avait pour souci « la faction des anciennes limites »; le journaliste Carra qui, au pied de l'échafaud, dit au bourreau : *Ça m'ennuie de mourir. J'aurais voulu voir la suite*; Vigée, qui s'intitulait grenadier dans le deuxième bataillon de Mayenne-et-Loire, et qui, menacé par les tribunes publiques, s'écriait : *Je demande qu'au premier murmure des tribunes, nous nous retirions tous, et marchions à Versailles, le sabre à la main!* Buzot, réservé à la mort de faim; Valazé, promis à son propre poignard; Condorcet, qui devait périr à Bourg-la-Reine devenu Bourg-Égalité, dénoncé par l'Horace qu'il avait dans sa poche; Pétion, dont la destinée était d'être adoré par la foule en 1792 et dévoré par les loups en 1793; vingt autres encore, Pontécoulant, Marboz, Lidon, Saint-Martin, Dussaulx, traducteur de Juvénal, qui avait fait la campagne de Hanovre, Boilleau, Bertrand, Lesterp-Beauvaix, Lesage, Gomaire, Gardien, Mainvielle, Duplantier, Lacaze, Antiboul, et en tête un Barnave qu'on appelait Vergniaud.

De l'autre côté, Antoine-Louis-Léon Florelle de Saint-Just, pâle, front bas, profil correct, œil mystérieux, tristesse profonde, vingt-trois ans; Merlin de Thionville, que les Allemands appelaient Feuer-Teufel, « le diable de feu »; Merlin de Douai, le coupable auteur de la loi des suspects; Soubrany, que le peuple de Paris, au premier prairial, demanda pour général; l'ancien curé Lebon, tenant un sabre de la main qui avait jeté de l'eau bénite; Billaud-Varennes, qui entrevoyait la magistrature de l'avenir; pas de juges, des arbitres; Fabre d'Églantine, qui eut une trouvaille charmante, le calendrier républicain, comme Rouget de Lisle eut une inspiration sublime, la Marseillaise, mais l'un et l'autre sans récidive; Manuel, le procureur de la Commune, qui avait dit : *Un roi mort n'est pas un homme de moins*; Goujon, qui était entré dans Tripstadt, dans Newstadt et dans Spire, et avait vu fuir l'armée prussienne; Lacroix, avocat changé en général, fait chevalier de Saint-Louis six jours avant le 10 août; Fréron-Thersite, fils de Fréron-Zoïle; Rulh, l'inexorable fouilleur de l'armoire de fer, prédestiné au grand suicide républicain, devant se tuer le jour où mourrait la république; Fouché, âme de démon, face de cadavre; Camboulas, l'ami du père Duchesne, lequel disait à Guillotin : *Tu es du club des Feuillants, mais ta fille est du club des Jacobins*; Jagot, qui à ceux qui plaignaient la nudité des prisonniers répondait ce mot farouche : *Une prison est un habit de pierre*; Javogues, l'effrayant déterreur des tombeaux de Saint-Denis; Osselin, proscripteur qui cachait chez lui une proscrite, madame Charry; Bentabolle, qui, lorsqu'il présidait, faisait signe aux tribunes d'applaudir ou de huer; le journaliste Robert, mari de mademoiselle Kéralio, laquelle écrivait : *Ni Robespierre, ni Marat ne viennent chez moi; Robespierre y viendra quand il voudra, Marat jamais*; Garan-Coulon, qui avait fièrement demandé, quand l'Espagne était intervenue dans le procès de Louis XVI, que l'Assemblée ne daignât pas lire la lettre d'un roi pour un roi; Grégoire, évêque, digne d'abord de la primitive Église, mais qui plus tard sous l'empire effaça le républicain Grégoire par le comte Grégoire; Amar qui disait : *Toute la terre condamne Louis XVI. A qui donc appeler du jugement? aux planètes*; Rouyer, qui s'était opposé, le 21 janvier, à ce qu'on tirât le canon du Pont-Neuf, disant : *Une tête de roi ne doit pas faire en tombant plus de bruit que la tête d'un autre homme*; Chénier, frère d'André; Vadier, un de ceux qui posaient un pistolet sur la tribune; Panis, qui disait à Momoro : – *Je veux que Marat et Robespierre s'embrassent à ma table chez moi. – Où demeures-tu? – A Charenton. – Ailleurs m'eût étonné*, disait Momoro; Legendre, qui fut le boucher de la révolution de France comme Pride avait été le boucher de la révolution d'Angleterre; – *Viens, que je t'assomme*, criait-il à Lanjuinais. Et Lanjuinais répondait : *Fais d'abord décréter que je suis un bœuf*; Collot d'Herbois, ce lugubre comédien, ayant sur la face l'antique masque aux deux bouches qui disent Oui et Non, approuvant par l'une ce qu'il blâmait par l'autre, flétrissant Carrier à Nantes et déifiant Châlier à Lyon, envoyant Robespierre à l'échafaud et Marat au Panthéon; Génissieux, qui demandait la peine de mort contre quiconque aurait sur lui la médaille *Louis XVI martyrisé*; Léonard Bourdon, le maître d'école qui avait offert sa maison au vieillard du Mont-Jura; Topsent, marin, Goupilleau, avocat, Laurent Lecointre, marchand, Duhem, médecin, Sergent, statuaire, David, peintre, Joseph Égalité, prince. D'autres encore : Lecointe Puiraveau, qui demandait que Marat fût déclaré par décret « en état de démence »; Robert Lindet, l'inquiétant créateur de cette pieuvre dont la tête était le Comité de sûreté générale et qui couvrait la France de ses vingt et un mille bras, qu'on appelait les comités révolutionnaires; Lebœuf, sur qui Girey-Dupré, dans son *Noël des faux patriotes*, avait fait ce vers :

Lebœuf vit Legendre et beugla.

Thomas Payne, Américain, et clément; Anacharsis Cloots, Allemand, baron, millionnaire, athée, hébertiste, candide; l'intègre Lebas, l'ami des Duplay; Rovère, un des rares hommes qui sont méchants pour la méchanceté, car l'art pour l'art existe plus qu'on ne croit; Charlier, qui voulait qu'on dît *vous* aux aristocrates; Tallien, élégiaque et féroce, qui fera le 9 thermidor par amour; Cambacérès, procureur qui sera prince, Carrier, procureur qui sera tigre; Laplanche, qui s'écria un jour : *Je demande la priorité pour le canon d'alarme*; Thuriot qui voulait le vote à haute voix des jurés du tribunal révolutionnaire; Bourdon de l'Oise, qui provoquait en duel Chambon, dénonçait Payne, et était dénoncé par Hébert; Fayau, qui proposait « l'envoi d'une armée incendiaire » dans la Vendée ; Tavaux, qui le 13 avril fut presque un médiateur entre la Gironde et la Montagne ; Vernier, qui demandait que les chefs girondins et les chefs montagnards allassent servir comme simples soldats ; Rewbell qui s'enferma dans Mayence ; Bourbotte qui eut son cheval tué sous lui à la prise de Saumur ; Guimberteau qui dirigea l'armée des Côtes de Cherbourg ; Jard-Panvilliers qui dirigea l'armée des Côtes de La Rochelle, Lecarpentier qui dirigea l'escadre de Cancale ; Roberjot qu'attendait le guet-apens de Rastadt ; Prieur de la Marne qui portait dans les camps sa vieille contre-épaulette de chef d'escadron ; Levasseur de la Sarthe qui, d'un mot, décidait Serrent, commandant du bataillon de Saint-Amand, à se faire tuer ; Reverchon, Maure, Bernard de Saintes, Charles Richard, Lequinio, et au sommet de ce groupe un Mirabeau qu'on appelait Danton.

En dehors de ces deux camps, et les tenant tous deux en respect, se dressait un homme, Robespierre.

V

Au-dessous se courbaient l'épouvante, qui peut être noble, et la peur, qui est basse. Sous les passions, sous les héroïsmes, sous les dévouements, sous les rages, la morne cohue des anonymes. Les bas-fonds de l'Assemblée s'appelaient la Plaine. Il y avait là tout ce qui flotte ; les hommes qui doutent, qui hésitent, qui reculent, qui ajournent, qui épient, chacun craignant quelqu'un. La Montagne, c'était une élite ; la Gironde, c'était une élite ; la Plaine, c'était la foule. La Plaine se résumait et se condensait en Sieyès.

Sieyès, homme profond qui était devenu creux. Il s'était arrêté au tiers-état, et n'avait pu monter jusqu'au peuple. De certains esprits sont faits pour rester à mi-côte. Sieyès appelait tigre Robespierre qui l'appelait taupe. Ce métaphysicien avait abouti, non à la sagesse, mais à la prudence. Il était courtisan et non serviteur de la révolution. Il prenait une pelle et allait, avec le peuple, travailler au Champ de Mars, attelé à la même charrette qu'Alexandre de Beauharnais. Il conseillait l'énergie dont il n'usait point. Il disait aux Girondins : *Mettez le canon de votre parti*. Il y a les penseurs qui sont les lutteurs ; ceux-là étaient, comme Condorcet, avec Vergniaud, ou, comme Camille Desmoulins, avec Danton. Il y a les penseurs qui veulent vivre, ceux-ci étaient avec Sieyès.

Les cuves les plus généreuses ont leur lie. Au-dessous même de la Plaine, il y avait le Marais. Stagnation hideuse laissant voir les transparences de l'égoïsme. Là grelottait l'attente muette des trembleurs. Rien de plus misérable. Tous les opprobres, et aucune honte ; la colère latente ; la révolte sous la servitude. Ils étaient cyniquement effrayés ; ils avaient tous les courages de la lâcheté ; ils préféraient la Gironde et choisissaient la Montagne ; le dénoûment dépendait d'eux ; ils versaient du côté qui réussissait ; ils livraient Louis XVI à Vergniaud, Vergniaud à Danton, Danton à Robespierre, Robespierre à Tallien. Ils piloriaient Marat vivant et divinisaient Marat mort. Ils soutenaient tout jusqu'au jour où ils renversaient tout. Ils avaient l'instinct de la poussée décisive à donner à tout ce qui chancelle. A leurs yeux, comme ils s'étaient mis en service à la condition qu'on fût solide, chanceler, c'était les trahir. Ils étaient le nombre, ils étaient la force, ils étaient la peur. De là l'audace des turpitudes.

De là le 31 mai, le 11 germinal, le 9 thermidor ; tragédies nouées par les géants et dénouées par les nains.

VI

A ces hommes pleins de passions étaient mêlés les hommes pleins de songes. L'utopie était là sous toutes ses formes, sous sa forme belliqueuse qui admettait l'échafaud, et sous sa forme innocente qui abolissait la peine de mort ; spectre du côté des trônes, ange du côté des peuples. En regard des esprits qui combattaient, il y avait les esprits qui couvaient. Les uns avaient dans la tête la guerre, les autres la paix ; un cerveau, Carnot, enfantait quatorze armées ; un autre cerveau, Jean Debry, méditait une fédération démocratique universelle. Parmi ces éloquences furieuses, parmi ces voix hurlantes et grondantes, il y avait des silences féconds. Lakanal se taisait, et combinait dans sa pensée l'éducation publique nationale ; Lanthenas se taisait, et créait les écoles primaires ; Révellière-Lépeaux se taisait, et rêvait l'élévation de la philosophie à la dignité de religion. D'autres s'occupaient de questions de détail, plus petites et plus pratiques. Guyton-Morveau étudiait l'assainissement des hôpitaux, Maire l'abolition des servitudes réelles, Jean-Bon-Saint-André la suppression de la prison pour dettes et de la contrainte par corps, Romme la proposition de Chappe, Duboë la mise en ordre des archives, Coren-Fustier la création du cabinet d'anatomie et du muséum d'histoire naturelle, Guyomard la navigation fluviale et le barrage de l'Escaut. L'art avait ses fanatiques et même ses monomanes ; le 21 janvier, pendant que la tête de la monarchie tombait sur la place de la Révolution, Bézard, représentant de l'Oise, allait voir un tableau de Rubens trouvé dans un galetas de la rue Saint-Lazare. Artistes, orateurs, prophètes, hommes-colosses comme Danton, hommes-enfants comme Cloots, gladiateurs et philosophes, tous allaient au même but, le progrès. Rien ne les déconcertait. La grandeur de la Convention fut de chercher la quantité de réel qui est dans ce que les hommes appellent l'impossible. A l'une de ses extrémités, Robespierre avait l'œil fixé sur le droit ; à l'autre extrémité, Condorcet avait l'œil fixé sur le devoir.

Condorcet était un homme de rêverie et de clarté ; Robespierre était un homme d'exécution ; et quelquefois, dans les crises finales des sociétés vieillies, exécution signifie extermination. Les révolutions ont deux versants, montée et descente, et portent étagées sur ces versants toutes les saisons, depuis la glace jusqu'aux fleurs. Chaque zone de ces versants produit les hommes qui conviennent à son climat, depuis ceux qui vivent dans le soleil jusqu'à ceux qui vivent dans la foudre.

VII

On se montrait le repli du couloir de gauche où Robespierre avait dit bas à l'oreille de Garat, l'ami de Clavière, ce mot redoutable : *Clavière a conspiré partout où il a respiré*. Dans ce même recoin, commode aux apartés et aux colères à demi-voix, Fabre d'Églantine avait querellé Romme, et lui avait reproché de défigurer son calendrier par le changement de *Fervidor* en *Thermidor*. On se montrait l'angle où siégeaient, se touchant le coude, les sept représentants de la Haute-Garonne qui, appelés les premiers à prononcer leur verdict sur Louis XVI, avaient ainsi répondu l'un après l'autre : Mailhe : la mort. — Delmas : la mort. — Projean : la mort. — Calès : la mort. — Ayral : la mort. — Julien : la mort. — Desaby : la mort. Éternelle répercussion qui emplit toute l'histoire, et qui, depuis que la justice humaine existe, a toujours mis l'écho du sépulcre sur le mur du tribunal. On désignait du doigt, dans la tumultueuse mêlée des visages, tous ces hommes d'où était sorti le brouhaha des votes tragiques ; Paganel, qui avait dit : *La mort. Un roi n'est utile que par sa mort* ; Millaud, qui avait dit : *Aujourd'hui, si la mort n'existait pas, il faudrait l'inventer* ; le vieux Raffron du Trouillet, qui avait dit : *La mort vite !* Goupilleau, qui avait crié : *L'échafaud tout de suite. La lenteur aggrave la mort* ; Sieyès, qui avait eu cette concision funèbre : *La mort* ; Thuriot, qui avait rejeté l'appel au peuple proposé par Buzot : *Quoi ! les assemblées primaires ! quoi ! quarante-quatre mille tribunaux ! Procès sans terme. La tête de Louis XVI aurait le temps de blanchir avant de tomber* ; Augustin-Bon Robespierre, qui, après son frère, s'était écrié : *Je ne connais point l'humanité qui égorge les peuples, et qui pardonne aux despotes. La mort! demander un sursis c'est substituer à l'appel au peuple un appel aux tyrans*; Foussedoire, le remplaçant de Bernardin de Saint-Pierre, qui avait dit : *J'ai en horreur l'effusion du sang humain, mais le sang d'un roi n'est pas le sang d'un homme. La mort*; Jean-Bon-Saint-André, qui avait dit : *Pas de peuple libre sans le tyran mort*; Lavicomterie, qui avait proclamé cette formule : *Tant que le tyran respire, la liberté étouffe. La mort.* Chateauneuf-Randon, qui avait jeté ce cri : *La mort de Louis le Dernier!* Guyardin, qui avait émis ce vœu : *Qu'on l'exécute Barrière-Renversée!* la Barrière-Renversée c'était la barrière du Trône; Tellier, qui avait dit : *Qu'on forge, pour tirer contre l'ennemi, un canon du calibre de la tête de Louis XVI.* Et les indulgents : Gentil, qui avait dit : *Je vote la réclusion. Faire un Charles Ier, c'est faire un Cromwell*; Bancal, qui avait dit : *L'exil. Je veux voir le premier roi de l'univers condamné à faire un métier pour gagner sa vie*; Albouys, qui avait dit : *Le bannissement. Que ce spectre vivant aille errer autour des trônes*; Zangiacomi, qui avait dit : *La détention. Gardons Capet vivant comme épouvantail*; Chaillon, qui avait dit : *Qu'il vive. Je ne veux pas faire un mort dont Rome fera un saint.* Pendant que ces sentences tombaient de ces lèvres sévères et, l'une après l'autre, se dispersaient dans l'histoire, dans les tribunes des femmes décolletées et parées comptaient les voix, une liste à la main, et piquaient des épingles sous chaque vote.

Où est entrée la tragédie, l'horreur et la pitié restent.

Voir la Convention, à quelque époque de son règne que ce fût, c'était revoir le jugement du dernier Capet; la légende du 21 janvier semblait mêlée à tous ses actes; la redoutable assemblée était pleine de ces haleines fatales qui avaient passé sur le vieux flambeau monarchique allumé depuis dix-huit siècles, et l'avaient éteint; le décisif procès de tous les rois dans un roi était comme le point de départ de la grande guerre qu'elle faisait au passé ; quelle que fût la séance de la Convention à laquelle on assistât, on voyait s'y projeter l'ombre portée de l'échafaud de Louis XVI ; les spectateurs se racontaient les uns aux autres la démission de Kersaint, la démission de Roland, Duchâtel le député des Deux-Sèvres, qui se fit apporter malade sur son lit, et, mourant, vota la vie, ce qui fit rire Marat ; et l'on cherchait des yeux le représentant, oublié par l'histoire aujourd'hui, qui, après cette séance de trente-sept heures, tombé de lassitude et de sommeil sur son banc, et réveillé par l'huissier quand ce fut son tour de voter, entr'ouvrit les yeux, dit : *La mort!* et se rendormit.

Au moment où ils condamnèrent à mort Louis XVI, Robespierre avait encore dix-huit mois à vivre, Danton quinze mois, Vergniaud neuf mois, Marat cinq mois et trois semaines, Lepelletier-Saint-Fargeau un jour. Court et terrible souffle des bouches humaines !

VIII

Le peuple avait sur la Convention une fenêtre ouverte, les tribunes publiques, et, quand la fenêtre ne suffisait pas, il ouvrait la porte, et la rue entrait dans l'assemblée. Ces invasions de la foule dans ce sénat sont une des plus surprenantes visions de l'histoire. Habituellement, ces irruptions étaient cordiales. Le carrefour fraternisait avec la chaise curule. Mais c'est une cordialité redoutable que celle d'un peuple qui, un jour, en trois heures, avait pris les canons des Invalides et quarante mille fusils. A chaque instant, un défilé interrompait la séance ; c'étaient des députations admises à la barre, des pétitions, des hommages, des offrandes. La pique d'honneur du faubourg Saint-Antoine entrait, portée par des femmes. Des Anglais offraient vingt mille souliers aux pieds nus de nos soldats. « Le citoyen Arnoux, disait le *Moniteur*, curé d'Aubignan, commandant du bataillon de la Drôme, demande à marcher aux frontières, et que sa cure lui soit conservée. » Les délégués des sections arrivaient apportant sur des brancards des plats, des patènes, des calices, des ostensoirs, des monceaux d'or, d'argent et de vermeil, offerts à la patrie par cette multitude en haillons, et demandaient pour récompense la permission de danser la carmagnole devant la Convention. Chenard, Narbonne et Vallière venaient chanter des couplets en l'honneur de la Montagne. La section du Mont-Blanc apportait le buste de Lepelletier, et une femme posait un bonnet rouge sur la tête du président qui l'embrassait ; « les citoyennes de la section du Mail » jetaient des fleurs « aux législateurs » ; les « élèves de la patrie » venaient, musique en tête, remercier la Convention d'avoir « préparé la prospérité du siècle » ; les femmes de la section des Gardes-Françaises offraient des roses ; les femmes de la section des Champs-Élysées offraient une couronne de chêne ; les femmes de la section du Temple venaient à la barre jurer *de ne s'unir qu'à de vrais républicains* ; la section de Molière présentait une médaille de Franklin qu'on suspendait, par décret, à la couronne de la statue de la Liberté ; les Enfants-Trouvés, déclarés Enfants de la République, défilaient, revêtus de l'uniforme national ; les jeunes filles de la section de Quatrevingt-douze arrivaient en longues robes blanches, et le lendemain *le Moniteur* contenait cette ligne : « Le président reçoit un bouquet des mains innocentes d'une jeune beauté. » Les orateurs saluaient les foules ; parfois ils les flattaient ; ils disaient à la multitude : — *Tu es infaillible, tu es irréprochable, tu es sublime* ; — le peuple a un côté enfant ; il aime ces sucreries. Quelquefois l'émeute traversait l'assemblée, y entrait furieuse et sortait apaisée, comme le Rhône qui traverse le lac Léman, et qui est de fange en y entrant, et d'azur en en sortant.

Parfois c'était moins pacifique, et Henriot faisait apporter devant la porte des Tuileries des grils à rougir les boulets.

IX

En même temps qu'elle dégageait de la révolution, cette assemblée produisait de la civilisation. Fournaise, mais forge. Dans cette cuve où bouillonnait la terreur, le progrès fermentait. De ce chaos d'ombre et de cette tumultueuse fuite de nuages, sortaient d'immenses rayons de lumière parallèles aux lois éternelles. Rayons restés sur l'horizon, visibles à jamais dans le ciel des peuples, et qui sont, l'un la justice, l'autre la tolérance, l'autre la bonté, l'autre la raison, l'autre la vérité, l'autre l'amour. La Convention promulguait ce grand axiome : *La liberté du citoyen finit où la liberté d'un autre citoyen commence*; ce qui résume en deux lignes toute la sociabilité humaine. Elle déclarait l'indigence sacrée; elle déclarait l'infirmité sacrée dans l'aveugle et dans le sourd-muet devenus pupilles de l'État, la maternité sacrée dans la fille-mère qu'elle consolait et relevait, l'enfance sacrée dans l'orphelin qu'elle faisait adopter par la patrie, l'innocence sacrée dans l'accusé acquitté qu'elle indemnisait. Elle flétrissait la traite des noirs; elle abolissait l'esclavage. Elle proclamait la solidarité civique. Elle décrétait l'instruction gratuite. Elle organisait l'éducation nationale par l'école normale à Paris, l'école centrale au chef-lieu, et l'école primaire dans la commune. Elle créait les conservatoires et les musées. Elle décrétait l'unité de code, l'unité de poids et de mesures, et l'unité de calcul par le système décimal. Elle fondait les finances de la France, et à la longue banqueroute monarchique elle faisait succéder le crédit public. Elle donnait à la circulation le télégraphe, à la vieillesse les hospices dotés, à la maladie les hôpitaux purifiés, à l'enseignement l'école polytechnique, à la science le bureau des longitudes, à l'esprit humain l'institut. En même temps que nationale, elle était cosmopolite. Des onze mille deux cent dix décrets qui sont sortis de la Convention, un tiers a un but politique, les deux tiers ont un but humain. Elle déclarait la morale universelle base de la société et la conscience universelle base de la loi. Et tout cela, servitude abolie, fraternité proclamée, humanité protégée, conscience humaine rectifiée, loi du travail transformée en droit et d'onéreuse devenue secourable, richesse nationale consolidée, enfance éclairée et assistée, lettres et sciences propagées, lumière allumée sur tous les sommets, aide à toutes les misères, promulgation de tous les principes, la Convention le faisait, ayant dans les entrailles cette hydre, la Vendée, et sur les épaules ce tas de tigres, les rois.

X

Lieu immense. Tous les types humains, inhumains et surhumains étaient là. Amas épique d'antagonismes. Guillotin évitant David, Bazire insultant Chabot, Guadet raillant Saint-Just, Vergniaud dédaignant Danton, Louvet attaquant Robespierre, Buzot dénonçant Égalité, Chambon flétrissant Pache, tous exécrant Marat. Et que de noms encore il faudrait enregistrer ! Armonville, dit Bonnet-Rouge, parce qu'il ne siégeait qu'en bonnet phrygien, ami de Robespierre, et voulant, « après Louis XVI, guillotiner Robespierre » par goût de l'équilibre ; Massieu, collègue et ménechme[1] de ce bon Lamourette, évêque fait pour laisser son nom à un baiser ; Lehardy du Morbihan stigmatisant les prêtres de Bretagne ; Barère, l'homme des majorités, qui présidait quand Louis XVI parut à la barre, et qui était à Paméla ce que Louvet était à Lodoïska ; l'oratorien Daunou qui disait : *Gagnons du temps* ; Dubois-Crancé à l'oreille de qui se penchait Marat ; le marquis de Chateauneuf, Laclos, Hérault de Séchelles qui reculait devant Henriot criant : *Canonniers, à vos pièces !* Julien, qui comparait la Montagne aux Thermopyles ; Gamon,

1. Ménechme : frère jumeau, d'après *Les Ménechmes*, comédie de Plaute.

qui voulait une tribune publique réservée uniquement aux femmes ; Laloy, qui décerna les honneurs de la séance à l'évêque Gobel venant à la Convention déposer la mitre et coiffer le bonnet rouge ; Lecomte, qui s'écriait : *C'est donc à qui se déprêtrisera !* Féraud, dont Boissy-d'Anglas saluera la tête, laissant à l'histoire cette question : – Boissy-d'Anglas a-t-il salué la tête, c'est-à-dire la victime, ou la pique, c'est-à-dire les assassins ? – Les deux frères Duprat, l'un montagnard, l'autre girondin, qui se haïssaient comme les deux frères Chénier.

Il s'est dit à cette tribune de ces vertigineuses paroles qui ont, quelquefois, à l'insu même de celui qui les prononce, l'accent fatidique des révolutions, et à la suite desquelles les faits matériels paraissent avoir brusquement on ne sait quoi de mécontent et de passionné, comme s'ils avaient mal pris les choses qu'on vient d'entendre ; ce qui se passe semble courroucé de ce qui se dit ; les catastrophes surviennent furieuses et comme exaspérées par les paroles des hommes. Ainsi une voix dans la montagne suffit pour détacher l'avalanche. Un mot de trop peut être suivi d'un écroulement. Si l'on n'avait pas parlé, cela ne serait pas arrivé. On dirait parfois que les événements sont irascibles.

C'est de cette façon, c'est par le hasard d'un mot d'orateur mal compris qu'est tombée la tête de madame Élisabeth.

A la Convention l'intempérance de langage était de droit.

Les menaces volaient et se croisaient dans la discussion comme les flammèches dans l'incendie. – PÉTION : Robespierre, venez au fait. – ROBESPIERRE : Le fait, c'est vous, Pétion. J'y viendrai, et vous le verrez. – UNE VOIX : Mort à Marat ! – MARAT : Le jour où Marat mourra, il n'y aura plus de Paris, et le jour où Paris périra, il n'y aura plus de République. – Billaud-Varennes se lève et dit : Nous voulons... – Barère l'interrompt : Tu parles comme un roi. — Un autre jour, PHILIPPEAUX : Un membre a tiré l'épée contre moi. — AUDOUIN : Président, rappelez à l'ordre l'assassin. — LE PRÉSIDENT : Attendez. — PANIS : Président, je vous rappelle à l'ordre, moi. — On riait aussi, rudement : LECOINTRE : Le curé du Chant-de-Bout se plaint de Fauchet, son évêque, qui lui défend de se marier. — UNE VOIX : Je ne vois pas pourquoi Fauchet, qui a des maîtresses, veut empêcher les autres d'avoir des épouses. — UNE AUTRE VOIX : Prêtre, prends femme ! — Les tribunes se mêlaient à la conversation. Elles tutoyaient l'Assemblée. Un jour le représentant Ruamps monte à la tribune. Il avait une « hanche » beaucoup plus grosse que l'autre. Un des spectateurs lui cria : — Tourne ça du côté de la droite, puisque tu as une « joue » à la David ! — Telles étaient les libertés que le peuple prenait avec la Convention. Une fois pourtant, dans le tumulte du 11 avril 1793, le président fit arrêter un interrupteur des tribunes.

Un jour, cette séance a eu pour témoin le vieux Buonarotti, Robespierre prend la parole et parle deux heures, regardant Danton, tantôt fixement, ce qui était grave, tantôt obliquement, ce qui était pire. Il foudroie à bout portant. Il termine par une explosion indignée, pleine de mots funèbres : — On connaît les intrigants, on connaît les corrupteurs et les corrompus, on connaît les traîtres ; ils sont dans cette assemblée. Ils nous entendent ; nous les voyons et nous ne les quittons pas des yeux. Qu'ils regardent au-dessus de leur tête, et ils y verront le glaive de la loi ; qu'ils regardent dans leur conscience, et ils y verront leur infamie. Qu'ils prennent garde à eux. — Et quand Robespierre a fini, Danton, la face au plafond, les yeux à demi fermés, un bras pendant par-dessus le dossier de son banc, se renverse en arrière, et on l'entend fredonner :

Cadet Roussel fait des discours
Qui ne sont pas longs quand ils sont courts.

Les imprécations se donnaient la réplique. —

Conspirateur ! — Assassin ! — Scélérat ! — Factieux ! — Modéré ! — On se dénonçait au buste de Brutus qui était là. Apostrophes, injures, défis. Regards furieux d'un côté à l'autre, poings montrés, pistolets entrevus, poignards à demi tirés. Énorme flamboiement de la tribune. Quelques-uns parlaient comme s'ils étaient adossés à la guillotine. Les têtes ondulaient, épouvantées et terribles. Montagnards, Girondins, Feuillants, Modérantistes, Terroristes, Jacobins, Cordeliers ; dix-huit prêtres régicides.

Tous ces hommes ! tas de fumées poussées dans tous les sens.

XI

Esprits en proie au vent.

Mais ce vent était un vent de prodige.

Être un membre de la Convention, c'était être une vague de l'Océan. Et ceci était vrai des plus grands. La force d'impulsion venait d'en haut. Il y avait dans la Convention une volonté qui était celle de tous et n'était celle de personne. Cette volonté était une idée, idée indomptable et démesurée qui soufflait dans l'ombre du haut du ciel. Nous appelons cela la Révolution. Quand cette idée passait, elle abattait l'un et soulevait l'autre ; elle emportait celui-ci en écume et brisait celui-là aux écueils. Cette idée savait où elle allait, et poussait le gouffre devant elle. Imputer la révolution aux hommes, c'est imputer la marée aux flots.

La révolution est une action de l'Inconnu. Appelez-la bonne action ou mauvaise action, selon que vous aspirez à l'avenir ou au passé, mais laissez-la à celui qui l'a faite. Elle semble l'œuvre en commun des grands événements et des grands individus mêlés, mais elle est en réalité la résultante des événements. Les événements dépensent, les hommes payent. Les événements dictent, les hommes signent. Le 14 juillet est signé Camille Desmoulins, le 10 août est signé Danton, le 2 septembre est signé Marat, le 21 septembre est signé Grégoire, le 21 janvier est signé Robespierre ; mais Desmoulins, Danton, Marat, Grégoire et Robespierre ne sont que des greffiers. Le rédacteur énorme et sinistre de ces grandes pages a un nom, Dieu, et un masque, Destin. Robespierre croyait en Dieu. Certes !

La Révolution est une forme du phénomène immanent qui nous presse de toutes parts et que nous appelons la Nécessité.

Devant cette mystérieuse complication de bienfaits et de souffrances se dresse le Pourquoi ? de l'histoire.

Parce que. Cette réponse de celui qui ne sait rien est aussi la réponse de celui qui sait tout.

En présence de ces catastrophes climatériques qui dévastent et vivifient la civilisation, on hésite à juger le détail. Blâmer ou louer les hommes à cause du résultat, c'est presque comme si on louait ou blâmait les chiffres à cause du total. Ce qui doit passer passe, ce qui doit souffler souffle. La sérénité éternelle ne souffre pas de ces aquilons. Au-dessus des révolutions la vérité et la justice demeurent comme le ciel étoilé au-dessus des tempêtes.

XII

Telle était cette Convention démesurée ; camp retranché du genre humain attaqué par toutes les ténèbres à la fois, feux nocturnes d'une armée d'idées assiégées, immense bivouac d'esprits sur un versant d'abîme. Rien dans l'histoire n'est comparable à ce groupe, à la fois sénat et populace, conclave et carrefour, aréopage et place publique, tribunal et accusé.

La Convention a toujours ployé au vent ; mais ce vent sortait de la bouche du peuple et était le souffle de Dieu.

Et aujourd'hui, après quatre-vingts ans écoulés, chaque fois que devant la pensée d'un homme, quel qu'il soit, historien ou philosophe, la Convention apparaît, cet homme s'arrête et médite. Impossible de ne pas être attentif à ce grand passage d'ombres.

II

MARAT DANS LA COULISSE

Comme il l'avait annoncé à Simonne Évrard, Marat, le lendemain de la rencontre de la rue du Paon, alla à la Convention.

Il y avait à la Convention un marquis maratiste, Louis de Montaut, celui qui plus tard offrit à la Convention une pendule décimale surmontée du buste de Marat.

Au moment où Marat entrait, Chabot venait de s'approcher de Montaut.

— Ci-devant... dit-il.

Montaut leva les yeux.

— Pourquoi m'appelles-tu ci-devant ?

— Parce que tu l'es.

— Moi ?

— Puisque tu étais marquis.

— Jamais.

— Bah !

— Mon père était soldat, mon grand-père était tisserand.

— Qu'est-ce que tu nous chantes là, Montaut ?

— Je ne m'appelle pas Montaut.

— Comment donc t'appelles-tu ?

— Je m'appelle Maribon.

— Au fait, dit Chabot, cela m'est égal.

Et il ajouta entre ses dents :

— C'est à qui ne sera pas marquis.

Marat s'était arrêté dans le couloir de gauche et regardait Montaut et Chabot.

Toutes les fois que Marat entrait, il y avait une rumeur ; mais loin de lui. Autour de lui on se taisait. Marat n'y prenait pas garde. Il dédaignait le « coassement du marais ».

Dans la pénombre des bancs obscurs d'en bas, Coupé de l'Oise, Prunelle, Villars, évêque, qui plus tard fut membre de l'Académie française, Boutroue, Petit, Plaichard, Bonet, Thibaudeau, Valdruche, se le montraient du doigt.

— Tiens, Marat !

— Il n'est donc pas malade ?

— Si, puisqu'il est en robe de chambre.

— En robe de chambre ?

— Pardieu oui !

— Il se permet tout !

— Il ose venir ainsi à la Convention !

— Puisqu'un jour il y est venu coiffé de lauriers, il peut bien y venir en robe de chambre !

— Face de cuivre et dents de vert-de-gris.

— Sa robe de chambre paraît neuve.

— En quoi est-elle ?

— En reps.

— Rayé.

— Regardez donc les revers.

— Ils sont en peau.

— De tigre.

— Non, d'hermine.

— Fausse.

— Et il a des bas !

— C'est étrange.

— Et des souliers à boucles.

— D'argent !

— Voilà ce que les sabots de Camboulas ne lui pardonneront pas.

Sur d'autres bancs on affectait de ne pas voir Marat. On causait d'autre chose. Santhonax abordait Dussaulx.

— Vous savez, Dussaulx ?

— Quoi ?

— Le ci-devant comte de Brienne ?

— Qui était à la Force avec le ci-devant duc de Villeroy ?

— Oui.

— Je les ai connus tous les deux. Eh bien ?

— Ils avaient si grand'peur qu'ils saluaient tous les

bonnets rouges de tous les guichetiers, et qu'un jour ils ont refusé de jouer une partie de piquet parce qu'on leur présentait un jeu de cartes à rois et à reines.

— Eh bien ?

— On les a guillotinés hier.

— Tous les deux ?

— Tous les deux.

— En somme, comment avaient-ils été dans la prison ?

— Lâches.

— Et comment ont-ils été sur l'échafaud ?

— Intrépides.

Et Dussaulx jetait cette exclamation :

— Mourir est plus facile que vivre.

Barère était en train de lire un rapport : il s'agissait de la Vendée. Neuf cents hommes du Morbihan étaient partis avec du canon pour secourir Nantes. Redon était menacé par les paysans. Paimbœuf était attaqué. Une station navale croisait à Maindrin pour empêcher les descentes. Depuis Ingrande jusqu'à Maure, toute la rive gauche de la Loire était hérissée de batteries royalistes. Trois mille paysans étaient maîtres de Pornic. Ils criaient *Vivent les Anglais !* Une lettre de Santerre à la Convention, que Barère lisait, se terminait ainsi : « Sept mille paysans ont attaqué Vannes. Nous les avons repoussés, et ils ont laissé dans nos mains quatre canons... »

— Et combien de prisonniers ? interrompit une voix.

Barère continua... — Post-scriptum de la lettre : « Nous n'avons pas de prisonniers, parce que nous n'en faisons plus[1]. »

Marat toujours immobile n'écoutait pas, il était comme absorbé par une préoccupation sévère.

Il tenait dans sa main et froissait entre ses doigts un papier sur lequel quelqu'un qui l'eût déplié eût pu lire

1. *Moniteur*, t. XIX, p. 84. (Note de V.H.)

ces lignes, qui étaient de l'écriture de Momoro et qui étaient probablement une réponse à une question posée par Marat :

« — Il n'y a rien à faire contre l'omnipotence des commissaires délégués, surtout contre les délégués du Comité de salut public. Génissieux a eu beau dire dans la séance du 6 mai : “*Chaque commissaire est plus qu'un roi*”, cela n'y fait rien. Ils ont pouvoir de vie et de mort. Massade à Angers, Trullard à Saint-Amand, Nyon près du général Marcé, Parrein à l'armée des Sables, Millier à l'armée de Niort, sont tout-puissants. Le club des Jacobins a été jusqu'à nommer Parrein général de brigade. Les circonstances absolvent tout. Un délégué du Comité de salut public tient en échec un général en chef. »

Marat acheva de froisser le papier, le mit dans sa poche et s'avança lentement vers Montaut et Chabot qui continuaient à causer et ne l'avaient pas vu entrer.

Chabot disait :

— Maribon ou Montaut, écoute ceci : je sors du Comité de salut public.

— Et qu'y fait-on ?

— On y donne un noble à garder à un prêtre.

— Ah !

— Un noble comme toi...

— Je ne suis pas noble, dit Montaut.

— A un prêtre...

— Comme toi.

— Je ne suis pas prêtre, dit Chabot.

Tous deux se mirent à rire.

— Précise l'anecdote, repartit Montaut.

— Voici ce que c'est. Un prêtre appelé Cimourdain est délégué avec pleins pouvoirs près d'un vicomte nommé Gauvain ; ce vicomte commande la colonne expéditionnaire de l'armée des Côtes. Il s'agit d'empêcher le noble de tricher et le prêtre de trahir.

— C'est bien simple, répondit Montaut. Il n'y a qu'à mettre la mort dans l'aventure.

— Je viens pour cela, dit Marat.

Ils levèrent la tête.

— Bonjour, Marat, dit Chabot, tu assistes rarement à nos séances.

— Mon médecin me commande les bains, répondit Marat.

— Il faut se défier des bains, reprit Chabot; Sénèque est mort dans un bain.

Marat sourit :

— Chabot, il n'y a pas ici de Néron.

— Il y a toi, dit une voix rude.

C'était Danton qui passait et qui montait à son banc.

Marat ne se retourna pas.

Il pencha sa tête entre les deux visages de Montaut et de Chabot.

— Écoutez, je viens pour une chose sérieuse, il faut qu'un de nous trois propose aujourd'hui un projet de décret à la Convention.

— Pas moi, dit Montaut, on ne m'écoute pas, je suis marquis.

— Moi, dit Chabot, on ne m'écoute pas, je suis capucin.

— Et moi, dit Marat, on ne m'écoute pas, je suis Marat.

Il y eut entre eux un silence.

Marat préoccupé n'était pas aisé à interroger. Montaut pourtant hasarda une question.

— Marat, quel est le décret que tu désires?

— Un décret qui punisse de mort tout chef militaire qui fait évader un rebelle prisonnier.

Chabot intervint.

— Ce décret existe, on a voté cela fin avril.

— Alors c'est comme s'il n'existait pas, dit Marat. Partout, dans toute la Vendée, c'est à qui fera évader les prisonniers, et l'asile est impuni.

— Marat, c'est que le décret est en désuétude.

— Chabot, il faut le remettre en vigueur.

— Sans doute.

— Et pour cela parler à la Convention.

— Marat, la Convention n'est pas nécessaire ; le Comité de salut public suffit.

— Le but est atteint, ajouta Montaut, si le Comité de salut public fait placarder le décret dans toutes les communes de la Vendée, et fait deux ou trois bons exemples.

— Sur les grandes têtes, reprit Chabot. Sur les généraux.

Marat grommela : — En effet, cela suffira.

— Marat, repartit Chabot, va toi-même dire cela au Comité de salut public.

Marat le regarda entre les deux yeux, ce qui n'était pas agréable, même pour Chabot.

— Chabot, dit-il, le Comité de salut public, c'est chez Robespierre ; je ne vais pas chez Robespierre.

— J'irai, moi, dit Montaut.

— Bien, dit Marat.

Le lendemain était expédié dans toutes les directions un ordre du Comité de salut public enjoignant d'afficher dans les villes et villages de Vendée et de faire exécuter strictement le décret portant peine de mort contre toute connivence dans les évasions de brigands et d'insurgés prisonniers.

Ce décret n'était qu'un premier pas ; la Convention devait aller plus loin encore. Quelques mois après, le 11 brumaire an II (novembre 1793), à propos de Laval qui avait ouvert ses portes aux Vendéens fugitifs, elle décréta que toute ville qui donnerait asile aux rebelles serait démolie et détruite.

De leur côté, les princes de l'Europe, dans le manifeste du duc de Brunswick, inspiré par les émigrés et rédigé par le marquis de Linnon, intendant du duc d'Orléans, avaient déclaré que tout Français pris les armes à la main serait fusillé, et que, si un cheveu tombait de la tête du roi, Paris serait rasé.

Sauvagerie contre barbarie.

TROISIÈME PARTIE

EN VENDÉE

LIVRE PREMIER

LA VENDÉE

I

LES FORÊTS

Il y avait alors en Bretagne sept forêts horribles. La Vendée, c'est la révolte-prêtre. Cette révolte a eu pour auxiliaire la forêt. Les ténèbres s'entr'aident.

Les sept Forêts-Noires de Bretagne étaient la forêt de Fougères qui barre le passage entre Dol et Avranches ; la forêt de Princé qui a huit lieues de tour ; la forêt de Paimpont, pleine de ravines et de ruisseaux, presque inaccessible du côté de Baignon, avec une retraite facile sur Concornet qui était un bourg royaliste ; la forêt de Rennes d'où l'on entendait le tocsin des paroisses républicaines, toujours nombreuses près des villes ; c'est là que Puysaye perdit Focard ; la forêt de Machecoul qui avait Charette pour bête fauve ; la forêt de Garnache qui était aux La Trémoille, aux Gauvain et aux Rohan ; la forêt de Brocéliande qui était aux fées.

Un gentilhomme en Bretagne avait le titre de *seigneur des Sept-Forêts*. C'était le vicomte de Fontenay, prince breton.

Car le prince breton existait, distinct du prince français. Les Rohan étaient princes bretons. Garnier de Saintes, dans son rapport à la Convention,

15 nivôse an II, qualifie ainsi le prince de Talmont : « Ce Capet des brigands, souverain du Maine et de la Normandie. »

L'histoire des forêts bretonnes, de 1792 à 1800, pourrait être faite à part, et elle se mêlerait à la vaste aventure de la Vendée comme une légende.

L'histoire a sa vérité, la légende a la sienne. La vérité légendaire est d'une autre nature que la vérité historique. La vérité légendaire, c'est l'invention ayant pour résultat la réalité. Du reste l'histoire et la légende ont le même but, peindre sous l'homme momentané l'homme éternel.

La Vendée ne peut être complètement expliquée que si la légende complète l'histoire ; il faut l'histoire pour l'ensemble et la légende pour le détail.

Disons que la Vendée en vaut la peine. La Vendée est un prodige.

Cette Guerre des Ignorants, si stupide et si splendide, abominable et magnifique, a désolé et enorgueilli la France. La Vendée est une plaie qui est une gloire.

A de certaines heures la société humaine a ses énigmes, énigmes qui pour les sages se résolvent en lumière et pour les ignorants en obscurité, en violence et en barbarie. Le philosophe hésite à accuser. Il tient compte du trouble que produisent les problèmes. Les problèmes ne passent point sans jeter au-dessous d'eux une ombre comme les nuages

Si l'on veut comprendre la Vendée, qu'on se figure cet antagonisme ; d'un côté la révolution française, de l'autre le paysan breton. En face de ces événements incomparables, menace immense de tous les bienfaits à la fois, accès de colère de la civilisation, excès du progrès furieux, amélioration démesurée et inintelligible, qu'on place ce sauvage grave et singulier, cet homme à l'œil clair et aux longs cheveux, vivant de lait et de châtaignes, borné à son toit de chaume, à sa haie et à son fossé, distinguant chaque hameau du voisinage au son de la cloche, ne se servant de l'eau que pour boire, ayant sur le dos une veste de cuir avec des arabesques de soie, inculte et brodé, tatouant ses habits comme ses ancêtres les Celtes avaient tatoué leurs visages, respectant son maître dans son bourreau, parlant une langue morte, ce qui est faire habiter une tombe à sa pensée, piquant ses bœufs, aiguisant sa faulx, sarclant son blé noir, pétrissant sa galette de sarrasin, vénérant sa charrue d'abord, sa grand'mère ensuite, croyant à la sainte Vierge et à la Dame blanche, dévot à l'autel et aussi à la haute pierre mystérieuse debout au milieu de la lande, laboureur dans la plaine, pêcheur sur la côte, braconnier dans le hallier, aimant ses rois, ses seigneurs, ses prêtres, ses poux; pensif, immobile souvent des heures entières sur la grande grève déserte, sombre écouteur de la mer.

Et qu'on se demande si cet aveugle pouvait accepter cette clarté.

II

LES HOMMES

Le paysan a deux points d'appui : le champ qui le nourrit, le bois qui le cache.

Ce qu'étaient les forêts bretonnes, on se le figurerait difficilement; c'étaient des villes. Rien de plus sourd, de plus muet et de plus sauvage que ces inextricables enchevêtrements d'épines et de branchages; ces vastes broussailles étaient des gîtes d'immobilité et de silence; pas de solitude d'apparence plus morte et plus sépulcrale; si l'on eût pu, subitement et d'un seul coup pareil à l'éclair, couper les arbres, on eût brusquement vu dans cette ombre un fourmillement d'hommes.

Des puits ronds et étroits, masqués au dehors par des couvercles de pierre et de branches, verticaux, puis horizontaux, s'élargissant sous terre en entonnoir, et aboutissant à des chambres ténébreuses, voilà ce que Cambyse trouva en Égypte et ce que Westermann trouva en Bretagne ; là c'était dans le désert, ici c'était dans la forêt ; dans les caves d'Égypte il y avait des morts, dans les caves de Bretagne il y avait des vivants. Une des plus sauvages clairières du bois de Misdon, toute perforée de galeries et de cellules où allait et venait un peuple mystérieux, s'appelait « la Grande Ville ». Une autre clairière, non moins déserte en dessus et non moins habitée en dessous, s'appelait « la Place royale ».

Cette vie souterraine était immémoriale en Bretagne. De tout temps l'homme y avait été en fuite devant l'homme. De là les tanières de reptiles creusées sous les arbres. Cela datait des druides, et quelques-unes de ces cryptes étaient aussi anciennes que les dolmens. Les larves de la légende et les monstres de l'histoire, tout avait passé sur ce noir pays, Teutatès, César, Hoël, Néomène, Geoffroy d'Angleterre, Alain-gant-de-fer, Pierre Mauclerc, la maison française de Blois, la maison anglaise de Montfort, les rois et les ducs, les neuf barons de Bretagne, les juges des Grands-Jours, les comtes de Nantes querellant les comtes de Rennes, les routiers, les malandrins, les grandes compagnies, René II, vicomte de Rohan, les gouverneurs pour le roi, le « bon duc de Chaulnes » branchant les paysans sous les fenêtres de madame de Sévigné, au quinzième siècle les boucheries seigneuriales, au seizième et au dix-septième siècle les guerres de religion, au dix-huitième siècle les trente mille chiens dressés à chasser aux hommes ; sous ce piétinement effroyable le peuple avait pris le parti de disparaître. Tour à tour les troglodytes pour échapper aux Celtes, les Celtes pour échapper aux Romains, les Bretons pour échapper aux Normands, les huguenots pour échapper aux catholiques, les contrebandiers pour échapper aux gabelous, s'étaient réfugiés d'abord dans les forêts, puis sous la terre. Ressource des bêtes. C'est là que la tyrannie réduit les nations. Depuis deux mille ans, le despotisme sous toutes ses espèces, la conquête, la féodalité, le fanatisme, le fisc, traquait cette misérable Bretagne éperdue; sorte de battue inexorable qui ne cessait sous une forme que pour recommencer sous l'autre. Les hommes se terraient.

L'épouvante, qui est une sorte de colère, était toute prête dans les âmes, et les tanières étaient toutes prêtes dans les bois, quand la république française éclata. La Bretagne se révolta, se trouvant opprimée par cette délivrance de force. Méprise habituelle aux esclaves.

III

CONNIVENCE DES HOMMES ET DES FORÊTS

Les tragiques forêts bretonnes reprirent leur vieux rôle et furent servantes et complices de cette rébellion, comme elles l'avaient été de toutes les autres.

Le sous-sol de telle forêt était une sorte de madrépore percé et traversé en tous sens par une voirie inconnue de sapes, de cellules et de galeries. Chacune de ces cellules aveugles abritait cinq ou six hommes. La difficulté était d'y respirer. On a de certains chiffres étranges qui font comprendre cette puissante organisation de la vaste émeute paysanne. En Ille-et-Vilaine, dans la forêt du Pertre, asile du prince de Talmont, on n'entendait pas un souffle, on ne trouvait pas une trace humaine, et il y avait six mille hommes avec Focard; en Morbihan, dans la forêt de Meulac, on ne voyait personne, et il y avait huit mille hommes. Ces deux forêts, le Pertre et Meulac, ne comptent pourtant pas parmi les grandes forêts bretonnes. Si l'on marchait là-dessus, c'était terrible. Ces halliers hypocrites, pleins de combattants tapis dans une sorte de labyrinthe sous-jacent, étaient comme d'énormes éponges obscures d'où, sous la pression de ce pied gigantesque, la révolution, jaillissait la guerre civile.

Des bataillons invisibles guettaient. Ces armées ignorées serpentaient sous les armées républicaines, sortaient de terre tout à coup et y rentraient, bondissaient innombrables et s'évanouissaient, douées d'ubiquité et de dispersion, avalanche, puis poussière, colosses ayant le don du rapetissement, géants pour combattre, nains pour disparaître. Des jaguars ayant des mœurs de taupes.

Il n'y avait pas que les forêts, il y avait les bois. De même qu'au-dessous des cités il y a les villages, au-dessous des forêts il y avait les broussailles. Les forêts se reliaient entre elles par le dédale, partout épars, des bois. Les anciens châteaux qui étaient des forteresses, les hameaux qui étaient des camps, les fermes qui étaient des enclos faits d'embûches et de pièges, les métairies, ravinées de fossés et palissadées d'arbres, étaient les mailles de ce filet où se prirent les armées républicaines.

Cet ensemble était ce qu'on appelait le Bocage.

Il y avait le bois de Misdon, au centre duquel était un étang, et qui était à Jean Chouan ; il y avait le bois de Gennes qui était à Taillefer ; il y avait le bois de la Huisserie, qui était à Gouge-le-Bruant ; le bois de la Charnie qui était à Courtillé-le-Bâtard, dit l'Apôtre saint Paul, chef du camp de la Vache-Noire ; le bois de Burgault qui était à cet énigmatique Monsieur Jacques, réservé à une fin mystérieuse dans le souterrain de Juvardeil ; il y avait le bois de Charreau où Pimousse et Petit-Prince, attaqués par la garnison de Châteauneuf, allaient prendre à bras-le-corps dans les rangs républicains des grenadiers qu'ils rapportaient prisonniers ; le bois de la Heureuserie, témoin de la déroute du poste de la Longue-Faye, le bois de l'Aulne d'où l'on épiait la route entre Rennes et Laval ; le bois de la Gravelle qu'un prince de La Trémoille avait gagné en jouant à la boule ; le bois de

Lorges dans les Côtes-du-Nord, où Charles de Boishardy régna après Bernard de Villeneuve ; le bois de Bagnard, près Fontenay, où Lescure offrit le combat à Chalbos qui, étant un contre cinq, l'accepta ; le bois de la Durondais que se disputèrent jadis Alain le Redru et Hérispoux, fils de Charles le Chauve ; le bois de Croqueloup, sur la lisière de cette lande où Coquereau tondait les prisonniers ; le bois de la Croix-Bataille qui assista aux insultes homériques de Jambe-d'Argent à Morière et de Morière à Jambe-d'Argent ; le bois de la Saudraie que nous avons vu fouiller par un bataillon de Paris. Bien d'autres encore.

Dans plusieurs de ces forêts et de ces bois, il n'y avait pas seulement des villages souterrains groupés autour du terrier du chef ; mais il y avait encore de véritables hameaux de huttes basses cachés sous les arbres, et si nombreux que parfois la forêt en était remplie. Souvent les fumées les trahissaient. Deux de ces hameaux du bois de Misdon sont restés célèbres, Lorrière, près de Létang, et, du côté de Saint-Ouen-les-Toits, le groupe de cabanes appelé la Rue-de-Bau.

Les femmes vivaient dans les huttes et les hommes dans les cryptes. Ils utilisaient pour cette guerre les galeries des fées et les vieilles sapes celtiques. On apportait à manger aux hommes enfouis. Il y en eut qui, oubliés, moururent de faim. C'étaient d'ailleurs des maladroits qui n'avaient pas su rouvrir leurs puits. Habituellement le couvercle, fait de mousse et de branches, était si artistement façonné, qu'impossible à distinguer du dehors dans l'herbe, il était très facile à ouvrir et à fermer du dedans. Ces repaires étaient creusés avec soin. On allait jeter à quelque étang voisin la terre qu'on ôtait du puits. La paroi intérieure et le sol étaient tapissés de fougère et de mousse. Ils appelaient ce réduit « la loge ». On était bien là, à cela près qu'on était sans jour, sans feu, sans pain et sans air.

Remonter sans précaution parmi les vivants et se déterrer hors de propos était grave. On pouvait se trouver entre les jambes d'une armée en marche. Bois redoutables; pièges à doubles trappes. Les bleus n'osaient entrer, les blancs n'osaient sortir.

IV

LEUR VIE SOUS TERRE

Les hommes dans ces caves de bêtes s'ennuyaient. La nuit, quelquefois, à tout risque, ils sortaient et s'en allaient danser sur la lande voisine. Ou bien ils priaient pour tuer le temps. *Tout le jour*, dit Bourdoiseau, *Jean Chouan nous faisait chapeletter*.

Il était presque impossible, la saison venue, d'empêcher ceux du Bas-Maine de sortir pour se rendre à la Fête de la Gerbe. Quelques-uns avaient des idées à eux. Denys, dit Tranche-Montagne, se déguisait en femme pour aller à la comédie à Laval; puis il rentrait dans son trou.

Brusquement ils allaient se faire tuer, quittant le cachot pour le sépulcre.

Quelquefois ils soulevaient le couvercle de leur fosse, et ils écoutaient si l'on se battait au loin; ils suivaient de l'oreille le combat. Le feu des républicains était régulier, le feu des royalistes était éparpillé; ceci les guidait. Si les feux de peloton cessaient subitement, c'était signe que les royalistes avaient le dessous; si les feux saccadés continuaient et s'enfonçaient à l'horizon, c'était signe qu'ils avaient le dessus. Les blancs poursuivaient toujours; les bleus jamais, ayant le pays contre eux.

Ces belligérants souterrains étaient admirablement renseignés. Rien de plus rapide que leurs communications, rien de plus mystérieux. Ils avaient rompu tous les ponts, ils avaient démonté toutes les charrettes, et ils trouvaient moyen de tout se dire et de s'avertir de tout. Des relais d'émissaires étaient établis de forêt à forêt, de village à village, de ferme à ferme, de chaumière à chaumière, de buisson à buisson.

Tel paysan qui avait l'air stupide passait portant des dépêches dans son bâton, qui était creux.

Un ancien constituant, Boétidoux, leur fournissait, pour aller et venir d'un bout à l'autre de la Bretagne, des passeports républicains nouveau modèle, avec les noms en blanc, dont ce traître avait des liasses. Il était impossible de les surprendre. *Des secrets livrés*, dit Puysaye[1], *à plus de quatre cent mille individus ont été religieusement gardés*.

Il semblait que ce quadrilatère fermé au sud par la ligne des Sables à Thouars, à l'est par la ligne de Thouars à Saumur et par la rivière de Thoue, au nord par la Loire et à l'ouest par l'Océan, eût un même appareil nerveux, et qu'un point de ce sol ne pût tressaillir sans que tout s'ébranlât. En un clin d'œil on était informé de Noirmoutier à Luçon et le camp de La Loue savait ce que faisait le camp de la Croix-Morineau. On eût dit que les oiseaux s'en mêlaient. Hoche écrivait, 7 messidor an III : *On croirait qu'ils ont des télégraphes*.

C'étaient des clans, comme en Écosse. Chaque paroisse avait son capitaine. Cette guerre, mon père l'a faite, et j'en puis parler.

V

LEUR VIE EN GUERRE

Beaucoup n'avaient que des piques. Les bonnes carabines de chasse abondaient. Pas de plus adroits tireurs que les braconniers du Bocage et les contrebandiers du Loroux. C'étaient des combattants étranges, affreux et intrépides. Le décret de la levée

1. Tome II, page 35. (Note de V.H.)

des trois cent mille hommes avait fait sonner le tocsin dans six cents villages. Le pétillement de l'incendie éclata sur tous les points à la fois. Le Poitou et l'Anjou firent explosion le même jour. Disons qu'un premier grondement s'était fait entendre dès 1792, le 8 juillet, un mois avant le 10 août, sur la lande de Kerbader. Alain Redeler, aujourd'hui ignoré, fut le précurseur de La Rochejaquelein et de Jean Chouan. Les royalistes forçaient, sous peine de mort, tous les hommes valides à marcher. Ils réquisitionnaient les attelages, les chariots, les vivres. Tout de suite, Sapinaud eut trois mille soldats, Cathelineau dix mille, Stofflet vingt mille, et Charette fut maître de Noirmoutier. Le vicomte de Scépeaux remua le Haut-Anjou, le chevalier de Dieuzie l'Entre-Vilaine-et-Loire, Tristan-l'Hermite le Bas-Maine, le barbier Gaston la ville de Guéménée, et l'abbé Bernier tout le reste. Pour soulever ces multitudes, peu de chose suffisait. On plaçait dans le tabernacle d'un curé assermenté, d'un *prêtre jureur*, comme ils disaient, un gros chat noir qui sautait brusquement dehors pendant la messe. – *C'est le diable!* criaient les paysans, et tout un canton s'insurgeait. Un souffle de feu sortait des confessionnaux. Pour assaillir les bleus et pour franchir les ravins, ils avaient leur long bâton de quinze pieds de long, *la ferte*, arme de combat et de fuite. Au plus fort des mêlées, quand les paysans attaquaient les carrés républicains, s'ils rencontraient sur le champ de combat une croix ou une chapelle, tous tombaient à genoux et disaient leur prière sous la mitraille; le rosaire fini, ceux qui restaient se relevaient et se ruaient sur l'ennemi. Quels géants, hélas! Ils chargeaient leur fusil en courant; c'était leur talent. On leur faisait accroire ce qu'on voulait; les prêtres leur montraient d'autres prêtres dont ils avaient rougi le cou avec une ficelle serrée, et leur disaient : *Ce sont des guillotinés ressuscités*. Ils avaient leurs accès de chevalerie; ils honorèrent Fesque, un porte-drapeau républicain qui s'est fait sabrer sans lâcher son drapeau. Ces paysans raillaient ; ils appelaient les prêtres mariés républicains : *des sans-calottes devenus sans-culottes*. Ils commencèrent par avoir peur des canons, puis ils se jetèrent dessus avec des bâtons, et ils en prirent. Ils prirent d'abord un beau canon de bronze qu'ils baptisèrent *le Missionnaire* ; puis un autre qui datait des guerres catholiques et où étaient gravées les armes de Richelieu et une figure de la Vierge ; ils l'appelèrent *Marie-Jeanne*. Quand ils perdirent Fontenay ils perdirent Marie-Jeanne, autour de laquelle tombèrent sans broncher six cents paysans ; puis ils reprirent Fontenay afin de reprendre Marie-Jeanne, et ils la ramenèrent sous le drapeau fleurdelysé en la couvrant de fleurs et en la faisant baiser aux femmes qui passaient. Mais deux canons, c'était peu. Stofflet avait pris Marie-Jeanne ; Cathelineau, jaloux, partit de Pin-en-Mange, donna l'assaut à Jallais, et prit un troisième canon ; Forest attaqua Saint-Florent et en prit un quatrième. Deux autres capitaines, Chouppes et Saint-Pol, firent mieux ; ils figurèrent des canons par des troncs d'arbres coupés, et des canonniers par des mannequins, et avec cette artillerie, dont ils riaient vaillamment, ils firent reculer les bleus à Mareuil. C'était là leur grande époque. Plus tard, quand Chalbos mit en déroute La Marsonnière, les paysans laissèrent derrière eux sur le champ de bataille déshonoré trente-deux canons aux armes d'Angleterre. L'Angleterre alors payait les princes français, et l'on envoyait « des fonds à monseigneur, écrivait Nantiat le 10 mai 1794, parce qu'on a dit à M. Pitt que cela était décent ». Mellinet, dans un rapport du 31 mars, dit : « Le cri des rebelles est *vivent les Anglais !* » Les paysans s'attardaient à piller. Ces dévots étaient voleurs. Les sauvages ont des vices. C'est par là que les prend plus tard la civilisation. Puysaye dit, tome II, page 187 : « J'ai préservé plusieurs fois le bourg de Plélan du pillage. » Et plus loin, page 434, il se prive d'entrer à Montfort : « Je fis un circuit pour éviter le pillage des maisons des jacobins. » Ils détroussèrent Cholet; ils mirent à sac Challans. Après avoir manqué Granville, ils pillèrent Ville-Dieu. Ils appelaient *masse jacobine* ceux des campagnards qui s'étaient ralliés aux bleus, et ils les exterminaient plus que les autres. Ils aimaient le carnage comme des soldats, et le massacre comme des brigands. Fusiller les « patauds », c'est-à-dire les bourgeois, leur plaisait; ils appelaient cela « se décarêmer ». A Fontenay, un de leurs prêtres, le curé Barbotin, abattit un vieillard d'un coup de sabre. A Saint-Germain-sur Ille[1], un de leurs capitaines, gentilhomme, tua d'un coup de fusil le procureur de la commune et lui prit sa montre. A Machecoul, ils mirent les républicains en coupe réglée, à trente par jour; cela dura cinq semaines; chaque chaîne de trente s'appelait « le chapelet ». On adossait la chaîne à une fosse creusée et l'on fusillait; les fusillés tombaient dans la fosse parfois vivants; on les enterrait tout de même. Nous avons revu ces mœurs. Joubert, président du district, eut les poings sciés. Ils mettaient aux prisonniers bleus des menottes coupantes, forgées exprès. Ils les assommaient sur les places publiques en sonnant l'hallali. Charette, qui signait : *Fraternité; le chevalier Charette*, et qui avait pour coiffure, comme Marat, un mouchoir noué sur les sourcils, brûla la ville de Pornic et les habitants dans les maisons. Pendant ce temps-là, Carrier était épouvantable. La terreur répliquait à la terreur. L'insurgé breton avait presque la figure de l'insurgé grec, veste courte, fusil en bandoulière, jambières, larges braies pareilles à la fustanelle; le gars ressemblait au klephte. Henri de La Rochejaquelein, à vingt et un ans, partait pour cette guerre avec un bâton et une paire de pistolets. L'armée vendéenne comptait cent cinquante-quatre divisions. Ils faisaient des sièges en règle; ils tinrent trois jours Bressuire blo-

1. Puysaye, t. II, p. 35. (Note de V.H.)

quée. Dix mille paysans, un vendredi saint, canonnèrent la ville des Sables à boulets rouges. Il leur arriva de détruire en un seul jour quatorze cantonnements républicains, de Montigné à Courbeveilles. A Thouars, sur la haute muraille, on entendit ce dialogue superbe entre La Rochejaquelein et un gars : — Carle ! — Me voilà. — Tes épaules que je monte dessus. — Faites. — Ton fusil. — Prenez. — Et La Rochejaquelein sauta dans la ville, et l'on prit sans échelles ces tours qu'avait assiégées Duguesclin. Ils préféraient une cartouche à un louis d'or. Ils pleuraient quand ils perdaient de vue leur clocher. Fuir leur semblait simple ; alors les chefs criaient : — *Jetez vos sabots, gardez vos fusils !* Quand les munitions manquaient, ils disaient leur chapelet et allaient prendre de la poudre dans les caissons de l'artillerie républicaine ; plus tard d'Elbée en demanda aux Anglais. Quand l'ennemi approchait, s'ils avaient des blessés, ils les cachaient dans les grands blés ou dans les fougères vierges, et, l'affaire finie, venaient les reprendre. D'uniformes point. Leurs vêtements se délabraient. Paysans et gentilshommes s'habillaient des premiers haillons venus. Roger Mouliniers portait un turban et un dolman pris au magasin de costumes du théâtre de La Flèche ; le chevalier de Beauvilliers avait une robe de procureur et un chapeau de femme par-dessus un bonnet de laine. Tous portaient l'écharpe et la ceinture blanche ; les grades se distinguaient par les nœuds. Stofflet avait un nœud rouge ; La Rochejaquelein avait un nœud noir ; Wimpfen, demi-girondin, qui du reste ne sortit pas de Normandie, portait le brassard des carabots de Caen. Ils avaient dans leurs rangs des femmes, madame de Lescure, qui fut plus tard madame de La Rochejaquelein ; Thérèse de Mollien, maîtresse de La Rouarie, laquelle brûla la liste des chefs de paroisse ; madame de La Rochefoucauld, belle, jeune, le sabre à la main, ralliant les paysans au pied de la grosse tour du château du Puy-Rousseau, et cette Antoinette

Adams, dite le chevalier Adams, si vaillante que, prise, on la fusilla, mais debout, par respect. Ce temps épique était cruel. On était des furieux. Madame de Lescure faisait exprès marcher son cheval sur les républicains gisant hors de combat; *morts*, dit-elle; blessés peut-être. Quelquefois les hommes trahirent, les femmes jamais. Mademoiselle Fleury, du Théâtre-Français, passa de La Rouarie à Marat, mais par amour. Les capitaines étaient souvent aussi ignorants que les soldats; M. de Sapinaud ne savait pas l'orthographe; il écrivait : « nous *orions* de notre *cauté* ». Les chefs s'entre-haïssaient; les capitaines du Marais criaient : *A bas ceux du pays haut!* Leur cavalerie était peu nombreuse et difficile à former. Puysaye écrit : *Tel homme qui me donne gaiement ses deux fils devient froid si je lui demande un de ses chevaux*. Fertes, fourches, faulx, fusils vieux et neufs, couteaux de braconnage, broches, gourdins ferrés et cloutés, c'étaient là leurs armes; quelques-uns portaient en sautoir une croix faite de deux os de mort. Ils attaquaient à grands cris, surgissaient subitement de partout, des bois, des collines, des cépées, des chemins creux, s'égaillaient, c'est-à-dire faisaient le croissant, tuaient, exterminaient, foudroyaient, et se dissipaient. Quand ils traversaient un bourg républicain, ils coupaient l'Arbre de la Liberté, le brûlaient et dansaient en rond autour du feu. Toutes leurs allures étaient nocturnes. Règle du Vendéen : être toujours inattendu. Ils faisaient quinze lieues en silence, sans courber une herbe sur leur passage. Le soir venu, après avoir fixé, entre chefs et en conseil de guerre, le lieu où le lendemain matin ils surprendraient les postes républicains, ils chargeaient leurs fusils, marmottaient leur prière, ôtaient leurs sabots et filaient en longues colonnes, à travers les bois, pieds nus sur la bruyère et sur la mousse, sans un bruit, sans un mot, sans un souffle. Marche de chats dans les ténèbres.

VI

L'ÂME DE LA TERRE PASSE DANS L'HOMME

La Vendée insurgée ne peut être évaluée à moins de cinq cent mille hommes, femmes et enfants. Un demi-million de combattants, c'est le chiffre donné par Tuffin de La Rouarie.

Les fédéralistes aidaient; la Vendée eut pour complice la Gironde. La Lozère envoyait au Bocage trente mille hommes. Huit départements se coalisaient, cinq en Bretagne, trois en Normandie. Évreux, qui fraternisait avec Caen, se faisait représenter dans la rébellion par Chaumont, son maire, et Gardembas, notable. Buzot, Gorsas et Barbaroux à Caen, Brissot à Moulins, Chassan à Lyon, Rabaut-Saint-Étienne à Nismes, Meillan et Duchâtel en Bretagne, toutes ces bouches soufflaient sur la fournaise.

Il y a eu deux Vendées; la grande qui faisait la guerre des forêts, la petite qui faisait la guerre des buissons; là est la nuance qui sépare Charette de Jean Chouan. La petite Vendée était naïve, la grande était corrompue; la petite valait mieux. Charette fut fait marquis, lieutenant-général des armées du roi, et grand-croix de Saint-Louis; Jean Chouan resta Jean Chouan. Charette confine au bandit, Jean Chouan au paladin.

Quant à ces chefs magnanimes, Bonchamps, Lescure, La Rochejaquelein, ils se trompèrent. La grande armée catholique a été un effort insensé; le désastre devait suivre; se figure-t-on une tempête paysanne attaquant Paris, une coalition de villages assiégeant le Panthéon, une meute de noëls et d'oremus aboyant autour de la Marseillaise, la cohue des sabots se ruant sur la légion des esprits? Le Mans et Savenay châtièrent cette folie. Passer la Loire était impossible à la Vendée. Elle pouvait tout, excepté cette enjambée. La guerre civile ne conquiert point. Passer le Rhin complète César et augmente Napoléon ; passer la Loire tue La Rochejaquelein.

La vraie Vendée, c'est la Vendée chez elle ; là elle est plus qu'invulnérable, elle est insaisissable. Le Vendéen chez lui est contrebandier, laboureur, soldat, pâtre, braconnier, franc-tireur, chevrier, sonneur de cloches, paysan, espion, assassin, sacristain, bête des bois.

La Rochejaquelein n'est qu'Achille, Jean Chouan est Protée.

La Vendée a avorté. D'autres révoltes ont réussi, la Suisse par exemple. Il y a cette différence entre l'insurgé de montagne comme le Suisse et l'insurgé de forêt comme le Vendéen, que, presque toujours, fatale influence du milieu, l'un se bat pour un idéal, et l'autre pour des préjugés. L'un plane, l'autre rampe. L'un combat pour l'humanité, l'autre pour la solitude ; l'un veut la liberté, l'autre veut l'isolement ; l'un défend la commune, l'autre la paroisse. Communes ! communes ! criaient les héros de Morat. L'un a affaire aux précipices, l'autre aux fondrières ; l'un est l'homme des torrents et des écumes, l'autre est l'homme des flaques stagnantes d'où sort la fièvre ; l'un a sur la tête l'azur, l'autre une broussaille ; l'un est sur une cime, l'autre est dans une ombre.

L'éducation n'est point la même, faite par les sommets ou par les bas-fonds.

La montagne est une citadelle, la forêt est une embuscade ; l'une inspire l'audace, l'autre le piège. L'antiquité plaçait les dieux sur les faîtes et les satyres dans les halliers. Le satyre c'est le sauvage ; demi-homme, demi-bête. Les pays libres ont des Apennins, des Alpes, des Pyrénées, un Olympe. Le Parnasse est un mont. Le mont Blanc était le colossal auxiliaire de Guillaume Tell ; au fond et au-dessus des immenses luttes des esprits contre la nuit qui emplissent les poëmes de l'Inde, on aperçoit l'Himalaya. La Grèce, l'Espagne, l'Italie, l'Helvétie, ont pour figure la montagne ; la Cimmérie, Germanie ou Bretagne, a le bois. La forêt est barbare.

La configuration du sol conseille à l'homme beaucoup d'actions. Elle est complice, plus qu'on ne croit. En présence de certains paysages féroces, on est tenté d'exonérer l'homme et d'incriminer la création ; on sent une sourde provocation de la nature ; le désert est parfois malsain à la conscience, surtout à la conscience peu éclairée ; la conscience peut être géante, cela fait Socrate et Jésus ; elle peut être naine, cela fait Atrée et Judas. La conscience petite est vite reptile ; les futaies crépusculaires, les ronces, les épines, les marais sous les branches, sont une fatale fréquentation pour elle ; elle subit là la mystérieuse infiltration des persuasions mauvaises. Les illusions d'optique, les mirages inexpliqués, les effarements d'heure ou de lieu, jettent l'homme dans cette sorte d'effroi, demi-religieux, demi-bestial, qui engendre, en temps ordinaires, la superstition, et dans les époques violentes, la brutalité. Les hallucinations tiennent la torche qui éclaire le chemin du meurtre. Il y a du vertige dans le brigand. La prodigieuse nature a un double sens qui éblouit les grands esprits et aveugle les âmes fauves. Quand l'homme est ignorant, quand le désert est visionnaire, l'obscurité de la solitude s'ajoute à l'obscurité de l'intelligence ; de là dans l'homme des ouvertures d'abîmes. De certains rochers, de certains ravins, de certains taillis, de certaines claires-voies farouches du soir à travers les arbres, poussent l'homme aux actions folles et atroces. On pourrait presque dire qu'il y a des lieux scélérats.

Que de choses tragiques a vues la sombre colline qui est entre Baignon et Plélan !

Les vastes horizons conduisent l'âme aux idées générales ; les horizons circonscrits engendrent les idées partielles ; ce qui condamne quelquefois de grands cœurs à être de petits esprits : témoin Jean Chouan.

Les idées générales haïes par les idées partielles, c'est là la lutte même du progrès.

Pays, Patrie, ces deux mots résument toute la guerre de Vendée ; querelle de l'idée locale contre l'idée universelle ; paysans contre patriotes.

VII

LA VENDÉE A FINI LA BRETAGNE

La Bretagne est une vieille rebelle. Toutes les fois qu'elle s'était révoltée pendant deux mille ans, elle avait eu raison ; la dernière fois, elle a eu tort. Et pourtant au fond, contre la révolution comme contre la monarchie, contre les représentants en mission comme contre les gouverneurs ducs et pairs, contre la planche aux assignats comme contre la ferme des gabelles, quels que fussent les personnages combattant, Nicolas Rapin, François de La Noue, le capitaine Pluviaut et la dame de La Garnache, ou Stofflet, Coquereau et Lechandelier de Pierreville, sous M. de Rohan contre le roi et sous M. de La Rochejaquelein pour le roi, c'était toujours la même guerre que la Bretagne faisait, la guerre de l'esprit local contre l'esprit central.

Ces antiques provinces étaient un étang ; courir répugnait à cette eau dormante ; le vent qui soufflait ne les vivifiait pas, il les irritait. Finisterre, c'était là que finissait la France, que le champ donné à l'homme se terminait et que la marche des générations s'arrêtait. Halte ! criait l'océan à la terre et la barbarie à la civilisation. Toutes les fois que le centre, Paris, donne une impulsion, que cette impulsion vienne de la royauté ou de la république, qu'elle soit dans le sens du despotisme ou dans le sens de la liberté, c'est une nouveauté, et la Bretagne se hérisse. Laissez-nous tranquilles. Qu'est-ce qu'on nous veut ? Le Marais prend sa fourche, le Bocage prend sa carabine. Toutes nos tentatives, notre initiative en législation et en éducation, nos encyclopédies, nos philosophies, nos génies, nos gloires, viennent échouer devant le Houroux; le tocsin de Bazouges menace la révolution française, la lande du Faou s'insurge contre nos orageuses places publiques, et la cloche du Haut-des-Prés déclare la guerre à la Tour du Louvre.

Surdité terrible.

L'insurrection vendéenne est un lugubre malentendu.

Échauffourée colossale, chicane de titans, rébellion démesurée, destinée à ne laisser à l'histoire qu'un mot, la Vendée, mot illustre et noir; se suicidant pour des absents, dévouée à l'égoïsme, passant son temps à faire à la lâcheté l'offre d'une immense bravoure; sans calcul, sans stratégie, sans tactique, sans plan, sans but, sans chef, sans responsabilité; montrant à quel point la volonté peut être l'impuissance; chevaleresque et sauvage; l'absurdité en rut, bâtissant contre la lumière un garde-fou de ténèbres; l'ignorance faisant à la vérité, à la justice, au droit, à la raison, à la délivrance, une longue résistance bête et superbe; l'épouvante de huit années, le ravage de quatorze départements, la dévastation des champs, l'écrasement des moissons, l'incendie des villages, la ruine des villes, le pillage des maisons, le massacre des femmes et des enfants, la torche dans les chaumes, l'épée dans les cœurs, l'effroi de la civilisation, l'espérance de M. Pitt; telle fut cette guerre, essai inconscient de parricide.

En somme, en démontrant la nécessité de trouer dans tous les sens la vieille ombre bretonne et de percer cette broussaille de toutes les flèches de la lumière à la fois, la Vendée a servi le progrès. Les catastrophes ont une sombre façon d'arranger les choses.

LIVRE DEUXIÈME

LES TROIS ENFANTS

I

PLUS QUAM CIVILIA BELLA[1]

L'été de 1792 avait été très pluvieux ; l'été de 1793 fut très chaud. Par suite de la guerre civile, il n'y avait pour ainsi dire plus de chemins en Bretagne. On y voyageait pourtant, grâce à la beauté de l'été. La meilleure route est une terre sèche.

A la fin d'une sereine journée de juillet, une heure environ après le soleil couché, un homme à cheval, qui venait du côté d'Avranches, s'arrêta devant la petite auberge dite la Croix-Branchard, qui était à l'entrée de Pontorson, et dont l'enseigne portait cette inscription qu'on y lisait encore il y a quelques années : *Bon cidre à dépoteyer*. Il avait fait chaud tout le jour, mais le vent commençait à souffler.

Ce voyageur était enveloppé d'un ample manteau qui couvrait la croupe de son cheval. Il portait un large chapeau avec cocarde tricolore, ce qui n'était point sans hardiesse dans ce pays de haies et de coups de fusil, où une cocarde était une cible. Le manteau noué au cou s'écartait pour laisser les bras libres et

1. « Des guerres plus que civiles » : extrait du premier vers de *la Pharsale* de Lucain.

dessous on pouvait entrevoir une ceinture tricolore et deux pommeaux de pistolets sortant de la ceinture. Un sabre qui pendait dépassait le manteau.

Au bruit du cheval qui s'arrêtait, la porte de l'auberge s'ouvrit, et l'aubergiste parut, une lanterne à la main. C'était l'heure intermédiaire ; il faisait jour sur la route et nuit dans la maison.

L'hôte regarda la cocarde.

— Citoyen, dit-il, vous arrêtez-vous ici ?

— Non.

— Où donc allez-vous ?

— A Dol.

— En ce cas, retournez à Avranches ou restez à Pontorson.

— Pourquoi ?

— Parce qu'on se bat à Dol.

— Ah ! dit le cavalier.

Et il reprit :

— Donnez l'avoine à mon cheval.

L'hôte apporta l'auge, y vida un sac d'avoine, et débrida le cheval qui se mit à souffler et à manger.

Le dialogue continua.

— Citoyen, est-ce un cheval de réquisition ?

— Non.

— Il est à vous ?

— Oui. Je l'ai acheté et payé.

— D'où venez-vous ?

— De Paris.

— Pas directement ?

— Non.

— Je crois bien, les routes sont interceptées. Mais la poste marche encore.

— Jusqu'à Alençon. J'ai quitté la poste là.

— Ah ! il n'y aura bientôt plus de postes en France. Il n'y a plus de chevaux. Un cheval de trois cents francs se paye six cents francs, et les fourrages sont hors de prix. J'ai été maître de poste et me voilà gargotier. Sur treize cent treize maîtres de poste qu'il y avait, deux cents ont donné leur démission. Citoyen, vous avez voyagé d'après le nouveau tarif ?

— Du premier mai. Oui.

— Vingt sous par poste dans la voiture, douze sous dans le cabriolet, cinq sous dans le fourgon. C'est à Alençon que vous avez acheté ce cheval?

— Oui.

— Vous avez marché aujourd'hui toute la journée?

— Depuis l'aube.

— Et hier?

— Et avant-hier.

— Je vois cela. Vous êtes venu par Domfront et Mortain.

— Et Avranches.

— Croyez-moi, reposez-vous, citoyen. Vous devez être fatigué? votre cheval l'est.

— Les chevaux ont droit à la fatigue, les hommes non.

Le regard de l'hôte se fixa de nouveau sur le voyageur. C'était une figure grave, calme et sévère, encadrée de cheveux gris.

L'hôtelier jeta un coup d'œil sur la route qui était déserte à perte de vue, et dit :

— Et vous voyagez seul comme cela?

— J'ai une escorte.

— Où ça?

— Mon sabre et mes pistolets.

L'aubergiste alla chercher un seau d'eau et fit boire le cheval, et, pendant que le cheval buvait, l'hôte considérait le voyageur et se disait en lui-même :

— C'est égal, il a l'air d'un prêtre.

Le cavalier reprit :

— Vous dites qu'on se bat à Dol?

— Oui. Ça doit commencer dans ce moment-ci.

— Qui est-ce qui se bat?

— Un ci-devant contre un ci-devant.

— Vous dites?

— Je dis qu'un ci-devant qui est pour la république se bat contre un ci-devant qui est pour le roi.

— Mais il n'y a plus de roi.

— Il y a le petit. Et le curieux, c'est que les deux ci-devant sont deux parents.

Le cavalier écoutait attentivement. L'aubergiste poursuivit :

— L'un est jeune, l'autre est vieux; c'est le petit-neveu qui se bat contre le grand-oncle. L'oncle est royaliste, le neveu est patriote. L'oncle commande les blancs, le neveu commande les bleus. Ah! ils ne se feront pas quartier, allez. C'est une guerre à mort.

— A mort?

— Oui, citoyen. Tenez, voulez-vous voir les politesses qu'ils se jettent à la tête? Ceci est une affiche que le vieux trouve moyen de faire placarder partout, sur toutes les maisons et sur tous les arbres, et qu'il a fait coller jusque sur ma porte.

L'hôte approcha sa lanterne d'un carré de papier appliqué sur un des battants de sa porte, et, comme l'affiche était en très gros caractères, le cavalier, du haut de son cheval, put lire :

« — Le marquis de Lantenac a l'honneur d'informer son petit-neveu, monsieur le vicomte Gauvain, que, si monsieur le marquis a la bonne fortune de se saisir de sa personne, il fera bellement arquebuser monsieur le vicomte. »

— Et, poursuivit l'hôtelier, voici la réponse.

Il se retourna, et éclaira de sa lanterne une autre affiche placée en regard de la première sur l'autre battant de la porte. Le voyageur lut :

« — Gauvain prévient Lantenac que s'il le prend il le fera fusiller. »

— Hier, dit l'hôte, le premier placard a été collé sur ma porte, et ce matin le second. La réplique ne s'est pas fait attendre.

Le voyageur, à demi-voix, et comme se parlant à lui-même, prononça ces quelques mots que l'aubergiste entendit sans trop les comprendre :

— Oui, c'est plus que la guerre dans la patrie, c'est la guerre dans la famille. Il le faut, et c'est bien. Les grands rajeunissements des peuples sont à ce prix.

Et le voyageur portant la main à son chapeau, l'œil fixé sur la deuxième affiche, la salua.

L'hôte continua :

— Voyez-vous, citoyen, voici l'affaire. Dans les villes et dans les gros bourgs, nous sommes pour la révolution, dans la campagne ils sont contre ; autant dire dans les villes on est français et dans les villages on est breton. C'est une guerre de bourgeois à paysans. Ils nous appellent patauds, nous les appelons rustauds. Les nobles et les prêtres sont avec eux.

— Pas tous, interrompit le cavalier.

— Sans doute, citoyen, puisque nous avons ici un vicomte contre un marquis.

Et il ajouta à part lui :

— Et que je crois bien que je parle à un prêtre.

Le cavalier continua :

— Et lequel des deux l'emporte ?

— Jusqu'à présent, le vicomte. Mais il a de la peine. Le vieux est rude. Ces gens-là, c'est la famille Gauvain, des nobles d'ici. C'est une famille à deux branches ; il y a la grande branche dont le chef s'appelle le marquis de Lantenac, et la petite branche dont le chef s'appelle le vicomte Gauvain. Aujourd'hui les deux branches se battent. Cela ne se voit pas chez les arbres, mais cela se voit chez les hommes. Ce marquis de Lantenac est tout-puissant en Bretagne ; pour les paysans, c'est un prince. Le jour de son débarquement, il a eu tout de suite huit mille hommes ; en une semaine trois cents paroisses ont été soulevées. S'il avait pu prendre un coin de la côte, les Anglais débarquaient. Heureusement ce Gauvain s'est trouvé là, qui est son petit-neveu, drôle d'aventure. Il est commandant républicain, et il a rembarré son grand-oncle. Et puis le bonheur a voulu que ce Lantenac, en arrivant et en massacrant une masse de prisonniers, ait fait fusiller deux femmes, dont une avait trois enfants qui étaient adoptés par un bataillon de Paris. Alors cela a fait un bataillon terrible. Il s'appelle le bataillon du Bonnet-Rouge. Il n'en reste pas beaucoup de ces Parisiens-là, mais ce sont de furieuses bayonnettes. Ils ont été incorporés dans la colonne du commandant Gauvain. Rien ne leur résiste. Ils veulent venger les femmes et ravoir les enfants. On ne sait pas ce que le vieux en a fait, de ces petits. C'est ce qui enrage les grenadiers de Paris. Supposez que ces enfants n'y soient pas mêlés, cette guerre-là ne serait pas ce qu'elle est. Le vicomte est un bon et brave jeune homme. Mais le vieux est un effroyable marquis. Les paysans appellent ça la guerre de saint Michel contre Belzébuth. Vous savez peut-être que saint Michel est un ange du pays. Il a une montagne à lui au milieu de la mer dans la baie. Il passe pour avoir fait tomber le démon et pour l'avoir enterré sous une autre montagne qui est près d'ici, et qu'on appelle Tombelaine.

— Oui, murmura le cavalier, Tumba Beleni, la tombe de Belenus, de Belus, de Bel, de Bélial, de Belzébuth.

— Je vois que vous êtes informé.

Et l'hôte se dit en aparté :

— Décidément, il sait le latin, c'est un prêtre.

Puis il reprit :

— Eh bien, citoyen, pour les paysans, c'est cette guerre-là qui recommence. Il va sans dire que pour eux saint Michel, c'est le général royaliste, et Belzébuth, c'est le commandant patriote ; mais s'il y a un diable, c'est bien Lantenac, et s'il y a un ange, c'est Gauvain. Vous ne prenez rien, citoyen ?

— J'ai ma gourde et un morceau de pain. Mais vous ne me dites pas ce qui se passe à Dol.

— Voici. Gauvain commande la colonne d'expédition de la côte. Le but de Lantenac était d'insurger tout, d'appuyer la Basse-Bretagne sur la Basse-Normandie, d'ouvrir la porte à Pitt, et de donner un coup d'épaule à la grande armée vendéenne avec vingt mille Anglais et deux cent mille paysans. Gauvain a coupé court à ce plan. Il tient la côte, et il repousse Lantenac dans l'intérieur et les Anglais dans la mer.

Lantenac était ici, et il l'en a délogé ; il lui a repris le Pont-au-Beau ; il l'a chassé d'Avranches, il l'a chassé de Villedieu, il l'a empêché d'arriver à Granville. Il manœuvre pour le refouler dans la forêt de Fougères, et l'y cerner. Tout allait bien hier, Gauvain était ici avec sa colonne. Tout à coup, alerte. Le vieux, qui est habile, a fait une pointe ; on apprend qu'il a marché sur Dol. S'il prend Dol, et s'il établit sur le Mont-Dol une batterie, car il a du canon, voilà un point de la côte où les Anglais peuvent aborder, et tout est perdu. C'est pourquoi, comme il n'y avait pas une minute à perdre, Gauvain, qui est un homme de tête, n'a pris conseil que de lui-même, n'a pas demandé d'ordre et n'en a pas attendu, a sonné le boute-selle, attelé son artillerie, ramassé sa troupe, tiré son sabre, et voilà comment, pendant que Lantenac se jette sur Dol, Gauvain se jette sur Lantenac. C'est à Dol que ces deux fronts bretons vont se cogner. Ce sera un fier choc. Ils y sont maintenant.

— Combien de temps faut-il pour aller à Dol ?

— A une troupe qui a des charrois, au moins trois heures ; mais ils y sont.

Le voyageur prêta l'oreille et dit :

— En effet, il me semble que j'entends le canon.

L'hôte écouta :

— Oui, citoyen. Et la fusillade. On déchire de la toile. Vous devriez passer la nuit ici. Il n'y a rien de bon à attraper par là.

— Je ne puis m'arrêter. Je dois continuer ma route.

— Vous avez tort. Je ne connais pas vos affaires, mais le risque est grand, et, à moins qu'il ne s'agisse de ce que vous avez de plus cher au monde...

— C'est en effet de cela qu'il s'agit, répondit le cavalier.

— ... De quelque chose comme votre fils...

— A peu près, dit le cavalier.

L'aubergiste leva la tête et se dit à part soi :

— Ce citoyen me fait pourtant l'effet d'être un prêtre.

Puis, après réflexion :

— Après ça, un prêtre, ça a des enfants.

— Rebridez mon cheval, dit le voyageur. Combien vous dois-je ?

Et il paya.

L'hôte rangea l'auge et le seau le long de son mur, et revint vers le voyageur.

— Puisque vous êtes décidé à partir, écoutez mon conseil. Il est clair que vous allez à Saint-Malo. Eh bien, n'allez pas par Dol. Il y a deux chemins, le chemin par Dol, et le chemin le long de la mer. L'un n'est guère plus court que l'autre. Le chemin le long de la mer va par Saint-Georges de Brehaigne, Cherrueix, et Hirel-le-Vivier. Vous laissez Dol au sud et Cancale au nord. Citoyen, au bout de la rue, vous allez trouver l'embranchement des deux routes ; celle de Dol est à gauche, celle de Saint-Georges de Brehaigne est à droite. Écoutez-moi bien, si vous allez par Dol, vous tombez dans le massacre. C'est pourquoi ne prenez pas à gauche, prenez à droite.

— Merci, dit le voyageur.

Et il piqua son cheval.

L'obscurité s'était faite, il s'enfonça dans la nuit.

L'aubergiste le perdit de vue.

Quand le voyageur fut au bout de la rue à l'embranchement des deux chemins, il entendit la voix de l'aubergiste qui lui criait de loin :

— Prenez à droite !

Il prit à gauche.

II

DOL

Dol, ville espagnole de France en Bretagne, ainsi la qualifient les cartulaires, n'est pas une ville, c'est une rue. Grande vieille rue gothique, toute bordée à droite et à gauche de maisons à piliers, point alignées, qui font des caps et des coudes dans la rue, d'ailleurs très large. Le reste de la ville n'est qu'un réseau de ruelles se rattachant à cette grande rue diamétrale et y aboutissant comme des ruisseaux à une rivière. La ville, sans portes ni murailles, ouverte, dominée par le Mont-Dol, ne pourrait soutenir un siège ; mais la rue en peut soutenir un. Les promontoires de maisons qu'on y voyait encore il y a cinquante ans, et les deux galeries sous piliers qui la bordent en faisaient un lieu de combat très solide et très résistant. Autant de maisons, autant de forteresses ; et il fallait enlever l'une après l'autre. La vieille halle était à peu près au milieu de la rue.

L'aubergiste de la Croix-Branchard avait dit vrai, une mêlée forcenée emplissait Dol au moment où il parlait. Un duel nocturne entre les blancs arrivés le matin et les bleus survenus le soir avait brusquement éclaté dans la ville. Les forces étaient inégales, les blancs étaient six mille, les bleus étaient quinze cents, mais il y avait égalité d'acharnement. Chose remarquable, c'étaient les quinze cents qui avaient attaqué les six mille.

D'un côté une cohue, de l'autre une phalange. D'un côté six mille paysans, avec des cœurs-de-Jésus sur leurs vestes de cuir, des rubans blancs à leurs chapeaux ronds, des devises chrétiennes sur leurs brassards, des chapelets à leurs ceinturons, ayant plus de fourches que de sabres et des carabines sans bayonnettes, traînant des canons attelés de cordes, mal équipés, mal disciplinés, mal armés, mais frénétiques. De l'autre quinze cents soldats avec le tricorne à cocarde tricolore, l'habit à grandes basques et à grands revers, le baudrier croisé, le briquet à poignée de cuivre et le fusil à longue bayonnette, dressés, alignés, dociles et farouches, sachant obéir en gens qui sauraient commander, volontaires eux aussi, mais volontaires de la patrie, en haillons du reste, et sans souliers ; pour la monarchie, des paysans paladins, pour la révolution, des héros va-nu-pieds ; et chacune des deux troupes ayant pour âme son chef ; les royalistes un vieillard, les républicains un jeune homme. D'un côté Lantenac, de l'autre Gauvain.

La révolution, à côté des jeunes figures gigantesques, telles que Danton, Saint-Just, et Robespierre, a les jeunes figures idéales, comme Hoche et Marceau. Gauvain était une de ces figures.

Gauvain avait trente ans, une encolure d'Hercule, l'œil sérieux d'un prophète et le rire d'un enfant. Il ne fumait pas, il ne buvait pas, il ne jurait pas. Il emportait à travers la guerre un nécessaire de toilette ; il avait grand soin de ses ongles, de ses dents, de ses cheveux qui étaient bruns et superbes ; et dans les haltes il secouait lui-même au vent son habit de capitaine qui était troué de balles et blanc de poussière. Toujours rué éperdument dans les mêlées, il n'avait jamais été blessé. Sa voix très douce avait à propos les éclats brusques du commandement. Il donnait l'exemple de coucher à terre, sous la bise, sous la pluie, dans la neige, roulé dans son manteau, et sa tête charmante posée sur une pierre. C'était une âme héroïque et innocente. Le sabre au poing le transfigurait. Il avait cet air efféminé qui dans la bataille est formidable.

Avec cela penseur et philosophe, un jeune sage ; Alcibiade pour qui le voyait, Socrate pour qui l'entendait.

Dans cette immense improvisation qui est la révolution française, ce jeune homme avait été tout de suite un chef de guerre.

Sa colonne, formée par lui, était comme la légion romaine, une sorte de petite armée complète ; elle se composait d'infanterie et de cavalerie ; elle avait des éclaireurs, des pionniers, des sapeurs, des pontonniers ; et, de même que la légion romaine avait des catapultes, elle avait des canons. Trois pièces bien attelées faisaient la colonne forte en la laissant maniable.

Lantenac aussi était un chef de guerre, pire encore.

Il était à la fois plus réfléchi et plus hardi. Les vrais vieux héros ont plus de froideur que les jeunes parce qu'ils sont loin de l'aurore, et plus d'audace parce qu'ils sont près de la mort. Qu'ont-ils à perdre ? si peu de chose. De là les manœuvres téméraires, en même temps que savantes, de Lantenac. Mais en somme, et presque toujours, dans cet opiniâtre corps à corps du vieux et du jeune, Gauvain avait le dessus. C'était plutôt fortune qu'autre chose. Tous les bonheurs, même le bonheur terrible, font partie de la jeunesse. La victoire est un peu fille.

Lantenac était exaspéré contre Gauvain ; d'abord parce que Gauvain le battait, ensuite parce que c'était son parent. Quelle idée a-t-il d'être jacobin ? ce Gauvain ! ce polisson ! son héritier, car le marquis n'avait pas d'enfants, un petit-neveu, presque un petit-fils ! — *Ah !* disait ce quasi grand-père, *si je mets la main dessus, je le tue comme un chien !*

Du reste, la République avait raison de s'inquiéter de ce marquis de Lantenac. A peine débarqué, il faisait trembler. Son nom avait couru dans l'insurrection vendéenne comme une traînée de poudre, et Lantenac était tout de suite devenu centre. Dans une révolte de cette nature où tous se jalousent et où chacun a son buisson ou son ravin, quelqu'un de haut qui survient rallie les chefs épars égaux entre eux. Presque tous les capitaines des bois s'étaient joints à Lantenac, et, de près ou de loin, lui obéissaient. Un seul l'avait quitté, c'était le premier qui s'était joint à lui, Gavard. Pourquoi ? C'est que c'était un homme de confiance. Gavard avait eu tous les secrets et adopté tous les plans de l'ancien système de guerre civile que Lantenac venait supplanter et remplacer. On n'hérite pas d'un homme de confiance ; le soulier de la Rouarie n'avait pu chausser Lantenac. Gavard était allé rejoindre Bonchamp.

Lantenac, comme homme de guerre, était de l'école de Frédéric II ; il entendait combiner la grande guerre avec la petite. Il ne voulait ni d'une « masse confuse », comme la grosse armée catholique et royale, foule destinée à l'écrasement ; ni d'un éparpillement dans les halliers et les taillis, bon pour harceler, impuissant pour terrasser. La guérilla ne conclut pas, ou conclut mal ; on commence par attaquer une république et l'on finit par détrousser une diligence. Lantenac ne comprenait cette guerre bretonne, ni toute en rase campagne comme La Rochejaquelein, ni toute dans la forêt comme Jean Chouan ; ni Vendée, ni Chouannerie ; il voulait la vraie guerre ; se servir du paysan, mais l'appuyer sur le soldat. Il voulait des bandes pour la stratégie et des régiments pour la tactique. Il trouvait excellentes pour l'attaque, l'embuscade et la surprise, ces armées de village, tout de suite assemblées, tout de suite dispersées ; mais il les sentait trop fluides ; elles étaient dans sa main comme de l'eau ; il voulait dans cette guerre flottante et diffuse créer un point solide ; il voulait ajouter à la sauvage armée des forêts une troupe régulière qui fût le pivot de manœuvre des paysans. Pensée profonde et affreuse ; si elle eût réussi, la Vendée eût été inexpugnable.

Mais où trouver une troupe régulière ? où trouver des soldats ? où trouver des régiments ? où trouver une armée toute faite ? en Angleterre. De là l'idée fixe de Lantenac : faire débarquer les Anglais. Ainsi capitule la conscience des partis ; la cocarde blanche lui cachait l'habit rouge. Lantenac n'avait qu'une pensée : s'emparer d'un point du littoral, et le livrer à Pitt. C'est pourquoi, voyant Dol sans défense, il s'était jeté dessus, afin d'avoir par Dol le Mont-Dol, et par le Mont-Dol la côte.

Le lieu était bien choisi. Le canon du Mont-Dol balayerait d'un côté le Fresnois, de l'autre Saint-Brelade, tiendrait à distance la croisière de Cancale et ferait toute la plage libre à une descente, du Raz-sur-Couesnon à Saint-Mêloir-des-Ondes.

Pour faire réussir cette tentative décisive, Lantenac avait amené avec lui un peu plus de six mille hommes, ce qu'il avait de plus robuste dans les bandes dont il disposait, et toute son artillerie, dix couleuvrines de seize, une bâtarde de huit et une pièce de régiment de quatre livres de balles. Il entendait établir une forte batterie sur le Mont-Dol, d'après ce principe que mille coups tirés avec dix canons font plus de besogne que quinze cents coups tirés avec cinq canons.

Le succès semblait certain. On était six mille hommes. On n'avait à craindre, vers Avranches, que Gauvain et ses quinze cents hommes, et vers Dinan que Léchelle. Léchelle, il est vrai, avait vingt-cinq mille hommes, mais il était à vingt lieues. Lantenac était donc rassuré, du côté de Léchelle, par la grande distance contre le grand nombre, et, du côté de Gauvain, par le petit nombre contre la petite distance. Ajoutons que Léchelle était imbécile, et que, plus tard, il fit écraser ses vingt-cinq mille hommes aux landes de la Croix-Bataille, échec qu'il paya de son suicide.

Lantenac avait donc une sécurité complète. Son entrée à Dol fut brusque et dure. Le marquis de Lantenac avait une rude renommée, on le savait sans miséricorde. Aucune résistance ne fut essayée. Les habitants terrifiés se barricadèrent dans leurs maisons. Les six mille Vendéens s'installèrent dans la ville avec la confusion campagnarde, presque en champ de foire, sans fourriers, sans logis marqués, bivouaquant au hasard, faisant la cuisine en plein vent, s'éparpillant dans les églises, quittant les fusils pour les rosaires. Lantenac alla en hâte avec quelques officiers d'artillerie reconnaître le Mont-Dol, laissant la lieutenance à Gouge-le-Bruant, qu'il avait nommé sergent de bataille.

Ce Gouge-le-Bruant a laissé une vague trace dans l'histoire. Il avait deux surnoms, *Brise-bleu*, à cause de ses carnages de patriotes, et *l'Imânus*, parce qu'il avait en lui on ne sait quoi d'inexprimablement horrible. *Imânus*, dérivé d'*immanis*, est un vieux mot bas-normand qui exprime la laideur surhumaine, et quasi divine dans l'épouvante, le démon, le satyre, l'ogre. Un ancien manuscrit dit : *d'mes daeux iers j'vis l'imânus*. Les vieillards du Bocage ne savent plus aujourd'hui ce que c'est que Gouge-le-Bruant, ni ce que signifie Brise-bleu; mais ils connaissent confusément l'Imânus. L'Imânus est mêlé aux superstitions locales. On parle encore de l'Imânus à Trémorel et Plumaugat, deux villages où Gouge-le-Bruant a laissé la marque de son pied sinistre. Dans la Vendée, les autres étaient les sauvages, Gouge-le-Bruant était le barbare. C'était une espèce de cacique, tatoué de croix-de-par-Dieu et de fleurs-de-lys; il avait sur sa face la lueur hideuse, et presque surnaturelle, d'une âme à laquelle ne ressemblait aucune autre âme humaine. Il était infernalement brave dans le combat, ensuite atroce. C'était un cœur plein d'aboutissements tortueux, porté à tous les dévouements, enclin à toutes les fureurs. Raisonnait-il? Oui, mais comme les serpents rampent; en spirale. Il partait de l'héroïsme pour arriver à l'assassinat. Il était impossible de deviner d'où lui venaient ses résolutions, parfois grandioses à force d'être monstrueuses. Il était capable de tous les inattendus horribles. Il avait la férocité épique.

De là ce surnom difforme, *l'Imânus*.

Le marquis de Lantenac avait confiance en sa cruauté.

Cruauté, c'était juste, l'Imânus y excellait; mais en stratégie et en tactique, il était moins supérieur, et peut-être le marquis avait-il tort d'en faire son sergent de bataille. Quoi qu'il en soit, il laissa derrière lui l'Imânus avec charge de le remplacer et de veiller à tout.

Gouge-le-Bruant, homme plus guerrier que militaire, était plus propre à égorger un clan qu'à garder une ville. Pourtant il posa des grand'gardes.

Le soir venu, comme le marquis de Lantenac, après avoir reconnu l'emplacement de la batterie projetée, s'en retournait vers Dol, tout à coup, il entendit le canon. Il regarda. Une fumée rouge s'élevait de la grande rue. Il y avait surprise, irruption, assaut ; on se battait dans la ville.

Bien que difficile à étonner, il fut stupéfait. Il ne s'attendait à rien de pareil. Qui cela pouvait-il être ? Évidemment ce n'était pas Gauvain. On n'attaque pas à un contre quatre. Était-ce Léchelle ? Mais alors quelle marche forcée ! Léchelle était improbable, Gauvain impossible.

Lantenac poussa son cheval ; chemin faisant il rencontra des habitants qui s'enfuyaient ; il les questionna, ils étaient fous de peur ; ils criaient : Les bleus ! les bleus ! et quand il arriva, la situation était mauvaise.

Voici ce qui s'était passé.

III

PETITES ARMÉES ET GRANDES BATAILLES

En arrivant à Dol, les paysans, on vient de le voir, s'étaient dispersés dans la ville, chacun faisant à sa guise, comme cela arrive quand « *on obéit d'amitié* », c'était le mot des Vendéens. Genre d'obéissance qui fait des héros, mais non des troupiers. Ils avaient garé leur artillerie avec les bagages sous les voûtes de la vieille halle, et, las, buvant, mangeant, « chapelettant », ils s'étaient couchés pêle-mêle en travers de la grande rue, plutôt encombrée que gardée. Comme la nuit tombait, la plupart s'endormirent, la tête sur leurs sacs, quelques-uns ayant leur femme à côté d'eux ; car souvent les paysannes suivaient les paysans ; en Vendée, les femmes grosses servaient d'espions. C'était une douce nuit de juillet ; les constellations resplendissaient dans le profond bleu noir du ciel. Tout ce bivouac, qui était plutôt une halte de caravane qu'un campement d'armée, se mit à sommeiller paisiblement. Tout à coup, à la lueur du crépuscule, ceux qui n'avaient pas encore fermé les yeux virent trois pièces de canon braquées à l'entrée de la grande rue.

C'était Gauvain. Il avait surpris les grand'gardes, il était dans la ville, et il tenait avec sa colonne la tête de la rue.

Un paysan se dressa, cria qui vive? et lâcha son coup de fusil, un coup de canon répliqua. Puis une mousqueterie furieuse éclata. Toute la cohue assoupie se leva en sursaut. Rude secousse. S'endormir sous les étoiles et se réveiller sous la mitraille.

Le premier moment fut terrible. Rien de tragique comme le fourmillement d'une foule foudroyée. Ils se jetèrent sur leurs armes. On criait, on courait, beaucoup tombaient. Les gars, assaillis, ne savaient plus ce qu'ils faisaient et s'arquebusaient les uns les autres. Il y avait des gens ahuris qui sortaient des maisons, qui y rentraient, qui sortaient encore, et qui erraient dans la bagarre, éperdus. Des familles s'appelaient. Combat lugubre, mêlé de femmes et d'enfants. Les balles sifflantes rayaient l'obscurité. La fusillade partait de tous les coins noirs. Tout était fumée et tumulte. L'enchevêtrement des fourgons et des charrois s'y ajoutait. Les chevaux ruaient. On marchait sur des blessés. On entendait à terre des hurlements. Horreur de ceux-ci, stupeur de ceux-là. Les soldats et les officiers se cherchaient. Au milieu de tout cela, de sombres indifférences. Une femme allaitait son nouveau-né, assise contre un pan de mur auquel était adossé son mari qui avait la jambe cassée et qui, pendant que son sang coulait, chargeait tranquillement sa carabine et tirait au hasard, tuant devant lui dans l'ombre. Des hommes à plat ventre tiraient à travers les roues des charrettes. Par moments il s'élevait un hourvari de clameurs. La grosse voix du canon couvrait tout. C'était épouvantable.

Ce fut comme un abatis d'arbres; tous tombaient les uns sur les autres. Gauvain, embusqué, mitraillait à coup sûr, et perdait peu de monde.

Pourtant l'intrépide désordre des paysans finit par se mettre sur la défensive ; ils se replièrent sous la halle, vaste redoute obscure, forêt de piliers de pierre. Là ils reprirent pied ; tout ce qui ressemblait à un bois leur donnait confiance. L'Imânus suppléait de son mieux à l'absence de Lantenac. Ils avaient du canon, mais, au grand étonnement de Gauvain, ils ne s'en servaient point ; cela tenait à ce que, les officiers d'artillerie étant allés avec le marquis reconnaître le Mont-Dol, les gars ne savaient que faire des couleuvrines et des bâtardes ; mais ils criblaient de balles les bleus qui les canonnaient. Les paysans ripostaient par la mousqueterie à la mitraille. C'étaient eux maintenant qui étaient abrités. Ils avaient entassé les haquets, les tombereaux, les bagages, toutes les futailles de la vieille halle, et improvisé une haute barricade avec des claires-voies par où passaient leurs carabines. Par ces trous leur fusillade était meurtrière. Tout cela se fit vite. En un quart d'heure la halle eut un front imprenable.

Ceci devenait grave pour Gauvain. Cette halle brusquement transformée en citadelle, c'était l'inattendu. Les paysans étaient là, massés et solides. Gauvain avait réussi la surprise et manqué la déroute. Il avait mis pied à terre. Attentif, ayant son épée au poing sous ses bras croisés, debout dans la lueur d'une torche qui éclairait sa batterie, il regardait toute cette ombre.

Sa haute taille dans cette clarté le faisait visible aux hommes de la barricade. Il était point de mire, mais il n'y songeait pas.

Les volées de balles qu'envoyait la barricade s'abattaient autour de Gauvain, pensif.

Mais contre toutes ces carabines il avait du canon. Le boulet finit toujours par avoir raison. Qui a l'artillerie a la victoire. Sa batterie, bien servie, lui assurait la supériorité.

Subitement, un éclair jaillit de la halle pleine de ténèbres, on entendit comme un coup de foudre, et un boulet vint trouer une maison au-dessus de la tête de Gauvain.

La barricade répondait au canon par le canon.

Que se passait-il ? Il y avait du nouveau. L'artillerie maintenant n'était plus d'un seul côté.

Un second boulet suivit le premier et vint s'enfoncer dans le mur tout près de Gauvain. Un troisième boulet jeta à terre son chapeau.

Ces boulets étaient de gros calibre. C'était une pièce de seize qui tirait.

— On vous vise, commandant, crièrent les artilleurs.

Et ils éteignirent la torche. Gauvain, rêveur, ramassa son chapeau.

Quelqu'un en effet visait Gauvain, c'était Lantenac.

Le marquis venait d'arriver dans la barricade par le côté opposé.

L'Imânus avait couru à lui.

— Monseigneur, nous sommes surpris.

— Par qui ?

— Je ne sais.

— La route de Dinan est-elle libre ?

— Je le crois.

— Il faut commencer la retraite.

— Elle commence. Beaucoup se sont déjà sauvés.

— Il ne faut pas se sauver ; il faut se retirer. Pourquoi ne vous servez-vous pas de l'artillerie ?

— On a perdu la tête, et puis les officiers n'étaient pas là.

— J'y vais.

— Monseigneur, j'ai dirigé sur Fougères le plus que j'ai pu des bagages, les femmes, tout l'inutile. Que faut-il faire des trois petits prisonniers ?

— Ah ! ces enfants ?

— Oui.

— Ils sont nos otages. Fais-les conduire à la Tourgue.

Cela dit, le marquis alla à la barricade. Le chef

venu, tout changea de face. La barricade était mal faite pour l'artillerie, il n'y avait place que pour deux canons ; le marquis mit en batterie deux pièces de seize auxquelles on fit des embrasures. Comme il était penché sur un de ces canons, observant la batterie ennemie par l'embrasure, il aperçut Gauvain.

— C'est lui ! cria-t-il.

Alors il prit lui-même l'écouvillon et le fouloir, chargea la pièce, fixa le fronton de mire et pointa.

Trois fois il ajusta Gauvain, et le manqua. Le troisième coup ne réussit qu'à le décoiffer.

— Maladroit ! murmura Lantenac. Un peu plus bas, j'avais la tête.

Brusquement la torche s'éteignit, et il n'eut plus devant lui que les ténèbres.

— Soit, dit-il.

Et se tournant vers les canonniers paysans, il cria :

— A mitraille !

Gauvain de son côté n'était pas moins sérieux. La situation s'aggravait. Une phase nouvelle du combat se dessinait. La barricade en était à le canonner. Qui sait si elle n'allait point passer de la défensive à l'offensive ? Il avait devant lui, en défalquant les morts et les fuyards, au moins cinq mille combattants, et il ne lui restait à lui que douze cents hommes maniables. Que deviendraient les républicains si l'ennemi s'apercevait de leur petit nombre ? Les rôles seraient intervertis. On était assaillant, on serait assailli. Que la barricade fît une sortie, tout pouvait être perdu.

Que faire ? Il ne fallait point songer à attaquer la barricade de front ; un coup de vive force était chimérique ; douze cents hommes ne débusquent pas cinq mille hommes. Brusquer était impossible, attendre était funeste. Il fallait en finir. Mais comment ?

Gauvain était du pays, il connaissait la ville ; il savait que la vieille halle, où les Vendéens s'étaient crénelés, était adossée à un dédale de ruelles étroites et tortueuses.

Il se tourna vers son lieutenant qui était ce vaillant capitaine Guéchamp, fameux plus tard pour avoir nettoyé la forêt de Concise où était né Jean Chouan, et pour avoir, en barrant aux rebelles la chaussée de l'étang de la Chaîne, empêché la prise de Bourgneuf.

— Guéchamp, dit-il, je vous remets le commandement. Faites tout le feu que vous pourrez. Trouez la barricade à coups de canon. Occupez-moi tous ces gars-là.

— C'est compris, dit Guéchamp.

— Massez toute la colonne, armes chargées, et tenez-la prête à l'attaque.

Il ajouta quelques mots à l'oreille de Guéchamp.

— C'est entendu, dit Guéchamp.

Gauvain reprit :

— Tous nos tambours sont-ils sur pied?

— Oui.

— Nous en avons neuf. Gardez-en deux, donnez-m'en sept.

Les sept tambours vinrent en silence se ranger devant Gauvain.

Alors Gauvain cria :

— A moi le bataillon du Bonnet-Rouge!

Douze hommes, dont un sergent, sortirent du gros de la troupe.

— Je demande tout le bataillon, dit Gauvain.

— Le voilà, répondit le sergent.

— Vous êtes douze!

— Nous restons douze.

— C'est bien, dit Gauvain.

Ce sergent était le bon et rude troupier Radoub qui avait adopté au nom du bataillon les trois enfants rencontrés dans le bois de la Saudraie.

Un demi-bataillon seulement, on s'en souvient, avait été exterminé à Herbe-en-Pail, et Radoub avait eu ce bon hasard de n'en point faire partie.

Un fourgon de fourrage était proche; Gauvain le montra du doigt au sergent.

— Sergent, faites faire à vos hommes des liens de

paille, et qu'on torde cette paille autour des fusils pour qu'on n'entende pas de bruit s'ils s'entre-choquent.

Une minute s'écoula, l'ordre fut exécuté, en silence et dans l'obscurité.

– C'est fait, dit le sergent.

– Soldats, ôtez vos souliers, reprit Gauvain.

– Nous n'en avons pas, dit le sergent.

Cela faisait, avec les sept tambours, dix-neuf hommes ; Gauvain était le vingtième.

Il cria :

– Sur une seule file. Suivez-moi. Les tambours derrière moi. Le bataillon ensuite. Sergent, vous commanderez le bataillon.

Il prit la tête de la colonne, et, pendant que la canonnade continuait des deux côtés, ces vingt hommes, glissant comme des ombres, s'enfoncèrent dans les ruelles désertes.

Ils marchèrent quelque temps de la sorte serpentant le long des maisons. Tout semblait mort dans la ville ; les bourgeois s'étaient blottis dans les caves. Pas une porte qui ne fût barrée, pas un volet qui ne fût fermé. De lumière nulle part.

La grande rue faisait dans ce silence un fracas furieux ; le combat au canon continuait ; la batterie républicaine et la barricade royaliste se crachaient toute leur mitraille avec rage.

Après vingt minutes de marche tortueuse, Gauvain, qui dans cette obscurité cheminait avec certitude, arriva à l'extrémité d'une ruelle d'où l'on rentrait dans la grande rue ; seulement on était de l'autre côté de la halle.

La position était tournée. De ce côté-ci il n'y avait pas de retranchement, ceci est l'éternelle imprudence des constructeurs de barricades, la halle était ouverte, et l'on pouvait entrer sous les piliers où étaient attelés quelques chariots de bagages prêts à partir. Gauvain et ses dix-neuf hommes avaient devant eux les cinq mille Vendéens, mais de dos et non de front.

Gauvain parla à voix basse au sergent ; on défit la paille nouée autour des fusils ; les douze grenadiers se postèrent en bataille derrière l'angle de la ruelle, et les sept tambours, la baguette haute, attendirent.

Les décharges d'artillerie étaient intermittentes. Tout à coup, dans un intervalle entre deux détonations, Gauvain leva son épée, et d'une voix qui, dans ce silence, sembla un éclat de clairon, il cria :

– Deux cents hommes par la droite, deux cents hommes par la gauche, tout le reste sur le centre !

Les douze coups de fusil partirent et les sept tambours sonnèrent la charge.

Et Gauvain jeta le cri redoutable des bleus :

– A la bayonnette ! Fonçons !

L'effet fut inouï.

Toute cette masse paysanne se sentit prise à revers, et s'imagina avoir une nouvelle armée dans le dos. En même temps, entendant le tambour, la colonne qui tenait le haut de la grande rue et que commandait Guéchamp s'ébranla, battant la charge de son côté, et se jeta au pas de course sur la barricade ; les paysans se virent entre deux feux ; la panique est un grossissement, dans la panique un coup de pistolet fait le bruit d'un coup de canon, toute clameur est fantôme, et l'aboiement d'un chien semble le rugissement d'un lion. Ajoutons que le paysan prend peur comme le chaume prend feu, et, aussi aisément qu'un feu de chaume devient incendie, une peur de paysan devient déroute. Ce fut une fuite inexprimable.

En quelques instants la halle fut vide, les gars terrifiés se désagrégèrent, rien à faire pour les officiers, l'Imânus tua inutilement deux ou trois fuyards, on n'entendait que ce cri : *Sauve qui peut!* et cette armée, à travers les rues de la ville comme à travers les trous d'un crible, se dispersa dans la campagne, avec une rapidité de nuée emportée par l'ouragan.

Les uns s'enfuirent vers Châteauneuf, les autres vers Plerguer, les autres vers Antrain.

Le marquis de Lantenac vit cette déroute. Il

encloua de sa main les canons, puis il se retira, le dernier, lentement et froidement, et il dit :

— Décidément les paysans ne tiennent pas. Il nous faut les Anglais.

IV

C'EST LA SECONDE FOIS

La victoire était complète.

Gauvain se tourna vers les hommes du bataillon du Bonnet-Rouge, et leur dit :

— Vous êtes douze, mais vous en valez mille.

Un mot du chef, c'était la croix d'honneur de ce temps-là.

Guéchamp, lancé par Gauvain hors de la ville, poursuivit les fuyards et en prit beaucoup.

On alluma des torches et l'on fouilla la ville.

Tout ce qui ne put s'évader se rendit. On illumina la grande rue avec des pots à feu. Elle était jonchée de morts et de blessés. La fin d'un combat s'arrache toujours, quelques groupes désespérés résistaient encore çà et là, on les cerna, et ils mirent bas les armes.

Gauvain avait remarqué dans le pêle-mêle effréné de la déroute un homme intrépide, espèce de faune agile et robuste, qui avait protégé la fuite des autres et ne s'était pas enfui. Ce paysan s'était magistralement servi de sa carabine, fusillant avec le canon, assommant avec la crosse, si bien qu'il l'avait cassée; maintenant il avait un pistolet dans un poing et un sabre dans l'autre. On n'osait l'approcher. Tout à coup Gauvain le vit qui chancelait et qui s'adossait à un pilier de la grande rue. Cet homme venait d'être blessé. Mais il avait toujours aux poings son sabre et son pistolet. Gauvain mit son épée sous son bras et alla à lui.

— Rends-toi, dit-il.

L'homme le regarda fixement. Son sang coulait sous ses vêtements d'une blessure qu'il avait, et faisait une mare à ses pieds.

— Tu es mon prisonnier, reprit Gauvain.

L'homme resta muet.

— Comment t'appelles-tu?

L'homme dit :

— Je m'appelle Danse-à-l'Ombre.

— Tu es un vaillant, dit Gauvain.

Et il lui tendit la main.

L'homme répondit :

— Vive le roi!

Et ramassant ce qui lui restait de force, levant les deux bras à la fois, il tira au cœur de Gauvain un coup de pistolet et lui assena sur la tête un coup de sabre.

Il fit cela avec une promptitude de tigre; mais quelqu'un fut plus prompt encore. Ce fut un homme à cheval qui venait d'arriver et qui était là depuis quelques instants, sans qu'on eût fait attention à lui. Cet homme, voyant le Vendéen lever le sabre et le pistolet, se jeta entre lui et Gauvain. Sans cet homme, Gauvain était mort. Le cheval reçut le coup de pistolet, l'homme reçut le coup de sabre, et tous deux tombèrent. Tout cela se fit le temps de jeter un cri.

Le Vendéen de son côté s'était affaissé sur le pavé.

Le coup de sabre avait frappé l'homme en plein visage; il était à terre, évanoui. Le cheval était tué.

Gauvain s'approcha.

— Qui est cet homme? dit-il.

Il le considéra. Le sang de la balafre inondait le blessé, et lui faisait un masque rouge. Il était impossible de distinguer sa figure. On lui voyait des cheveux gris.

— Cet homme m'a sauvé la vie, poursuivit Gauvain. Quelqu'un d'ici le connaît-il?

— Mon commandant, dit un soldat, cet homme est entré dans la ville tout à l'heure. Je l'ai vu arriver. Il venait par la route de Pontorson.

Le chirurgien-major de la colonne était accouru

avec sa trousse. Le blessé était toujours sans connaissance. Le chirurgien l'examina et dit :

— Une simple balafre. Ce n'est rien. Cela se recoud. Dans huit jours il sera sur pied. C'est un beau coup de sabre.

Le blessé avait un manteau, une ceinture tricolore, des pistolets, un sabre. On le coucha sur une civière. On le déshabilla. On apporta un seau d'eau fraîche, le chirurgien lava la plaie, le visage commença à apparaître, Gauvain le regardait avec une attention profonde.

— A-t-il des papiers sur lui ? demanda Gauvain.

Le chirurgien tâta la poche de côté et en tira un portefeuille qu'il tendit à Gauvain.

Cependant le blessé, ranimé par l'eau froide, revenait à lui. Ses paupières remuaient vaguement.

Gauvain fouillait le portefeuille ; il y trouva une feuille de papier pliée en quatre, il la déplia, il lut :

« Comité de salut public. Le citoyen Cimourdain... »

Il jeta un cri :

— Cimourdain !

Ce cri fit ouvrir les yeux au blessé.

Gauvain était éperdu.

— Cimourdain ! c'est vous ! c'est la seconde fois que vous me sauvez la vie.

Cimourdain regardait Gauvain. Un ineffable éclair de joie illuminait sa face sanglante.

Gauvain tomba à genoux devant le blessé en criant :

— Mon maître !

— Ton père, dit Cimourdain.

V

LA GOUTTE D'EAU FROIDE

Ils ne s'étaient pas vus depuis beaucoup d'années, mais leurs cœurs ne s'étaient jamais quittés ; ils se reconnurent comme s'ils s'étaient séparés la veille.

On avait improvisé une ambulance à l'hôtel de ville de Dol. On porta Cimourdain sur un lit dans une petite chambre contiguë à la grande salle commune aux blessés. Le chirurgien, qui avait recousu la balafre, mit fin aux épanchements entre ces deux hommes, et jugea qu'il fallait laisser dormir Cimourdain. Gauvain d'ailleurs était réclamé par ces mille soins que sont les devoirs et les soucis de la victoire. Cimourdain resta seul ; mais il ne dormit pas ; il avait deux fièvres, la fièvre de sa blessure et la fièvre de sa joie.

Il ne dormit pas, et pourtant il ne lui semblait pas être éveillé. Était-ce possible ? son rêve était réalisé. Cimourdain était de ceux qui ne croient pas au quine, et il l'avait. Il retrouvait Gauvain. Il l'avait quitté enfant, il le retrouvait homme ; il le retrouvait grand, redoutable, intrépide. Il le retrouvait triomphant, et triomphant pour le peuple. Gauvain était en Vendée le point d'appui de la révolution, et c'était lui, Cimourdain, qui avait fait cette colonne à la république. Ce victorieux était son élève. Ce qu'il voyait rayonner à travers cette jeune figure réservée peut-être au panthéon républicain, c'était sa pensée, à lui Cimourdain ; son disciple, l'enfant de son esprit, était dès à présent un héros et serait avant peu une gloire ; il semblait à Cimourdain qu'il revoyait sa propre âme faite Génie. Il venait de voir de ses yeux comment Gauvain faisait la guerre ; il était comme Chiron ayant vu combattre Achille. Rapport mystérieux entre le prêtre et le centaure, car le prêtre n'est homme qu'à mi-corps.

Tous les hasards de cette aventure, mêlés à l'insomnie de sa blessure, emplissaient Cimourdain d'une sorte d'enivrement mystérieux. Une jeune destinée se levait, magnifique, et ce qui ajoutait à sa joie profonde, il avait plein pouvoir sur cette destinée ; encore un succès comme celui qu'il venait de voir, et Cimourdain n'aurait qu'un mot à dire pour que la république confiât à Gauvain une armée. Rien n'éblouit comme l'étonnement de voir tout réussir. C'était le temps où chacun avait son rêve militaire; chacun voulait faire un général; Danton voulait faire Westermann, Marat voulait faire Rossignol, Hébert voulait faire Ronsin; Robespierre voulait les défaire tous. Pourquoi pas Gauvain? se disait Cimourdain; et il songeait. L'illimité était devant lui; il passait d'une hypothèse à l'autre; tous les obstacles s'évanouissaient; une fois qu'on a mis le pied sur cette échelle-là, on ne s'arrête plus, c'est la montée infinie, on part de l'homme et l'on arrive à l'étoile. Un grand général n'est qu'un chef d'armées; un grand capitaine est en même temps un chef d'idées; Cimourdain rêvait Gauvain grand capitaine. Il lui semblait, car la rêverie va vite, voir Gauvain sur l'Océan, chassant les Anglais; sur le Rhin, châtiant les rois du Nord; aux Pyrénées, repoussant l'Espagne; aux Alpes, faisant signe à Rome de se lever. Il y avait en Cimourdain deux hommes, un homme tendre, et un homme sombre; tous deux étaient contents; car, l'inexorable étant son idéal, en même temps qu'il voyait Gauvain superbe, il le voyait terrible. Cimourdain pensait à tout ce qu'il fallait détruire avant de construire, et, certes, se disait-il, ce n'est pas l'heure des attendrissements. Gauvain sera « à la hauteur », mot du temps. Cimourdain se figurait Gauvain écrasant du pied les ténèbres, cuirassé de lumière, avec une lueur de météore au front, ouvrant les grandes ailes idéales de la justice, de la raison et du progrès, et une épée à la main; ange, mais exterminateur.

Au plus fort de cette rêverie qui était presque une extase, il entendit, par la porte entr'ouverte, qu'on parlait dans la grande salle de l'ambulance, voisine de sa chambre; il reconnut la voix de Gauvain; cette voix, malgré les années d'absence, avait toujours été dans son oreille, et la voix de l'enfant se retrouve dans la voix de l'homme. Il écouta. Il y avait un bruit de pas. Des soldats disaient :

— Mon commandant, cet homme-ci est celui qui a

tiré sur vous. Pendant qu'on ne le voyait pas, il s'était traîné dans une cave. Nous l'avons trouvé. Le voilà.

Alors Cimourdain entendit ce dialogue entre Gauvain et l'homme :

— Tu es blessé ?

— Je me porte assez bien pour être fusillé.

— Mettez cet homme dans un lit. Pansez-le, soignez-le, guérissez-le.

— Je veux mourir.

— Tu vivras. Tu as voulu me tuer au nom du roi, je te fais grâce au nom de la république.

Une ombre passa sur le front de Cimourdain. Il eut comme un réveil en sursaut, et il murmura avec une sorte d'accablement sinistre :

— En effet, c'est un clément.

VI

SEIN GUÉRI, CŒUR SAIGNANT

Une balafre se guérit vite ; mais il y avait quelque part quelqu'un de plus gravement blessé que Cimourdain. C'était la femme fusillée que le mendiant Tellmarch avait ramassée dans la grande mare de sang de la ferme d'Herbe-en-Pail.

Michelle Fléchard était plus en danger encore que Tellmarch ne l'avait cru ; au trou qu'elle avait au-dessus du sein correspondait un trou dans l'omoplate ; en même temps qu'une balle lui cassait la clavicule, une autre balle lui traversait l'épaule ; mais, comme le poumon n'avait pas été touché, elle put guérir. Tellmarch était « un philosophe », mot de paysans qui signifie un peu médecin, un peu chirurgien et un peu sorcier. Il soigna la blessée dans sa tanière de bête sur son grabat de varech, avec ces choses mystérieuses qu'on appelle « des simples », et, grâce à lui, elle vécut.

La clavicule se ressouda, les trous de la poitrine et

de l'épaule se fermèrent ; après quelques semaines, la blessée fut convalescente.

Un matin, elle put sortir du carnichot appuyée sur Tellmarch, et alla s'asseoir sous les arbres au soleil. Tellmarch savait d'elle peu de chose, les plaies de poitrine exigent le silence, et, pendant la quasi-agonie qui avait précédé sa guérison, elle avait à peine dit quelques paroles. Quand elle voulait parler, Tellmarch la faisait taire ; mais elle avait une rêverie opiniâtre, et Tellmarch observait dans ses yeux une sombre allée et venue de pensées poignantes. Ce matin-là, elle était forte, elle pouvait presque marcher seule ; une cure, c'est une paternité, et Tellmarch la regardait, heureux. Ce bon vieux homme se mit à sourire. Il lui parla.

— Eh bien, nous sommes debout, nous n'avons plus de plaie.

— Qu'au cœur, dit-elle.

Et elle reprit :

— Alors vous ne savez pas du tout où ils sont ?

— Qui ça ? demanda Tellmarch.

— Mes enfants.

Cet « alors » exprimait tout un monde de pensées, cela signifiait : « puisque vous ne m'en parlez pas, puisque depuis tant de jours vous êtes près de moi sans m'en ouvrir la bouche, puisque vous me faites taire chaque fois que je veux rompre le silence, puisque vous semblez craindre que je n'en parle, c'est que vous n'avez rien à m'en dire ». Souvent, dans la fièvre, dans l'égarement, dans le délire, elle avait appelé ses enfants, et elle avait bien vu, car le délire fait ses remarques, que le vieux homme ne lui répondait pas.

C'est qu'en effet Tellmarch ne savait que lui dire. Ce n'est pas aisé de parler à une mère de ses enfants perdus. Et puis, que savait-il ? rien. Il savait qu'une mère avait été fusillée, que cette mère avait été trouvée à terre par lui, que, lorsqu'il l'avait ramassée, c'était à peu près un cadavre, que ce cadavre avait trois enfants, et que le marquis de Lantenac, après avoir fait fusiller la mère, avait emmené les enfants. Toutes ses informations s'arrêtaient là. Qu'est-ce que ces enfants étaient devenus ? Étaient-ils même encore vivants ? Il savait, pour s'en être informé, qu'il y avait deux garçons et une petite fille, à peine sevrée. Rien de plus. Il se faisait sur ce groupe infortuné une foule de questions, mais il n'y pouvait répondre. Les gens du pays qu'il avait interrogés s'étaient bornés à hocher la tête. M. de Lantenac était un homme dont on ne causait pas volontiers.

On ne parlait pas volontiers de Lantenac et on ne parlait pas volontiers à Tellmarch. Les paysans ont un genre de soupçon à eux. Ils n'aimaient pas Tellmarch. Tellmarch le Caimand était un homme inquiétant. Qu'avait-il à regarder toujours le ciel ? que faisait-il, et à quoi pensait-il dans ses longues heures d'immobilité ? certes, il était étrange. Dans ce pays en pleine guerre, en pleine conflagration, en pleine combustion, où tous les hommes n'avaient qu'une affaire, la dévastation, et qu'un travail, le carnage, où c'était à qui brûlerait une maison, égorgerait une famille, massacrerait un poste, saccagerait un village, où l'on ne songeait qu'à se tendre des embuscades, qu'à s'attirer dans des pièges, et qu'à s'entre-tuer les uns les autres, ce solitaire, absorbé dans la nature, comme submergé dans la paix immense des choses, cueillant des herbes et des plantes, uniquement occupé des fleurs, des oiseaux et des étoiles, était évidemment dangereux. Visiblement, il n'avait pas sa raison, il ne s'embusquait derrière aucun buisson, il ne tirait de coup de fusil à personne. De là une certaine crainte autour de lui.

— Cet homme est fou, disaient les passants.

Tellmarch était plus qu'un homme isolé, c'était un homme évité.

On ne lui faisait point de questions, et on ne lui faisait guère de réponses. Il n'avait donc pu se renseigner autant qu'il l'aurait voulu. La guerre s'était répandue ailleurs, on était allé se battre plus loin, le marquis de Lantenac avait disparu de l'horizon, et dans l'état d'esprit où était Tellmarch, pour qu'il s'aperçût de la guerre, il fallait qu'elle mît le pied sur lui.

Après ce mot, – *mes enfants* –, Tellmarch avait cessé de sourire, et la mère s'était mise à penser. Que se passait-il dans cette âme ? Elle était comme au fond d'un gouffre. Brusquement elle regarda Tellmarch, et cria de nouveau et presque avec un accent de colère :

– Mes enfants !

Tellmarch baissa la tête comme un coupable.

Il songeait à ce marquis de Lantenac qui certes ne pensait pas à lui, et qui, probablement, ne savait même plus qu'il existât. Il s'en rendait compte, il se disait : – Un seigneur, quand c'est dans le danger, ça vous connaît ; quand c'est dehors, ça ne vous connaît plus.

Et il se demandait : – Mais alors pourquoi ai-je sauvé ce seigneur ?

Et il se répondait : – Parce que c'est un homme.

Il fut là-dessus quelque temps pensif, et il reprit en lui-même : – En suis-je bien sûr ?

Et il se répéta son mot amer : – Si j'avais su !

Toute cette aventure l'accablait ; car dans ce qu'il avait fait, il voyait une sorte d'énigme. Il méditait douloureusement. Une bonne action peut donc être une mauvaise action. Qui sauve le loup tue les brebis. Qui raccommode l'aile du vautour est responsable de sa griffe.

Il se sentait en effet coupable. La colère inconsciente de cette mère avait raison.

Pourtant, avoir sauvé cette mère le consolait d'avoir sauvé ce marquis.

Mais les enfants ?

La mère aussi songeait. Ces deux pensées se côtoyaient et, sans se le dire, se rencontraient peut-être, dans les ténèbres de la rêverie.

Cependant son regard, au fond duquel était la nuit, se fixa de nouveau sur Tellmarch.

— Ça ne peut pourtant pas se passer comme ça, dit-elle.

— Chut! fit Tellmarch, et il mit le doigt sur sa bouche.

Elle poursuivit :

— Vous avez eu tort de me sauver, et je vous en veux. J'aimerais mieux être morte, parce que je suis sûre que je les verrais. Je saurais où ils sont. Ils ne me verraient pas, mais je serais près d'eux. Une morte, ça doit pouvoir protéger.

Il lui prit le bras et lui tâta le pouls.

— Calmez-vous, vous vous redonnez la fièvre.

Elle lui demanda presque durement :

— Quand pourrai-je m'en aller?

— Vous en aller?

— Oui. Marcher.

— Jamais, si vous n'êtes pas raisonnable. Demain, si vous êtes sage.

— Qu'appelez-vous être sage?

— Avoir confiance en Dieu.

— Dieu! où m'a-t-il mis mes enfants?

Elle était comme égarée. Sa voix devint très douce.

— Vous comprenez, lui dit-elle, je ne peux pas rester comme cela. Vous n'avez pas eu d'enfants, moi j'en ai eu. Cela fait une différence. On ne peut pas juger d'une chose quand on ne sait pas ce que c'est. Vous n'avez pas eu d'enfants, n'est-ce pas?

— Non, répondit Tellmarch.

— Moi, je n'ai eu que ça. Sans mes enfants, est-ce que je suis? Je voudrais qu'on m'expliquât pourquoi je n'ai pas mes enfants. Je sens bien qu'il se passe quelque chose, puisque je ne comprends pas. On a tué mon mari, on m'a fusillée, mais c'est égal, je ne comprends pas.

— Allons, dit Tellmarch, voilà que la fièvre vous reprend. Ne parlez plus.

Elle le regarda, et se tut.

A partir de ce jour, elle ne parla plus.

Tellmarch fut obéi plus qu'il ne voulait. Elle passait

de longues heures accroupie au pied du vieux arbre, stupéfaite. Elle songeait et se taisait. Le silence offre on ne sait quel abri aux âmes simples qui ont subi l'approfondissement sinistre de la douleur. Elle semblait renoncer à comprendre. A un certain degré le désespoir est inintelligible au désespéré.

Tellmarch l'examinait, ému. En présence de cette souffrance, ce vieux homme avait des pensées de femme. — Oh oui, se disait-il, ses lèvres ne parlent pas, mais ses yeux parlent, je vois bien ce qu'elle a, une idée fixe. Avoir été mère, et ne plus l'être ! avoir été nourrice, et ne plus l'être ! Elle ne peut pas se résigner. Elle pense à la toute petite qu'elle allaitait il n'y a pas longtemps. Elle y pense, elle y pense, elle y pense. Au fait, ce doit être si charmant de sentir une petite bouche rose qui vous tire votre âme de dedans le corps et qui avec votre vie à vous se fait une vie à elle !

Il se taisait de son côté, comprenant, devant un tel accablement, l'impuissance de la parole. Le silence d'une idée fixe est terrible. Et comment faire entendre raison à l'idée fixe d'une mère ? La maternité est sans issue ; on ne discute pas avec elle. Ce qui fait qu'une mère est sublime, c'est que c'est une espèce de bête. L'instinct maternel est divinement animal. La mère n'est plus femme, elle est femelle.

Les enfants sont des petits.

De là dans la mère quelque chose d'inférieur et de supérieur au raisonnement. Une mère a un flair. L'immense volonté ténébreuse de la création est en elle, et la mène. Aveuglement plein de clairvoyance.

Tellmarch maintenant voulait faire parler cette malheureuse ; il n'y réussissait pas. Une fois, il lui dit :

— Par malheur, je suis vieux, et je ne marche plus. J'ai plus vite trouvé le bout de ma force que le bout de mon chemin. Après un quart d'heure, mes jambes refusent, et il faut que je m'arrête ; sans quoi je pourrais vous accompagner. Au fait, c'est peut-être un bien que je ne puisse pas. Je serais pour vous plus dangereux qu'utile ; on me tolère ici ; mais je suis suspect aux bleus comme paysan et aux paysans comme sorcier.

Il attendit ce qu'elle répondrait. Elle ne leva même pas les yeux.

Une idée fixe aboutit à la folie ou à l'héroïsme. Mais de quel héroïsme peut être capable une pauvre paysanne ? d'aucun. Elle peut être mère, et voilà tout. Chaque jour elle s'enfonçait davantage dans sa rêverie. Tellmarch l'observait.

Il chercha à l'occuper ; il lui apporta du fil, des aiguilles, un dé ; et en effet, ce qui fit plaisir au pauvre Caimand, elle se mit à coudre ; elle songeait, mais elle travaillait, signe de santé ; les forces lui revenaient peu à peu ; elle raccommoda son linge, ses vêtements, ses souliers ; mais sa prunelle restait vitreuse. Tout en cousant elle chantait à demi-voix des chansons obscures. Elle murmurait des noms, probablement des noms d'enfants, pas assez distinctement pour que Tellmarch les entendît. Elle s'interrompait et écoutait les oiseaux, comme s'ils avaient des nouvelles à lui donner. Elle regardait le temps qu'il faisait. Ses lèvres remuaient. Elle se parlait bas. Elle fit un sac et elle le remplit de châtaignes. Un matin Tellmarch la vit qui se mettait en marche, l'œil fixé au hasard sur les profondeurs de la forêt.

— Où allez-vous ? lui demanda-t-il.

Elle répondit :

— Je vais les chercher.

Il n'essaya pas de la retenir.

VII

LES DEUX PÔLES DU VRAI

Au bout de quelques semaines pleines de tous les va-et-vient de la guerre civile, il n'était bruit dans le pays de Fougères que de deux hommes dont l'un était l'opposé de l'autre, et qui cependant faisaient la même œuvre, c'est-à-dire combattaient côte à côte le grand combat révolutionnaire.

Le sauvage duel vendéen continuait, mais la Vendée perdait du terrain. Dans l'Ille-et-Vilaine en particulier, grâce au jeune commandant qui, à Dol, avait si à propos riposté à l'audace des six mille royalistes par l'audace des quinze cents patriotes, l'insurrection était, sinon éteinte, du moins très amoindrie et très circonscrite. Plusieurs coups heureux avaient suivi celui-là, et de ces succès multipliés était née une situation nouvelle.

Les choses avaient changé de face, mais une singulière complication était survenue.

Dans toute cette partie de la Vendée, la république avait le dessus, ceci était hors de doute ; mais quelle république ? Dans le triomphe qui s'ébauchait, deux formes de la république étaient en présence, la république de la terreur et la république de la clémence, l'une voulant vaincre par la rigueur et l'autre par la douceur. Laquelle prévaudrait ? Ces deux formes, la forme conciliante et la forme implacable, étaient représentées par deux hommes ayant chacun son influence et son autorité, l'un commandant militaire, l'autre délégué civil ; lequel de ces deux hommes l'emporterait ? De ces deux hommes, l'un, le délégué, avait de redoutables points d'appui ; il était arrivé apportant la menaçante consigne de la commune de Paris aux bataillons de Santerre : « *Pas de grâce, pas de quartier !* » Il avait, pour tout soumettre à son autorité, le décret de la Convention portant « peine de mort contre quiconque mettrait en liberté et ferait évader un chef rebelle prisonnier », de pleins pouvoirs émanés du Comité de salut public, et une injonction de lui obéir, à lui délégué, signée ROBESPIERRE, DANTON, MARAT. L'autre, le soldat, n'avait pour lui que cette force, la pitié.

Il n'avait pour lui que son bras, qui battait les ennemis, et son cœur, qui leur faisait grâce. Vainqueur, il se croyait le droit d'épargner les vaincus.

De là un conflit latent, mais profond, entre ces deux hommes. Ils étaient tous les deux dans des nuages différents, tous les deux combattant la rébellion, et chacun ayant sa foudre à lui, l'un la victoire, l'autre la terreur.

Dans tout le Bocage, on ne parlait que d'eux ; et, ce qui ajoutait à l'anxiété des regards fixés sur eux de toutes parts, c'est que ces deux hommes, si absolument opposés, étaient en même temps étroitement unis. Ces deux antagonistes étaient deux amis. Jamais sympathie plus haute et plus profonde n'avait rapproché deux cœurs ; le farouche avait sauvé la vie au débonnaire, et il en avait la balafre au visage. Ces deux hommes incarnaient, l'un la mort, l'autre la vie ; l'un était le principe terrible, l'autre le principe pacifique, et ils s'aimaient. Problème étrange. Qu'on se figure Oreste miséricordieux et Pylade inclément. Qu'on se figure Arimane frère d'Ormus.

Ajoutons que celui des deux qu'on appelait « le féroce » était en même temps le plus fraternel des hommes ; il pansait les blessés, soignait les malades, passait ses jours et ses nuits dans les ambulances et les hôpitaux, s'attendrissait sur des enfants pieds nus, n'avait rien à lui, donnait tout aux pauvres. Quand on se battait, il y allait ; il marchait à la tête des colonnes et au plus fort du combat, armé, car il avait à sa ceinture un sabre et deux pistolets, et désarmé, car jamais on ne l'avait vu tirer son sabre et toucher à ses pistolets. Il affrontait les coups, et n'en rendait pas. On disait qu'il avait été prêtre.

L'un de ces hommes était Gauvain, l'autre était Cimourdain.

L'amitié était entre les deux hommes, mais la haine était entre les deux principes ; c'était comme une âme coupée en deux, et partagée ; Gauvain, en effet, avait reçu une moitié de l'âme de Cimourdain, mais la moitié douce. Il semblait que Gauvain avait eu le rayon blanc, et que Cimourdain avait gardé pour lui ce qu'on pourrait appeler le rayon noir. De là un désaccord intime. Cette sourde guerre ne pouvait pas ne point éclater. Un matin la bataille commença.

Cimourdain dit à Gauvain :

— Où en sommes-nous?

Gauvain répondit :

— Vous le savez aussi bien que moi. J'ai dispersé les bandes de Lantenac. Il n'a plus avec lui que quelques hommes. Le voilà acculé à la forêt de Fougères. Dans huit jours, il sera cerné.

— Et dans quinze jours?

— Il sera pris.

— Et puis?

— Vous avez vu mon affiche?

— Oui. Eh bien?

— Il sera fusillé.

— Encore de la clémence. Il faut qu'il soit guillotiné.

— Moi, dit Gauvain, je suis pour la mort militaire.

— Et moi, répliqua Cimourdain, pour la mort révolutionnaire.

Il regarda Gauvain en face et lui dit :

— Pourquoi as-tu fait mettre en liberté ces religieuses du couvent de Saint-Marc-le-Blanc?

— Je ne fais pas la guerre aux femmes, répondit Gauvain.

— Ces femmes-là haïssent le peuple. Et pour la haine une femme vaut dix hommes. Pourquoi as-tu refusé d'envoyer au tribunal révolutionnaire tout ce troupeau de vieux prêtres fanatiques pris à Louvigné?

— Je ne fais pas la guerre aux vieillards.

— Un vieux prêtre est pire qu'un jeune. La rébellion est plus dangereuse, prêchée par les cheveux blancs. On a foi dans les rides. Pas de fausse pitié, Gauvain. Les régicides sont les libérateurs. Aie l'œil fixé sur la tour du Temple.

— La tour du Temple! J'en ferais sortir le dauphin. Je ne fais pas la guerre aux enfants.

L'œil de Cimourdain devint sévère.

— Gauvain, sache qu'il faut faire la guerre à la femme quand elle se nomme Marie-Antoinette, au vieillard quand il se nomme Pie VI, pape, et à l'enfant quand il se nomme Louis Capet.

— Mon maître, je ne suis pas un homme politique.

— Tâche de ne pas être un homme dangereux. Pourquoi, à l'attaque du poste de Cossé, quand le rebelle Jean Treton, acculé et perdu, s'est rué seul, le sabre au poing, contre toute ta colonne, as-tu crié : *Ouvrez les rangs. Laissez passer?*

— Parce qu'on ne se met pas à quinze cents pour tuer un homme.

— Pourquoi, à la Cailleterie d'Astillé, quand tu as vu que tes soldats allaient tuer le Vendéen Joseph Bézier, qui était blessé et qui se traînait, as-tu crié : *Allez en avant! J'en fais mon affaire!* et as-tu tiré ton coup de pistolet en l'air?

— Parce qu'on ne tue pas un homme à terre.

— Et tu as eu tort. Tous deux sont aujourd'hui chefs de bande; Joseph Bézier, c'est Moustache, et Jean Treton, c'est Jambe-d'Argent. En sauvant ces deux hommes, tu as donné deux ennemis à la république.

— Certes, je voudrais lui faire des amis, et non lui donner des ennemis.

— Pourquoi, après la victoire de Landéan, n'as-tu pas fait fusiller tes trois cents paysans prisonniers?

— Parce que, Bonchamp ayant fait grâce aux prisonniers républicains, j'ai voulu qu'il fût dit que la république faisait grâce aux prisonniers royalistes.

— Mais alors, si tu prends Lantenac, tu lui feras grâce?

— Non.

— Pourquoi? Puisque tu as fait grâce aux trois cents paysans?

— Les paysans sont des ignorants; Lantenac sait ce qu'il fait.

— Mais Lantenac est ton parent?

— La France est la grande parente.

— Lantenac est un vieillard.

— Lantenac est un étranger. Lantenac n'a pas d'âge. Lantenac appelle les Anglais. Lantenac c'est l'invasion. Lantenac est l'ennemi de la patrie. Le duel entre lui et moi ne peut finir que par sa mort, ou par la mienne.

— Gauvain, souviens-toi de cette parole.

— Elle est dite.

Il y eut un silence, et tous deux se regardèrent.

Et Gauvain reprit :

— Ce sera une date sanglante que cette année 93 où nous sommes.

— Prends garde, s'écria Cimourdain. Les devoirs terribles existent. N'accuse pas qui n'est point accusable. Depuis quand la maladie est-elle la faute du médecin ? Oui, ce qui caractérise cette année énorme, c'est d'être sans pitié. Pourquoi ? parce qu'elle est la grande année révolutionnaire. Cette année où nous sommes incarne la révolution. La révolution a un ennemi, le vieux monde, et elle est sans pitié pour lui, de même que le chirurgien a un ennemi, la gangrène, et est sans pitié pour elle. La révolution extirpe la royauté dans le roi, l'aristocratie dans le noble, le despotisme dans le soldat, la superstition dans le prêtre, la barbarie dans le juge, en un mot, tout ce qui est la tyrannie dans tout ce qui est le tyran. L'opération est effrayante, la révolution la fait d'une main sûre. Quant à la quantité de chair saine qu'elle sacrifie, demande à Boerhave ce qu'il en pense. Quelle tumeur à couper n'entraîne une perte de sang ? Quel incendie à éteindre n'exige la part du feu ? Ces nécessités redoutables sont la condition même du succès. Un chirurgien ressemble à un boucher ; un guérisseur peut faire l'effet d'un bourreau. La révolution se dévoue à son œuvre fatale. Elle mutile, mais elle sauve. Quoi ! vous lui demandez grâce pour le virus ! vous voulez qu'elle soit clémente pour ce qui est vénéneux ! Elle n'écoute pas. Elle tient le passé, elle l'achèvera. Elle fait à la civilisation une incision profonde, d'où sortira la santé du genre humain. Vous souffrez? sans doute. Combien de temps cela durera-t-il? le temps de l'opération. Ensuite vous vivrez. La révolution ampute le monde. De là cette hémorragie, 93.

— Le chirurgien est calme, dit Gauvain, et les hommes que je vois sont violents.

— La révolution, répliqua Cimourdain, veut pour l'aider des ouvriers farouches. Elle repousse toute main qui tremble. Elle n'a foi qu'aux inexorables. Danton, c'est le terrible, Robespierre, c'est l'inflexible, Saint-Just, c'est l'irréductible, Marat, c'est l'implacable. Prends-y garde, Gauvain. Ces noms-là sont nécessaires. Ils valent pour nous des armées. Ils terrifieront l'Europe.

— Et peut-être aussi l'avenir, dit Gauvain.

Il s'arrêta, et repartit :

— Du reste, mon maître, vous faites erreur, je n'accuse personne. Selon moi, le vrai point de vue de la révolution, c'est l'irresponsabilité. Personne n'est innocent, personne n'est coupable. Louis XVI, c'est un mouton jeté parmi des lions. Il veut fuir, il veut se sauver, il cherche à se défendre; il mordrait, s'il pouvait. Mais n'est pas lion qui veut. Sa velléité passe pour crime. Ce mouton en colère montre les dents. Le traître! disent les lions. Et ils le mangent. Cela fait, ils se battent entre eux.

— Le mouton est une bête.

— Et les lions, que sont-ils?

Cette réplique fit songer Cimourdain. Il releva la tête et dit :

— Ces lions-là sont des consciences. Ces lions-là sont des idées. Ces lions-là sont des principes.

— Ils font la Terreur.

— Un jour, la révolution sera la justification de la Terreur.

— Craignez que la Terreur ne soit la calomnie de la révolution.

Et Gauvain reprit :

— Liberté, Égalité, Fraternité, ce sont des dogmes

de paix et d'harmonie. Pourquoi leur donner un aspect effrayant? Que voulons-nous? conquérir les peuples à la république universelle. Eh bien, ne leur faisons pas peur. A quoi bon l'intimidation? Pas plus que les oiseaux, les peuples ne sont attirés par l'épouvantail. Il ne faut pas faire le mal pour faire le bien. On ne renverse pas le trône pour laisser l'échafaud debout. Mort aux rois, et vie aux nations. Abattons les couronnes, épargnons les têtes. La révolution, c'est la concorde, et non l'effroi. Les idées douces sont mal servies par les hommes incléments. Amnistie est pour moi le plus beau mot de la langue humaine. Je ne veux verser de sang qu'en risquant le mien. Du reste je ne sais que combattre, et je ne suis qu'un soldat. Mais si l'on ne peut pardonner, cela ne vaut pas la peine de vaincre. Soyons pendant la bataille les ennemis de nos ennemis, et après la victoire leurs frères.

— Prends garde, répéta Cimourdain pour la troisième fois. Gauvain, tu es pour moi plus que mon fils, prends garde!

Et il ajouta, pensif :

— Dans des temps comme les nôtres, la pitié peut être une des formes de la trahison.

En entendant parler ces deux hommes, on eût cru entendre le dialogue de l'épée et de la hache.

VIII

DOLOROSA [1]

Cependant la mère cherchait ses petits.

Elle allait devant elle. Comment vivait-elle? Impossible de le dire. Elle ne le savait pas elle-même. Elle marcha des jours et des nuits; elle mendia, elle

1. Allusion à « Stabat mater dolorosa » : au pied de la croix « restait debout la mère douloureuse », paroles d'un chant chrétien.

mangea de l'herbe, elle coucha à terre, elle dormit en plein air, dans les broussailles, sous les étoiles, quelquefois sous la pluie et la bise.

Elle rôdait de village en village, de métairie en métairie, s'informant. Elle s'arrêtait aux seuils. Sa robe était en haillons. Quelquefois on l'accueillait, quelquefois on la chassait. Quand elle ne pouvait entrer dans les maisons, elle allait dans les bois.

Elle ne connaissait pas le pays, elle ignorait tout, excepté Siscoignard et la paroisse d'Azé, elle n'avait point d'itinéraire, elle revenait sur ses pas, recommençait une route déjà parcourue, faisait du chemin inutile. Elle suivait tantôt le pavé, tantôt l'ornière d'une charrette, tantôt les sentiers dans les taillis. A cette vie au hasard, elle avait usé ses misérables vêtements. Elle avait marché d'abord avec ses souliers, puis avec ses pieds nus, puis avec ses pieds sanglants.

Elle allait à travers la guerre, à travers les coups de fusil, sans rien entendre, sans rien voir, sans rien éviter, cherchant ses enfants. Tout étant en révolte, il n'y avait plus de gendarmes, plus de maires, plus d'autorité. Elle n'avait affaire qu'aux passants.

Elle leur parlait. Elle demandait :

— Avez-vous vu quelque part trois petits enfants ?

Les passants levaient la tête.

— Deux garçons et une fille, disait-elle.

Elle continuait :

— René-Jean, Gros-Alain, Georgette ? Vous n'avez pas vu ça ?

Elle poursuivait :

— L'aîné a quatre ans et demi, la petite a vingt mois.

Elle ajoutait :

— Savez-vous où ils sont ? on me les a pris.

On la regardait et c'était tout.

Voyant qu'on ne la comprenait pas, elle disait :

— C'est qu'ils sont à moi. Voilà pourquoi.

Les gens passaient leur chemin. Alors elle s'arrêtait

et ne disait plus rien, et se déchirait le sein avec les ongles.

Un jour pourtant un paysan l'écouta. Le bonhomme se mit à réfléchir.

— Attendez donc, dit-il. Trois enfants?

— Oui.

— Deux garçons?

— Et une fille.

— C'est ça que vous cherchez?

— Oui.

— J'ai ouï parler d'un seigneur qui avait pris trois petits enfants et qui les avait avec lui.

— Où est cet homme? cria-t-elle. Où sont-ils?

Le paysan répondit :

— Allez à la Tourgue.

— Est-ce que c'est là que je trouverai mes enfants?

— Peut-être bien que oui.

— Vous dites?...

— La Tourgue.

— Qu'est-ce que c'est que la Tourgue?

— C'est un endroit.

— Est-ce un village? un château? une métairie?

— Je n'y suis jamais allé.

— Est-ce loin?

— Ce n'est pas près.

— De quel côté?

— Du côté de Fougères.

— Par où y va-t-on?

— Vous êtes à Vautortes, dit le paysan, vous laisserez Ernée à gauche et Coxelles à droite, vous passerez par Lorchamps et vous traverserez le Leroux.

Et le paysan leva sa main vers l'occident.

— Toujours devant vous en allant du côté où le soleil se couche.

Avant que le paysan eût baissé son bras, elle était en marche.

Le paysan lui cria :

— Mais prenez garde. On se bat par là.

Elle ne se retourna point pour lui répondre, et continua d'aller en avant.

IX

UNE BASTILLE DE PROVINCE

I. LA TOURGUE

Le voyageur qui, il y a quarante ans, entré dans la forêt de Fougères du côté de Laignelet en ressortait du côté de Parigné, faisait, sur la lisière de cette profonde futaie, une rencontre sinistre. En débouchant du hallier, il avait brusquement devant lui la Tourgue.

Non la Tourgue vivante, mais la Tourgue morte. La Tourgue lézardée, sabordée, balafrée, démantelée. La ruine est à l'édifice ce que le fantôme est à l'homme. Pas de plus lugubre vision que la Tourgue. Ce qu'on avait sous les yeux, c'était une haute tour ronde, toute seule au coin du bois comme un malfaiteur. Cette tour, droite sur un bloc de roche à pic, avait presque l'aspect romain tant elle était correcte et solide, et tant dans cette masse robuste l'idée de la puissance était mêlée à l'idée de la chute. Romaine, elle l'était même un peu, car elle était romane; commencée au neuvième siècle, elle avait été achevée au douzième, après la troisième croisade. Les impostes à oreillons de ses baies disaient son âge. On approchait, on gravissait l'escarpement, on apercevait une brèche, on se risquait à entrer, on était dedans, c'était vide. C'était quelque chose comme l'intérieur d'un clairon de pierre posé debout sur le sol. Du haut en bas, aucun diaphragme; pas de toit, pas de plafonds, pas de planchers, des arrachements de voûtes et de cheminées, des embrasures à fauconneaux, à des hauteurs diverses, des cordons de corbeaux de granit et quelques poutres transversales marquant les étages, sur les poutres les fientes des oiseaux de nuit, la muraille colossale, quinze pieds d'épaisseur à la base et douze au sommet, çà et là des crevasses, et des trous qui avaient été des portes, par où l'on entrevoyait des escaliers dans l'intérieur ténébreux du mur. Le passant qui pénétrait là le soir entendait crier les hulottes, les tète-chèvres, les bihoreaux et les crapauds-volants, et voyait sous ses pieds des ronces, des pierres, des reptiles, et sur sa tête, à travers une rondeur noire qui était le haut de la tour et qui semblait la bouche d'un puits énorme, les étoiles.

C'était la tradition du pays qu'aux étages supérieurs de cette tour il y avait des portes secrètes faites, comme les portes des tombeaux des rois de Juda, d'une grosse pierre tournant sur pivot, s'ouvrant, puis se refermant, et s'effaçant dans la muraille ; mode architecturale rapportée des croisades avec l'ogive. Quand ces portes étaient closes, il était impossible de les retrouver, tant elles étaient bien mêlées aux autres pierres du mur. On voit encore aujourd'hui de ces portes-là dans les mystérieuses cités de l'Anti-Liban, échappées au tremblement des douze villes sous Tibère.

II. LA BRÈCHE

La brèche par où l'on entrait dans la ruine était une trouée de mine. Pour un connaisseur, familier avec Errard, Sardi et Pagan, cette mine avait été savamment faite. La chambre à feu en bonnet de prêtre était proportionnée à la puissance du donjon qu'elle avait à éventrer. Elle avait dû contenir au moins deux quintaux de poudre. On y arrivait par un canal serpentant qui vaut mieux que le canal droit ; l'écroulement produit par la mine montrait à nu dans le déchirement de la pierre le saucisson, qui avait le diamètre voulu d'un œuf de poule. L'explosion avait fait à la muraille une blessure profonde par où les assiégeants avaient dû pouvoir entrer. Cette tour avait évidemment soutenu, à diverses époques, de vrais sièges en règle ; elle était criblée de mitrailles ; et ces mitrailles n'étaient pas toutes du même temps ; chaque projectile a sa façon de marquer un rempart ; et tous avaient laissé à ce donjon leur balafre, depuis les boulets de pierre du quatorzième siècle jusqu'aux boulets de fer du dix-huitième.

La brèche donnait entrée dans ce qui avait dû être le rez-de-chaussée. Vis-à-vis de la brèche, dans le mur de la tour, s'ouvrait le guichet d'une crypte taillée dans le roc et se prolongeant dans les fondations de la tour jusque sous la salle du rez-de-chaussée.

Cette crypte, aux trois quarts comblée, a été déblayée en 1855 par les soins de M. Auguste Le Prévost, l'antiquaire de Bernay.

III. L'OUBLIETTE

Cette crypte était l'oubliette. Tout donjon avait la sienne. Cette crypte, comme beaucoup de caves pénales des mêmes époques, avait deux étages. Le premier étage, où l'on pénétrait par le guichet, était une chambre voûtée assez vaste, de plain-pied avec la salle du rez-de-chaussée. On voyait sur la paroi de cette chambre deux sillons parallèles et verticaux qui allaient d'un mur à l'autre en passant par la voûte où ils étaient profondément empreints, et qui donnaient l'idée de deux ornières. C'étaient deux ornières en effet. Ces deux sillons avaient été creusés par deux roues. Jadis, aux temps féodaux, c'était dans cette chambre que se faisait l'écartèlement, par un procédé moins tapageur que les quatre chevaux. Il y avait là deux roues, si fortes et si grandes qu'elles touchaient les murs et la voûte. On attachait à chacune de ces roues un bras et une jambe du patient, puis on faisait tourner les deux roues en sens inverse, ce qui arrachait l'homme. Il fallait de l'effort ; de là les ornières creusées dans la pierre que les roues effleuraient. On peut voir encore aujourd'hui une chambre de ce genre à Vianden.

Au-dessous de cette chambre il y en avait une autre. C'était l'oubliette véritable. On n'y entrait point par une porte, on y pénétrait par un trou ; le patient, nu, était descendu, au moyen d'une corde sous les aisselles, dans la chambre d'en bas par un soupirail pratiqué au milieu du dallage de la chambre d'en haut. S'il s'obstinait à vivre, on lui jetait sa nourriture par ce trou. On voit encore aujourd'hui un trou de ce genre à Bouillon.

Par ce trou il venait du vent. La chambre d'en bas, creusée sous la salle du rez-de-chaussée, était plutôt un puits qu'une chambre. Elle aboutissait à de l'eau et un souffle glacial l'emplissait. Ce vent qui faisait mourir le prisonnier d'en bas faisait vivre le prisonnier d'en haut. Il rendait la prison respirable. Le prisonnier d'en haut, à tâtons sous sa voûte, ne recevait d'air que par ce trou. Du reste, qui y entrait, ou qui y tombait, n'en sortait plus. C'était au prisonnier à s'en garer dans l'obscurité. Un faux pas pouvait du patient d'en haut faire le patient d'en bas. Cela le regardait. S'il tenait à la vie, ce trou était son danger ; s'il s'ennuyait, ce trou était sa ressource. L'étage supérieur était le cachot, l'étage inférieur était le tombeau. Superposition ressemblante à la société d'alors.

C'est là ce que nos aïeux appelaient « un cul-de-basse-fosse ». La chose ayant disparu, le nom pour nous n'a plus de sens. Grâce à la révolution, nous entendons prononcer ces mots-là avec indifférence.

Du dehors de la tour, au-dessus de la brèche qui en était, il y a quarante ans, l'entrée unique, on apercevait une embrasure plus large que les autres meurtrières, à laquelle pendait un grillage de fer descellé et défoncé.

IV. LE PONT-CHÂTELET

A cette tour, et du côté opposé à la brèche, se rattachait un pont de pierre de trois arches peu endommagées. Le pont avait porté un corps de logis dont il restait quelques tronçons. Ce corps de logis, où étaient visibles les marques d'un incendie, n'avait plus que sa charpente noircie, sorte d'ossature à travers laquelle passait le jour, et qui se dressait auprès de la tour, comme un squelette à côté d'un fantôme.

Cette ruine est aujourd'hui tout à fait démolie, et il n'en reste aucune trace. Ce qu'ont fait beaucoup de siècles et beaucoup de rois, il suffit d'un jour et d'un paysan pour le défaire.

La Tourgue, abréviation paysanne, signifie la Tour-Gauvain, de même que *la Jupelle* signifie la Jupellière, et que ce nom d'un bossu chef de bande, *Pinson-le-Tort*, signifie Pinson-le-Tortu.

La Tourgue, qui il y a quarante ans était une ruine et qui aujourd'hui est une ombre, était en 1793 une forteresse. C'était la vieille bastille des Gauvain, gardant à l'occident l'entrée de la forêt de Fougères, forêt qui, elle-même, est à peine un bois maintenant.

On avait construit cette citadelle sur un de ces gros blocs de schiste qui abondent entre Mayenne et Dinan, et qui sont partout épars parmi les halliers et les bruyères, comme si les titans s'étaient jeté des pavés à la tête.

La tour était toute la forteresse; sous la tour le rocher, au pied du rocher un de ces cours d'eau que le mois de janvier change en torrents et que le mois de juin met à sec.

Simplifiée à ce point, cette forteresse était, au moyen âge, à peu près imprenable. Le pont l'affaiblissait. Les Gauvain gothiques l'avaient bâtie sans pont. On y abordait par une de ces passerelles branlantes qu'un coup de hache suffisait à rompre. Tant que les Gauvain furent vicomtes, elle leur plut ainsi, et ils s'en contentèrent; mais quand ils furent marquis, et quand ils quittèrent la caverne pour la cour, ils jetèrent trois arches sur le torrent, et ils se firent accessibles du côté de la plaine de même qu'ils s'étaient faits accessibles du côté du roi. Les marquis au dix-septième siècle, et les marquises au dix-huitième, ne tenaient plus à être imprenables. Copier Versailles remplaça ceci : continuer les aïeux.

En face de la tour, du côté occidental, il y avait un plateau assez élevé allant aboutir aux plaines ; ce plateau venait presque toucher la tour, et n'en était séparé que par un ravin très creux où coulait le cours d'eau qui est un affluent du Couesnon. Le pont, trait d'union entre la forteresse et le plateau, fut fait haut sur piles ; et sur ces piles on construisit, comme à Chenonceaux, un édifice en style Mansard, plus logeable que la tour. Mais les mœurs étaient encore très rudes ; les seigneurs gardèrent la coutume d'habiter les chambres du donjon pareilles à des cachots. Quant au bâtiment sur le pont, qui était une sorte de petit châtelet, on y pratiqua un long couloir qui servait d'entrée et qu'on appela la salle des gardes ; au-dessus de cette salle des gardes, qui était une sorte d'entresol, on mit une bibliothèque, au-dessus de la bibliothèque un grenier. De longues fenêtres à petites vitres en verre de Bohême, des pilastres entre les fenêtres, des médaillons sculptés dans le mur ; trois étages ; en bas, des pertuisanes et des mousquets ; au milieu, des livres ; en haut, des sacs d'avoine ; tout cela était un peu sauvage et fort noble.

La tour à côté était farouche.

Elle dominait cette bâtisse coquette de toute sa hauteur lugubre. De la plate-forme on pouvait foudroyer le pont.

Les deux édifices, l'un abrupt, l'autre poli, se choquaient plus qu'ils ne s'accostaient. Les deux styles n'étaient point d'accord ; bien que deux demi-cercles semblent devoir être identiques, rien ne ressemble moins à un plein-cintre roman qu'une archivolte classique. Cette tour digne des forêts était une étrange voisine pour ce pont digne de Versailles. Qu'on se figure Alain Barbe-Torte donnant le bras à Louis XIV. L'ensemble terrifiait. Des deux majestés mêlées sortait on ne sait quoi de féroce.

Au point de vue militaire, le pont, insistons-y, livrait presque la tour. Il l'embellissait et la désarmait ; en gagnant de l'ornement elle avait perdu de la force. Le pont la mettait de plain-pied avec le plateau. Toujours inexpugnable du côté de la forêt, elle était maintenant vulnérable du côté de la plaine. Autrefois elle commandait le plateau, à présent le plateau la commandait. Un ennemi installé là serait vite maître du pont. La bibliothèque et le grenier étaient pour l'assiégeant, et contre la forteresse. Une bibliothèque et un grenier se ressemblent en ceci que les livres et la paille sont du combustible. Pour un assiégeant qui utilise l'incendie, brûler Homère ou brûler une botte de foin, pourvu que cela brûle, c'est la même chose. Les Français l'ont prouvé aux Allemands en brûlant la bibliothèque de Heidelberg, et les Allemands l'ont prouvé aux Français en brûlant la bibliothèque de Strasbourg. Ce pont, ajouté à la Tourgue, était donc stratégiquement une faute ; mais au dix-septième siècle, sous Colbert et Louvois, les princes Gauvain, pas plus que les princes de Rohan ou les princes de La Trémoille, ne se croyaient désormais assiégeables. Pourtant les constructeurs du pont avaient pris quelques précautions. Premièrement, ils avaient prévu l'incendie ; au-dessous des trois fenêtres du côté aval, ils avaient accroché transversalement, à des crampons qu'on voyait encore il y a un demi-siècle, une forte échelle de sauvetage ayant pour longueur la hauteur des deux premiers étages du pont, hauteur qui dépassait celle de trois étages ordinaires ; deuxièmement, ils avaient prévu l'assaut ; ils avaient isolé le pont de la tour au moyen d'une lourde et basse porte de fer ; cette porte était cintrée ; on la fermait avec une grosse clef qui était dans une cachette connue du maître seul, et, une fois fermée, cette porte pouvait défier le bélier, et presque braver le boulet.

Il fallait passer par le pont pour arriver à cette porte, et passer par cette porte pour pénétrer dans la tour. Pas d'autre entrée.

V. LA PORTE DE FER

Le deuxième étage du châtelet du pont, surélevé à cause des piles, correspondait avec le deuxième étage de la tour ; c'est à cette hauteur que, pour plus de sûreté, avait été placée la porte de fer.

La porte de fer s'ouvrait du côté du pont sur la bibliothèque et du côté de la tour sur une grande salle voûtée avec pilier au centre. Cette salle, on vient de le dire, était le second étage du donjon. Elle était ronde comme la tour ; de longues meurtrières, donnant sur la campagne, l'éclairaient. La muraille, toute sauvage, était nue, et rien n'en cachait les pierres, d'ailleurs très symétriquement ajustées. On arrivait à cette salle par un escalier en colimaçon pratiqué dans la muraille, chose toute simple quand les murs ont quinze pieds d'épaisseur. Au moyen âge on prenait une ville rue par rue, une rue maison par maison, une maison chambre par chambre. On assiégeait une forteresse étage par étage. La Tourgue était sous ce rapport fort savamment disposée et très revêche et très difficile. On montait d'un étage à l'autre par un escalier en spirale d'un abord malaisé ; les portes étaient de biais et n'avaient pas hauteur d'homme, et il fallait baisser la tête pour y passer ; or, tête baissée c'est tête assommée ; et, à chaque porte, l'assiégé attendait l'assiégeant.

Il y avait au-dessous de la salle ronde à pilier deux chambres pareilles, qui étaient le premier étage et le rez-de-chaussée, et au-dessus trois ; sur ces six chambres superposées la tour se fermait par un couvercle de pierre qui était la plate-forme, et où l'on arrivait par une étroite guérite.

Les quinze pieds d'épaisseur de muraille qu'on avait dû percer pour y placer la porte de fer, et au milieu desquels elle était scellée, l'emboîtaient dans une longue voussure ; de sorte que la porte, quand elle était fermée, était, tant du côté de la tour que du côté du pont, sous un porche de six ou sept pieds de profondeur; quand elle était ouverte, ces deux porches se confondaient et faisaient la voûte d'entrée.

Sous le porche du côté du pont s'ouvrait dans l'épaisseur du mur le guichet bas d'une vis-de-Saint-Gilles qui menait au couloir du premier étage sous la bibliothèque; c'était encore là une difficulté pour l'assiégeant. Le châtelet sur le pont n'offrait à son extrémité du côté du plateau qu'un mur à pic, et le pont était coupé là. Un pont-levis, appliqué contre une porte basse, le mettait en communication avec le plateau, et ce pont-levis, qui, à cause de la hauteur du plateau, ne s'abaissait jamais qu'en plan incliné, donnait dans le long couloir dit salle des gardes. Une fois maître de ce couloir, l'assiégeant, pour arriver à la porte de fer, était forcé d'enlever de vive force l'escalier en vis-de-Saint-Gilles qui montait au deuxième étage.

VI. LA BIBLIOTHÈQUE

Quant à la bibliothèque, c'était une salle oblongue ayant la largeur et la longueur du pont, et une porte unique, la porte de fer. Une fausse porte battante, capitonnée de drap vert, et qu'il suffisait de pousser, masquait à l'intérieur la voussure d'entrée de la tour. Le mur de la bibliothèque était du haut en bas, et du plancher au plafond, revêtu d'armoires vitrées dans le beau goût de menuiserie du dix-septième siècle. Six grandes fenêtres, trois de chaque côté, une au-dessus de chaque arche, éclairaient cette bibliothèque. Par ces fenêtres, du dehors et du haut du plateau, on en voyait l'intérieur. Dans les entre-deux de ces fenêtres se dressaient sur des gaines de chêne sculpté six bustes de marbre, Hermolaüs de Byzance, Athénée, grammairien naucratique, Suidas, Casaubon, Clovis, roi de France, et son chancelier Anachalus, lequel du reste n'était pas plus chancelier que Clovis n'était roi.

Il y avait dans cette bibliothèque des livres quelconques. Un est resté célèbre. C'était un vieil in-quarto avec estampes, portant pour titre en grosses lettres *Saint-Barthélemy*, et pour sous-titre *Évangile selon saint Barthélemy, précédé d'une dissertation de Pantœnus, philosophe chrétien, sur la question de savoir si cet évangile doit être réputé apocryphe et si saint Barthélemy est le même que Nathanaël*. Ce livre, considéré comme exemplaire unique, était sur un pupitre au milieu de la bibliothèque. Au dernier siècle on le venait voir par curiosité.

VII. LE GRENIER

Quant au grenier, qui avait, comme la bibliothèque, la forme oblongue du pont, c'était simplement le dessous de la charpente du toit. Cela faisait une grande halle encombrée de paille et de foin, et éclairée par six mansardes. Pas d'autre ornement qu'une figure de saint Barnabé sculptée sur la porte et au-dessous ce vers :

Barnabus sanctus falcem jubet ire per herbam[1].

Ainsi une haute et large tour, à six étages, percée çà et là de quelques meurtrières, ayant pour entrée et pour issue unique une porte de fer donnant sur un pont-châtelet fermé par un pont-levis ; derrière la tour, la forêt ; devant la tour, un plateau de bruyères, plus haut que le pont, plus bas que la tour ; sous le pont, entre la tour et le plateau, un ravin profond, étroit, plein de broussailles, torrent en hiver, ruisseau au printemps, fossé pierreux l'été, voilà ce que c'était que la Tour-Gauvain, dite la Tourgue.

X

LES OTAGES

Juillet s'écoula, août vint, un souffle héroïque et féroce passait sur la France, deux spectres venaient de traverser l'horizon, Marat un couteau au flanc,

1. « Saint Barnabé fait aller la faux à travers l'herbe. »

Charlotte Corday sans tête, tout devenait formidable. Quant à la Vendée, battue dans la grande stratégie, elle se réfugiait dans la petite, plus redoutable, nous l'avons dit ; cette guerre était maintenant une immense bataille, déchiquetée dans les bois ; les désastres de la grosse armée, dite catholique et royale, commençaient ; un décret envoyait en Vendée l'armée de Mayence ; huit mille Vendéens étaient morts à Ancenis ; les Vendéens étaient repoussés de Nantes, débusqués de Montaigu, expulsés de Thouars, chassés de Noirmoutier, culbutés hors de Cholet, de Mortagne et de Saumur ; ils évacuaient Parthenay ; ils abandonnaient Clisson ; ils lâchaient pied à Châtillon ; ils perdaient un drapeau à Saint-Hilaire, ils étaient battus à Pornic, aux Sables, à Fontenay, à Doué, au Château-d'Eau, aux Ponts-de-Cé ; ils étaient en échec à Luçon, en retraite à la Châtaigneraye, en déroute à La Roche-sur-Yon ; mais, d'une part, ils menaçaient La Rochelle, et d'autre part, dans les eaux de Guernesey, une flotte anglaise, aux ordres du général Craig, portant, mêlés aux meilleurs officiers de la marine française, plusieurs régiments anglais, n'attendait qu'un signal du marquis de Lantenac pour débarquer. Ce débarquement pouvait redonner la victoire à la révolte royaliste. Pitt était d'ailleurs un malfaiteur d'État ; dans la politique il y a la trahison de même que dans la panoplie il y a le poignard ; Pitt poignardait notre pays et trahissait le sien ; c'est trahir son pays que de le déshonorer ; l'Angleterre, sous lui et par lui, faisait la guerre punique. Elle espionnait, fraudait, mentait. Braconnière et faussaire, rien ne lui répugnait ; elle descendait jusqu'aux minuties de la haine. Elle faisait accaparer le suif, qui coûtait cinq francs la livre ; on saisissait à Lille, sur un Anglais, une lettre de Prigent, agent de Pitt en Vendée, où on lisait ces lignes : « Je vous prie de ne pas épargner l'argent. Nous espérons que les assassinats se feront avec prudence, les prêtres déguisés et les femmes sont les personnes les plus propres à cette opération. Envoyez soixante mille livres à Rouen et cinquante mille livres à Caen. » Cette lettre fut lue par Barère à la Convention le 1er août. A ces perfidies ripostaient les sauvageries de Parein et plus tard les atrocités de Carrier. Les républicains de Metz et les républicains du Midi demandaient à marcher contre les rebelles. Un décret ordonnait la formation de vingt-quatre compagnies de pionniers pour incendier les haies et les clôtures du Bocage. Crise inouïe. La guerre ne cessait sur un point que pour recommencer sur l'autre. Pas de grâce ! pas de prisonniers ! était le cri des deux partis. L'histoire était pleine d'une ombre terrible.

Dans ce mois d'août la Tourgue était assiégée.

Un soir, pendant le lever des étoiles, dans le calme d'un crépuscule caniculaire, pas une feuille ne remuant dans la forêt, pas une herbe ne frissonnant dans la plaine, à travers le silence de la nuit tombante, un son de trompe se fit entendre. Ce son de trompe venait du haut de la tour.

A ce son de trompe répondit un coup de clairon qui venait d'en bas.

Au haut de la tour il y avait un homme armé ; en bas, dans l'ombre, il y avait un camp.

On distinguait confusément dans l'obscurité autour de la Tour-Gauvain un fourmillement de formes noires. Ce fourmillement était un bivouac. Quelques feux commençaient à s'y allumer sous les arbres de la forêt et parmi les bruyères du plateau, et piquaient çà et là de points lumineux les ténèbres, comme si la terre voulait s'étoiler en même temps que le ciel. Sombres étoiles que celles de la guerre ! Le bivouac du côté du plateau se prolongeait jusqu'aux plaines et du côté de la forêt s'enfonçait dans le hallier. La Tourgue était bloquée.

L'étendue du bivouac des assiégeants indiquait une troupe nombreuse.

Le camp serrait la forteresse étroitement, et venait du côté de la tour jusqu'au rocher et du côté du pont jusqu'au ravin.

Il y eut un deuxième bruit de trompe que suivit un deuxième coup de clairon.

Cette trompe interrogeait et ce clairon répondait.

Cette trompe, c'était la tour qui demandait au camp : peut-on vous parler ? et ce clairon, c'était le camp qui répondait oui.

A cette époque, les Vendéens n'étant pas considérés par la Convention comme belligérants, et défense étant faite par décret d'échanger avec « les brigands » des parlementaires, on suppléait comme on pouvait aux communications que le droit des gens autorise dans la guerre ordinaire et interdit dans la guerre civile. De là, dans l'occasion, une certaine entente entre la trompe paysanne et le clairon militaire. Le premier appel n'était qu'une entrée en matière, le second appel posait la question : Voulez-vous écouter ? Si, à ce second appel, le clairon se taisait, refus ; si le clairon répondait, consentement. Cela signifiait : trêve de quelques instants.

Le clairon ayant répondu au deuxième appel, l'homme qui était au haut de la tour parla, et l'on entendit ceci :

– Hommes qui m'écoutez, je suis Gouge-le-Bruant, surnommé Brise-bleu, parce que j'ai exterminé beaucoup des vôtres, et surnommé aussi l'Imânus, parce que j'en tuerai encore plus que je n'en ai tué ; j'ai eu le doigt coupé d'un coup de sabre sur le canon de mon fusil à l'attaque de Granville, et vous avez fait guillotiner à Laval mon père et ma mère et ma sœur Jacqueline, âgée de dix-huit ans. Voilà ce que je suis.

Je vous parle au nom de monseigneur le marquis Gauvain de Lantenac, vicomte de Fontenay, prince breton, seigneur des sept forêts, mon maître.

Sachez d'abord que monseigneur le marquis, avant de s'enfermer dans cette tour où vous le tenez bloqué, a distribué la guerre entre six chefs, ses lieutenants ; il a donné à Delière le pays entre la route de Brest et la route d'Ernée ; à Treton le pays entre la Roë et

Laval; à Jacquet, dit Taillefer, la lisière du Haut-Maine; à Gaulier, dit Grand-Pierre, Château-Gontier; à Lecomte, Craon; Fougères, à monsieur Dubois-Guy, et toute la Mayenne à monsieur de Rochambeau; de sorte que rien n'est fini pour vous par la prise de cette forteresse, et que, lors même que monseigneur le marquis mourrait, la Vendée de Dieu et du Roi ne mourra pas.

Ce que j'en dis, sachez cela, est pour vous avertir. Monseigneur est là, à mes côtés. Je suis la bouche par où passent ses paroles. Hommes qui nous assiégez, faites silence.

Voici ce qu'il importe que vous entendiez :

N'oubliez pas que la guerre que vous nous faites n'est point juste. Nous sommes des gens qui habitons notre pays, et nous combattons honnêtement, et nous sommes simples et purs sous la volonté de Dieu comme l'herbe sous la rosée. C'est la république qui nous a attaqués; elle est venue nous troubler dans nos campagnes, et elle a brûlé nos maisons et nos récoltes et mitraillé nos métairies, et nos femmes et nos enfants ont été obligés de s'enfuir pieds nus dans les bois pendant que la fauvette d'hiver chantait encore.

Vous qui êtes ici et qui m'entendez, vous nous avez traqués dans la forêt, et vous nous cernez dans cette tour; vous avez tué ou dispersé ceux qui s'étaient joints à nous; vous avez du canon; vous avez réuni à votre colonne les garnisons et postes de Mortain, de Barenton, de Teilleul, de Landivy, d'Évran, de Tinteniac et de Vitré, ce qui fait que vous êtes quatre mille cinq cents soldats qui nous attaquez; et nous, nous sommes dix-neuf hommes qui nous défendons.

Nous avons des vivres et des munitions.

Vous avez réussi à pratiquer une mine et à faire sauter un morceau de notre rocher et un morceau de notre mur.

Cela a fait un trou au pied de la tour, et ce trou est une brèche par laquelle vous pouvez entrer, bien qu'elle ne soit pas à ciel ouvert et que la tour, toujours forte et debout, fasse voûte au-dessus d'elle.

Maintenant vous préparez l'assaut.

Et nous, d'abord monseigneur le marquis, qui est prince de Bretagne et prieur séculier de l'abbaye de Sainte-Marie de Lantenac, où une messe de tous les jours a été fondée par la reine Jeanne, ensuite les autres défenseurs de la tour, dont est M. l'abbé Turmeau, en guerre Grand-Francœur, mon camarade Guinoiseau, qui est capitaine du Camp-Vert, mon camarade Chante-en-hiver, qui est capitaine du camp de l'Avoine, mon camarade la Musette, qui est capitaine du camp des Fourmis, et moi, paysan, qui suis né au bourg de Daon, où coule le ruisseau Moriandre, nous tous, nous avons une chose à vous dire.

Hommes qui êtes au bas de cette tour, écoutez.

Nous avons en nos mains trois prisonniers, qui sont trois enfants. Ces enfants ont été adoptés par un de vos bataillons, et ils sont à vous. Nous vous offrons de vous rendre ces trois enfants.

A une condition.

C'est que nous aurons la sortie libre.

Si vous refusez, écoutez bien, vous ne pouvez attaquer que de deux façons : par la brèche, du côté de la forêt; ou par le pont, du côté du plateau. Le bâtiment sur le pont a trois étages; dans l'étage d'en bas, moi l'Imânus, moi qui vous parle, j'ai fait mettre six tonnes de goudron et cent fascines de bruyères sèches; dans l'étage d'en haut, il y a de la paille; dans l'étage du milieu, il y a des livres et des papiers; la porte de fer qui communique du pont avec la tour est fermée, et monseigneur en a la clef sur lui; moi, j'ai fait sous la porte un trou, et par ce trou passe une mèche soufrée dont un bout est dans une des tonnes de goudron et l'autre bout à la portée de ma main, dans l'intérieur de la tour; j'y mettrai le feu quand bon me semblera. Si vous refusez de nous laisser sortir, les trois enfants seront placés dans le deuxième étage du pont, entre l'étage où aboutit la mèche soufrée et où est le goudron, et l'étage où est la paille, et la porte de fer sera refermée sur eux. Si vous attaquez par le pont, ce sera vous qui incendierez le bâtiment ; si vous attaquez par la brèche, ce sera nous ; si vous attaquez à la fois par la brèche et par le pont, le feu sera mis à la fois par vous et par nous ; et, dans tous les cas, les trois enfants périront.

A présent, acceptez ou refusez.

Si vous acceptez, nous sortons.

Si vous refusez, les enfants meurent.

J'ai dit.

L'homme qui parlait du haut de la tour se tut.

Une voix d'en bas cria :

— Nous refusons.

Cette voix était brève et sévère. Une autre voix moins dure, ferme pourtant, ajouta :

— Nous vous donnons vingt-quatre heures pour vous rendre à discrétion.

Il y eut un silence, et la même voix continua :

— Demain, à pareille heure, si vous n'êtes pas rendus, nous donnons l'assaut.

Et la première voix reprit :

— Et alors pas de quartier.

A cette voix farouche, une autre voix répondit du haut de la tour. On vit entre deux créneaux se pencher une haute silhouette dans laquelle on put, à la lueur des étoiles, reconnaître la redoutable figure du marquis de Lantenac, et cette figure d'où un regard tombait dans l'ombre et semblait chercher quelqu'un, cria :

— Tiens, c'est toi, prêtre !

— Oui, c'est moi, traître ! répondit la rude voix d'en bas.

XI

AFFREUX COMME L'ANTIQUE

La voix implacable en effet était la voix de Cimourdain ; la voix plus jeune et moins absolue était celle de Gauvain.

Le marquis de Lantenac, en reconnaissant l'abbé Cimourdain, ne s'était pas trompé.

En peu de semaines, dans ce pays que la guerre civile faisait sanglant, Cimourdain, on le sait, était devenu fameux ; pas de notoriété plus lugubre que la sienne ; on disait : Marat à Paris, Châlier à Lyon, Cimourdain en Vendée. On flétrissait l'abbé Cimourdain de tout le respect qu'on avait eu pour lui autrefois ; c'est là l'effet de l'habit de prêtre retourné. Cimourdain faisait horreur. Les sévères sont des infortunés ; qui voit leurs actes les condamne, qui verrait leur conscience les absoudrait peut-être. Un Lycurgue qui n'est pas expliqué semble un Tibère. Quoi qu'il en fût, deux hommes, le marquis de Lantenac et l'abbé Cimourdain, étaient égaux dans la balance de haine ; la malédiction des royalistes sur Cimourdain faisait contrepoids à l'exécration des républicains pour Lantenac. Chacun de ces deux hommes était, pour le camp opposé, le monstre ; à tel point qu'il se produisit ce fait singulier que, tandis que Prieur de la Marne à Granville mettait à prix la tête de Lantenac, Charette à Noirmoutier mettait à prix la tête de Cimourdain.

Disons-le, ces deux hommes, le marquis et le prêtre, étaient jusqu'à un certain point le même homme. Le masque de bronze de la guerre civile a deux profils, l'un tourné vers le passé, l'autre tourné vers l'avenir, mais aussi tragiques l'un que l'autre. Lantenac était le premier de ces profils, Cimourdain était le second ; seulement l'amer rictus de Lantenac était couvert d'ombre et de nuit, et sur le front fatal de Cimourdain il y avait une lueur d'aurore.

Cependant la Tourgue assiégée avait un répit.

Grâce à l'intervention de Gauvain, on vient de le voir, une sorte de trêve de vingt-quatre heures avait été convenue.

L'Imânus, du reste, était bien renseigné, et, par suite des réquisitions de Cimourdain, Gauvain avait maintenant sous ses ordres quatre mille cinq cents hommes, tant garde nationale que troupe de ligne, avec lesquels il cernait Lantenac dans la Tourgue, et il avait pu braquer contre la forteresse douze pièces de canon, six du côté de la tour, sur la lisière de la forêt, en batterie enterrée, et six du côté du pont, sur le plateau, en batterie haute. Il avait pu faire jouer la mine, et la brèche était ouverte au pied de la tour.

Ainsi, sitôt les vingt-quatre heures de trêve expirées, la lutte allait s'engager dans les conditions que voici :

Sur le plateau et dans la forêt, on était quatre mille cinq cents.

Dans la tour, dix-neuf.

Les noms de ces dix-neuf assiégés peuvent être retrouvés par l'histoire dans les affiches de mise hors la loi. Nous les rencontrerons peut-être.

Pour commander à ces quatre mille cinq cents hommes qui étaient presque une armée, Cimourdain aurait voulu que Gauvain se laissât faire adjudant général. Gauvain avait refusé, et avait dit : « Quand Lantenac sera pris, nous verrons. Je n'ai encore rien mérité. »

Ces grands commandements avec d'humbles grades étaient d'ailleurs dans les mœurs républicaines. Bonaparte, plus tard, fut en même temps chef d'escadron d'artillerie et général en chef de l'armée d'Italie.

La Tour-Gauvain avait une destinée étrange : un Gauvain l'attaquait, un Gauvain la défendait. De là, une certaine réserve dans l'attaque, mais non dans la défense, car M. de Lantenac était de ceux qui ne ménagent rien, et d'ailleurs il avait surtout habité Versailles et n'avait aucune superstition pour la Tourgue, qu'il connaissait à peine. Il était venu s'y réfugier, n'ayant plus d'autre asile, voilà tout; mais il l'eût démolie sans scrupule. Gauvain était plus respectueux.

Le point faible de la forteresse était le pont; mais dans la bibliothèque, qui était sur le pont, il y avait les archives de la famille; si l'assaut était donné là, l'incendie du pont était inévitable; il semblait à Gauvain que brûler les archives, c'était attaquer ses pères. La Tourgue était le manoir de famille des Gauvain; c'est de cette tour que mouvaient tous leurs fiefs de Bretagne, de même que tous les fiefs de France mouvaient de la tour du Louvre; les souvenirs domestiques des Gauvain étaient là; lui-même, il y était né; les fatalités tortueuses de la vie l'amenaient à attaquer, homme, cette muraille vénérable qui l'avait protégé enfant. Serait-il impie envers cette demeure jusqu'à la mettre en cendres? Peut-être son propre berceau, à lui Gauvain, était-il dans quelque coin du grenier de la bibliothèque. Certaines réflexions sont des émotions. Gauvain, en présence de l'antique maison de famille, se sentait ému. C'est pourquoi il avait épargné le pont. Il s'était borné à rendre toute sortie ou toute évasion impossible par cette issue et à tenir le pont en respect par une batterie, et il avait choisi pour l'attaque le côté opposé. De là, la mine et la sape au pied de la tour.

Cimourdain l'avait laissé faire; il se le reprochait; car son âpreté fronçait le sourcil devant toutes ces vieilleries gothiques, et il ne voulait pas plus l'indulgence pour les édifices que pour les hommes. Ménager un château, c'était un commencement de clémence. Or la clémence était le côté faible de Gauvain. Cimourdain, on le sait, le surveillait et l'arrêtait sur cette pente, à ses yeux funeste. Pourtant lui-même, et en ne se l'avouant qu'avec une sorte de colère, il n'avait pas revu la Tourgue sans un secret tressaillement; il se sentait attendri devant cette salle studieuse où étaient les premiers livres qu'il eût fait lire à Gauvain; il avait été curé du village voisin, Parigné; il avait, lui Cimourdain, habité les combles du châtelet du pont; c'est dans la bibliothèque qu'il tenait entre ses genoux le petit Gauvain épelant l'alphabet; c'est entre ces vieux quatre murs-là qu'il avait vu son élève bien-aimé, le fils de son âme, grandir comme homme et croître comme esprit. Cette bibliothèque, ce châtelet, ces murs pleins de ses bénédictions sur l'enfant, allait-il les foudroyer et les brûler? Il leur faisait grâce. Non sans remords.

Il avait laissé Gauvain entamer le siège sur le point opposé. La Tourgue avait son côté sauvage, la tour, et son côté civilisé, la bibliothèque. Cimourdain avait permis à Gauvain de ne battre en brèche que le côté sauvage.

Du reste, attaquée par un Gauvain, défendue par un Gauvain, cette vieille demeure revenait, en pleine révolution française, à ses habitudes féodales. Les guerres entre parents sont toute l'histoire du moyen âge; les Étéocles et les Polynices sont gothiques aussi bien que grecs, et Hamlet fait dans Elseneur ce qu'Oreste a fait dans Argos.

XII

LE SAUVETAGE S'ÉBAUCHE

Toute la nuit se passa de part et d'autre en préparatifs.

Sitôt le sombre pourparler qu'on vient d'entendre terminé, le premier soin de Gauvain fut d'appeler son lieutenant.

Guéchamp, qu'il faut un peu connaître, était un homme de second plan, honnête, intrépide, médiocre, meilleur soldat que chef, rigoureusement intelligent jusqu'au point où c'est le devoir de ne plus comprendre, jamais attendri, inaccessible à la corruption, quelle qu'elle fût, aussi bien à la vénalité qui corrompt la conscience qu'à la pitié qui corrompt la justice. Il avait sur l'âme et sur le cœur ces deux abat-jour, la discipline et la consigne, comme un cheval a ses garde-vue sur les deux yeux, et il marchait devant lui dans l'espace que cela lui laissait libre. Son pas était droit, mais sa route était étroite.

Du reste, homme sûr ; rigide dans le commandement, exact dans l'obéissance.

Gauvain adressa vivement la parole à Guéchamp.

— Guéchamp, une échelle.

— Mon commandant, nous n'en avons pas.

— Il faut en avoir une.

— Pour escalade ?

— Non. Pour sauvetage.

Guéchamp réfléchit et répondit :

— Je comprends. Mais pour ce que vous voulez, il la faut très haute.

— D'au moins trois étages.

— Oui, mon commandant, c'est à peu près la hauteur.

— Et il faut dépasser cette hauteur, car il faut être sûr de réussir.

— Sans doute.

— Comment se fait-il que vous n'ayez pas d'échelle ?

— Mon commandant, vous n'avez pas jugé à propos d'assiéger la Tourgue par le plateau ; vous vous êtes contenté de la bloquer de ce côté-là ; vous avez voulu attaquer, non par le pont, mais par la tour. On ne s'est plus occupé que de la mine, et l'on a renoncé à l'escalade. C'est pourquoi nous n'avons pas d'échelles.

— Faites-en faire une sur-le-champ.

— Une échelle de trois étages ne s'improvise pas.

— Faites ajouter bout à bout plusieurs échelles courtes.

— Il faut en avoir.

— Trouvez-en.

— On n'en trouvera pas. Partout les paysans détruisent les échelles, de même qu'ils démontent les charrettes et qu'ils coupent les ponts.

— Ils veulent paralyser la république, c'est vrai.

— Ils veulent que nous ne puissions ni traîner un charroi, ni passer une rivière, ni escalader un mur.

— Il me faut une échelle, pourtant.

— J'y songe, mon commandant, il y a à Javené, près de Fougères, une grande charpenterie. On peut en avoir une là.

— Il n'y pas une minute à perdre.

— Quand voulez-vous avoir l'échelle ?

— Demain, à pareille heure, au plus tard.

— Je vais envoyer à Javené un exprès à franc-étrier. Il portera l'ordre de réquisition. Il y a à Javené un poste de cavalerie qui fournira l'escorte. L'échelle pourra être ici demain avant le coucher du soleil.

— C'est bien, cela suffira, dit Gauvain, faites vite. Allez.

Dix minutes après, Guéchamp revint et dit à Gauvain :

— Mon commandant, l'exprès est parti pour Javené.

Gauvain monta sur le plateau et demeura longtemps l'œil fixé sur le pont-châtelet qui était en travers du ravin. Le pignon du châtelet, sans autre baie que la basse entrée fermée par le pont-levis dressé, faisait face à l'escarpement du ravin. Pour arriver du plateau au pied des piles du pont, il fallait descendre le long de cet escarpement, ce qui n'était pas impossible, de broussaille en broussaille. Mais une fois dans le fossé, l'assaillant serait exposé à tous les projectiles pouvant pleuvoir des trois étages. Gauvain acheva de se convaincre qu'au point où le siège en était, la véritable attaque était par la brèche de la tour.

Il prit toutes ses mesures pour qu'aucune fuite ne fût possible ; il compléta l'étroit blocus de la Tourgue ; il resserra les mailles de ses bataillons de façon que rien ne pût passer au travers. Gauvain et Cimourdain se partagèrent l'investissement de la forteresse ; Gauvain se réserva le côté de la forêt et donna à Cimourdain le côté du plateau. Il fut convenu que, tandis que Gauvain, secondé par Guéchamp, conduirait l'assaut par la sape, Cimourdain, toutes les mèches de la batterie haute allumées, observerait le pont et le ravin.

XIII

CE QUE FAIT LE MARQUIS

Pendant qu'au dehors tout s'apprêtait pour l'attaque, au dedans tout s'apprêtait pour la résistance.

Ce n'est pas sans une réelle analogie qu'une tour se nomme une douve, et l'on frappe quelquefois une tour d'un coup de mine comme une douve d'un coup de poinçon. La muraille se perce comme une bonde. C'est ce qui était arrivé à la Tourgue.

Le puissant coup de poinçon donné par deux ou trois quintaux de poudre avait troué de part en part le mur énorme. Ce trou partait du pied de la tour, traversait la muraille dans sa plus grande épaisseur et venait aboutir en arcade informe dans le rez-de-chaussée de la forteresse. Du dehors, les assiégeants, afin de rendre ce trou praticable à l'assaut, l'avaient élargi et façonné à coups de canon.

Le rez-de-chaussée où pénétrait cette brèche était une grande salle ronde toute nue, avec pilier central portant la clef de voûte. Cette salle qui était la plus vaste dc tout le donjon n'avait pas moins de quarante pieds de diamètre. Chacun des étages de la tour se composait d'une chambre pareille, mais moins large, avec des logettes dans les embrasures des meurtrières. La salle du rez-de-chaussée n'avait pas de meurtrières, pas de soupiraux, pas de lucarnes; juste autant de jour et d'air qu'une tombe.

La porte des oubliettes, faite de plus de fer que de bois, était dans la salle du rez-de-chaussée. Une autre porte de cette salle ouvrait sur un escalier qui conduisait aux chambres supérieures. Tous les escaliers étaient pratiqués dans l'épaisseur du mur.

C'est dans cette salle basse que les assiégeants avaient chance d'arriver par la brèche qu'ils avaient faite. Cette salle prise, il leur restait la tour à prendre.

On n'avait jamais respiré dans cette salle basse. Nul n'y passait vingt-quatre heures sans être asphyxié. Maintenant, grâce à la brèche, on y pouvait vivre.

C'est pourquoi les assiégés ne fermèrent pas la brèche.

D'ailleurs à quoi bon ? Le canon l'eût rouverte.

Ils piquèrent dans le mur une torchère de fer, y plantèrent une torche, et cela éclaira le rez-de-chaussée.

Maintenant comment s'y défendre ?

Murer le trou était facile, mais inutile. Une retirade valait mieux. Une retirade, c'est un retranchement à angle rentrant, sorte de barricade chevronnée qui permet de faire converger les feux sur les assaillants, et qui, en laissant à l'extérieur la brèche ouverte, la bouche à l'intérieur. Les matériaux ne leur manquaient pas, ils construisirent une retirade, avec fissures pour le passage des canons de fusil. L'angle de la retirade s'appuyait au pilier central ; les deux ailes touchaient le mur des deux côtés. Cela fait, on disposa dans les bons endroits des fougasses[1].

Le marquis dirigeait tout. Inspirateur, ordonnateur, guide et maître, âme terrible.

Lantenac était de cette race d'hommes de guerre du dix-huitième siècle qui, à quatre-vingts ans, sauvaient des villes. Il ressemblait à ce comte d'Alberg qui, presque centenaire, chassa de Riga le roi de Pologne.

— Courage, amis, disait le marquis, au commencement de ce siècle, en 1713, à Bender, Charles XII, enfermé dans une maison, a tenu tête, avec trois cents Suédois, à vingt mille Turcs.

On barricada les deux étages d'en bas, on fortifia les chambres, on crénela les alcôves, on contrebuta les portes avec des solives enfoncées à coups de maillet qui faisaient comme des arcs-boutants ; seulement on dut laisser libre l'escalier en spirale qui

1. Fougasses : mines explosives souterraines.

communiquait à tous les étages, car il fallait pouvoir y circuler ; et l'entraver pour l'assiégeant, c'eût été l'entraver pour l'assiégé. La défense des places a toujours ainsi un côté faible.

Le marquis, infatigable, robuste comme un jeune homme, soulevant des poutres, portant des pierres, donnait l'exemple, mettait la main à la besogne, commandait, aidait, fraternisait, riait avec ce clan féroce, toujours le seigneur pourtant, haut, familier, élégant, farouche.

Il ne fallait pas lui répliquer. Il disait : *Si une moitié de vous se révoltait, je la ferais fusiller par l'autre, et je défendrais la place avec le reste.* Ces choses-là font qu'on adore un chef.

XIV

CE QUE FAIT L'IMÂNUS

Pendant que le marquis s'occupait de la brèche et de la tour, l'Imânus s'occupait du pont. Dès le commencement du siège, l'échelle de sauvetage suspendue transversalement en dehors et au-dessous des fenêtres du deuxième étage, avait été retirée par ordre du marquis, et placée par l'Imânus dans la salle de la bibliothèque. C'est peut-être à cette échelle-là que Gauvain voulait suppléer. Les fenêtres du premier étage entresol, dit salle des gardes, étaient défendues par une triple armature de barreaux de fer scellés dans la pierre, et l'on ne pouvait ni entrer ni sortir par là.

Il n'y avait point de barreaux aux fenêtres de la bibliothèque, mais elles étaient très hautes.

L'Imânus se fit accompagner de trois hommes, comme lui capables de tout et résolus à tout. Ces hommes étaient Hoisnard, dit Branche-d'Or, et les deux frères Pique-en-bois. L'Imânus prit une lanterne sourde, ouvrit la porte de fer, et visita minutieusement les trois étages du châtelet du pont. Hoisnard Branche-d'Or était aussi implacable que l'Imânus, ayant eu un frère tué par les républicains.

L'Imânus examina l'étage d'en haut, regorgeant de foin et de paille, et l'étage d'en bas, dans lequel il fit apporter quelques pots à feu, qu'il ajouta aux tonnes de goudron ; il fit mettre le tas de fascines de bruyères en contact avec les tonnes de goudron, et il s'assura du bon état de la mèche soufrée dont une extrémité était dans le pont et l'autre dans la tour. Il répandit sur le plancher, sous les tonnes et sous les fascines, une mare de goudron où il immergea le bout de la mèche soufrée ; puis il fit placer, dans la salle de la bibliothèque, entre le rez-de-chaussée où était le goudron et le grenier où était la paille, les trois berceaux où étaient René-Jean, Gros-Alain et Georgette, plongés dans un profond sommeil. On apporta les berceaux très doucement pour ne point réveiller les petits.

C'étaient de simples petites crèches de campagne, sorte de corbeilles d'osier très basses qu'on pose à terre, ce qui permet à l'enfant de sortir du berceau seul et sans aide. Près de chaque berceau, l'Imânus fit placer une écuelle de soupe avec une cuiller de bois. L'échelle de sauvetage décrochée de ses crampons avait été déposée sur le plancher, contre le mur ; l'Imânus fit ranger les trois berceaux bout à bout le long de l'autre mur en regard de l'échelle. Puis, pensant que des courants d'air pouvaient être utiles, il ouvrit toutes grandes les six fenêtres de la bibliothèque. C'était une nuit d'été, bleue et tiède.

Il envoya les frères Pique-en-bois ouvrir les fenêtres de l'étage inférieur et de l'étage supérieur ; il avait remarqué, sur la façade orientale de l'édifice, un grand vieux lierre desséché, couleur d'amadou, qui couvrait tout un côté du pont du haut en bas et encadrait les fenêtres des trois étages. Il pensa que ce lierre ne nuirait pas. L'Imânus jeta partout un dernier coup d'œil ; après quoi, ces quatre hommes sortirent du châtelet et rentrèrent dans le donjon. L'Imânus referma la lourde porte de fer à double tour, considéra attentivement la serrure énorme et terrible, et examina, avec un signe de tête satisfait, la mèche soufrée qui passait par le trou pratiqué par lui, et était désormais la seule communication entre la tour et le pont. Cette mèche partait de la chambre ronde, passait sous la porte de fer, entrait sous la voussure, descendait l'escalier du rez-de-chaussée du pont, serpentait sur les degrés en spirale, rampait sur le plancher du couloir entresol, et allait aboutir à la mare de goudron sous le tas de fascines sèches. L'Imânus avait calculé qu'il fallait environ un quart d'heure pour que cette mèche, allumée dans l'intérieur de la tour, mît le feu à la mare de goudron sous la bibliothèque. Tous ces arrangements pris, et toutes ces inspections faites, il rapporta la clef de la porte de fer au marquis de Lantenac qui la mit dans sa poche.

Il importait de surveiller tous les mouvements des assiégeants. L'Imânus alla se poster en vedette, sa trompe de bouvier à la ceinture, dans la guérite de la plate-forme, au haut de la tour. Tout en observant, un œil sur la forêt, un œil sur le plateau, il avait près de lui, dans l'embrasure de la lucarne de la guérite, une poire à poudre, un sac de toile plein de balles de calibre, et de vieux journaux qu'il déchirait, et il faisait des cartouches.

Quand le soleil parut, il éclaira dans la forêt huit bataillons, le sabre au côté, la giberne au dos, la bayonnette au fusil, prêts à l'assaut ; sur le plateau, une batterie de canons, avec caissons, gargousses et boîtes à mitraille ; dans la forteresse dix-neuf hommes chargeant des tromblons, des mousquets, des pistolets et des espingoles, et dans les trois berceaux trois enfants endormis.

LIVRE TROISIÈME

LE MASSACRE DE SAINT-BARTHÉLEMY

I

Les enfants se réveillèrent.

Ce fut d'abord la petite.

Un réveil d'enfants, c'est une ouverture de fleurs ; il semble qu'un parfum sorte de ces fraîches âmes.

Georgette, celle de vingt mois, la dernière née des trois, qui tétait encore en mai, souleva sa petite tête, se dressa sur son séant, regarda ses pieds, et se mit à jaser.

Un rayon du matin était sur son berceau ; il eût été difficile de dire quel était le plus rose, du pied de Georgette ou de l'aurore.

Les deux autres dormaient encore ; c'est plus lourd, les hommes ; Georgette, gaie et calme, jasait.

René-Jean était brun, Gros-Alain était châtain, Georgette était blonde. Ces nuances des cheveux, d'accord dans l'enfance avec l'âge, peuvent changer plus tard. René-Jean avait l'air d'un petit Hercule ; il dormait sur le ventre, avec ses deux poings dans ses yeux. Gros-Alain avait les deux jambes hors de son petit lit.

Tous trois étaient en haillons ; les vêtements que leur avait donnés le bataillon du Bonnet-Rouge s'en étaient allés en loques ; ce qu'ils avaient sur eux n'était même pas une chemise ; les deux garçons étaient presque nus, Georgette était affublée d'une guenille qui avait été une jupe et qui n'était plus guère qu'une brassière. Qui avait soin de ces enfants? on n'eût pu le dire. Pas de mère. Ces sauvages paysans combattants, qui les traînaient avec eux de forêt en forêt, leur donnaient leur part de soupe. Voilà tout. Les petits s'en tiraient comme ils pouvaient. Ils avaient tout le monde pour maître et personne pour père. Mais les haillons des enfants, c'est plein de lumière. Ils étaient charmants.

Georgette jasait.

Ce qu'un oiseau chante, un enfant le jase. C'est le même hymne. Hymne indistinct, balbutié, profond. L'enfant a de plus que l'oiseau la sombre destinée humaine devant lui. De là la tristesse des hommes qui écoutent mêlée à la joie du petit qui chante. Le cantique le plus sublime qu'on puisse entendre sur la terre, c'est le bégaiement de l'âme humaine sur les lèvres de l'enfance. Ce chuchotement confus d'une pensée qui n'est encore qu'un instinct contient on ne sait quel appel inconscient à la justice éternelle; peut-être est-ce une protestation sur le seuil avant d'entrer; protestation humble et poignante; cette ignorance souriant à l'infini compromet toute la création dans le sort qui sera fait à l'être faible et désarmé. Le malheur, s'il arrive, sera un abus de confiance.

Le murmure de l'enfant, c'est plus et moins que la parole; ce ne sont pas des notes, et c'est un chant; ce ne sont pas des syllabes, et c'est un langage; ce murmure a eu son commencement dans le ciel et n'aura pas sa fin sur la terre; il est d'avant la naissance, et il continue, c'est une suite. Ce bégaiement se compose de ce que l'enfant disait quand il était ange et de ce qu'il dira quand il sera homme; le berceau a un Hier de même que la tombe a un Demain; ce demain et cet hier amalgament dans ce gazouillement obscur leur double inconnu; et rien ne prouve Dieu, l'éternité, la responsabilité, la dualité du destin, comme cette ombre formidable dans cette âme rose.

Ce que balbutiait Georgette ne l'attristait pas, car tout son beau visage était un sourire. Sa bouche souriait, ses yeux souriaient, les fossettes de ses joues souriaient. Il se dégageait de ce sourire une mystérieuse acceptation du matin. L'âme a foi dans le rayon. Le ciel était bleu, il faisait chaud, il faisait beau. La frêle créature, sans rien savoir, sans rien connaître, sans rien comprendre, mollement noyée dans la rêverie qui ne pense pas, se sentait en sûreté dans cette nature, dans ces arbres honnêtes, dans cette verdure sincère, dans cette campagne pure et paisible, dans ces bruits de nids, de sources, de mouches, de feuilles, au-dessus desquels resplendissait l'immense innocence du soleil.

Après Georgette, René-Jean, l'aîné, le grand, qui avait quatre ans passés, se réveilla. Il se leva debout, enjamba virilement son berceau, aperçut son écuelle, trouva cela tout simple, s'assit par terre et commença à manger sa soupe.

La jaserie de Georgette n'avait pas éveillé Gros-Alain, mais au bruit de la cuiller dans l'écuelle, il se retourna en sursaut, et ouvrit les yeux. Gros-Alain était celui de trois ans. Il vit son écuelle, il n'avait que le bras à étendre, il la prit, et, sans sortir de son lit, son écuelle sur ses genoux, sa cuiller au poing, il fit comme René-Jean, il se mit à manger.

Georgette ne les entendait pas, et les ondulations de sa voix semblaient moduler le bercement d'un rêve. Ses yeux grands ouverts regardaient en haut, et étaient divins; quel que soit le plafond ou la voûte qu'un enfant a au-dessus de sa tête, ce qui se reflète dans ses yeux, c'est le ciel.

Quand René-Jean eut fini, il gratta avec la cuiller le fond de l'écuelle, soupira, et dit avec dignité :

— J'ai mangé ma soupe.

Ceci tira Georgette de sa rêverie.

— Poupoupe, dit-elle.

Et voyant que René-Jean avait mangé et que Gros-Alain mangeait, elle prit l'écuelle de soupe qui était à côté d'elle, et mangea, non sans porter sa cuiller beaucoup plus souvent à son oreille qu'à sa bouche.

De temps en temps elle renonçait à la civilisation et mangeait avec ses doigts.

Gros-Alain, après avoir, comme son frère, gratté le fond de l'écuelle, était allé le rejoindre et courait derrière lui.

II

Tout à coup on entendit au dehors, en bas, du côté de la forêt, un bruit de clairon, sorte de fanfare hautaine et sévère. A ce bruit de clairon répondit du haut de la tour un son de trompe.

Cette fois, c'était le clairon qui appelait et la trompe qui donnait la réplique.

Il y eut un deuxième coup de clairon que suivit un deuxième son de trompe.

Puis, de la lisière de la forêt, s'éleva une voix lointaine, mais précise, qui cria distinctement ceci :

— Brigands ! sommation. Si vous n'êtes pas rendus à discrétion au coucher du soleil, nous attaquons.

Une voix, qui ressemblait à un grondement, répondit de la plate-forme de la tour :

— Attaquez.

La voix d'en bas reprit :

— Un coup de canon sera tiré, comme dernier avertissement, une demi-heure avant l'assaut.

Et la voix d'en haut répéta :

— Attaquez.

Ces voix n'arrivaient pas jusqu'aux enfants, mais le clairon et la trompe portaient plus haut et plus loin, et Georgette, au premier coup de clairon, dressa le cou, et cessa de manger ; au son de trompe, elle posa sa cuiller dans son écuelle ; au deuxième coup de clairon, elle leva le petit index de sa main droite, et l'abaissant et le relevant tour à tour, marqua les cadences de la fanfare, que vint prolonger le deuxième son de trompe ; quand la trompe et le clairon se turent, elle demeura pensive le doigt en l'air, et murmura à demi-voix :

— Misique.

Nous pensons qu'elle voulait dire « musique ».

Les deux aînés, René-Jean et Gros-Alain, n'avaient pas fait attention à la trompe et au clairon ; ils étaient absorbés par autre chose ; un cloporte était en train de traverser la bibliothèque.

Gros-Alain l'aperçut et cria :

— Une bête.

René-Jean accourut.

Gros-Alain reprit :

— Ça pique.

— Ne lui fais pas de mal, dit René-Jean.

Et tous deux se mirent à regarder ce passant.

Cependant Georgette avait fini sa soupe ; elle chercha des yeux ses frères. René-Jean et Gros-Alain étaient dans l'embrasure d'une fenêtre, accroupis et graves au-dessus du cloporte ; ils se touchaient du front et mêlaient leurs cheveux ; ils retenaient leur respiration, émerveillés, et considéraient la bête, qui s'était arrêtée et ne bougeait plus, peu contente de tant d'admiration.

Georgette, voyant ses frères en contemplation, voulut savoir ce que c'était. Il n'était pas aisé d'arriver jusqu'à eux, elle l'entreprit pourtant ; le trajet était hérissé de difficultés ; il y avait des choses par terre, des tabourets renversés, des tas de paperasses, des caisses d'emballage déclouées et vides, des bahuts, des monceaux quelconques autour desquels il fallait cheminer, tout un archipel d'écueils ; Georgette s'y hasarda. Elle commença par sortir de son berceau, premier travail ; puis elle s'engagea dans les récifs, serpenta dans les détroits, poussa un tabouret, rampa entre deux coffres, passa par-dessus une liasse de papiers, grimpant d'un côté, roulant de l'autre, montrant avec douceur sa pauvre petite nudité, et parvint ainsi à ce qu'un marin appellerait la mer libre, c'est-à-dire à un assez large espace de plancher qui n'était plus obstrué et où il n'y avait plus de périls ; alors elle s'élança, traversa cet espace qui était tout le diamètre de la salle, à quatre pattes, avec une vitesse de chat, et arriva près de la fenêtre ; là il y avait un obstacle redoutable, la grande échelle gisante le long du mur venait aboutir à cette fenêtre, et l'extrémité de l'échelle dépassait un peu le coin de l'embrasure ; cela faisait entre Georgette et ses frères une sorte de cap à franchir ; elle s'arrêta et médita ; son monologue intérieur terminé, elle prit son parti ; elle empoigna résolument de ses doigts roses un des échelons, lesquels étaient verticaux et non horizontaux, l'échelle étant couchée sur un de ses montants ; elle essaya de se lever sur ses pieds et retomba ; elle recommença deux fois, elle échoua ; à la troisième fois, elle réussit ; alors, droite et debout, s'appuyant successivement à chacun des échelons, elle se mit à marcher le long de l'échelle ; arrivée à l'extrémité, le point d'appui lui manquait, elle trébucha, mais saisissant de ses petites mains le bout du montant qui était énorme, elle se redressa, doubla le promontoire, regarda René-Jean et Gros-Alain, et rit.

III

En ce moment-là, René-Jean, satisfait du résultat de ses observations sur le cloporte, relevait la tête et disait :

— C'est une femelle.

Le rire de Georgette fit rire René-Jean, et le rire de René-Jean fit rire Gros-Alain.

Georgette opéra sa jonction avec ses frères, et cela fit un petit cénacle assis par terre.

Mais le cloporte avait disparu.

Il avait profité du rire de Georgette pour se fourrer dans un trou du plancher.

D'autres événements suivirent le cloporte.

D'abord, des hirondelles passèrent.

Leurs nids étaient probablement sous le rebord du toit. Elles vinrent voler tout près de la fenêtre, un peu inquiètes des enfants, décrivant de grands cercles dans l'air, et poussant leur doux cri du printemps. Cela fit lever les yeux aux trois enfants et le cloporte fut oublié.

Georgette braqua son doigt sur les hirondelles et cria :

– Coco !

René-Jean la réprimanda.

– Mamoiselle, on ne dit pas des cocos, on dit des oseaux.

– Zozo, dit Georgette.

Et tous les trois regardèrent les hirondelles.

Puis une abeille entra.

Rien ne ressemble à une âme comme une abeille. Elle va de fleur en fleur comme une âme d'étoile en étoile, et elle rapporte le miel comme l'âme rapporte la lumière.

Celle-ci fit grand bruit en entrant, elle bourdonnait à voix haute, et elle avait l'air de dire : J'arrive, je viens de voir les roses, maintenant je viens voir les enfants. Qu'est-ce qui se passe ici ?

Une abeille, c'est une ménagère, et cela gronde en chantant.

Tant que l'abeille fut là, les trois petits ne la quittèrent pas des yeux.

L'abeille explora toute la bibliothèque, fureta les recoins, voleta ayant l'air d'être chez elle et dans une ruche, et rôda, ailée et mélodieuse, d'armoire en armoire, regardant à travers les vitres les titres des livres, comme si elle eût été un esprit.

Sa visite faite, elle partit.

– Elle va dans sa maison, dit René-Jean.

– C'est une bête, dit Gros-Alain.

– Non, repartit René-Jean, c'est une mouche.

– Muche, dit Georgette.

Là-dessus, Gros-Alain, qui venait de trouver à terre une ficelle à l'extrémité de laquelle il y avait un nœud, prit entre son pouce et son index le bout opposé au nœud, fit de la ficelle une sorte de moulinet, et la regarda tourner avec une attention profonde.

De son côté, Georgette, redevenue quadrupède et ayant repris son va-et-vient capricieux sur le plancher, avait découvert un vénérable fauteuil de tapisserie mangé des vers dont le crin sortait par plusieurs trous. Elle s'était arrêtée à ce fauteuil. Elle élargissait les trous et tirait le crin avec recueillement.

Brusquement, elle leva un doigt, ce qui voulait dire : — Écoutez.

Les deux frères tournèrent la tête.

Un fracas vague et lointain s'entendait au dehors ; c'était probablement le camp d'attaque qui exécutait quelque mouvement stratégique dans la forêt ; des chevaux hennissaient, des tambours battaient, des caissons roulaient, des chaînes s'entre-heurtaient, des sonneries militaires s'appelaient et se répondaient, confusion de bruits farouches qui en se mêlant devenaient une sorte d'harmonie ; les enfants écoutaient, charmés.

— C'est le mondieu qui fait ça, dit René-Jean.

IV

Le bruit cessa.

René-Jean était demeuré rêveur.

Comment les idées se décomposent-elles et se recomposent-elles dans ces petits cerveaux-là ? Quel est le remuement mystérieux de ces mémoires si troubles et si courtes encore ? Il se fit dans cette douce tête pensive un mélange du mondieu, de la prière, des mains jointes, d'on ne sait quel tendre sourire qu'on avait sur soi autrefois, et qu'on n'avait plus, et René-Jean chuchota à demi-voix : — Maman.

— Maman, dit Gros-Alain.

— Mman, dit Georgette.

Et puis René-Jean se mit à sauter.

Ce que voyant, Gros-Alain sauta.

Gros-Alain reproduisait tous les mouvements et tous les gestes de René-Jean ; Georgette moins. Trois ans, cela copie quatre ans ; mais vingt mois, cela garde son indépendance.

Georgette resta assise, disant de temps en temps un mot. Georgette ne faisait pas de phrases.

C'était une penseuse ; elle parlait par apophtegmes. Elle était monosyllabique.

Au bout de quelque temps néanmoins, l'exemple la gagna, et elle finit par tâcher de faire comme ses frères, et ces trois petites paires de pieds nus se mirent à danser, à courir et à chanceler, dans la poussière du vieux parquet de chêne poli, sous le grave regard des bustes de marbre auxquels Georgette jetait de temps en temps de côté un œil inquiet, en murmurant : — Les Momommes !

Dans le langage de Georgette, un « momomme », c'était tout ce qui ressemblait à un homme et pourtant n'en était pas un. Les êtres n'apparaissent à l'enfant que mêlés aux fantômes.

Georgette, marchant moins qu'elle n'oscillait, suivait ses frères, mais plus volontiers à quatre pattes.

Subitement, René-Jean, s'étant approché d'une croisée, leva la tête, puis la baissa, et alla se réfugier derrière le coin du mur de l'embrasure de la fenêtre. Il venait d'apercevoir quelqu'un qui le regardait. C'était un soldat bleu du campement du plateau qui, profitant de la trêve et l'enfreignant peut-être un peu, s'était hasardé jusqu'à venir au bord de l'escarpement du ravin d'où l'on découvrait l'intérieur de la bibliothèque. Voyant René-Jean se réfugier, Gros-Alain se réfugia ; il se blottit à côté de René-Jean, et Georgette vint se cacher derrière eux. Ils demeurèrent là en silence, immobiles, et Georgette mit son doigt sur ses lèvres. Au bout de quelques instants, René-Jean se risqua à avancer la tête ; le soldat y était encore. René-Jean rentra sa tête vivement ; et les trois petits n'osèrent plus souffler. Cela dura assez longtemps. Enfin cette peur ennuya Georgette, elle eut de l'audace, elle regarda. Le soldat s'en était allé. Ils se remirent à courir et à jouer.

Gros-Alain, bien qu'imitateur et admirateur de René-Jean, avait une spécialité, les trouvailles. Son frère et sa sœur le virent tout à coup caracoler éperdument en tirant après lui un petit chariot à quatre roues qu'il avait déterré je ne sais où.

Cette voiture à poupée était là depuis des années dans la poussière, oubliée, faisant bon voisinage avec les livres des génies et les bustes des sages. C'était peut-être un des hochets avec lesquels avait joué Gauvain enfant.

Gros-Alain avait fait de sa ficelle un fouet qu'il faisait claquer ; il était très fier. Tels sont les inventeurs. Quand on ne découvre pas l'Amérique, on découvre une petite charrette. C'est toujours cela.

Mais il fallut partager. René-Jean voulut s'atteler à la voiture et Georgette voulut monter dedans.

Elle essaya de s'y asseoir. René-Jean fut le cheval. Gros-Alain fut le cocher. Mais le cocher ne savait pas son métier, le cheval le lui apprit.

René-Jean cria à Gros-Alain :

— Dis : Hu !

— Hu ! répéta Gros-Alain.

La voiture versa. Georgette roula. Cela crie, les anges. Georgette cria.

Puis elle eut une vague envie de pleurer.

— Mamoiselle, dit René-Jean, vous êtes trop grande.

— J'ai grande, fit Georgette.

Et sa grandeur la consola de sa chute.

La corniche d'entablement au-dessous des fenêtres était fort large ; la poussière des champs envolée du plateau de bruyère avait fini par s'y amasser ; les pluies avaient refait de la terre avec cette poussière ; le vent y avait apporté des graines, si bien qu'une ronce avait profité de ce peu de terre pour pousser là.

Cette ronce était de l'espèce vivace dite *mûrier de renard*. On était en août, la ronce était couverte de mûres, et une branche de la ronce entrait par une fenêtre. Cette branche pendait presque jusqu'à terre.

Gros-Alain, après avoir découvert la ficelle, après avoir découvert la charrette, découvrit cette ronce. Il s'en approcha.

Il cueillit une mûre et la mangea.

— J'ai faim, dit René-Jean.

Et Georgette, galopant sur ses genoux et sur ses mains, arriva.

A eux trois, ils pillèrent la branche et mangèrent toutes les mûres. Ils s'en grisèrent et s'en barbouillèrent, et, tout vermeils de cette pourpre de la ronce, ces trois petits séraphins finirent par être trois petits faunes, ce qui eût choqué Dante et charmé Virgile. Ils riaient aux éclats.

De temps en temps la ronce leur piquait les doigts. Rien pour rien.

Georgette tendit à René-Jean son doigt où perlait une petite goutte de sang et dit en montrant la ronce :

— Pique.

Gros-Alain, piqué aussi, regarda la ronce avec défiance et dit :

— C'est une bête.

— Non, répondit René-Jean, c'est un bâton.

— Un bâton, c'est méchant, reprit Gros-Alain.

Georgette, cette fois encore, eut envie de pleurer, mais elle se mit à rire.

V

Cependant René-Jean, jaloux peut-être des découvertes de son frère cadet Gros-Alain, avait conçu un grand projet. Depuis quelque temps, tout en cueillant des mûres et en se piquant les doigts, ses yeux se tournaient fréquemment du côté du lutrin-pupitre monté sur pivot et isolé comme un monument au milieu de la bibliothèque. C'est sur ce lutrin que s'étalait le célèbre volume *Saint-Barthélemy*.

C'était vraiment un in-quarto magnifique et mémorable. Ce *Saint-Barthélemy* avait été publié à Cologne par le fameux éditeur de la Bible de 1682, Blœuw, en latin Cœsius. Il avait été fabriqué par des presses à boîtes et à nerfs de bœuf; il était imprimé, non sur papier de Hollande, mais sur ce beau papier arabe, si admiré par Édrisi, qui est en soie et coton et toujours blanc; la reliure était de cuir doré et les fermoirs étaient d'argent; les gardes étaient de ce parchemin que les parcheminiers de Paris faisaient serment d'acheter à la salle Saint-Mathurin « et point ailleurs ». Ce volume était plein de gravures sur bois et sur cuivre et de figures géographiques de beaucoup de pays; il était précédé d'une protestation des imprimeurs, papetiers et libraires contre l'édit de 1635 qui frappait d'un impôt « les cuirs, les bières, le pied fourché, le poisson de mer et le papier »; et au verso du frontispice on lisait une dédicace adressée aux Gryphes, qui sont à Lyon ce que les Elzévirs sont à Amsterdam. De tout cela, il résultait un exemplaire illustre, presque aussi rare que l'*Apostol* de Moscou.

Ce livre était beau; c'est pourquoi René-Jean le regardait, trop peut-être. Le volume était précisément ouvert à une grande estampe représentant saint Barthélemy portant sa peau sur son bras. Cette estampe se voyait d'en bas. Quand toutes les mûres furent mangées, René-Jean la considéra avec un regard d'amour terrible, et Georgette, dont l'œil suivait la direction des yeux de son frère, aperçut l'estampe et dit : — Gimage.

Ce mot sembla déterminer René-Jean. Alors, à la grande stupeur de Gros-Alain, il fit une chose extraordinaire.

Une grosse chaise de chêne était dans un angle de la bibliothèque; René-Jean marcha à cette chaise, la saisit et la traîna à lui tout seul jusqu'au pupitre. Puis, quand la chaise toucha le pupitre, il monta dessus et posa ses deux poings sur le livre.

Parvenu à ce sommet, il sentit le besoin d'être magnifique ; il prit la « gimage » par le coin d'en haut et la déchira soigneusement ; cette déchirure de saint Barthélemy se fit de travers, mais ce ne fut pas la faute de René-Jean ; il laissa dans le livre tout le côté gauche avec un œil et un peu de l'auréole du vieil évangéliste apocryphe, et offrit à Georgette l'autre moitié du saint et toute sa peau. Georgette reçut le saint et dit :

— Momomme.

— Et moi ! cria Gros-Alain.

Il en est de la première page arrachée comme du premier sang versé. Cela décide le carnage.

René-Jean tourna le feuillet ; derrière le saint il y avait le commentateur, Pantœnus ; René-Jean décerna Pantœnus à Gros-Alain.

Cependant Georgette déchira son grand morceau en deux petits, puis les deux petits en quatre, si bien que l'histoire pourrait dire que saint Barthélemy, après avoir été écorché en Arménie, fut écartelé en Bretagne.

VI

L'écartèlement terminé, Georgette tendit la main à René-Jean et dit : — Encore !

Après le saint et le commentateur venaient, portraits rébarbatifs, les glossateurs. Le premier en date était Gavantus ; René-Jean l'arracha et mit dans la main de Georgette Gavantus.

Tous les glossateurs de saint Barthélemy y passèrent.

Donner est une supériorité. René-Jean ne se réserva rien. Gros-Alain et Georgette le contemplaient ; cela lui suffisait ; il se contenta de l'admiration de son public.

René-Jean, inépuisable et magnanime, offrit à Gros-Alain Fabricio Pignatelli et à Georgette le père

Stilting ; il offrit à Gros-Alain Alphonse Tostat et à Georgette *Cornelius a Lapide* ; Gros-Alain eut Henri Hammond, et Georgette eut le père Roberti, augmenté d'une vue de la ville de Douai, où il naquit en 1619. Gros-Alain reçut la protestation des papetiers et Georgette obtint la dédicace aux Gryphes. Il y avait aussi des cartes. René-Jean les distribua. Il donna l'Éthiopie à Gros-Alain et la Lycaonie à Georgette. Cela fait, il jeta le livre à terre.

Ce fut un moment effrayant. Gros-Alain et Georgette virent, avec une extase mêlée d'épouvante, René-Jean froncer ses sourcils, roidir ses jarrets, crisper ses poings et pousser hors du lutrin l'in-quarto massif. Un bouquin majestueux qui perd contenance, c'est tragique. Le lourd volume désarçonné pendit un moment, hésita, se balança, puis s'écroula, et, rompu, froissé, lacéré, déboîté dans sa reliure, disloqué dans ses fermoirs, s'aplatit lamentablement sur le plancher. Heureusement il ne tomba point sur eux.

Ils furent éblouis, point écrasés. Toutes les aventures des conquérants ne finissent pas aussi bien.

Comme toutes les gloires, cela fit un grand bruit et un nuage de poussière.

Ayant terrassé le livre, René-Jean descendit de la chaise.

Il y eut un instant de silence et de terreur, la victoire a ses effrois. Les trois enfants se prirent les mains et se tinrent à distance, considérant le vaste volume démantelé.

Mais après un peu de rêverie, Gros-Alain s'approcha énergiquement et lui donna un coup de pied.

Ce fut fini. L'appétit de la destruction existe. René-Jean donna son coup de pied, Georgette donna son coup de pied, ce qui la fit tomber par terre, mais assise ; elle en profita pour se jeter sur Saint-Barthélemy ; tout prestige disparut ; René-Jean se précipita, Gros-Alain se rua, et joyeux, éperdus, triomphants, impitoyables, déchirant les estampes, balafrant les feuillets, arrachant les signets, égratignant la reliure, décollant le cuir doré, déclouant les clous des coins d'argent, cassant le parchemin, déchiquetant le texte auguste, travaillant des pieds, des mains, des ongles, des dents, roses, riants, féroces, les trois anges de proie s'abattirent sur l'évangéliste sans défense.

Ils anéantirent l'Arménie, la Judée, le Bénévent où sont les reliques du saint, Nathanaël, qui est peut-être le même que Barthélemy, le pape Gélase, qui déclara apocryphe l'évangile Barthélemy-Nathanaël, toutes les figures, toutes les cartes, et l'exécution inexorable du vieux livre les absorba tellement qu'une souris passa sans qu'ils y prissent garde.

Ce fut une extermination.

Tailler en pièces l'histoire, la légende, la science, les miracles vrais ou faux, le latin d'église, les superstitions, les fanatismes, les mystères, déchirer toute une religion du haut en bas, c'est un travail pour trois géants, et même pour trois enfants ; les heures s'écoulèrent dans ce labeur, mais ils en vinrent à bout ; rien ne resta de Saint-Barthélemy.

Quand ce fut fini, quand la dernière page fut détachée, quand la dernière estampe fut par terre, quand il ne resta plus du livre que des tronçons de texte et d'images dans un squelette de reliure, René-Jean se dressa debout, regarda le plancher jonché de toutes ces feuilles éparses, et battit des mains.

Gros-Alain battit des mains.

Georgette prit à terre une de ces feuilles, se leva, s'appuya contre la fenêtre qui lui venait au menton et se mit à déchiqueter par la croisée la grande page en petits morceaux.

Ce que voyant, René-Jean et Gros-Alain en firent autant. Ils ramassèrent et déchirèrent, ramassèrent encore et déchirèrent encore, par la croisée comme Georgette ; et, page à page, émietté par ces petits doigts acharnés, presque tout l'antique livre s'envola dans le vent. Georgette, pensive, regarda ces essaims de petits papiers blancs se disperser à tous les souffles de l'air, et dit :

— Papillons.

Et le massacre se termina par un évanouissement dans l'azur.

VII

Telle fut la deuxième mise à mort de saint Barthélemy qui avait déjà été une première fois martyr l'an 49 de Jésus-Christ.

Cependant le soir venait, la chaleur augmentait, la sieste était dans l'air, les yeux de Georgette devenaient vagues, René-Jean alla à son berceau, en tira le sac de paille qui lui tenait lieu de matelas, le traîna jusqu'à la fenêtre, s'allongea dessus et dit : — Couchons-nous. Gros-Alain mit sa tête sur René-Jean, Georgette mit sa tête sur Gros-Alain, et les trois malfaiteurs s'endormirent.

Les souffles tièdes entraient par les fenêtres ouvertes ; des parfums de fleurs sauvages, envolés des ravins et des collines, erraient mêlés aux haleines du soir ; l'espace était calme et miséricordieux ; tout rayonnait, tout s'apaisait, tout aimait tout ; le soleil donnait à la création cette caresse, la lumière ; on percevait par tous les pores l'harmonie qui se dégage de la douceur colossale des choses ; il y avait de la maternité dans l'infini ; la création est un prodige en plein épanouissement, elle complète son énormité par sa bonté ; il semblait que l'on sentît quelqu'un d'invisible prendre ces mystérieuses précautions qui dans le redoutable conflit des êtres protègent les chétifs contre les forts ; en même temps, c'était beau ; la splendeur égalait la mansuétude. Le paysage, ineffablement assoupi, avait cette moire magnifique que font sur les prairies et sur les rivières les déplacements de l'ombre et de la clarté ; les fumées montaient vers les nuages, comme des rêveries vers des visions ; des vols d'oiseaux tourbillonnaient au-dessus de la Tourgue ; les hirondelles regardaient par les croisées, et avaient l'air de venir voir si les enfants dormaient bien. Ils étaient gracieusement groupés l'un sur l'autre, immobiles, demi-nus, dans des poses d'amours ; ils étaient adorables et purs, à eux trois ils n'avaient pas neuf ans, ils faisaient des songes de paradis qui se reflétaient sur leurs bouches en vagues sourires, Dieu leur parlait peut-être à l'oreille, ils étaient ceux que toutes les langues humaines appellent les faibles et les bénis, ils étaient les innocents vénérables ; tout faisait silence comme si le souffle de leurs douces poitrines était l'affaire de l'univers et était écouté de la création entière, les feuilles ne bruissaient pas, les herbes ne frissonnaient pas ; il semblait que le vaste monde étoilé retînt sa respiration pour ne point troubler ces trois humbles dormeurs angéliques, et rien n'était sublime comme l'immense respect de la nature autour de cette petitesse.

Le soleil allait se coucher et touchait presque à l'horizon. Tout à coup, dans cette paix profonde, éclata un éclair qui sortit de la forêt, puis un bruit farouche. On venait de tirer un coup de canon. Les échos s'emparèrent de ce bruit et en firent un fracas. Le grondement prolongé de colline en colline fut monstrueux. Il réveilla Georgette.

Elle souleva un peu sa tête, dressa son petit doigt, écouta et dit :

– Poum !

Le bruit cessa, tout rentra dans le silence, Georgette remit sa tête sur Gros-Alain, et se rendormit.

LIVRE QUATRIÈME

LA MÈRE

I

LA MORT PASSE

Ce soir-là, la mère, qu'on a vue cheminant presque au hasard, avait marché toute la journée. C'était, du reste, son histoire de tous les jours ; aller devant elle et ne jamais s'arrêter. Car ses sommeils d'accablement dans le premier coin venu n'étaient pas plus du repos que ce qu'elle mangeait çà et là, comme les oiseaux picorent, n'était de la nourriture. Elle mangeait et dormait juste autant qu'il fallait pour ne pas tomber morte.

C'était dans une grange abandonnée qu'elle avait passé la nuit précédente ; les guerres civiles font de ces masures-là ; elle avait trouvé dans un champ désert quatre murs, une porte ouverte, un peu de paille sous un reste de toit, et elle s'était couchée sur cette paille et sous ce toit, sentant à travers la paille le glissement des rats et voyant à travers le toit le lever des astres. Elle avait dormi quelques heures ; puis s'était réveillée au milieu de la nuit, et remise en route afin de faire le plus de chemin possible avant la grande chaleur du jour. Pour qui voyage à pied l'été, minuit est plus clément que midi.

Elle suivait de son mieux l'itinéraire sommaire que

lui avait indiqué le paysan de Vautortes; elle allait le plus possible au couchant. Qui eût été près d'elle l'eût entendue dire sans cesse à demi-voix : — La Tourgue. — Avec les noms de ses trois enfants, elle ne savait plus guère que ce mot-là.

Tout en marchant, elle songeait. Elle pensait aux aventures qu'elle avait traversées; elle pensait à tout ce qu'elle avait souffert, à tout ce qu'elle avait accepté; aux rencontres, aux indignités, aux conditions faites, aux marchés proposés et subis, tantôt pour un asile, tantôt pour un morceau de pain, tantôt simplement pour obtenir qu'on lui montrât sa route. Une femme misérable est plus malheureuse qu'un homme misérable, parce qu'elle est instrument de plaisir. Affreuse marche errante! Du reste tout lui était bien égal pourvu qu'elle retrouvât ses enfants.

Sa première rencontre, ce jour-là, avait été un village sur la route; l'aube paraissait à peine; tout était encore baigné du sombre de la nuit; pourtant quelques portes étaient déjà entre-bâillées dans la grande rue du village, et des têtes curieuses sortaient des fenêtres. Les habitants avaient l'agitation d'une ruche inquiétée. Cela tenait à un bruit de roues et de ferraille qu'on avait entendu.

Sur la place, devant l'église, un groupe ahuri, les yeux en l'air, regardait quelque chose descendre par la route vers le village du haut d'une colline. C'était un chariot à quatre roues traîné par cinq chevaux attelés de chaînes. Sur le chariot on distinguait un entassement qui ressemblait à un monceau de longues solives au milieu desquelles il y avait on ne sait quoi d'informe; c'était recouvert d'une grande bâche, qui avait l'air d'un linceul. Dix hommes à cheval marchaient en avant du chariot et dix autres en arrière. Ces hommes avaient des chapeaux à trois cornes et l'on voyait se dresser au-dessus de leurs épaules des pointes qui paraissaient être des sabres nus. Tout ce cortège, avançant lentement, se découpait en vive noirceur sur l'horizon. Le chariot semblait noir, l'attelage semblait noir, les cavaliers semblaient noirs. Le matin blêmissait derrière.

Cela entra dans le village et se dirigea vers la place.

Il s'était fait un peu de jour pendant la descente de ce chariot et l'on put voir distinctement le cortège, qui paraissait une marche d'ombres, car il n'en sortait pas une parole.

Les cavaliers étaient des gendarmes. Ils avaient en effet le sabre nu. La bâche était noire.

La misérable mère errante entra de son côté dans le village et s'approcha de l'attroupement des paysans au moment où arrivaient sur la place cette voiture et ces gendarmes. Dans l'attroupement, des voix chuchotaient des questions et des réponses :

— Qu'est-ce que c'est que ça ?

— C'est la guillotine qui passe.

— D'où vient-elle ?

— De Fougères.

— Où va-t-elle ?

— Je ne sais pas. On dit qu'elle va à un château du côté de Parigné.

— A Parigné !

— Qu'elle aille où elle voudra, pourvu qu'elle ne s'arrête pas ici !

Cette grande charrette avec son chargement voilé d'une sorte de suaire, cet attelage, ces gendarmes, le bruit de ces chaînes, le silence de ces hommes, l'heure crépusculaire, tout cet ensemble était spectral.

Ce groupe traversa la place et sortit du village ; le village était dans un fond entre une montée et une descente ; au bout d'un quart d'heure, les paysans, restés là comme pétrifiés, virent reparaître la lugubre procession au sommet de la colline qui était à l'occident. Les ornières cahotaient les grosses roues, les chaînes de l'attelage grelottaient au vent du matin, les sabres brillaient ; le soleil se levait, la route tourna, tout disparut.

C'était le moment même où Georgette, dans la salle de la bibliothèque, se réveillait à côté de ses frères encore endormis, et disait bonjour à ses pieds roses.

II

LA MORT PARLE

La mère avait regardé cette chose obscure passer, mais n'avait pas compris ni cherché à comprendre, ayant devant les yeux une autre vision, ses enfants perdus dans les ténèbres.

Elle sortit du village, elle aussi, peu après le cortège qui venait de défiler, et suivit la même route, à quelque distance en arrière de la deuxième escouade de gendarmes. Subitement le mot « guillotine » lui revint; « guillotine », pensa-t-elle; cette sauvage, Michelle Fléchard, ne savait pas ce que c'était; mais l'instinct avertit; elle eut, sans pouvoir dire pourquoi, un frémissement, il lui sembla horrible de marcher derrière cela, et elle prit à gauche, quitta la route, et s'engagea sous des arbres qui étaient la forêt de Fougères.

Après avoir rôdé quelque temps, elle aperçut un clocher et des toits, c'était un des villages de la lisière du bois, elle y alla. Elle avait faim.

Ce village était un de ceux où les républicains avaient établi des postes militaires.

Elle pénétra jusqu'à la place de la mairie.

Dans ce village-là aussi il y avait émoi et anxiété. Un rassemblement se pressait devant un perron de quelques marches qui était l'entrée de la mairie. Sur ce perron on apercevait un homme escorté de soldats qui tenait à la main un grand placard déployé. Cet homme avait à sa droite un tambour et à sa gauche un afficheur portant un pot à colle et un pinceau.

Sur le balcon au-dessus de la porte le maire était debout, ayant son écharpe tricolore mêlée à ses habits de paysan.

L'homme au placard était un crieur public.

Il avait son baudrier de tournée auquel était suspendue une petite sacoche, ce qui indiquait qu'il allait de village en village et qu'il avait quelque chose à crier dans tout le pays.

Au moment où Michelle Fléchard approcha, il venait de déployer le placard, et il en commençait la lecture. Il dit d'une voix haute :

— « République française. Une et indivisible. »

Le tambour fit un roulement. Il y eut dans le rassemblement une sorte d'ondulation. Quelques-uns ôtèrent leurs bonnets; d'autres renfoncèrent leurs chapeaux. Dans ce temps-là et dans ce pays-là, on pouvait presque reconnaître l'opinion à la coiffure; les chapeaux étaient royalistes, les bonnets étaient républicains. Les murmures de voix confuses cessèrent, on écouta, le crieur lut :

« ... En vertu des ordres à nous donnés et des pouvoirs à nous délégués par le Comité de salut public... »

Il y eut un deuxième roulement de tambour. Le crieur poursuivit :

« ... Et en exécution du décret de la Convention nationale qui met hors la loi les rebelles pris les armes à la main, et qui frappe de la peine capitale quiconque leur donnera asile ou les fera évader... »

Un paysan demanda bas à son voisin :

— Qu'est-ce que c'est que ça, la peine capitale ?

Le voisin répondit :

— Je ne sais pas.

Le crieur agita le placard :

« ... Vu l'article 17 de la loi du 30 avril qui donne tout pouvoir aux délégués et aux subdélégués contre les rebelles,

« Sont mis hors la loi... »

Il fit une pause et reprit :

— « ... Les individus désignés sous les noms et surnoms qui suivent... »

Tout l'attroupement prêta l'oreille.

La voix du crieur devint tonnante. Il dit :

— « ... Lantenac, brigand. »

— C'est monseigneur, murmura un paysan.

Et l'on entendit dans la foule ce chuchotement :

— C'est monseigneur.

Le crieur reprit :

« ... Lantenac, ci-devant marquis, brigand. — L'Imânus, brigand... »

Deux paysans se regardèrent de côté.

— C'est Gouge-le-Bruant.

— Oui, c'est Brise-Bleu.

Le crieur continuait de lire la liste :

— « ... Grand-Francœur, brigand... »

Le rassemblement murmura :

— C'est un prêtre.

— Oui, monsieur l'abbé Turmeau.

— Oui, quelque part, du côté du bois de la Chapelle, il est curé.

— Et brigand, dit un homme à bonnet.

Le crieur lut :

— « ... Boisnouveau, brigand. — Les deux frères Pique-en-bois, brigands. — Houzard, brigand... »

— C'est monsieur de Quélen, dit un paysan.

— « Panier, brigand... »

— C'est monsieur Sepher.

— « ... Place-nette, brigand... »

— C'est monsieur Jamois.

Le crieur poursuivait sa lecture sans s'occuper de ces commentaires.

— « ... Guinoiseau, brigand. — Chatenay, dit Robi, brigand... »

Un paysan chuchota :

— Guinoiseau est le même que le Blond, Chatenay est de Saint-Ouen.

— « ... Hoisnard, brigand », reprit le crieur.

Et l'on entendit dans la foule :

— Il est de Ruillé.

— Oui, c'est Branche-d'Or.

— Il a eu son frère tué à l'attaque de Pontorson.

— Oui, Hoisnard-Malonnière.

— Un beau jeune homme de dix-neuf ans.

— Attention, dit le crieur. Voici la fin de la liste :

— « ... Belle-Vigne, brigand. — La Musette, brigand. Sabre-tout, brigand. — Brin-d'Amour, brigand... »

Un garçon poussa le coude d'une fille. La fille sourit.

Le crieur continua :

— « ... Chante-en-hiver, brigand. — Le Chat, brigand... »

Un paysan dit :

— C'est Moulard.

— « ... Tabouze, brigand... »

Un paysan dit :

— C'est Gauffre.

— Ils sont deux, les Gauffre, ajouta une femme.

— Tous des bons, grommela un gars.

Le crieur secoua l'affiche et le tambour battit un ban.

Le crieur reprit sa lecture :

— « ... Les susnommés, en quelque lieu qu'ils soient saisis, et après l'identité constatée, seront immédiatement mis à mort. »

Il y eut un mouvement.

Le crieur poursuivit :

— « ... Quiconque leur donnera asile ou aidera à leur évasion sera traduit en cour martiale, et mis à mort. Signé... »

Le silence devint profond.

— « ... Signé : le délégué du Comité de salut public, CIMOURDAIN. »

— Un prêtre, dit un paysan.

— L'ancien curé de Parigné, dit un autre.

Un bourgeois ajouta :

— Turmeau et Cimourdain. Un prêtre blanc et un prêtre bleu.

— Tous deux noirs, dit un autre bourgeois.

Le maire, qui était sur le balcon, souleva son chapeau, et cria :

— Vive la république!

Un roulement de tambour annonça que le crieur n'avait pas fini. En effet il fit un signe de la main.

— Attention, dit-il. Voici les quatre dernières lignes de l'affiche du gouvernement. Elles sont signées du chef de la colonne d'expédition des Côtes-du-Nord, qui est le commandant Gauvain.

— Écoutez! dirent les voix de la foule.

Et le crieur lut :

— « Sous peine de mort... »

Tous se turent.

— « ... Défense est faite, en exécution de l'ordre ci-dessus, de porter aide et secours aux dix-neuf rebelles susnommés qui sont à cette heure investis et cernés dans la Tourgue. »

— Hein? dit une voix.

C'était une voix de femme. C'était la voix de la mère.

III

BOURDONNEMENT DE PAYSANS

Michelle Fléchard était mêlée à la foule. Elle n'avait rien écouté, mais ce qu'on n'écoute pas, on l'entend. Elle avait entendu ce mot, la Tourgue. Elle dressait la tête.

— Hein? répéta-t-elle, la Tourgue?

On la regarda. Elle avait l'air égaré. Elle était en haillons. Des voix murmurèrent : — Ça a l'air d'une brigande.

Une paysanne qui portait des galettes de sarrasin dans un panier s'approcha et lui dit tout bas :

— Taisez-vous.

Michelle Fléchard considéra cette femme avec stupeur. De nouveau, elle ne comprenait plus. Ce nom, la Tourgue, avait passé comme un éclair, et la nuit se refaisait. Est-ce qu'elle n'avait pas le droit de s'informer? Qu'est-ce qu'on avait donc à la regarder ainsi?

Cependant le tambour avait battu un dernier ban, l'afficheur avait collé l'affiche, le maire était rentré dans la mairie, le crieur était parti pour quelque autre village, et l'attroupement se dispersait.

Un groupe était resté devant l'affiche. Michelle Fléchard alla à ce groupe.

On commentait les noms des hommes mis hors la loi.

Il y avait là des paysans et des bourgeois; c'est-à-dire des blancs et des bleus.

Un paysan disait :

— C'est égal, ils ne tiennent pas tout le monde. Dix-neuf, ça n'est que dix-neuf. Ils ne tiennent pas Priou, ils ne tiennent pas Benjamin Moulins, ils ne tiennent pas Goupil, de la paroisse d'Andouillé.

— Ni Lorieul, de Monjean, dit un autre.

D'autres ajoutèrent :

— Ni Brice-Denys.

— Ni François Dudouet.

— Oui, celui de Laval.

— Ni Huet, de Launey-Villiers.

— Ni Grégis.

— Ni Pilon.

— Ni Filleul.

— Ni Ménicent.

— Ni Guéharrée.

— Ni les trois frères Logerais.

— Ni M. Lechandelier de Pierreville.

— Imbéciles! dit un vieux sévère à cheveux blancs. Ils ont tout, s'ils ont Lantenac.

— Ils ne l'ont pas encore, murmura un des jeunes.

Le vieillard répliqua :

— Lantenac pris, l'âme est prise. Lantenac mort, la Vendée est tuée.

— Qu'est-ce que c'est donc que ce Lantenac? demanda un bourgeois.

Un bourgeois répondit :

— C'est un ci-devant.

Et un autre reprit :

— C'est un de ceux qui fusillent les femmes.

Michelle Fléchard entendit, et dit :

— C'est vrai.

On se retourna.

Et elle ajouta :

— Puisqu'on m'a fusillée.

Le mot était singulier ; il fit l'effet d'une vivante qui se dit morte. On se mit à l'examiner, un peu de travers.

Elle était inquiétante à voir en effet, tressaillant de tout, effarée, frissonnante, ayant une anxiété fauve, et si effrayée qu'elle était effrayante. Il y a dans le désespoir de la femme on ne sait quoi de faible qui est terrible. On croit voir un être suspendu à l'extrémité du sort. Mais les paysans prennent la chose plus en gros. L'un d'eux grommela : — Ça pourrait bien être une espionne.

— Taisez-vous donc, et allez-vous-en, lui dit tout bas la bonne femme qui lui avait déjà parlé.

Michelle Fléchard répondit :

— Je ne fais pas de mal. Je cherche mes enfants.

La bonne femme regarda ceux qui regardaient Michelle Fléchard, se toucha le front du doigt en clignant de l'œil, et dit :

— C'est une innocente.

Puis elle la prit à part, et lui donna une galette de sarrasin.

Michelle Fléchard, sans remercier, mordit avidement dans la galette.

— Oui, dirent les paysans, elle mange comme une bête, c'est une innocente.

Et le reste du rassemblement se dissipa. Tous s'en allèrent l'un après l'autre.

Quand Michelle Fléchard eut mangé, elle dit à la paysanne :

— C'est bon, j'ai mangé. Maintenant, la Tourgue ?

— Voilà que ça la reprend ! s'écria la paysanne.

— Il faut que j'aille à la Tourgue. Dites-moi le chemin de la Tourgue.

— Jamais ! dit la paysanne. Pour vous faire tuer, n'est-ce pas ? D'ailleurs, je ne sais pas. Ah çà, vous êtes donc vraiment folle ? Écoutez, pauvre femme, vous avez l'air fatigué. Voulez-vous vous reposer chez moi ?

— Je ne me repose pas, dit la mère.

— Elle a les pieds tout écorchés, murmura la paysanne.

Michelle Fléchard reprit :

— Puisque je vous dis qu'on m'a volé mes enfants. Une petite fille et deux petits garçons. Je viens du carnichot qui est dans la forêt. On peut parler de moi à Tellmarch-le-Caimand. Et puis à l'homme que j'ai rencontré dans le champ là-bas. C'est le caimand qui m'a guérie. Il paraît que j'avais quelque chose de cassé. Tout cela, ce sont des choses qui sont arrivées. Il y a encore le sergent Radoub. On peut lui parler. Il dira. Puisque c'est lui qui nous a rencontrés dans un bois. Trois. Je vous dis trois enfants. Même que l'aîné s'appelle René-Jean. Je puis prouver tout cela. L'autre s'appelle Gros-Alain, et l'autre s'appelle Georgette. Mon mari est mort. On l'a tué. Il était métayer à Siscoignard. Vous avez l'air d'une bonne femme. Enseignez-moi mon chemin. Je ne suis pas une folle, je suis une mère. J'ai perdu mes enfants. Je les cherche. Voilà tout. Je ne sais pas au juste d'où je viens. J'ai dormi cette nuit-ci sur de la paille dans une grange. La Tourgue, voilà où je vais. Je ne suis pas une voleuse. Vous voyez bien que je dis la vérité. On devrait m'aider à retrouver mes enfants. Je ne suis pas du pays. J'ai été fusillée, mais je ne sais pas où.

La paysanne hocha la tête et dit :

— Écoutez, la passante. Dans des temps de révolution, il ne faut pas dire des choses qu'on ne comprend pas. Ça peut vous faire arrêter.

— Mais la Tourgue ! cria la mère. Madame, pour l'amour de l'enfant Jésus et de la sainte bonne Vierge du paradis, je vous en prie, madame, je vous en supplie, je vous en conjure, dites-moi par où l'on va pour aller à la Tourgue !

La paysanne se mit en colère.

— Je ne le sais pas! et je le saurais que je ne le dirais pas! Ce sont là de mauvais endroits. On ne va pas là.

— J'y vais pourtant, dit la mère.

Et elle se remit en route.

La paysanne la regarda s'éloigner et grommela :

— Il faut cependant qu'elle mange.

Elle courut après Michelle Fléchard et lui mit une galette de blé noir dans la main.

— Voilà pour votre souper.

Michelle Fléchard prit le pain de sarrasin, ne répondit pas, ne tourna pas la tête, et continua de marcher.

Elle sortit du village. Comme elle atteignait les dernières maisons, elle rencontra trois petits enfants déguenillés et pieds nus, qui passaient. Elle s'approcha d'eux et dit :

— Ceux-ci, c'est deux filles et un garçon.

Et voyant qu'ils regardaient son pain, elle le leur donna.

Les enfants prirent le pain et eurent peur.

Elle s'enfonça dans la forêt.

IV

UNE MÉPRISE

Cependant, ce jour-là même, avant que l'aube parût, dans l'obscurité indistincte de la forêt, il s'était passé, sur le tronçon de chemin qui va de Javené à Lécousse, ceci :

Tout est chemin creux dans le Bocage, et, entre toutes, la route de Javené à Parigné par Lécousse est très encaissée. De plus, tortueuse. C'est plutôt un ravin qu'un chemin. Cette route vient de Vitré et a eu l'honneur de cahoter le carrosse de madame de Sévigné. Elle est comme murée à droite et à gauche par les haies. Pas de lieu meilleur pour une embuscade.

Ce matin-là, une heure avant que Michelle Fléchard, sur un autre point de la forêt, arrivât dans ce premier village où elle avait eu la sépulcrale apparition de la charrette escortée de gendarmes, il y avait dans les halliers que la route de Javené traverse au sortir du pont sur le Couesnon, un pêle-mêle d'hommes invisibles. Les branches cachaient tout. Ces hommes étaient des paysans, tous vêtus du grigo, sayon de poil que portaient les rois de Bretagne au sixième siècle et les paysans au dix-huitième. Ces hommes étaient armés, les uns de fusils, les autres de cognées. Ceux qui avaient des cognées venaient de préparer dans une clairière une sorte de bûcher de fagots secs et de rondins auxquels on n'avait plus qu'à mettre le feu. Ceux qui avaient des fusils étaient groupés des deux côtés du chemin dans une posture d'attente. Qui eût pu voir à travers les feuilles eût aperçu partout des doigts sur des détentes et des canons de carabine braqués dans les embrasures que font les entrecroisements des branchages. Ces gens étaient à l'affût. Tous les fusils convergeaient sur la route, que le point du jour blanchissait.

Dans ce crépuscule des voix basses dialoguaient.

— Es-tu sûr de ça?

— Dame, on le dit.

— Elle va passer?

— On dit qu'elle est dans le pays.

— Il ne faut pas qu'elle en sorte.

— Il faut la brûler.

— Nous sommes trois villages venus pour cela.

— Oui, mais l'escorte?

— On tuera l'escorte.

— Mais est-ce que c'est par cette route-ci qu'elle passe?

— On le dit.

— C'est donc alors qu'elle viendrait de Vitré?

— Pourquoi pas?

— Mais c'est qu'on disait qu'elle venait de Fougères.

— Qu'elle vienne de Fougères ou de Vitré, elle vient du diable.

— Oui.

— Et il faut qu'elle y retourne.

— Oui.

— C'est donc à Parigné qu'elle irait?

— Il paraît.

— Elle n'ira pas.

— Non.

— Non, non, non!

— Attention.

Il devenait utile de se taire en effet, car il commençait à faire un peu jour.

Tout à coup les hommes embusqués retinrent leur respiration; on entendait un bruit de roues et de chevaux. Ils regardèrent à travers les branches et distinguèrent confusément dans le chemin creux une longue charrette, une escorte à cheval, quelque chose sur la charrette; cela venait à eux.

— La voilà! dit celui qui paraissait le chef.

— Oui, dit un des guetteurs, avec l'escorte.

— Combien d'hommes d'escorte?

— Douze.

— On disait qu'ils étaient vingt.

— Douze ou vingt, tuons tout.

— Attendons qu'ils soient en pleine portée.

Peu après, à un tournant du chemin, la charrette et l'escorte apparurent.

— Vive le roi! cria le chef paysan.

Cent coups de fusil partirent à la fois.

Quand la fumée se dissipa, l'escorte aussi était dissipée. Sept cavaliers étaient tombés, cinq s'étaient enfuis. Les paysans coururent à la charrette.

— Tiens, s'écria le chef, ce n'est pas la guillotine. C'est une échelle.

La charrette avait en effet pour tout chargement une longue échelle.

Les deux chevaux s'étaient abattus, blessés; le charretier avait été tué, mais pas exprès.

— C'est égal, dit le chef, une échelle escortée est suspecte. Cela allait du côté de Parigné. C'était pour l'escalade de la Tourgue, bien sûr.

— Brûlons l'échelle, crièrent les paysans.

Et ils brûlèrent l'échelle.

Quant à la funèbre charrette qu'ils attendaient, elle suivait une autre route, et elle était déjà à deux lieues plus loin, dans ce village où Michelle Fléchard la vit passer au soleil levant.

V

VOX IN DESERTO[1]

Michelle Fléchard, en quittant les trois enfants auxquels elle avait donné son pain, s'était mise à marcher au hasard à travers le bois.

Puisqu'on ne voulait pas lui montrer son chemin, il fallait bien qu'elle le trouvât toute seule. Par instants elle s'asseyait, et elle se relevait, et elle s'asseyait encore. Elle avait cette fatigue lugubre qu'on a d'abord dans les muscles, puis qui passe dans les os ; fatigue d'esclave. Elle était esclave en effet. Esclave de ses enfants perdus. Il fallait les retrouver ; chaque minute écoulée pouvait être leur perte ; qui a un tel devoir n'a plus de droit ; reprendre haleine lui était interdit. Mais elle était bien lasse. A ce degré d'épuisement, un pas de plus est une question. Le pourra-t-on faire ? Elle marchait depuis le matin ; elle n'avait plus rencontré de village, ni même de maison. Elle prit d'abord le sentier qu'il fallait, puis celui qu'il ne fallait pas, et elle finit par se perdre au milieu des branches pareilles les unes aux autres. Approchait-elle du but ? touchait-elle au terme de sa passion ? Elle était dans la Voie Douloureuse, et elle sentait

1. « Une voix dans le désert » ; transposition de saint Jean-Baptiste : « Je suis la voix de celui qui crie dans le désert. »

l'accablement de la dernière station. Allait-elle tomber sur la route et expirer là ? A un certain moment, avancer encore lui sembla impossible, le soleil déclinait, la forêt était obscure, les sentiers s'étaient effacés sous l'herbe, et elle ne sut plus que devenir. Elle n'avait plus que Dieu. Elle se mit à appeler, personne ne répondit.

Elle regarda autour d'elle, elle vit une claire-voie dans les branches, elle se dirigea de ce côté-là, et brusquement se trouva hors du bois.

Elle avait devant elle un vallon étroit comme une tranchée, au fond duquel coulait dans les pierres un clair filet d'eau. Elle s'aperçut alors qu'elle avait une soif ardente. Elle alla à cette eau, s'agenouilla, et but.

Elle profita de ce qu'elle était à genoux pour faire sa prière.

En se relevant, elle chercha à s'orienter.

Elle enjamba le ruisseau.

Au-delà du petit vallon se prolongeait à perte de vue un vaste plateau couvert de broussailles courtes, qui, à partir du ruisseau, montait en plan incliné et emplissait tout l'horizon. La forêt était une solitude, ce plateau était un désert. Dans la forêt, derrière chaque buisson on pouvait rencontrer quelqu'un ; sur le plateau, aussi loin que le regard pouvait s'étendre, on ne voyait rien. Quelques oiseaux qui avaient l'air de fuir volaient dans les bruyères.

Alors, en présence de cet abandon immense, sentant fléchir ses genoux, et comme devenue insensée, la mère éperdue jeta à la solitude ce cri étrange : — Y a-t-il quelqu'un ici ?

Et elle attendit la réponse.

On répondit.

Une voix sourde et profonde éclata, cette voix venait du fond de l'horizon, elle se répercuta d'écho en écho ; cela ressemblait à un coup de tonnerre à moins que ce ne fût un coup de canon ; et il semblait que cette voix répliquait à la question de la mère et qu'elle disait : — Oui.

Puis le silence se fit.

La mère se dressa, ranimée ; il y avait quelqu'un. Il lui paraissait qu'elle avait maintenant à qui parler ; elle venait de boire et de prier ; les forces lui revenaient, elle se mit à gravir le plateau du côté où elle avait entendu l'énorme voix lointaine.

Tout à coup elle vit sortir de l'extrême horizon une haute tour. Cette tour était seule dans ce sauvage paysage ; un rayon du soleil couchant l'empourprait. Elle était à plus d'une lieue de distance. Derrière cette tour se perdait dans la brume une grande verdure diffuse qui était la forêt de Fougères.

Cette tour lui apparaissait sur le même point de l'horizon d'où était venu ce grondement qui lui avait semblé un appel. Était-ce cette tour qui avait fait ce bruit ?

Michelle Fléchard était arrivée sur le sommet du plateau ; elle n'avait plus devant elle que de la plaine.

Elle marcha vers la tour.

VI

SITUATION

Le moment était venu.

L'inexorable tenait l'impitoyable.

Cimourdain avait Lantenac dans sa main.

Le vieux royaliste rebelle était pris au gîte ; évidemment il ne pouvait échapper ; et Cimourdain entendait que le marquis fût décapité chez lui, sur place, sur ses terres, et en quelque sorte dans sa maison, afin que la demeure féodale vît tomber la tête de l'homme féodal, et que l'exemple fût mémorable.

C'est pourquoi il avait envoyé chercher à Fougères la guillotine. On vient de la voir en route.

Tuer Lantenac, c'était tuer la Vendée ; tuer la Vendée, c'était sauver la France. Cimourdain n'hésitait pas. Cet homme était à l'aise dans la férocité du devoir.

Le marquis semblait perdu ; de ce côté Cimourdain était tranquille, mais il était inquiet d'un autre côté. La lutte serait certainement affreuse ; Gauvain la dirigerait, et voudrait s'y mêler peut-être ; il y avait du soldat dans ce jeune chef ; il était homme à se jeter dans ce pugilat ; pourvu qu'il n'y fût pas tué ? Gauvain ! son enfant ! l'unique affection qu'il eût sur la terre ! Gauvain avait eu du bonheur jusque-là, mais le bonheur se lasse. Cimourdain tremblait. Sa destinée avait cela d'étrange qu'il était entre deux Gauvain, l'un dont il voulait la mort, l'autre dont il voulait la vie.

Le coup de canon qui avait secoué Georgette dans son berceau et appelé la mère du fond des solitudes n'avait pas fait que cela. Soit hasard, soit intention du pointeur, le boulet, qui n'était pourtant qu'un boulet d'avertissement, avait frappé, crevé et arraché à demi l'armature de barreaux de fer qui masquait et fermait la grande meurtrière du premier étage de la tour. Les assiégés n'avaient pas eu le temps de réparer cette avarie.

Les assiégés s'étaient vantés. Ils avaient très peu de munitions. Leur situation, insistons-y, était plus critique encore que les assiégeants ne le supposaient. S'ils avaient eu assez de poudre, ils auraient fait sauter la Tourgue, eux et l'ennemi dedans ; c'était leur rêve ; mais toutes leurs réserves étaient épuisées. A peine avaient-ils trente coups à tirer par homme. Ils avaient beaucoup de fusils, d'espingoles et de pistolets, et peu de cartouches. Ils avaient chargé toutes les armes afin de pouvoir faire un feu continu ; mais combien de temps durerait ce feu ? Il fallait à la fois le nourrir et le ménager. Là était la difficulté. Heureusement — bonheur sinistre — la lutte serait surtout d'homme à homme, et à l'arme blanche ; au sabre et au poignard. On se colletterait plus qu'on ne se fusillerait. On se hacherait ; c'était là leur espérance.

L'intérieur de la tour semblait inexpugnable. Dans

la salle basse où aboutissait le trou de brèche, était la retirade, cette barricade savamment construite par Lantenac, qui obstruait l'entrée. En arrière de la retirade, une longue table était couverte d'armes chargées, tromblons, carabines et mousquetons, et de sabres, de haches et de poignards. N'ayant pu utiliser pour faire sauter la tour le cachot-crypte des oubliettes qui communiquait avec la salle basse, le marquis avait fait fermer la porte de ce caveau. Au-dessus de la salle basse était la chambre ronde du premier étage à laquelle on n'arrivait que par une vis de Saint-Gilles très étroite ; cette chambre, meublée, comme la salle basse, d'une table couverte d'armes toutes prêtes et sur lesquelles on n'avait qu'à mettre la main, était éclairée par la grande meurtrière dont un boulet venait de défoncer le grillage ; au-dessus de cette chambre, l'escalier en spirale menait à la chambre ronde du second étage où était la porte de fer donnant sur le pont-châtelet. Cette chambre du second s'appelait indistinctement *la chambre de la porte de fer* ou *la chambre des miroirs*, à cause de beaucoup de petits miroirs, accrochés à cru sur la pierre nue à de vieux clous rouillés, bizarre recherche mêlée à la sauvagerie. Les chambres d'en haut ne pouvant être utilement défendues, cette chambre des miroirs était ce que Mannesson-Mallet, le législateur des places fortes, appelle « le dernier poste où les assiégés font une capitulation ». Il s'agissait, nous l'avons dit déjà, d'empêcher les assiégeants d'arriver là.

Cette chambre ronde du second étage était éclairée par des meurtrières ; pourtant une torche y brûlait. Cette torche, plantée dans une torchère de fer pareille à celle de la salle basse, avait été allumée par l'Imânus qui avait placé tout à côté l'extrémité de la mèche soufrée. Soins horribles.

Au fond de la salle basse, sur un long tréteau, il y avait à manger, comme dans une caverne homérique ; de grands plats de riz, du fur, qui est une bouillie de blé noir, de la godnivelle, qui est un hachis de veau, des rondeaux de houichepote, pâte de farine et de fruits cuits à l'eau, de la badrée, des pots de cidre. Buvait et mangeait qui voulait.

Le coup de canon les mit tous en arrêt. On n'avait plus qu'une demi-heure devant soi.

L'Imânus, du haut de la tour, surveillait l'approche des assiégeants. Lantenac avait commandé de ne pas tirer et de les laisser arriver. Il avait dit : — Ils sont quatre mille cinq cents. Tuer dehors est inutile. Ne tuez que dedans. Dedans, l'égalité se refait.

Et il avait ajouté en riant : — Égalité, Fraternité.

Il était convenu que lorsque l'ennemi commencerait son mouvement, l'Imânus, avec sa trompe, avertirait.

Tous, en silence, postés derrière la retirade, ou sur les marches des escaliers, attendaient, une main sur leur mousquet, l'autre sur leur rosaire.

La situation se précisait, et était ceci :

Pour les assaillants, une brèche à gravir, une barricade à forcer, trois salles superposées à prendre de haute lutte, l'une après l'autre, deux escaliers tournants à emporter marche par marche, sous une nuée de mitraille; pour les assiégés, mourir.

VII

PRÉLIMINAIRES

Gauvain de son côté mettait en ordre l'attaque. Il donnait ses dernières instructions à Cimourdain, qui, on s'en souvient, devait, sans prendre part à l'action, garder le plateau, et à Guéchamp qui devait rester en observation avec le gros de l'armée dans le camp de la forêt. Il était entendu que ni la batterie basse du bois ni la batterie haute du plateau ne tireraient, à moins qu'il n'y eût sortie ou tentative d'évasion. Gauvain se réservait le commandement de la colonne de brèche. C'est là ce qui troublait Cimourdain.

Le soleil venait de se coucher.

Une tour en rase campagne ressemble à un navire en pleine mer. Elle doit être attaquée de la même façon. C'est plutôt un abordage qu'un assaut. Pas de canon. Rien d'inutile. A quoi bon canonner des murs de quinze pieds d'épaisseur ? Un trou dans le sabord, les uns qui le forcent, les autres qui le barrent, des haches, des couteaux, des pistolets, les poings et les dents. Telle est l'aventure.

Gauvain sentait qu'il n'y avait pas d'autre moyen d'enlever la Tourgue. Une attaque où l'on se voit le blanc des yeux, rien de plus meurtrier. Il connaissait le redoutable intérieur de la tour, y ayant été enfant.

Il songeait profondément.

Cependant, à quelques pas de lui, son lieutenant, Guéchamp, une longue-vue à la main, examinait l'horizon du côté de Parigné. Tout à coup Guéchamp s'écria :

— Ah ! enfin !

Cette exclamation tira Gauvain de sa rêverie.

— Qu'y a-t-il, Guéchamp ?

— Mon commandant, il y a que voici l'échelle.

— L'échelle de sauvetage ?

— Oui.

— Comment ? nous ne l'avions pas encore ?

— Non, commandant. Et j'étais inquiet. L'exprès que j'avais envoyé à Javené était revenu.

— Je le sais.

— Il avait annoncé qu'il avait trouvé à la charpenterie de Javené l'échelle de la dimension voulue, qu'il l'avait réquisitionnée, qu'il avait fait mettre l'échelle sur une charrette, qu'il avait requis une escorte de douze cavaliers, et qu'il avait vu partir pour Parigné la charrette, l'escorte et l'échelle. Sur quoi, il était revenu à franc étrier.

— Et nous avait fait ce rapport. Et il avait ajouté que la charrette, étant bien attelée et partie vers deux heures du matin, serait ici avant le coucher du soleil. Je sais tout cela. Eh bien ?

— Eh bien, mon commandant, le soleil vient de se coucher et la charrette qui apporte l'échelle n'est pas encore arrivée.

— Est-ce possible ? Mais il faut pourtant que nous attaquions. L'heure est venue. Si nous tardions, les assiégés croiraient que nous reculons.

— Commandant, on peut attaquer.

— Mais l'échelle de sauvetage est nécessaire.

— Sans doute.

— Mais nous ne l'avons pas.

— Nous l'avons.

— Comment ?

— C'est ce qui m'a fait dire : Ah ! enfin ! La charrette n'arrivait pas ; j'ai pris ma longue-vue et j'ai examiné la route de Parigné à la Tourgue, et, mon commandant, je suis content. La charrette est là-bas avec l'escorte ; elle descend une côte. Vous pouvez la voir.

Gauvain prit la longue-vue et regarda.

— En effet. La voici. Il ne fait plus assez de jour pour tout distinguer. Mais on voit l'escorte, c'est bien cela. Seulement l'escorte me paraît plus nombreuse que vous ne le disiez, Guéchamp.

— Et à moi aussi.

— Ils sont à environ un quart de lieue.

— Mon commandant, l'échelle de sauvetage sera ici dans un quart d'heure.

— On peut attaquer.

C'était bien une charrette en effet qui arrivait, mais ce n'était pas celle qu'ils croyaient.

Gauvain, en se retournant, vit derrière lui le sergent Radoub, droit, les yeux baissés, dans l'attitude du salut militaire.

— Qu'est-ce, sergent Radoub ?

— Citoyen commandant, nous, les hommes du bataillon du Bonnet-Rouge, nous avons une grâce à vous demander.

— Laquelle ?

— De nous faire tuer.

— Ah ! dit Gauvain.

— Voulez-vous avoir cette bonté ?

— Mais... c'est selon, dit Gauvain.

— Voici, commandant. Depuis l'affaire de Dol, vous nous ménagez. Nous sommes encore douze.

— Eh bien ?

— Ça nous humilie.

— Vous êtes la réserve.

— Nous aimons mieux être l'avant-garde.

— Mais j'ai besoin de vous pour décider le succès à la fin d'une action. Je vous conserve.

— Trop.

— C'est égal. Vous êtes dans la colonne. Vous marchez.

— Derrière. C'est le droit de Paris de marcher devant.

— J'y penserai, sergent Radoub.

— Pensez-y aujourd'hui, mon commandant. Voici une occasion. Il va y avoir un rude croc-en-jambe a donner ou à recevoir. Ce sera dru. La Tourgue brûlera les doigts de ceux qui y toucheront. Nous demandons la faveur d'en être.

Le sergent s'interrompit, se tordit la moustache, et reprit d'une voix altérée :

— Et puis, voyez-vous, mon commandant, dans cette tour, il y a nos mômes. Nous avons là nos enfants, les enfants du bataillon, nos trois enfants. Cette affreuse face de Gribouille-mon-cul-te-baise, le nommé Brise-Bleu, le nommé Imânus, ce Gouge-le-Bruand, ce Bouge-le-Gruand, ce Fouge-le-Truand, ce tonnerre de Dieu d'homme du diable, menace nos enfants. Nos enfants, nos mioches, mon commandant. Quand tous les tremblements s'en mêleraient, nous ne voulons pas qu'il leur arrive malheur. Entendez-vous ça, autorité ? Nous ne le voulons pas. Tantôt, j'ai profité de ce qu'on ne se battait pas, et je suis monté sur le plateau, et je les ai regardés par une fenêtre, oui, ils sont vraiment là, on peut les voir du bord du ravin, et je les ai vus, et je leur ai fait peur, à ces amours. Mon commandant, s'il tombe un seul cheveu de leurs petites caboches de chérubins, je le jure, mille noms de noms de tout ce qu'il y a de sacré, moi le sergent Radoub, je m'en prends à la carcasse du Père Éternel. Et voici ce que dit le bataillon : nous voulons que les mômes soient sauvés, ou être tous tués. C'est notre droit, ventraboumine! oui, tous tués. Et maintenant, salut et respect.

Gauvain tendit la main à Radoub, et dit :

— Vous êtes des braves. Vous serez de la colonne d'attaque. Je vous partage en deux. Je mets six de vous à l'avant-garde, afin qu'on avance, et j'en mets six à l'arrière-garde, afin qu'on ne recule pas.

— Est-ce toujours moi qui commande les douze?

— Certes.

— Alors, mon commandant, merci. Car je suis de l'avant-garde.

Radoub refit le salut militaire et regagna le rang.

Gauvain tira sa montre, dit quelques mots à l'oreille de Guéchamp, et la colonne d'attaque commença à se former.

VIII

LE VERBE ET LE RUGISSEMENT

Cependant Cimourdain, qui n'avait pas encore gagné son poste du plateau, et qui était à côté de Gauvain, s'approcha d'un clairon.

— Sonne à la trompe, lui dit-il.

Le clairon sonna, la trompe répondit.

Un son de clairon et un son de trompe s'échangèrent encore.

— Qu'est-ce que c'est? demanda Gauvain à Guéchamp. Que veut Cimourdain?

Cimourdain s'était avancé vers la tour, un mouchoir blanc à la main.

Il éleva la voix.

"Au plus fort de la mêlée, quand les paysans attaquaient les carrés républicains, s'ils rencontraient sur le champ du combat une croix ou une chapelle, tous tombaient à genoux et disaient leur prière sous la mitraille" (p. 216). ("Épisode de la guerre des Chouans," par Bellet.)

Un Chouan agonise au pied de la Croix
il meurt pour Dieu et pour le Roi

"Le vieillard marcha vers cette dune et y monta. Quand il fut sur le sommet, il s'adossa à la pierre milliaire, s'assit sur une des quatre bornes qui en marquait les angles et se mit à examiner l'espèce de carte de géographie qu'il avait sous ses pieds" (pp. 93-94).

Victor Hugo, photographié ici par Pierre Petit, est devenu un prophète du progrès. Témoignage et action, "Quatrevingt-treize" acquiert la dimension d'un testament. "Chiffre on ne sait d'où venu" : si ce nombre terrifiant et énigmatique le fascine, c'est qu'il y voit une forme des ténèbres d'où jaillit la lumière.

"Quoi qu'on en dise, la Révolution française est le plus puissant pas du...

93, LA MINUTE ÉPOUVANTABLE

"Rien de plus tragique, l'Europe attaquant la France et la France attaquant Paris. Drame qui a la stature de l'épopée" (p. 134).

... genre humain depuis l'avènement du Christ" (Victor Hugo, "Les Misérables").

"Il demanda : 'Comment t'appelles-tu ? – Orgette', dit-elle. Il la prit dans ses bras, elle souriait toujours, et au moment où il la remettait à Radoub, cette conscience, si haute et si obscure eut l'éblouissement de l'innocence, le vieillard donna à l'enfant un baiser" (pp. 382-383).

"Cet homme de granit sentit quelque chose d'humide lui venir aux yeux" (p. 382).

LES DEUX RÉPUBLICAINS

“Et tous deux se regardèrent ; Cimourdain avec des yeux pleins de ces flammes qui brûlent les larmes, Gauvain avec son plus doux sourire” (p. 422).

Dans le cachot, Gauvain et Cimourdain pensent à l’avenir de la Révolution.

Cimourdain juge Gauvain en cour martiale :
sœurs tragiques, deux âmes s'affrontent.

"Tout était fumée et tumulte. L'enchevêtrement des fourgons et des charrois s'y ajoutait [...] Des hommes à plat ventre tiraient à travers les roues des charrettes. Par moments, il s'élevait un hourvari de clameurs. La grosse voix du canon couvrait tout. C'était épouvantable" (p. 242).

UN ARCHANGE MEURT

Il était sur l'échafaud, rêveur. Ce lieu-là aussi est un sommet. Gauvain y était debout, superbe et tranquille. Le soleil, l'enveloppant, le mettait comme dans une gloire" (p. 437).

Ténèbres et lumière, horreur et sublime : Hugo exalte la grandeur tragique.

"Pays, Patrie, ces deux mots résument toute la guerre ...

La chouannerie recrute dans la paysannerie bretonne.
Comme ces "Révoltés de Fouesnant"...

... de Vendée [...]; paysans contre patriotes" (p. 224).

... par Girardet, les Chouans des bois et des landes sont de rudes combattants.

"Le marquis était seul, debout sur un sommet visible de tous les points du bois. Il voyait à peine ceux qui criaient son nom, mais il était vu de tous [...]. 'Je suis le marquis de Lantenac'" (pp. 111-112).

"[La grande rue] était jonchée de morts et de blessés. La fin d'un combat s'arrache toujours ; quelques groupes désespérés résistaient çà et là, on les cerna, et ils mirent bas les armes" (p. 249).

"Titans contre Géants" : pour Hugo, la guerre civile est une terrible épopée.

MATER DOLOROSA

“Elle avait sous les yeux un commencement d’incendie. La fumée noire était devenue écarlate, et une grande flamme était dedans” (p. 371).

“Quatrevingt-treize,” c’est aussi le drame d’une mère dans le maelström de l’histoire.

LA STATUE
DU COMMANDEUR

"Sans se retourner, droit, debout, adossé aux échelons, ayant derrière lui l'incendie, faisant face au précipice, il se mit à descendre l'échelle en silence avec une majesté de fantôme" (p. 383).

Quelle scène grandiose pour l'adaptation théâtrale de "Quatrevingt-treize" !

"Dans une sorte de trou de branches [...], entrouvert comme une alcôve, une femme était assise sur la mousse, ayant au sein un enfant qui tétait et sur les genoux les deux têtes blondes de deux enfants endormis" (p. 28).

"Cette Guerre des Ignorants, si stupide et si splendide..." (p. 208)

"Les sept survivants de cette bande épique se voyaient inexorablement enfermés et saisis par cette épaisse muraille qui les protégeait et qui les livrait" (p. 355).

Adapté par Claude Santelli, "Quatrevingt-treize" ennoblit la télévision.

MARQUIS BLANC,
VICOMTE BLEU

"Maintenant faites-moi guillotiner, monsieur le vicomte. J'ai l'honneur d'être votre très humble serviteur. Et il ajouta : – Ah ! je vous dis vos vérités ! Qu'est-ce que cela me fait ? Je suis mort. – Vous êtes libre, dit Gauvain" (p. 409).

L'œuvre visible est farouche, l'œuvre invisible est sublime" (p. 423).

"La Vendée c'est la révolte-prêtre. Cette révolte a eu pour auxiliaire la forêt. Les ténèbres s'entraident" (p. 207).
("Le Débarquement de Quiberon," par Savieul.)

P. 1 : Auguste Bellet, "Épisode de la guerre des Chouans," Rennes, musée des Beaux-Arts. P. 2 : gravure de G. Brion, Paris, Bibl. nationale, cl. J.-L. Charmet ; photo de Pierre Petit, Paris, musée Carnavalet, cl. J.-L. Charmet. P. 3 : frontispice pour l'édition de 1874, Paris, Bibl. nationale, cl. J.-L. Charmet. Pp. 4 et 5 : illustrations de Diogène Maillard, Paris, musée Victor-Hugo, cl. J.-L. Charmet. Pp. 6 et 7 : gravures de Hugue, cl. Kharbine-Tapabor. P. 8-9 : Jules Girardet, "Les Révoltés de Fouesnant ramenés à Quimper par la garde nationale," Quimper, musée des Beaux-Arts. P. 10 : Alexandre Bloch, "La Défense de Rochefort-en-Terre," Rochefort-en-Terre, Musée-Château, cl. A. Dugas ; gravure de Hugue, cl. Kharbine-Tapabor. P. 11 : gravure de Hugue, cl. Kharbine-Tapabor. P. 12 : illustration pour la pièce de Paul Meurice, cl. Roger-Viollet. P. 13 : scène du film "Chouans," cl. Prod-DB ; illustration de Pille, "Le Bois de la Savoraie," cl. J.-L. Charmet. Pp. 14 et 15 : scènes du téléfilm de Claude Santelli, cl. "Télé 7 Jours"/Hamia. P. 16 : Savieul, "Le Débarquement de Quiberon," Cholet, musée d'Histoire, cl. Roger-Viollet, 4e de couv. : Jules Girardet, "Épisode de la Chouannerie," Morlaix, musée des Jacobins.

— Hommes qui êtes dans la tour, me connaissez-vous ?

Une voix, la voix de l'Imânus, répliqua du haut de la tour :

— Oui.

Les deux voix alors se parlèrent et se répondirent, et l'on entendit ceci :

— Je suis l'envoyé de la République.

— Tu es l'ancien curé de Parigné.

— Je suis le délégué du Comité de salut public.

— Tu es un prêtre.

— Je suis le représentant de la loi.

— Tu es un renégat.

— Je suis le commissaire de la Révolution.

— Tu es un apostat.

— Je suis Cimourdain.

— Tu es le démon.

— Vous me connaissez ?

— Nous t'exécrons.

— Seriez-vous contents de me tenir en votre pouvoir ?

— Nous sommes ici dix-huit qui donnerions nos têtes pour avoir la tienne.

— Eh bien, je viens me livrer à vous.

On entendit au haut de la tour un éclat de rire sauvage et ce cri :

— Viens !

Il y avait dans le camp un profond silence d'attente.

Cimourdain reprit :

— A une condition.

— Laquelle ?

— Écoutez.

— Parle.

— Vous me haïssez ?

— Oui.

— Moi, je vous aime. Je suis votre frère.

La voix du haut de la tour répondit :

— Oui, Caïn.

Cimourdain repartit avec une inflexion singulière, qui était à la fois haute et douce :

— Insultez, mais écoutez. Je viens ici en parlementaire. Oui, vous êtes mes frères. Vous êtes de pauvres hommes égarés. Je suis votre ami. Je suis la lumière et je parle à l'ignorance. La lumière contient toujours de la fraternité. D'ailleurs, est-ce que nous n'avons pas tous la même mère, la patrie ? Eh bien, écoutez-moi. Vous saurez plus tard, ou vos enfants sauront, ou les enfants de vos enfants sauront que tout ce qui se fait en ce moment se fait par l'accomplissement des lois d'en haut, et que ce qu'il y a dans la Révolution, c'est Dieu. En attendant le moment où toutes les consciences, même les vôtres, comprendront, et où tous les fanatismes, même les nôtres, s'évanouiront, en attendant que cette grande clarté soit faite, personne n'aura-t-il pitié de vos ténèbres ? Je viens à vous, je vous offre ma tête ; je fais plus, je vous tends la main. Je vous demande la grâce de me perdre pour vous sauver. J'ai pleins pouvoirs, et ce que je dis, je le puis. C'est un instant suprême ; je fais un dernier effort. Oui, celui qui vous parle est un citoyen, et dans ce citoyen, oui, il y a un prêtre. Le citoyen vous combat, mais le prêtre vous supplie. Écoutez-moi. Beaucoup d'entre vous ont des femmes et des enfants. Je prends la défense de vos enfants et de vos femmes. Je prends leur défense contre vous. Ô mes frères...

— Va, prêche ! ricana l'Imânus.

Cimourdain continua :

— Mes frères, ne laissez pas sonner l'heure exécrable. On va ici s'entr'égorger. Beaucoup d'entre nous qui sommes ici devant vous ne verront pas le soleil de demain ; oui, beaucoup d'entre nous périrons, et vous, vous tous, vous allez mourir. Faites-vous grâce à vous-mêmes. Pourquoi verser tout ce sang quand c'est inutile ? Pourquoi tuer tant d'hommes quand deux suffisent ?

— Deux ? dit l'Imânus.

— Oui. Deux.

— Qui ?

— Lantenac et moi.

Et Cimourdain éleva la voix :

— Deux hommes sont de trop, Lantenac pour nous, moi pour vous. Voici ce que je vous offre, et vous aurez tous la vie sauve : donnez-nous Lantenac, et prenez-moi. Lantenac sera guillotiné, et vous ferez de moi ce que vous voudrez.

— Prêtre, hurla l'Imânus, si nous t'avions, nous te brûlerions à petit feu.

— J'y consens, dit Cimourdain.

Et il reprit :

— Vous, les condamnés qui êtes dans cette tour, vous pouvez tous dans une heure être vivants et libres. Je vous apporte le salut. Acceptez-vous ?

L'Imânus éclata.

— Tu n'es pas seulement scélérat, tu es fou. Ah çà, pourquoi viens-tu nous déranger ? Qui est-ce qui te prie de venir nous parler ? Nous, livrer monseigneur ! Qu'est-ce que tu veux ?

— Sa tête. Et je vous offre...

— Ta peau. Car nous t'écorcherions comme un chien, curé Cimourdain. Eh bien, non, ta peau ne vaut pas sa tête. Va-t'en.

— Cela va être horrible. Une dernière fois, réfléchissez.

La nuit venait pendant ces paroles sombres qu'on entendait au-dedans de la tour comme au-dehors. Le marquis de Lantenac se taisait et laissait faire. Les chefs ont de ces sinistres égoïsmes. C'est un des droits de la responsabilité.

L'Imânus jeta sa voix par-dessus Cimourdain, et cria :

— Hommes qui nous attaquez, nous vous avons dit nos propositions, elles sont faites, et nous n'avons rien à y changer. Acceptez-les, sinon, malheur ! Consentez-vous ? Nous vous rendrons les trois enfants qui sont là, et vous nous donnerez la sortie libre et la vie sauve, à tous.

— A tous, oui, répondit Cimourdain, excepté un.

— Lequel ?
— Lantenac.
— Monseigneur ! livrer monseigneur ! Jamais.
— Il nous faut Lantenac.
— Jamais.
— Nous ne pouvons traiter qu'à cette condition.
— Alors commencez.

Le silence se fit.

L'Imânus, après avoir sonné avec sa trompe le coup de signal, redescendit ; le marquis mit l'épée à la main ; les dix-neuf assiégés se groupèrent en silence dans la salle basse, en arrière de la retirade, et se mirent à genoux ; ils entendaient le pas mesuré de la colonne d'attaque qui avançait vers la tour dans l'obscurité ; ce bruit se rapprochait ; tout à coup ils le sentirent tout près d'eux, à la bouche même de la brèche. Alors tous, agenouillés, épaulèrent à travers les fentes de la retirade leurs fusils et leurs espingoles, et l'un d'eux, Grand-Francœur, qui était le prêtre Turmeau, se leva, et, un sabre nu dans la main droite, un crucifix dans la main gauche, dit d'une voix grave :

— Au nom du Père, du Fils et du Saint-Esprit !

Tous firent feu à la fois, et la lutte s'engagea.

IX

TITANS CONTRE GÉANTS

Cela fut en effet épouvantable.

Ce corps à corps dépassa tout ce qu'on avait pu rêver.

Pour trouver quelque chose de pareil, il faudrait remonter aux grands duels d'Eschyle ou aux antiques tueries féodales ; à ces « *attaques à armes courtes* » qui ont duré jusqu'au dix-septième siècle, quand on pénétrait dans les places fortes par les fausses brayes, assauts tragiques, où, dit le vieux sergent de la province d'Alentejo, « les fourneaux ayant fait leur effet, les assiégeants s'avanceront portant des planches couvertes de lames de fer-blanc, armés de rondaches et de mantelets, et fournis de quantité de grenades, faisant abandonner les retranchements ou retirades à ceux de la place, et s'en rendront maîtres, poussant vigoureusement les assiégés ».

Le lieu d'attaque était horrible ; c'était une de ces brèches qu'on appelle en langue du métier *brèches sous voûte*, c'est-à-dire, on se le rappelle, une crevasse traversant le mur de part en part et non une fracture évasée à ciel ouvert. La poudre avait agi comme une vrille. L'effet de la mine avait été si violent que la tour avait été fendue par l'explosion à plus de quarante pieds au-dessus du fourneau, mais ce n'était qu'une lézarde, et la déchirure praticable qui servait de brèche et donnait entrée dans la salle basse ressemblait plutôt au coup de lance qui perce qu'au coup de hache qui entaille.

C'était une ponction au flanc de la tour, une longue fracture pénétrante, quelque chose comme un puits couché à terre, un couloir serpentant et montant comme un intestin à travers une muraille de quinze pieds d'épaisseur, on ne sait quel informe cylindre encombré d'obstacles, de pièges, d'explosions, où l'on se heurtait le front aux granits, les pieds aux gravats, les yeux aux ténèbres.

Les assaillants avaient devant eux ce porche noir, bouche de gouffre ayant pour mâchoires, en bas et en haut, toutes les pierres de la muraille déchiquetée ; une gueule de requin n'a pas plus de dents que cet arrachement effroyable. Il fallait entrer dans ce trou et en sortir.

Dedans éclatait la mitraille, dehors se dressait la retirade. Dehors, c'est-à-dire dans la salle basse du rez-de-chaussée.

Les rencontres de sapeurs dans les galeries couvertes quand la contre-mine vient couper la mine, les boucheries à la hache sous les entreponts des vaisseaux qui s'abordent dans les batailles navales, ont seules cette férocité. Se battre au fond d'une fosse, c'est le dernier degré de l'horreur. Il est affreux de s'entretuer avec un plafond sur la tête. Au moment où le premier flot des assiégeants entra, toute la retirade se couvrit d'éclairs, et ce fut quelque chose comme la foudre éclatant sous terre. Le tonnerre assaillant répliqua au tonnerre embusqué. Les détonations se ripostèrent; le cri de Gauvain s'éleva : Fonçons! Puis le cri de Lantenac : Faites ferme contre l'ennemi! Puis le cri de l'Imânus : A moi les Mainiaux! Puis des cliquetis, sabres contre sabres, et, coup sur coup, d'effroyables décharges tuant tout. La torche accrochée au mur éclairait vaguement toute cette épouvante. Impossible de rien distinguer; on était dans une noirceur rougeâtre; qui entrait là était subitement sourd et aveugle, sourd du bruit, aveugle de la fumée. Les hommes mis hors de combat gisaient parmi les décombres. On marchait sur des cadavres, on écrasait des plaies, on broyait des membres cassés d'où sortaient des hurlements, on avait les pieds mordus par des mourants; par instants, il y avait des silences plus hideux que le bruit. On se colletait, on entendait l'effrayant souffle des bouches, puis des grincements, des râles, des imprécations, et le tonnerre recommençait. Un ruisseau de sang sortait de la tour par la brèche, et se répandait dans l'ombre. Cette flaque sombre fumait dehors dans l'herbe.

On eût dit que c'était la tour elle-même qui saignait et que la géante était blessée.

Chose surprenante, cela ne faisait presque pas de bruit dehors. La nuit était très noire, et dans la plaine et dans la forêt il y avait autour de la forteresse attaquée une sorte de paix funèbre. Dedans c'était l'enfer, dehors c'était le sépulcre. Ce choc d'hommes s'exterminant dans les ténèbres, ces mousqueteries, ces clameurs, ces rages, tout ce tumulte expirait sous la masse des murs et des voûtes, l'air manquait au bruit, et au carnage s'ajoutait l'étouffement. Hors de la tour, cela s'entendait à peine. Les petits enfants dormaient pendant ce temps-là.

L'acharnement augmentait. La retirade tenait bon. Rien de plus malaisé à forcer que ce genre de barricade en chevron rentrant. Si les assiégés avaient contre eux le nombre, ils avaient pour eux la position. La colonne d'attaque perdait beaucoup de monde. Alignée et allongée dehors au pied de la tour, elle s'enfonçait lentement dans l'ouverture de la brèche, et se raccourcissait, comme une couleuvre qui entre dans son trou.

Gauvain, qui avait des imprudences de jeune chef, était dans la salle basse au plus fort de la mêlée, avec toute la mitraille autour de lui. Ajoutons qu'il avait la confiance de l'homme qui n'a jamais été blessé.

Comme il se retournait pour donner un ordre, une lueur de mousqueterie éclaira un visage tout près de lui.

— Cimourdain ! s'écria-t-il, qu'est-ce que vous venez faire ici ?

C'était Cimourdain en effet. Cimourdain répondit :

— Je viens être près de toi.

— Mais vous allez vous faire tuer !

— Hé bien, toi, qu'est-ce que tu fais donc ?

— Mais je suis nécessaire ici. Vous pas.

— Puisque tu y es, il faut que j'y sois.

— Non, mon maître.

— Si, mon enfant !

Et Cimourdain resta près de Gauvain.

Les morts s'entassaient sur les pavés de la salle basse.

Bien que la retirade ne fût pas forcée encore, le nombre évidemment devait finir par vaincre. Les assaillants étaient à découvert et les assaillis étaient à l'abri ; dix assiégeants tombaient contre un assiégé, mais les assiégeants se renouvelaient. Les assiégeants croissaient et les assiégés décroissaient.

Les dix-neuf assiégés étaient tous derrière la retirade, l'attaque étant là. Ils avaient des morts et des blessés. Quinze tout au plus combattaient encore. Un des plus farouches, Chante-en-hiver, avait été affreusement mutilé. C'était un Breton trapu et crépu, de l'espèce petite et vivace. Il avait un œil crevé et la mâchoire brisée. Il pouvait encore marcher. Il se traîna dans l'escalier en spirale, et monta dans la chambre du premier étage, espérant pouvoir là prier et mourir.

Il s'était adossé au mur près de la meurtrière pour tâcher de respirer un peu.

En bas la boucherie devant la retirade était de plus en plus horrible. Dans une intermittence, entre deux décharges, Cimourdain éleva la voix :

— Assiégés ! cria-t-il. Pourquoi faire couler le sang plus longtemps ? Vous êtes pris. Rendez-vous. Songez que nous sommes quatre mille cinq cents contre dix-neuf, c'est-à-dire plus de deux cents contre un. Rendez-vous.

— Cessons ce marivaudage, répondit le marquis de Lantenac.

Et vingt balles ripostèrent à Cimourdain.

La retirade ne montait pas jusqu'à la voûte ; cela permettait aux assiégés de tirer par-dessus, mais cela permettait aux assiégeants de l'escalader.

— L'assaut à la retirade ! cria Gauvain. Y a-t-il quelqu'un de bonne volonté pour escalader la retirade ?

— Moi, dit le sergent Radoub.

X

RADOUB

Ici les assaillants eurent une stupeur. Radoub était entré par le trou de brèche, à la tête de la colonne d'attaque, lui sixième, et sur ces six hommes du bataillon parisien, quatre étaient déjà tombés. Après qu'il eut jeté ce cri : Moi ! on le vit, non avancer, mais reculer, et, baissé, courbé, rampant presque entre les jambes des combattants, regagner l'ouverture de la brèche, et sortir. Était-ce une fuite? Un tel homme fuir? Qu'est-ce que cela voulait dire?

Arrivé hors de la brèche, Radoub, encore aveuglé par la fumée, se frotta les yeux comme pour en ôter l'horreur et la nuit, et, à la lueur des étoiles, regarda la muraille de la tour. Il fit ce signe de tête satisfait qui veut dire : Je ne m'étais pas trompé.

Radoub avait remarqué que la lézarde profonde de l'explosion de la mine montait au-dessus de la brèche jusqu'à cette meurtrière du premier étage dont un boulet avait défoncé et disloqué l'armature de fer. Le réseau des barreaux rompus pendait à demi arraché, et un homme pouvait passer.

Un homme pouvait passer, mais un homme pouvait-il monter? Par la lézarde, oui, à la condition d'être un chat.

C'est ce qu'était Radoub. Il était de cette race que Pindare appelle « les athlètes agiles ». On peut être vieux soldat et homme jeune; Radoub, qui avait été garde-française, n'avait pas quarante ans. C'était un Hercule leste.

Radoub posa à terre son mousqueton, ôta sa buffleterie, quitta son habit et sa veste, et ne garda que ses deux pistolets qu'il mit dans la ceinture de son pantalon et son sabre nu qu'il prit entre ses dents. La crosse des deux pistolets passait au-dessus de sa ceinture.

Ainsi allégé de l'inutile, et suivi des yeux dans l'obscurité par tous ceux de la colonne d'attaque qui n'étaient pas encore entrés dans la brèche, il se mit à gravir les pierres de la lézarde du mur comme les marches d'un escalier. N'avoir pas de souliers lui fut utile; rien ne grimpe comme un pied nu; il crispait ses orteils dans les trous des pierres. Il se hissait avec ses poings et s'affermissait avec ses genoux. La montée était rude. C'était quelque chose comme une ascension le long des dents d'une scie. — Heureusement, pensait-il, qu'il n'y a personne dans la chambre du premier étage, car on ne me laisserait pas escalader ainsi.

Il n'avait pas moins de quarante pieds à gravir de cette façon. A mesure qu'il montait, un peu gêné par les pommeaux saillants de ses pistolets, la lézarde allait se rétrécissant, et l'ascension devenait de plus en plus difficile. Le risque de la chute augmentait en même temps que la profondeur du précipice.

Enfin il parvint au rebord de la meurtrière ; il écarta le grillage tordu et descellé, il avait largement de quoi passer, il se souleva d'un effort puissant, appuya son genou sur la corniche du rebord, saisit d'une main un tronçon de barreau à droite, de l'autre main un tronçon à gauche, et se dressa jusqu'à mi-corps devant l'embrasure de la meurtrière, le sabre aux dents, suspendu par ses deux poings sur l'abîme.

Il n'avait plus qu'une enjambée à faire pour sauter dans la salle du premier étage.

Mais une face apparut dans la meurtrière.

Radoub vit brusquement devant lui dans l'ombre quelque chose d'effroyable ; un œil crevé, une mâchoire fracassée, un masque sanglant.

Ce masque, qui n'avait plus qu'une prunelle, le regardait.

Ce masque avait deux mains ; ces deux mains sortirent de l'ombre et s'avancèrent vers Radoub ; l'une, d'une seule poignée, lui prit ses deux pistolets dans sa ceinture, l'autre lui ôta son sabre des dents.

Radoub était désarmé. Son genou glissait sur le plan incliné de la corniche, ses deux poings crispés aux tronçons du grillage suffisaient à peine à le soutenir, et il avait derrière lui quarante pieds de précipice.

Ce masque et ces mains, c'était Chante-en-hiver.

Chante-en-hiver, suffoqué par la fumée qui montait d'en bas, avait réussi à entrer dans l'embrasure de la meurtrière, là l'air extérieur l'avait ranimé, la fraîcheur de la nuit avait figé son sang, et il avait repris un peu de force ; tout à coup il avait vu surgir au dehors devant l'ouverture le torse de Radoub; alors, Radoub ayant les mains cramponnées aux barreaux et n'ayant que le choix de se laisser tomber ou de se laisser désarmer, Chante-en-hiver, épouvantable et tranquille, lui avait cueilli ses pistolets à sa ceinture et son sabre entre les dents.

Un duel inouï commença. Le duel du désarmé et du blessé.

Évidemment, le vainqueur c'était le mourant. Une balle suffisait pour jeter Radoub dans le gouffre béant sous ses pieds.

Par bonheur pour Radoub, Chante-en-hiver, ayant les deux pistolets dans une seule main, ne put en tirer un et fut forcé de se servir du sabre. Il porta un coup de pointe à l'épaule de Radoub. Ce coup de sabre blessa Radoub et le sauva.

Radoub, sans armes, mais ayant toute sa force, dédaigna sa blessure qui d'ailleurs n'avait pas entamé l'os, fit un soubresaut en avant, lâcha les barreaux et bondit dans l'embrasure.

Là il se trouva face à face avec Chante-en-hiver, qui avait jeté le sabre derrière lui et qui tenait les deux pistolets dans ses deux poings.

Chante-en-hiver, dressé sur ses genoux, ajusta Radoub presque à bout portant, mais son bras affaibli tremblait, et il ne tira pas tout de suite.

Radoub profita de ce répit pour éclater de rire.

— Dis donc, cria-t-il, Vilain-à-voir! est-ce que tu crois me faire peur avec ta gueule en bœuf à la mode? Sapristi, comme on t'a délabré le minois!

Chante-en-hiver le visait.

Radoub continua :

— Ce n'est pas pour dire, mais tu as eu la gargoine joliment chiffonnée par la mitraille. Mon pauvre garçon, Bellone t'a fracassé la physionomie. Allons, allons, crache ton petit coup de pistolet, mon bonhomme.

Le coup partit et passa si près de la tête qu'il arracha à Radoub la moitié de l'oreille. Chante-en-hiver éleva l'autre bras armé du second pistolet, mais Radoub ne lui laissa pas le temps de viser.

— J'ai assez d'une oreille de moins, cria-t-il. Tu m'as blessé deux fois. A moi la belle !

Et il se rua sur Chante-en-hiver, lui rejeta le bras en l'air, fit partir le coup qui alla n'importe où, et lui saisit et lui mania sa mâchoire disloquée.

Chante-en-hiver poussa un rugissement et s'évanouit.

Radoub l'enjamba et le laissa dans l'embrasure.

— Maintenant que je t'ai fait savoir mon ultimatum, dit-il, ne bouge plus. Reste là, méchant traîne-à-terre. Tu penses bien que je ne vais pas à présent m'amuser à te massacrer. Rampe à ton aise sur le sol, concitoyen de mes savates. Meurs, c'est toujours ça de fait. C'est tout à l'heure que tu vas savoir que ton curé ne te disait que des bêtises. Va-t'en dans le grand mystère, paysan.

Et il sauta dans la salle du premier étage.

— On n'y voit goutte, grommela-t-il.

Chante-en-hiver s'agitait convulsivement et hurlait à travers l'agonie. Radoub se retourna.

— Silence ! fais-moi le plaisir de te taire, citoyen sans le savoir. Je ne me mêle plus de ton affaire. Je méprise de t'achever. Fiche-moi la paix.

Et, inquiet, il fourra son poing dans ses cheveux, tout en considérant Chante-en-hiver.

— Ah çà, qu'est-ce que je vais faire ? C'est bon tout ça, mais me voilà désarmé. J'avais deux coups à tirer. Tu me les as gaspillés, animal ! Et avec ça une fumée qui vous fait aux yeux un mal de chien !

Et rencontrant son oreille déchirée :

— Aïe ! dit-il.

Et il reprit :

— Te voilà bien avancé de m'avoir confisqué une oreille ! Au fait, j'aime mieux avoir ça de moins qu'autre chose, ça n'est guère qu'un ornement. Tu m'as aussi égratigné à l'épaule, mais ce n'est rien. Expire, villageois, je te pardonne.

Il écouta. Le bruit dans la salle basse était effrayant. Le combat était plus forcené que jamais.

— Ça va bien en bas. C'est égal, ils gueulent vive le roi. Ils crèvent noblement.

Ses pieds cognèrent son sabre à terre. Il le ramassa, et il dit à Chante-en-hiver qui ne bougeait plus et qui était peut-être mort :

— Vois-tu, homme des bois, pour ce que je voulais faire, mon sabre ou zut, c'est la même chose. Je le reprends par amitié. Mais il me fallait mes pistolets. Que le diable t'emporte, sauvage ! Ah çà, qu'est-ce que je vais faire ? Je ne suis bon à rien ici.

Il avança dans la salle tâchant de voir et de s'orienter. Tout à coup dans la pénombre, derrière le pilier du milieu, il aperçut une longue table, et sur cette table quelque chose qui brillait vaguement. Il tâta. C'étaient des tromblons, des pistolets, des carabines, une rangée d'armes à feu disposées en ordre et semblant n'attendre que des mains pour les saisir ; c'était la réserve de combat préparée par les assiégés pour la deuxième phase de l'assaut ; tout un arsenal.

— Un buffet ! s'écria Radoub.

Et il se jeta dessus, ébloui.

Alors il devint formidable.

La porte de l'escalier communiquant aux étages d'en haut et d'en bas était visible, toute grande ouverte, à côté de la table chargée d'armes. Radoub laissa tomber son sabre, prit dans ses deux mains deux pistolets à deux coups et les déchargea à la fois au hasard sous la porte dans la spirale de l'escalier, puis il saisit une espingole et la déchargea, puis il empoigna un tromblon gorgé de chevrotines et le déchargea. Le tromblon, vomissant quinze balles, sembla un coup de mitraille. Alors Radoub, reprenant haleine, cria d'une voix tonnante dans l'escalier : Vive Paris !

Et s'emparant d'un deuxième tromblon plus gros que le premier, il le braqua sous la voûte tortueuse de la vis de Saint-Gilles, et attendit.

Le désarroi dans la salle basse fut indescriptible. Ces étonnements imprévus désagrègent la résistance.

Deux des balles de la triple décharge de Radoub avaient porté ; l'une avait tué l'aîné des frères Pique-en-bois, l'autre avait tué Houzard, qui était M. de Quélen.

— Ils sont en haut ! cria le marquis.

Ce cri détermina l'abandon de la retirade, une volée d'oiseaux n'est pas plus vite en déroute, et ce fut à qui se précipiterait dans l'escalier. Le marquis encourageait cette fuite.

— Faites vite, disait-il. Le courage est d'échapper. Montons tous au deuxième étage ! Là nous recommencerons.

Il quitta la retirade le dernier.

Cette bravoure le sauva.

Radoub, embusqué au haut du premier étage de l'escalier, le doigt sur la détente du tromblon, guettait la déroute. Les premiers qui apparurent au tournant de la spirale reçurent la décharge en pleine face, et tombèrent foudroyés. Si le marquis en eût été, il était mort. Avant que Radoub eût eu le temps de saisir une nouvelle arme, les autres passèrent, le marquis après tous, et plus lent que les autres. Ils croyaient la chambre du premier pleine d'assiégeants, ils ne s'y arrêtèrent pas, et gagnèrent la salle du second étage, la chambre des miroirs. C'est là qu'était la porte de fer, c'est là qu'était la mèche soufrée, c'est là qu'il fallait capituler ou mourir.

Gauvain, aussi surpris qu'eux-mêmes des détonations de l'escalier et ne s'expliquant pas le secours qui lui arrivait, en avait profité sans chercher à comprendre, avait sauté, lui et les siens, par-dessus la retirade, et avait poussé les assiégés l'épée aux reins jusqu'au premier étage.

Là il trouva Radoub.

Radoub commença par le salut militaire et dit :

— Une minute, mon commandant. C'est moi qui ai fait ça. Je me suis souvenu de Dol. J'ai fait comme vous. J'ai pris l'ennemi entre deux feux.

— Bon élève, dit Gauvain en souriant.

Quand on est un certain temps dans l'obscurité, les yeux finissent par se faire à l'ombre comme ceux des oiseaux de nuit ; Gauvain s'aperçut que Radoub était tout en sang.

— Mais tu es blessé, camarade !

— Ne faites pas attention, mon commandant. Qu'est-ce que c'est que ça, une oreille de plus ou de moins ? J'ai aussi un coup de sabre, je m'en fiche. Quand on casse un carreau, on s'y coupe toujours un peu. D'ailleurs il n'y a pas que de mon sang.

On fit une sorte de halte dans la salle du premier étage, conquise par Radoub. On apporta une lanterne. Cimourdain rejoignit Gauvain. Ils délibérèrent. Il y avait lieu à réfléchir en effet. Les assiégeants n'étaient pas dans le secret des assiégés ; ils ignoraient leur pénurie de munitions ; ils ne savaient pas que les défenseurs de la place étaient à court de poudre ; le deuxième étage était le dernier poste de résistance ; les assiégeants pouvaient croire l'escalier miné.

Ce qui était certain, c'est que l'ennemi ne pouvait échapper. Ceux qui n'étaient pas morts étaient là comme sous clef. Lantenac était dans la souricière.

Avec cette certitude, on pouvait se donner un peu le temps de chercher le meilleur dénoûment possible. On avait déjà bien des morts. Il fallait tâcher de ne pas perdre trop de monde dans ce dernier assaut.

Le risque de cette suprême attaque serait grand. Il y aurait probablement un rude premier feu à essuyer.

Le combat était interrompu. Les assiégeants, maîtres du rez-de-chaussée et du premier étage, attendaient, pour continuer, le commandement du chef. Gauvain et Cimourdain tenaient conseil. Radoub assistait en silence à leur délibération.

Il hasarda un nouveau salut militaire, timide.

— Mon commandant ?

— Qu'est-ce, Radoub ?

— Ai-je droit à une petite récompense ?

— Certes. Demande ce que tu voudras.

— Je demande à monter le premier.

On ne pouvait le lui refuser. D'ailleurs il l'eût fait sans permission.

XI

LES DÉSESPÉRÉS

Pendant qu'on délibérait au premier étage, on se barricadait au second. Le succès est une fureur, la défaite est une rage. Les deux étages allaient se heurter éperdument. Toucher à la victoire, c'est une ivresse. En bas il y avait l'espérance, qui serait la plus grande des forces humaines si le désespoir n'existait pas.

Le désespoir était en haut.

Un désespoir calme, froid, sinistre.

En arrivant à cette salle de refuge, au-delà de laquelle il n'y avait rien pour eux, le premier soin des assiégés fut de barrer l'entrée. Fermer la porte était inutile, encombrer l'escalier valait mieux. En pareil cas, un obstacle à travers lequel on peut voir et combattre vaut mieux qu'une porte fermée.

La torche plantée dans la torchère du mur par l'Imânus près de la mèche soufrée les éclairait.

Il y avait dans cette salle du second un de ces gros et lourds coffres de chêne où l'on serrait les vêtements et le linge avant l'invention des meubles à tiroirs.

Ils traînèrent ce coffre et le dressèrent debout sous la porte de l'escalier. Il s'y emboîtait solidement et bouchait l'entrée. Il ne laissait d'ouvert, près de la voûte, qu'un espace étroit, pouvant laisser passer un homme, excellent pour tuer les assaillants un à un. Il était douteux qu'on s'y risquât.

L'entrée obstruée leur donnait un répit.

Ils se comptèrent.

Les dix-neuf n'étaient plus que sept, dont l'Imânus. Excepté l'Imânus et le marquis, tous étaient blessés.

Les cinq qui étaient blessés, mais très vivants, car, dans la chaleur du combat, toute blessure qui n'est pas mortelle vous laisse aller et venir, étaient Chatenay, dit Robi, Guinoiseau, Hoisnard Branche-d'Or, Brin-d'Amour et Grand-Francœur. Tout le reste était mort.

Ils n'avaient plus de munitions. Les gibernes étaient épuisées. Ils comptèrent les cartouches. Combien, à eux sept, avaient-ils de coups à tirer? Quatre.

On était arrivé à ce moment où il n'y a plus qu'à tomber. On était acculé à l'escarpement, béant et terrible. Il était difficile d'être plus près du bord.

Cependant l'attaque venait de recommencer; mais lente et d'autant plus sûre. On entendait les coups de crosse des assiégeants sondant l'escalier marche à marche.

Nul moyen de fuir. Par la bibliothèque? Il y avait là sur le plateau six canons braqués, mèche allumée. Par les chambres d'en haut? A quoi bon? elles aboutissaient à la plate-forme. Là on trouvait la ressource de se jeter du haut en bas de la tour.

Les sept survivants de cette bande épique se voyaient inexorablement enfermés et saisis par cette épaisse muraille qui les protégeait et qui les livrait. Ils n'étaient pas encore pris; mais ils étaient déjà prisonniers.

Le marquis éleva la voix :

— Mes amis, tout est fini.

Et après un silence, il ajouta :

— Grand-Francœur redevient l'abbé Turmeau.

Tous s'agenouillèrent, le rosaire à la main. Les coups de crosse des assaillants se rapprochaient.

Grand-Francœur, tout sanglant d'une balle qui lui avait effleuré le crâne et arraché le cuir chevelu, dressa de la main droite son crucifix. Le marquis, sceptique au fond, mit un genou en terre.

— Que chacun, dit Grand-Francœur, confesse ses fautes à haute voix. Monseigneur, parlez.

Le marquis répondit :

– J'ai tué.

– J'ai tué, dit Hoisnard.

– J'ai tué, dit Guinoiseau.

– J'ai tué, dit Brin-d'Amour.

– J'ai tué, dit Chatenay.

– J'ai tué, dit l'Imânus.

Et Grand-Francœur reprit :

– Au nom de la très sainte Trinité, je vous absous. Que vos âmes aillent en paix.

– Ainsi soit-il, répondirent toutes les voix.

Le marquis se releva.

– Maintenant, dit-il, mourons.

– Et tuons, dit l'Imânus.

Les coups de crosse commençaient à ébranler le coffre qui barrait la porte.

– Pensez à Dieu, dit le prêtre. La terre n'existe plus pour vous.

– Oui, reprit le marquis, nous sommes dans la tombe.

Tous courbèrent le front et se frappèrent la poitrine. Le marquis seul et le prêtre étaient debout. Les yeux étaient fixés à terre, le prêtre priait, les paysans priaient, le marquis songeait. Le coffre, battu comme par des marteaux, sonnait lugubrement.

En ce moment une voix vive et forte, éclatant brusquement derrière eux, cria :

– Je vous l'avais bien dit, monseigneur !

Toutes les têtes se retournèrent, stupéfaites.

Un trou venait de s'ouvrir dans le mur.

Une pierre, parfaitement rejointoyée avec les autres, mais non cimentée, et ayant un piton en haut et un piton en bas, venait de pivoter sur elle-même à la façon des tourniquets, et en tournant avait ouvert la muraille. La pierre ayant évolué sur son axe, l'ouverture était double et offrait deux passages, l'un à droite, l'autre à gauche, étroits, mais suffisants pour laisser passer un homme. Au-delà de cette porte inattendue on apercevait les premières marches d'un escalier en spirale. Une face d'homme apparaissait à l'ouverture.

Le marquis reconnut Halmalo.

XII

SAUVEUR

— C'est toi, Halmalo?

— Moi, monseigneur. Vous voyez bien que les pierres qui tournent, cela existe, et qu'on peut sortir d'ici. J'arrive à temps, mais faites vite. Dans dix minutes, vous serez en pleine forêt.

— Dieu est grand, dit le prêtre.

— Sauvez-vous, monseigneur, crièrent toutes les voix.

— Vous tous d'abord, dit le marquis.

— Vous le premier, monseigneur, dit l'abbé Turmeau.

— Moi le dernier.

Et le marquis reprit d'une voix sévère :

— Pas de combat de générosité. Nous n'avons pas le temps d'être magnanimes. Vous êtes blessés. Je vous ordonne de vivre et de fuir. Vite! et profitez de cette issue. Merci, Halmalo.

— Monsieur le marquis, dit l'abbé Turmeau, nous allons nous séparer?

— En bas, sans doute. On ne s'échappe jamais qu'un à un.

— Monseigneur nous assigne-t-il un rendez-vous?

— Oui. Une clairière dans la forêt. La Pierre-Gauvaine. Connaissez-vous l'endroit?

— Nous le connaissons tous.

— J'y serai demain, à midi. Que tous ceux qui pourront marcher s'y trouvent.

— On y sera.

— Et nous recommencerons la guerre, dit le marquis.

Cependant Halmalo, en pesant sur la pierre tournante, venait de s'apercevoir qu'elle ne bougeait plus. L'ouverture ne pouvait plus se clore.

— Monseigneur, dit-il, dépêchons-nous, la pierre résiste à présent. J'ai pu ouvrir le passage, mais je ne pourrai le fermer.

La pierre, en effet, après une longue désuétude, était comme ankylosée dans sa charnière. Impossible désormais de lui imprimer un mouvement.

— Monseigneur, reprit Halmalo, j'espérais refermer le passage, et que les bleus, quand ils entreraient, ne trouveraient plus personne, et n'y comprendraient rien, et vous croiraient en allés en fumée. Mais voilà la pierre qui ne veut pas. L'ennemi verra la sortie ouverte et pourra poursuivre. Au moins ne perdons pas une minute. Vite, tous dans l'escalier.

L'Imânus posa la main sur l'épaule de Halmalo :

— Camarade, combien de temps faut-il pour qu'on sorte par cette passe et qu'on soit en sûreté dans la forêt ?

— Personne n'est blessé grièvement ? demanda Halmalo.

Ils répondirent.

— Personne.

— En ce cas, un quart d'heure suffit.

— Ainsi, repartit l'Imânus, si l'ennemi n'entrait ici que dans un quart d'heure...

— Il pourrait nous poursuivre, il ne nous atteindrait pas.

— Mais, dit le marquis, ils seront ici dans cinq minutes, ce vieux coffre n'est pas pour les gêner longtemps. Quelques coups de crosse en viendront à bout. Un quart d'heure ! qui est-ce qui les arrêtera un quart d'heure ?

— Moi, dit l'Imânus.

— Toi, Gouge-le-Bruant ?

— Moi, monseigneur. Écoutez. Sur six, vous êtes cinq blessés. Moi je n'ai pas une égratignure.

— Ni moi, dit le marquis.

— Vous êtes le chef, monseigneur. Je suis le soldat. Le chef et le soldat, c'est deux.

— Je le sais, nous avons chacun un devoir différent.

— Non, monseigneur, nous avons, vous et moi, le même devoir, qui est de vous sauver.

L'Imânus se tourna vers ses camarades.

— Camarades, il s'agit de tenir en échec l'ennemi et de retarder la poursuite le plus possible. Écoutez. J'ai toute ma force, je n'ai pas perdu une goutte de sang ; n'étant pas blessé, je durerai plus longtemps qu'un autre. Partez tous. Laissez-moi vos armes. J'en ferai bon usage. Je me charge d'arrêter l'ennemi une bonne demi-heure. Combien y a-t-il de pistolets chargés ?

— Quatre.

— Mettez-les à terre.

On fit ce qu'il voulait.

— C'est bien. Je reste. Ils trouveront à qui parler. Maintenant, vite, allez-vous-en.

Les situations à pic suppriment les remerciements. A peine prit-on le temps de lui serrer la main.

— A bientôt, lui dit le marquis.

— Non, monseigneur. J'espère que non. Pas à bientôt ; car je vais mourir.

Tous s'engagèrent l'un après l'autre dans l'étroit escalier, les blessés d'abord. Pendant qu'ils descendaient, le marquis prit le crayon de son carnet de poche, et écrivit quelques mots sur la pierre qui ne pouvait plus tourner et qui laissait le passage béant.

— Venez, monseigneur, il n'y a plus que vous, dit Halmalo.

Et Halmalo commença à descendre.

Le marquis le suivit.

L'Imânus resta seul.

XIII

BOURREAU

Les quatre pistolets avaient été posés sur les dalles, car cette salle n'avait pas de plancher. L'Imânus en prit deux, un dans chaque main.

Il s'avança obliquement vers l'entrée de l'escalier que le coffre obstruait et masquait.

Les assaillants craignaient évidemment quelque surprise, une de ces explosions finales qui sont la catastrophe du vainqueur en même temps que celle du vaincu. Autant la première attaque avait été impétueuse, autant la dernière était lente et prudente. Ils n'avaient pas pu, ils n'avaient pas voulu peut-être, enfoncer violemment le coffre ; ils en avaient démoli le fond à coups de crosse, et troué le couvercle à coups de bayonnette, et par ces trous ils tâchaient de voir dans la salle avant de se risquer à y pénétrer.

La lueur des lanternes dont ils éclairaient l'escalier passait à travers ces trous.

L'Imânus aperçut à un de ces trous une de ces prunelles qui regardaient. Il ajusta brusquement à ce trou le canon d'un de ses pistolets et pressa la détente. Le coup partit, et l'Imânus, joyeux, entendit un cri horrible. La balle avait crevé l'œil et traversé la tête, et le soldat qui regardait venait de tomber dans l'escalier à la renverse.

Les assaillants avaient entamé assez largement le bas du couvercle en deux endroits, et y avaient pratiqué deux espèces de meurtrières, l'Imânus profita de l'une de ces entailles, y passa le bras, et lâcha au hasard dans le tas des assiégeants son deuxième coup de pistolet. La balle ricocha probablement, car on entendit plusieurs cris, comme si trois ou quatre étaient tués ou blessés, et il se fit dans l'escalier un grand tumulte d'hommes qui lâchent pied et qui reculent.

L'Imânus jeta les deux pistolets qu'il venait de décharger, et prit les deux qui restaient, puis, les deux pistolets à ses deux poings, il regarda par les trous du coffre.

Il constata le premier effet produit.

Les assaillants avaient redescendu l'escalier. Des mourants se tordaient sur les marches ; le tournant de la spirale ne laissait voir que trois ou quatre degrés.

L'Imânus attendit.

— C'est du temps de gagné, pensait-il.

Cependant il vit un homme, à plat ventre, monter en rampant les marches de l'escalier, et en même temps, plus bas, une tête de soldat apparut derrière le pilier central de la spirale. L'Imânus visa cette tête et tira. Il y eut un cri, le soldat tomba, et l'Imânus fit passer de sa main gauche dans sa main droite le dernier pistolet chargé qui lui restait.

En ce moment-là il sentit une affreuse douleur, et ce fut lui qui, à son tour, jeta un hurlement. Un sabre lui fouillait les entrailles. Un poing, le poing de l'homme qui rampait, venait de passer à travers la deuxième meurtrière du bas du coffre, et ce poing avait plongé un sabre dans le ventre de l'Imânus.

La blessure était effroyable. Le ventre était fendu de part en part.

L'Imânus ne tomba pas. Il grinça des dents, et dit :

— C'est bon !

Puis chancelant et se traînant, il recula jusqu'à la torche qui brûlait à côté de la porte de fer, il posa son pistolet à terre et empoigna la torche, et, soutenant de la main gauche ses intestins qui sortaient, de la main droite il abaissa la torche et mit le feu à la mèche soufrée.

Le feu prit, la mèche flamba. L'Imânus lâcha la torche, qui continua de brûler à terre, ressaisit son pistolet, et, tombé sur la dalle, mais se soulevant encore, attisa la mèche du peu de souffle qui lui restait.

La flamme courut, passa sous la porte de fer et gagna le pont-châtelet.

Alors, voyant cette exécrable réussite, plus satisfait peut-être de son crime que de sa vertu, cet homme qui venait d'être un héros et qui n'était plus qu'un assassin, et qui allait mourir, sourit.

— Ils se souviendront de moi, murmura-t-il. Je venge, sur leurs petits, notre petit à nous, le roi qui est au Temple.

XIV

L'IMÂNUS AUSSI S'ÉVADE

En cet instant-là, un grand bruit se fit, le coffre violemment poussé s'effondra, et livra passage à un homme qui se rua dans la salle, le sabre à la main.

— C'est moi, Radoub ; qui en veut ? Ça m'ennuie d'attendre. Je me risque. C'est égal, je viens toujours d'en éventrer un. Maintenant je vous attaque tous. Qu'on me suive ou qu'on ne me suive pas, me voilà. Combien êtes-vous ?

C'était Radoub, en effet, et il était seul. Après le massacre que l'Imânus venait de faire dans l'escalier, Gauvain, redoutant quelque fougasse masquée, avait fait replier ses hommes et se concertait avec Cimourdain.

Radoub, le sabre à la main sur le seuil, dans cette obscurité où la torche presque éteinte jetait à peine une lueur, répéta sa question :

— Je suis un. Combien êtes-vous ?

N'entendant rien, il avança. Un de ces jets de clarté qu'exhalent par instants les foyers agonisants et qu'on pourrait appeler des sanglots de lumière, jaillit de la torche et illumina toute la salle.

Radoub avisa un des petits miroirs accrochés au mur, s'en approcha, regarda sa face ensanglantée et son oreille pendante, et dit :

— Démantibulage hideux.

Puis il se retourna, stupéfait de voir la salle vide.

— Il n'y a personne ! s'écria-t-il. Zéro d'effectif.

Il aperçut la pierre qui avait tourné, l'ouverture et l'escalier.

— Ah ! je comprends. Clef des champs. Venez donc tous ! camarades, venez ! ils s'en sont allés. Ils ont filé, fusé, fouiné, fichu le camp. Cette cruche de vieille tour était fêlée. Voici le trou par où ils ont passé, canailles ! Comment veut-on qu'on vienne à bout de Pitt et Cobourg avec des farces comme ça ! C'est le bon Dieu du diable qui est venu à leur secours ! Il n'y a plus personne !

Un coup de pistolet partit, une balle lui effleura le coude et s'aplatit contre le mur.

— Mais si ! il y a quelqu'un. Qui est-ce qui a la bonté de me faire cette politesse ?

— Moi, dit une voix.

Radoub avança la tête et distingua dans le clair-obscur quelque chose qui était l'Imânus.

— Ah ! cria-t-il. J'en tiens un. Les autres se sont échappés, mais toi, tu n'échapperas pas.

— Crois-tu ? répondit l'Imânus.

Radoub fit un pas et s'arrêta.

— Hé, l'homme qui es par terre, qui es-tu ?

— Je suis celui qui est par terre et qui se moque de ceux qui sont debout.

— Qu'est-ce que tu as dans ta main droite ?

— Un pistolet.

— Et dans ta main gauche ?

— Mes boyaux.

— Je te fais prisonnier.

— Je t'en défie.

Et l'Imânus, se penchant sur la mèche en combustion, soufflant son dernier soupir sur l'incendie, expira.

Quelques instants après, Gauvain et Cimourdain, et tous, étaient dans la salle. Tous virent l'ouverture. On fouilla les recoins, on sonda l'escalier ; il aboutissait à une sortie dans le ravin. On constata l'évasion. On secoua l'Imânus, il était mort. Gauvain, une lanterne à la main, examina la pierre qui avait donné issue aux assiégés ; il avait entendu parler de cette pierre tournante, mais lui aussi tenait cette légende pour une fable. Tout en considérant la pierre, il aperçut quelque chose qui était écrit au crayon ; il approcha la lanterne et lut ceci :

— Au revoir, monsieur le vicomte. —

LANTENAC.

Guéchamp avait rejoint Gauvain. La poursuite était évidemment inutile, la fuite était consommée et complète, les évadés avaient pour eux tout le pays, le buisson, le ravin, le taillis, l'habitant; ils étaient sans doute déjà bien loin; nul moyen de les retrouver; et la forêt de Fougères tout entière était une immense cachette. Que faire? Tout était à recommencer. Gauvain et Guéchamp échangeaient leurs désappointements et leurs conjectures.

Cimourdain écoutait, grave, sans dire une parole.

— A propos, Guéchamp, dit Gauvain, et l'échelle?

— Commandant, elle n'est pas arrivée.

— Mais pourtant nous avons vu venir une voiture escortée par des gendarmes.

Guéchamp répondit :

— Elle n'apportait pas l'échelle.

— Qu'est-ce donc qu'elle apportait?

— La guillotine, dit Cimourdain.

XV

NE PAS METTRE DANS LA MÊME POCHE UNE MONTRE ET UNE CLEF

Le marquis de Lantenac n'était pas si loin qu'ils le croyaient.

Il n'en était pas moins entièrement en sûreté et hors de leur atteinte.

Il avait suivi Halmalo.

L'escalier par où Halmalo et lui étaient descendus, à la suite des autres fugitifs, se terminait tout près du ravin et des arches du pont par un étroit couloir voûté. Ce couloir s'ouvrait sur une profonde fissure naturelle du sol qui d'un côté aboutissait au ravin, et de l'autre à la forêt. Cette fissure, absolument dérobée aux regards, serpentait sous des végétations impénétrables. Impossible de reprendre là un homme. Un évadé, une fois parvenu dans cette fissure, n'avait plus qu'à faire une fuite de couleuvre, et était introuvable. L'entrée du couloir secret de l'escalier était tellement obstruée de ronces que les constructeurs du passage souterrain avaient considéré comme inutile de la fermer autrement.

Le marquis n'avait plus maintenant qu'à s'en aller. Il n'avait pas à s'inquiéter d'un déguisement. Depuis son arrivée en Bretagne, il n'avait pas quitté ses habits de paysan, se jugeant plus grand seigneur ainsi.

Il s'était borné à ôter son épée, dont il avait débouclé et jeté le ceinturon.

Quand Halmalo et le marquis débouchèrent du couloir dans la fissure, les cinq autres, Guinoiseau, Hoisnard Branche-d'Or, Brin-d'Amour, Chatenay et l'abbé Turmeau, n'y étaient déjà plus.

— Ils n'ont pas été longtemps à prendre leur volée, dit Halmalo.

— Fais comme eux, dit le marquis.

— Monseigneur veut que je le quitte?

— Sans doute. Je te l'ai dit déjà. On ne s'évade bien que seul. Où un passe, deux ne passent pas. Ensemble nous appellerions l'attention. Tu me ferais prendre et je te ferais prendre.

— Monseigneur connaît le pays?

— Oui.

— Monseigneur maintient le rendez-vous à la Pierre-Gauvaine?

— Demain. A midi.

— J'y serai. Nous y serons.

Halmalo s'interrompit.

— Ah! monseigneur, quand je pense que nous avons été en pleine mer, que nous étions seuls, que je voulais vous tuer, que vous étiez mon seigneur, que vous pouviez me le dire, et que vous ne me l'avez pas dit! Quel homme vous êtes!

Le marquis reprit :

— L'Angleterre. Il n'y a plus d'autre ressource. Il faut que dans quinze jours les Anglais soient en France.

— J'aurai bien des comptes à rendre à monseigneur. J'ai fait ses commissions.

— Nous parlerons de tout cela demain.

— A demain, monseigneur.

— A propos, as-tu faim ?

— Peut-être, monseigneur. J'étais si pressé d'arriver que je ne sais pas si j'ai mangé aujourd'hui.

Le marquis tira de sa poche une tablette de chocolat, la cassa en deux, en donna une moitié à Halmalo et se mit à manger l'autre.

— Monseigneur, dit Halmalo, à votre droite, c'est le ravin ; à votre gauche, c'est la forêt.

— C'est bien. Laisse-moi. Va de ton côté.

Halmalo obéit. Il s'enfonça dans l'obscurité. On entendit un bruit de broussailles froissées, puis plus rien. Au bout de quelques secondes il eût été impossible de ressaisir sa trace. Cette terre du Bocage, hérissée et inextricable, était l'auxiliaire du fugitif. On ne disparaissait pas, on s'évanouissait. C'est cette facilité des dispersions rapides qui faisait hésiter nos armées devant cette Vendée toujours reculante, et devant ses combattants si formidablement fuyards.

Le marquis demeura immobile. Il était de ces hommes qui s'efforcent de ne rien éprouver ; mais il ne put se soustraire à l'émotion de respirer l'air libre après avoir respiré tant de sang et de carnage. Se sentir complètement sauvé après avoir été complètement perdu ; après la tombe, vue de si près, prendre possession de la pleine sécurité ; sortir de la mort et rentrer dans la vie, c'était là, même pour un homme comme Lantenac, une secousse ; et, bien qu'il en eût déjà traversé de pareilles, il ne put soustraire son âme imperturbable à un ébranlement de quelques instants. Il s'avoua à lui-même qu'il était content. Il dompta vite ce mouvement qui ressemblait presque à de la joie. Il tira sa montre, et la fit sonner. Quelle heure était-il ?

A son grand étonnement, il n'était que dix heures. Quand on vient de subir une de ces péripéties de la vie humaine où tout a été mis en question, on est toujours stupéfait que des minutes si pleines ne soient pas plus longues que les autres. Le coup de canon d'avertissement avait été tiré un peu avant le coucher du soleil, et la Tourgue avait été abordée par la colonne d'attaque une demi-heure après, entre sept et huit heures, à la nuit tombante. Ainsi, ce colossal combat, commencé à huit heures, était fini à dix. Toute cette épopée avait duré cent vingt minutes. Quelquefois une rapidité d'éclair est mêlée aux catastrophes. Les événements ont de ces raccourcis surprenants.

En y réfléchissant, c'est le contraire qui eût pu étonner ; une résistance de deux heures d'un si petit nombre contre un si grand nombre était extraordinaire, et certes elle n'avait pas été courte, ni tout de suite finie, cette bataille de dix-neuf contre quatre mille.

Cependant il était temps de s'en aller, Halmalo devait être loin, et le marquis jugea qu'il n'était pas nécessaire de rester là plus longtemps. Il remit sa montre dans sa veste, non dans la même poche, car il venait de remarquer qu'elle y était en contact avec la clef de la porte de fer que lui avait rapportée l'Imânus, et que le verre de sa montre pouvait se briser contre cette clef ; et il se disposa à gagner à son tour la forêt. Comme il allait prendre à gauche, il lui sembla qu'une sorte de rayon vague pénétrait jusqu'à lui.

Il se retourna, et, à travers les broussailles nettement découpées sur un fond rouge et devenues tout à coup visibles dans leurs moindres détails, il aperçut une grande lueur dans le ravin. Quelques enjambées seulement le séparaient du ravin. Il y marcha, puis se ravisa, trouvant inutile de s'exposer à cette clarté ; quelle qu'elle fût, ce n'était pas son affaire après tout ; il reprit la direction que lui avait montrée Halmalo et fit quelques pas vers la forêt.

Tout à coup, profondément enfoui et caché sous les ronces, il entendit sur sa tête un cri terrible ; ce cri semblait partir du rebord même du plateau au-dessus du ravin. Le marquis leva les yeux, et s'arrêta.

LIVRE CINQUIÈME

IN DÆMONE DEUS[1]

I

TROUVÉS, MAIS PERDUS

Au moment où Michelle Fléchard avait aperçu la tour rougie par le soleil couchant, elle en était à plus d'une lieue. Elle qui pouvait à peine faire un pas, elle n'avait point hésité devant cette lieue à faire. Les femmes sont faibles, mais les mères sont fortes. Elle avait marché.

Le soleil s'était couché ; le crépuscule était venu, puis l'obscurité profonde ; elle avait entendu, marchant toujours, sonner au loin, à un clocher qu'on ne voyait pas, huit heures, puis neuf heures. Ce clocher était probablement celui de Parigné. De temps en temps elle s'arrêtait pour écouter des espèces de coups sourds, qui étaient peut-être un des fracas vagues de la nuit.

Elle avançait droit devant elle, cassant les ajoncs et les landes aiguës sous ses pieds sanglants. Elle était guidée par une faible clarté qui se dégageait du donjon lointain, le faisait saillir, et donnait dans l'ombre à cette tour un rayonnement mystérieux. Cette clarté devenait plus vive quand les coups devenaient plus distincts, puis elle s'effaçait.

1. « Un dieu dans un démon. »

Le vaste plateau où avançait Michelle Fléchard n'était qu'herbe et bruyère, sans une maison ni un arbre ; il s'élevait insensiblement, et, à perte de vue, appuyait sa longue ligne droite et dure sur le sombre horizon étoilé. Ce qui la soutint dans cette montée, c'est qu'elle avait toujours la tour sous les yeux.

Elle la voyait grandir lentement.

Les détonations étouffées et les lueurs pâles qui sortaient de la tour avaient, nous venons de le dire, des intermittences ; elles s'interrompaient, puis reprenaient, proposant on ne sait quelle poignante énigme à la misérable mère en détresse.

Brusquement elles cessèrent ; tout s'éteignit, bruit et clarté ; il y eut un moment de plein silence, une sorte de paix lugubre se fit.

C'est en cet instant-là que Michelle Fléchard arriva au bord du plateau.

Elle aperçut à ses pieds un ravin dont le fond se perdait dans une blême épaisseur de nuit ; à quelque distance, sur le haut du plateau, un enchevêtrement de roues, de talus et d'embrasures qui était une batterie de canons, et devant elle, confusément éclairé par les mèches allumées de la batterie, un énorme édifice qui semblait bâti avec des ténèbres plus noires que toutes les autres ténèbres qui l'entouraient.

Cet édifice se composait d'un pont dont les arches plongeaient dans le ravin, et d'une sorte de château qui s'élevait sur le pont, et le château et le pont s'appuyaient à une haute rondeur obscure, qui était la tour vers laquelle cette mère avait marché de si loin.

On voyait des clartés aller et venir aux lucarnes de la tour, et, à une rumeur qui en sortait, on la devinait pleine d'une foule d'hommes dont quelques silhouettes débordaient en haut jusque sur la plate-forme.

Il y avait près de la batterie un campement dont Michelle Fléchard distinguait les vedettes, mais, dans l'obscurité et dans les broussailles, elle n'en avait pas été aperçue.

Elle était parvenue au bord du plateau, si près du pont qu'il lui semblait presque qu'elle y pouvait toucher avec la main. La profondeur du ravin l'en séparait. Elle distinguait dans l'ombre les trois étages du château du pont.

Elle resta un temps quelconque, car les mesures du temps s'effaçaient dans son esprit, absorbée et muette devant ce ravin béant et cette bâtisse ténébreuse. Qu'était-ce que cela ? Que se passait-il là ? Était-ce la Tourgue ? Elle avait le vertige d'on ne sait quelle attente qui ressemblait à l'arrivée et au départ. Elle se demandait pourquoi elle était là.

Elle regardait, elle écoutait.

Subitement elle ne vit plus rien.

Un voile de fumée venait de monter entre elle et ce qu'elle regardait. Une âcre cuisson lui fit fermer les yeux. A peine avait-elle clos les paupières qu'elles s'empourprèrent et devinrent lumineuses. Elle les rouvrit.

Ce n'était plus la nuit qu'elle avait devant elle, c'était le jour ; mais une espèce de jour funeste, le jour qui sort du feu. Elle avait sous les yeux un commencement d'incendie.

La fumée de noire était devenue écarlate, et une grande flamme était dedans ; cette flamme apparaissait, puis disparaissait, avec ces torsions farouches qu'ont les éclairs et les serpents.

Cette flamme sortait comme une langue de quelque chose qui ressemblait à une gueule et qui était une fenêtre pleine de feu. Cette fenêtre, grillée de barreaux de fer déjà rouges, était une des croisées de l'étage inférieur du château construit sur le pont. De tout l'édifice on n'apercevait que cette fenêtre. La fumée couvrait tout, même le plateau, et l'on ne distinguait que le bord du ravin, noir sur la flamme vermeille.

Michelle Fléchard, étonnée, regardait. La fumée est nuage, le nuage est rêve ; elle ne savait plus ce qu'elle voyait. Devait-elle fuir ? Devait-elle rester ? Elle se sentait presque hors du réel.

Un souffle de vent passa et fendit le rideau de fumée, et dans la déchirure la tragique bastille, soudainement démasquée, se dressa visible tout entière, donjon, pont, châtelet, éblouissante, horrible, avec la magnifique dorure de l'incendie, réverbéré sur elle de haut en bas. Michelle Fléchard put tout voir dans la netteté sinistre du feu.

L'étage inférieur du château bâti sur le pont brûlait.

Au-dessus on distinguait les deux autres étages encore intacts, mais comme portés par une corbeille de flammes. Du rebord du plateau, où était Michelle Fléchard, on en voyait vaguement l'intérieur à travers des interpositions de feu et de fumée. Toutes les fenêtres étaient ouvertes.

Par les fenêtres du second étage qui étaient très grandes, Michelle Fléchard apercevait, le long des murs, des armoires qui lui semblaient pleines de livres, et, devant une des croisées, à terre, dans la pénombre, un petit groupe confus, quelque chose qui avait l'aspect indistinct et amoncelé d'un nid ou d'une couvée, et qui lui faisait l'effet de remuer par moments.

Elle regardait cela.

Qu'était-ce que ce petit groupe d'ombre?

A de certains instants, il lui venait à l'esprit que cela ressemblait à des formes vivantes, elle avait la fièvre, elle n'avait pas mangé depuis le matin, elle avait marché sans relâche, elle était exténuée, elle se sentait dans une sorte d'hallucination dont elle se défiait instinctivement; pourtant ses yeux de plus en plus fixes ne pouvaient se détacher de cet obscur entassement d'objets quelconques, inanimés probablement, et en apparence inertes, qui gisait là sur le parquet de cette salle superposée à l'incendie.

Tout à coup le feu, comme s'il avait une volonté, allongea d'en bas un de ses jets vers le grand lierre mort qui couvrait précisément cette façade que Michelle Fléchard regardait. On eût dit que la flamme venait de découvrir ce réseau de branches sèches ; une étincelle s'en empara avidement, et se mit à monter le long des sarments avec l'agilité affreuse des traînées de poudre. En un clin d'œil, la flamme atteignit le second étage. Alors, d'en haut, elle éclaira l'intérieur du premier. Une vive lueur mit subitement en relief trois petits êtres endormis.

C'était un petit tas charmant, bras et jambes mêlés, paupières fermées, blondes têtes souriantes.

La mère reconnut ses enfants.

Elle jeta un cri effrayant.

Ce cri de l'inexprimable angoisse n'est donné qu'aux mères. Rien n'est plus farouche et rien n'est plus touchant. Quand une femme le jette, on croit entendre une louve ; quand une louve le pousse, on croit entendre une femme.

Ce cri de Michelle Fléchard fut un hurlement. Hécube aboya, dit Homère.

C'était ce cri que le marquis de Lantenac venait d'entendre.

On a vu qu'il s'était arrêté.

Le marquis était entre l'issue du passage par où Halmalo l'avait fait échapper, et le ravin. A travers les broussailles entre-croisées sur lui, il vit le pont en flammes, la Tourgue rouge de la réverbération, et, par l'écartement de deux branches, il aperçut au-dessus de sa tête, de l'autre côté, sur le rebord du plateau, vis-à-vis du château brûlant et dans le plein jour de l'incendie, une figure hagarde et lamentable, une femme penchée sur le ravin.

C'était de cette femme qu'était venu ce cri.

Cette figure, ce n'était plus Michelle Fléchard, c'était Gorgone. Les misérables sont les formidables. La paysanne s'était transfigurée en euménide. Cette villageoise quelconque, vulgaire, ignorante, inconsciente, venait de prendre brusquement les proportions épiques du désespoir. Les grandes douleurs sont une dilatation gigantesque de l'âme ; cette mère, c'était la maternité ; tout ce qui résume l'humanité est surhumain ; elle se dressait là, au bord de ce ravin, devant cet embrasement, devant ce crime, comme une puissance sépulcrale ; elle avait le cri de la bête et le geste de la déesse ; sa face, d'où tombaient des imprécations, semblait un masque de flamboiement. Rien de souverain comme l'éclair de ses yeux noyés de larmes ; son regard foudroyait l'incendie.

Le marquis écoutait. Cela tombait sur sa tête ; il entendait on ne sait quoi d'inarticulé et de déchirant, plutôt des sanglots que des paroles.

– Ah ! mon Dieu ! mes enfants ! Ce sont mes enfants ! au secours ! au feu ! au feu ! au feu ! Mais vous êtes donc des bandits ! Est-ce qu'il n'y a personne là ? Mais mes enfants vont brûler ! Ah ! voilà une chose ! Georgette ! mes enfants ! Gros-Alain, René-Jean ! Mais qu'est-ce que cela veut dire ? Qui donc a mis mes enfants là ? Ils dorment. Je suis folle ! C'est une chose impossible. Au secours !

Cependant un grand mouvement se faisait dans la Tourgue et sur le plateau. Tout le camp accourait autour du feu qui venait d'éclater. Les assiégeants, après avoir eu affaire à la mitraille, avaient affaire à l'incendie. Gauvain, Cimourdain, Guéchamp donnaient des ordres. Que faire ? Il y avait à peine quelques seaux d'eau à puiser dans le maigre ruisseau du ravin. L'angoisse allait croissant. Tout le rebord du plateau était couvert de visages effarés qui regardaient.

Ce qu'on voyait était effroyable.

On regardait, et l'on n'y pouvait rien.

La flamme, par le lierre qui avait pris feu, avait gagné l'étage d'en haut. Là elle avait trouvé le grenier plein de paille et elle s'y était précipitée. Tout le grenier brûlait maintenant. La flamme dansait ; la joie de la flamme, chose lugubre. Il semblait qu'un souffle scélérat attisait ce bûcher. On eût dit que l'épouvantable Imânus tout entier était là changé en tourbillon d'étincelles, vivant de la vie meurtrière du feu, et que cette âme monstre s'était faite incendie. L'étage de la bibliothèque n'était pas encore atteint, la hauteur de son plafond et l'épaisseur de ses murs retardaient l'instant où il prendrait feu, mais cette minute fatale approchait ; il était léché par l'incendie du premier étage et caressé par celui du troisième. L'affreux baiser de la mort l'effleurait. En bas une cave de lave, en haut une voûte de braise ; qu'un trou se fît au plancher, c'était l'écroulement dans la cendre rouge ; qu'un trou se fît au plafond, c'était l'ensevelissement sous les charbons ardents. René-Jean, Gros-Alain et Georgette ne s'étaient pas encore réveillés, ils dormaient du sommeil profond et simple de l'enfance, et, à travers les plis de flamme et de fumée qui tour à tour couvraient et découvraient les fenêtres, on les apercevait dans cette grotte de feu, au fond d'une lueur de météore, paisibles, gracieux, immobiles, comme trois enfants-Jésus confiants endormis dans un enfer ; et un tigre eût pleuré de voir ces roses dans cette fournaise et ces berceaux dans ce tombeau.

Cependant la mère se tordait les bras :

— Au feu ! je crie au feu ! on est donc des sourds qu'on ne vient pas ! on me brûle mes enfants ! arrivez donc, vous les hommes qui êtes là. Voilà des jours et des jours que je marche, et c'est comme ça que je les retrouve ! Au feu ! au secours ! des anges ! dire que ce sont des anges ! Qu'est-ce qu'ils ont fait, ces innocents-là ! moi on m'a fusillée, eux on les brûle ! qui est-ce donc qui fait ces choses-là ! Au secours ! sauvez mes enfants ! est-ce que vous ne m'entendez pas ? une chienne, on aurait pitié d'une chienne ! Mes enfants ! mes enfants ! ils dorment ! Ah ! Georgette ! je vois son petit ventre à cet amour ! René-Jean ! Gros-Alain ! c'est comme cela qu'ils s'appellent. Vous voyez bien que je suis leur mère. Ce qui se passe dans ce temps-ci est abominable. J'ai marché des jours et des nuits. Même que j'ai parlé ce matin à une femme. Au secours ! au secours ! au feu ! On est donc des monstres ! C'est une horreur ! l'aîné n'a pas cinq ans, la petite n'a pas deux ans. Je vois leurs petites jambes nues. Ils dorment, bonne sainte Vierge! la main du ciel me les rend et la main de l'enfer me les reprend. Dire que j'ai tant marché! Mes enfants que j'ai nourris de mon lait! moi qui me croyais malheureuse de ne pas les retrouver! Ayez pitié de moi! Je veux mes enfants, il me faut mes enfants! C'est pourtant vrai qu'ils sont là dans le feu! Voyez mes pauvres pieds comme ils sont tout en sang. Au secours! Ce n'est pas possible qu'il y ait des hommes sur la terre et qu'on laisse ces pauvres petits mourir comme cela! au secours! à l'assassin! Des choses comme on n'en voit pas de pareilles. Ah! les brigands! Qu'est-ce que c'est que cette affreuse maison-là? On me les a volés pour me les tuer! Jésus misère! je veux mes enfants. Oh! je ne sais pas ce que je ferais! Je ne veux pas qu'ils meurent! au secours! au secours! au secours! Oh! s'ils devaient mourir comme cela, je tuerais Dieu!

En même temps que la supplication terrible de la mère, des voix s'élevaient sur le plateau et dans le ravin :

— Une échelle!

— On n'a pas d'échelle!

— De l'eau!

— On n'a pas d'eau!

— Là-haut, dans la tour, au second étage, il y a une porte!

— Elle est en fer.

— Enfoncez-la!

— On ne peut pas.

Et la mère redoublait ses appels désespérés :

— Au feu! au secours! Mais dépêchez-vous donc! Alors, tuez-moi! Mes enfants! mes enfants! Ah! l'horrible feu! qu'on les en ôte, ou qu'on m'y jette!

Dans les intervalles de ces clameurs on entendait le pétillement tranquille de l'incendie.

Le marquis tâta sa poche et y toucha la clef de la porte de fer. Alors, se courbant sous la voûte par laquelle il s'était évadé, il rentra dans le passage d'où il venait de sortir.

II

DE LA PORTE DE PIERRE À LA PORTE DE FER

Toute une armée éperdue autour d'un sauvetage impossible ; quatre mille hommes ne pouvant secourir trois enfants ; telle était la situation.

On n'avait pas d'échelle en effet ; l'échelle envoyée de Javené n'était pas arrivée ; l'embrasement s'élargissait comme un cratère qui s'ouvre ; essayer de l'éteindre avec le ruisseau du ravin presque à sec était dérisoire ; autant jeter un verre d'eau sur un volcan.

Cimourdain, Guéchamp et Radoub étaient descendus dans le ravin ; Gauvain était remonté dans la salle du deuxième étage de la Tourgue où étaient la pierre tournante, l'issue secrète et la porte de fer de la bibliothèque. C'est là qu'avait été la mèche soufrée allumée par l'Imânus ; c'était de là que l'incendie était parti.

Gauvain avait amené avec lui vingt sapeurs. Enfoncer la porte de fer, il n'y avait plus que cette ressource. Elle était effroyablement bien fermée.

On commença par des coups de hache. Les haches cassèrent. Un sapeur dit :

– L'acier est du verre sur ce fer-là.

La porte était en effet de fer battu, et faite de doubles lames boulonnées ayant chacune trois pouces d'épaisseur.

On prit des barres de fer et l'on essaya des pesées sous la porte. Les barres de fer cassèrent.

– Comme des allumettes, dit le sapeur.

Gauvain, sombre, murmura :

– Il n'y a qu'un boulet qui ouvrirait cette porte. Il faudrait pouvoir monter ici une pièce de canon.

– Et encore ! dit le sapeur.

Il y eut un moment d'accablement. Tous ces bras impuissants s'arrêtèrent. Muets, vaincus, consternés, ces hommes considéraient l'horrible porte inébranlable. Une réverbération rouge passait par-dessous. Derrière, l'incendie croissait.

L'affreux cadavre de l'Imânus était là, sinistre victorieux.

Encore quelques minutes peut-être, et tout allait s'effondrer.

Que faire ? Il n'y avait plus d'espérance.

Gauvain exaspéré s'écria, l'œil fixé sur la pierre tournante du mur et sur l'issue ouverte de l'évasion :

– C'est pourtant par là que le marquis de Lantenac s'en est allé !

– Et qu'il revient, dit une voix.

Et une tête blanche se dessina dans l'encadrement de pierre de l'issue secrète.

C'était le marquis.

Depuis bien des années Gauvain ne l'avait pas vu de si près. Il recula.

Tous ceux qui étaient là restèrent dans l'attitude où ils étaient, pétrifiés.

Le marquis avait une grosse clef à la main, il refoula d'un regard altier quelques-uns des sapeurs qui étaient devant lui, marcha droit à la porte de fer, se courba sous la voûte et mit la clef dans la serrure. La serrure grinça, la porte s'ouvrit, on vit un gouffre de flamme, le marquis y entra.

Il y entra d'un pied ferme, la tête haute.

Tous le suivaient des yeux, frissonnants.

A peine le marquis eut-il fait quelques pas dans la salle incendiée que le parquet miné par le feu et ébranlé par son talon s'effondra derrière lui et mit entre lui et la porte un précipice. Le marquis ne tourna pas la tête et continua d'avancer. Il disparut dans la fumée.

On ne vit plus rien.

Avait-il pu aller plus loin ? Une nouvelle fondrière de feu s'était-elle ouverte sous lui ? N'avait-il réussi qu'à se perdre lui-même ? On ne pouvait rien dire. On n'avait devant soi qu'une muraille de fumée et de flamme. Le marquis était au delà, mort ou vivant.

III

OÙ L'ON VOIT SE RÉVEILLER LES ENFANTS QU'ON A VUS SE RENDORMIR

Cependant les enfants avaient fini par ouvrir les yeux.

L'incendie, qui n'était pas encore entré dans la salle de la bibliothèque, jetait au plafond un reflet rose. Les enfants ne connaissaient pas cette espèce d'aurore-là. Ils la regardèrent. Georgette la contempla.

Toutes les splendeurs de l'incendie se déployaient ; l'hydre noire et le dragon écarlate apparaissaient dans la fumée difforme, superbement sombre et vermeille. De longues flammèches s'envolaient au loin et rayaient l'ombre, et l'on eût dit des comètes combattantes, courant les unes après les autres. Le feu est une prodigalité ; les brasiers sont pleins d'écrins qu'ils sèment au vent ; ce n'est pas pour rien que le charbon est identique au diamant. Il s'était fait au mur du troisième étage des crevasses par où la braise versait dans le ravin des cascades de pierreries ; les tas de paille et d'avoine qui brûlaient dans le grenier commençaient à ruisseler par les fenêtres en avalanches de poudre d'or, et les avoines devenaient des améthystes, et les brins de paille devenaient des escarboucles.

– Joli ! dit Georgette.

Ils s'étaient dressés tous les trois.

– Ah ! cria la mère, ils se réveillent !

René-Jean se leva, alors Gros-Alain se leva, alors Georgette se leva.

René-Jean étira ses bras, alla vers la croisée et dit :

– J'ai chaud.

– Ai chaud, répéta Georgette.

La mère les appela.

– Mes enfants ! René ! Alain ! Georgette !

Les enfants regardaient autour d'eux. Ils cherchaient à comprendre. Où les hommes sont terrifiés, les enfants sont curieux. Qui s'étonne aisément s'effraye difficilement; l'ignorance contient de l'intrépidité. Les enfants ont si peu droit à l'enfer que, s'ils le voyaient, ils l'admireraient.

La mère répéta :

— René! Alain! Georgette!

René-Jean tourna la tête; cette voix le tira de sa distraction; les enfants ont la mémoire courte, mais ils ont le souvenir rapide; tout le passé est pour eux hier; René-Jean vit sa mère, trouva cela tout simple, et, entouré comme il l'était de choses étranges, sentant un vague besoin d'appui, il cria :

— Maman!

— Maman! dit Gros-Alain.

— M'man! dit Georgette.

Et elle tendit ses petits bras.

Et la mère hurla :

— Mes enfants!

Tous les trois vinrent au bord de la fenêtre; par bonheur, l'embrasement n'était pas de ce côté-là.

— J'ai trop chaud, dit René-Jean.

Il ajouta :

— Ça brûle.

Et il chercha des yeux sa mère.

— Viens donc, maman!

— Don, m'man, répéta Georgette.

La mère échevelée, déchirée, saignante, s'était laissé rouler de broussaille en broussaille dans le ravin. Cimourdain y était avec Guéchamp, aussi impuissants en bas que Gauvain en haut. Les soldats désespérés d'être inutiles fourmillaient autour d'eux. La chaleur était insupportable, personne ne la sentait. On considérait l'escarpement du pont, la hauteur des arches, l'élévation des étages, les fenêtres inaccessibles, et la nécessité d'agir vite. Trois étages à franchir. Nul moyen d'arriver là. Radoub, blessé, un coup de sabre à l'épaule, une oreille arrachée, ruisselant de sueur et de sang, était accouru ; il vit Michelle Fléchard. — Tiens, dit-il, la fusillée ! vous êtes donc ressuscitée ? — Mes enfants ! dit la mère. — C'est juste, répondit Radoub ; nous n'avons pas le temps de nous occuper des revenants. Et il se mit à escalader le pont, essai inutile, il enfonça ses ongles dans la pierre, il grimpa quelques instants ; mais les assises étaient lisses, pas une cassure, pas un relief, la muraille était aussi correctement rejointoyée qu'une muraille neuve, et Radoub retomba. L'incendie continuait, épouvantable ; on apercevait, dans l'encadrement de la croisée toute rouge, les trois têtes blondes. Radoub, alors, montra le poing au ciel, comme s'il cherchait quelqu'un du regard, et dit : — C'est donc ça une conduite, bon Dieu ! La mère embrassait à genoux les piles du pont en criant : Grâce !

De sourds craquements se mêlaient aux pétillements du brasier. Les vitres des armoires de la bibliothèque se fêlaient, et tombaient avec bruit. Il était évident que la charpente cédait. Aucune force humaine n'y pouvait rien. Encore un moment et tout allait s'abîmer. On n'attendait plus que la catastrophe. On entendait les petites voix répéter : Maman ! maman ! On était au paroxysme de l'effroi.

Tout à coup, à la fenêtre voisine de celle où étaient les enfants, sur le fond pourpre du flamboiement, une haute figure apparut.

Toutes les têtes se levèrent, tous les yeux devinrent fixes. Un homme était là-haut, un homme était dans la salle de la bibliothèque, un homme était dans la fournaise. Cette figure se découpait en noir sur la flamme, mais elle avait des cheveux blancs. On reconnut le marquis de Lantenac.

Il disparut, puis il reparut.

L'effrayant vieillard se dressa à la fenêtre maniant une énorme échelle. C'était l'échelle de sauvetage déposée dans la bibliothèque qu'il était allé chercher le long du mur et qu'il avait traînée jusqu'à la fenêtre. Il la saisit par une extrémité, et, avec l'agilité magistrale d'un athlète, il la fit glisser hors de la croisée, sur le rebord de l'appui extérieur jusqu'au fond du ravin. Radoub, en bas, éperdu, tendit les mains, reçut l'échelle, la serra dans ses bras, et cria : — Vive la République !

Le marquis répondit : — Vive le Roi !

Et Radoub grommela : — Tu peux bien crier tout ce que tu voudras, et dire des bêtises si tu veux, tu es le bon Dieu.

L'échelle était posée ; la communication était établie entre la salle incendiée et la terre ; vingt hommes accoururent, Radoub en tête, et en un clin d'œil ils s'étagèrent du haut en bas, adossés aux échelons, comme les maçons qui montent et qui descendent des pierres. Cela fit sur l'échelle de bois une échelle humaine. Radoub, au faîte de l'échelle, touchait à la fenêtre. Il était, lui, tourné vers l'incendie.

La petite armée, éparse dans les bruyères et sur les pentes, se pressait, bouleversée de toutes les émotions à la fois, sur le plateau, dans le ravin, sur la plate-forme de la tour.

Le marquis disparut encore, puis reparut, apportant un enfant.

Il y eut un immense battement de mains.

C'était le premier que le marquis avait saisi au hasard. C'était Gros-Alain.

Gros-Alain criait : — J'ai peur.

Le marquis donna Gros-Alain à Radoub, qui le passa derrière lui et au-dessous de lui à un soldat qui le passa à un autre, et, pendant que Gros-Alain, très effrayé et criant, arrivait ainsi de bras en bras jusqu'au bas de l'échelle, le marquis, un moment absent, revint à la fenêtre avec René-Jean qui résistait et pleurait, et qui battit Radoub au moment où le marquis le passa au sergent.

Le marquis rentra dans la salle pleine de flammes. Georgette était restée seule. Il alla à elle. Elle sourit. Cet homme de granit sentit quelque chose d'humide lui venir aux yeux. Il demanda : — Comment t'appelles-tu ?

— Orgette, dit-elle.

Il la prit dans ses bras, elle souriait toujours, et au moment où il la remettait à Radoub, cette conscience si haute et si obscure eut l'éblouissement de l'innocence, le vieillard donna à l'enfant un baiser.

— C'est la petite môme! dirent les soldats; et Georgette, à son tour, descendit de bras en bras jusqu'à terre parmi des cris d'adoration. On battait des mains, on trépignait; les vieux grenadiers sanglotaient, et elle leur souriait.

La mère était au pied de l'échelle, haletante, insensée, ivre de tout cet inattendu, jetée sans transition de l'enfer dans le paradis. L'excès de joie meurtrit le cœur à sa façon. Elle tendait les bras, elle reçut d'abord Gros-Alain, ensuite René-Jean, ensuite Georgette, elle les couvrit pêle-mêle de baisers, puis elle éclata de rire et tomba évanouie.

Un grand cri s'éleva :

— Tous sont sauvés!

Tous étaient sauvés, en effet, excepté le vieillard.

Mais personne n'y songeait, pas même lui peut-être.

Il resta quelques instants rêveur au bord de la fenêtre, comme s'il voulait laisser au gouffre de flamme le temps de prendre un parti. Puis sans se hâter, lentement, fièrement, il enjamba l'appui de la croisée, et, sans se retourner, droit, debout, adossé aux échelons, ayant derrière lui l'incendie, faisant face au précipice, il se mit à descendre l'échelle en silence avec une majesté de fantôme. Ceux qui étaient sur l'échelle se précipitèrent en bas, tous les assistants tressaillirent, il se fit autour de cet homme qui arrivait d'en haut un recul d'horreur sacrée comme autour d'une vision. Lui, cependant, s'enfonçait gravement dans l'ombre qu'il avait devant lui; pendant qu'ils reculaient, il s'approchait d'eux; sa pâleur de marbre n'avait pas un pli, son regard de spectre n'avait pas un éclair; à chaque pas qu'il faisait vers ces hommes dont les prunelles effarées se fixaient sur lui dans les ténèbres, il semblait plus grand, l'échelle tremblait et sonnait sous son pied lugubre, et l'on eût dit la statue du commandeur redescendant dans le sépulcre.

Quand le marquis fut en bas, quand il eut atteint le dernier échelon et posé son pied à terre, une main s'abattit sur son collet. Il se retourna.

— Je t'arrête, dit Cimourdain.

— Je t'approuve, dit Lantenac.

LIVRE SIXIÈME

C'EST APRÈS LA VICTOIRE QU'A LIEU LE COMBAT

I

LANTENAC PRIS

C'était dans le sépulcre en effet que le marquis était redescendu.

On l'emmena.

La crypte-oubliette du rez-de-chaussée de la Tourgue fut immédiatement rouverte sous l'œil sévère de Cimourdain ; on y mit une lampe, une cruche d'eau et un pain de soldat, on y jeta une botte de paille, et, moins d'un quart d'heure après la minute où la main du prêtre avait saisi le marquis, la porte du cachot se refermait sur Lantenac.

Cela fait, Cimourdain alla trouver Gauvain ; en ce moment-là l'église lointaine de Parigné sonnait onze heures du soir ; Cimourdain dit à Gauvain :

— Je vais convoquer la cour martiale, tu n'en seras pas. Tu es Gauvain et Lantenac est Gauvain. Tu es trop proche parent pour être juge, et je blâme Égalité d'avoir jugé Capet. La cour martiale sera composée de trois juges, un officier, le capitaine Guéchamp, un sous-officier, le sergent Radoub, et moi, qui présiderai. Rien de tout cela ne te regarde plus. Nous nous conformerons au décret de la Convention ; nous nous bornerons à constater l'identité du ci-devant marquis de Lantenac. Demain la cour martiale, après-demain la guillotine. La Vendée est morte.

Gauvain ne répliqua pas une parole, et Cimourdain, préoccupé de la chose suprême qui lui restait à faire, le quitta. Cimourdain avait des heures à désigner et des emplacements à choisir. Il avait comme Lequinio à Granville, comme Tallien à Bordeaux, comme Châlier à Lyon, comme Saint-Just à Strasbourg, l'habitude, réputée de bon exemple, d'assister de sa personne aux exécutions; le juge venant voir travailler le bourreau; usage emprunté par la Terreur de 93 aux parlements de France et à l'inquisition d'Espagne.

Gauvain aussi était préoccupé.

Un vent froid soufflait de la forêt. Gauvain, laissant Guéchamp donner les ordres nécessaires, alla à sa tente qui était dans le pré de la lisière du bois, au pied de la Tourgue, et y prit son manteau à capuchon, dont il s'enveloppa. Ce manteau était bordé de ce simple galon qui, selon la mode républicaine, sobre d'ornements, désignait le commandant en chef. Il se mit à marcher dans ce pré sanglant où l'assaut avait commencé. Il était là seul. L'incendie continuait, désormais dédaigné; Radoub était près des enfants et de la mère, presque aussi maternel qu'elle; le châtelet du pont achevait de brûler, les sapeurs faisaient la part du feu, on creusait des fosses, on enterrait les morts, on pansait les blessés, on avait démoli la retirade, on désencombrait de cadavres les chambres et les escaliers, on nettoyait le lieu du carnage, on balayait le tas d'ordures terrible de la victoire, les soldats faisaient, avec la rapidité militaire, ce qu'on pourrait appeler le ménage de la bataille finie. Gauvain ne voyait rien de tout cela.

A peine jetait-il un regard, à travers sa rêverie, au poste de la brèche doublé sur l'ordre de Cimourdain.

Cette brèche, il la distinguait dans l'obscurité, à environ deux cents pas du coin de la prairie où il s'était comme réfugié. Il voyait cette ouverture noire.

C'était par là que l'attaque avait commencé, il y avait trois heures de cela; c'était par là que lui Gauvain avait pénétré dans la tour; c'était là le rez-de-chaussée où était la retirade; c'était dans ce rez-de-chaussée que s'ouvrait la porte du cachot où était le marquis. Ce poste de la brèche gardait ce cachot.

En même temps que son regard apercevait vaguement cette brèche, son oreille entendait confusément revenir, comme un glas qui tinte, ces paroles : Demain la cour martiale, après-demain la guillotine.

L'incendie, qu'on avait isolé et sur lequel les sapeurs lançaient toute l'eau qu'on avait pu se procurer, ne s'éteignait pas sans résistance et jetait des flammes intermittentes; on entendait par instants craquer les plafonds et se précipiter l'un sur l'autre les étages croulants; alors des tourbillons d'étincelles s'envolaient comme d'une torche secouée, une clarté d'éclair faisait visible l'extrême horizon, et l'ombre de la Tourgue, subitement gigantesque, s'allongeait jusqu'à la forêt.

Gauvain allait et venait à pas lents dans cette ombre et devant la brèche de l'assaut. Par moments il croisait ses deux mains derrière sa tête recouverte de son capuchon de guerre. Il songeait.

II

GAUVAIN PENSIF

Sa rêverie était insondable.

Un changement à vue inouï venait de se faire.

Le marquis de Lantenac s'était transfiguré.

Gauvain avait été témoin de cette transfiguration.

Jamais il n'aurait cru que de telles choses pussent résulter d'une complication d'incidents, quels qu'ils fussent. Jamais il n'aurait, même en rêve, imaginé qu'il pût arriver rien de pareil.

L'imprévu, cet on ne sait quoi de hautain qui joue avec l'homme, avait saisi Gauvain et le tenait.

Gauvain avait devant lui l'impossible devenu réel, visible, palpable, inévitable, inexorable.

Que pensait-il de cela, lui, Gauvain?

Il ne s'agissait pas de tergiverser; il fallait conclure.

Une question lui était posée; il ne pouvait prendre la fuite devant elle.

Posée par qui?

Par les événements.

Et pas seulement par les événements.

Car lorsque les événements, qui sont variables, nous font une question, la justice, qui est immuable, nous somme de répondre.

Derrière le nuage, qui nous jette son ombre, il y a l'étoile, qui nous jette sa clarté.

Nous ne pouvons pas plus nous soustraire à la clarté qu'à l'ombre.

Gauvain subissait un interrogatoire.

Il comparaissait devant quelqu'un.

Devant quelqu'un de redoutable.

Sa conscience.

Gauvain sentait tout vaciller en lui. Ses résolutions les plus solides, ses promesses les plus fermement faites, ses décisions les plus irrévocables, tout cela chancelait dans les profondeurs de sa volonté.

Il y a des tremblements d'âme.

Plus il réfléchissait à ce qu'il venait de voir, plus il était bouleversé.

Gauvain, républicain, croyait être, et était, dans l'absolu. Un absolu supérieur venait de se révéler.

Au-dessus de l'absolu révolutionnaire, il y a l'absolu humain.

Ce qui se passait ne pouvait être éludé; le fait était grave; Gauvain faisait partie de ce fait; il en était, il ne pouvait s'en retirer; et, bien que Cimourdain lui eût dit : — « Cela ne te regarde plus » —, il sentait en lui quelque chose comme ce qu'éprouve l'arbre au moment où on l'arrache de sa racine.

Tout homme a une base; un ébranlement à cette base cause un trouble profond; Gauvain sentait ce trouble.

Il pressait sa tête dans ses deux mains, comme pour en faire jaillir la vérité. Préciser une telle situation n'était pas facile ; simplifier le complexe, rien de plus malaisé ; il avait devant lui de redoutables chiffres dont il fallait faire le total ; faire l'addition de la destinée, quel vertige ! il l'essayait ; il tâchait de se rendre compte ; il s'efforçait de rassembler ses idées, de discipliner les résistances qu'il sentait en lui, et de récapituler les faits.

Il se les exposait à lui-même.

A qui n'est-il pas arrivé de se faire un rapport, et de s'interroger, dans une circonstance suprême, sur l'itinéraire à suivre, soit pour avancer, soit pour reculer ?

Gauvain venait d'assister à un prodige.

En même temps que le combat terrestre, il y avait eu un combat céleste.

Le combat du bien contre le mal.

Un cœur effrayant venait d'être vaincu.

Étant donné l'homme avec tout ce qui est mauvais en lui, la violence, l'erreur, l'aveuglement, l'opiniâtreté malsaine, l'orgueil, l'égoïsme, Gauvain venait de voir un miracle.

La victoire de l'humanité sur l'homme.

L'humanité avait vaincu l'inhumain.

Et par quel moyen ? de quelle façon ? comment avait-elle terrassé un colosse de colère et de haine ? quelles armes avait-elle employées ? quelle machine de guerre ? le berceau.

Un éblouissement venait de passer sur Gauvain. En pleine guerre sociale, en pleine conflagration de toutes les inimitiés et de toutes les vengeances, au moment le plus obscur et le plus furieux du tumulte, à l'heure où le crime donnait toute sa flamme et la haine toutes ses ténèbres, à cet instant des luttes où tout devient projectile, où la mêlée est si funèbre qu'on ne sait plus où est le juste, où est l'honnête, où est le vrai ; brusquement, l'Inconnu, l'avertisseur mystérieux des âmes, venait de faire resplendir, au-dessus des clartés et des noirceurs humaines, la grande lueur éternelle.

Au-dessus du sombre duel entre le faux et le relatif, dans les profondeurs, la face de la vérité avait tout à coup apparu.

Subitement la force des faibles était intervenue.

On avait vu trois pauvres êtres, à peine nés, inconscients, abandonnés, orphelins, seuls, bégayants, souriants, ayant contre eux la guerre civile, le talion, l'affreuse logique des représailles, le meurtre, le carnage, le fratricide, la rage, la rancune, toutes les gorgones, triompher; on avait vu l'avortement et la défaite d'un infâme incendie, chargé de commettre un crime; on avait vu les préméditations atroces déconcertées et déjouées; on avait vu l'antique férocité féodale, le vieux dédain inexorable, la prétendue expérience des nécessités de la guerre, la raison d'État, tous les arrogants partis pris de la vieillesse farouche, s'évanouir devant le bleu regard de ceux qui n'ont pas vécu; et c'est tout simple, car celui qui n'a pas vécu encore n'a pas fait le mal, il est la justice, il est la vérité, il est la blancheur, et les immenses anges du ciel sont dans les petits enfants.

Spectacle utile; conseil; leçon; les combattants frénétiques de la guerre sans merci avaient soudainement vu, en face de tous les forfaits, de tous les attentats, de tous les fanatismes, de l'assassinat, de la vengeance attisant les bûchers, de la mort arrivant une torche à la main, au-dessus de l'énorme légion des crimes, se dresser cette toute-puissance, l'innocence.

Et l'innocence avait vaincu.

Et l'on pouvait dire : Non, la guerre civile n'existe pas, la barbarie n'existe pas, la haine n'existe pas, le crime n'existe pas, les ténèbres n'existent pas; pour dissiper ces spectres, il suffit de cette aurore, l'enfance.

Jamais, dans aucun combat, Satan n'avait été plus visible, ni Dieu.

Ce combat avait eu pour arène une conscience.

La conscience de Lantenac.

Maintenant il recommençait, plus acharné et plus décisif encore peut-être, dans une autre conscience.

La conscience de Gauvain.

Quel champ de bataille que l'homme !

Nous sommes livrés à ces dieux, à ces monstres, à ces géants, nos pensées.

Souvent ces belligérants terribles foulent aux pieds notre âme.

Gauvain méditait.

Le marquis de Lantenac, cerné, bloqué, condamné, mis hors la loi, serré, comme la bête dans le cirque, comme le clou dans la tenaille, enfermé dans son gîte devenu sa prison, étreint de toutes parts par une muraille de fer et de feu, était parvenu à se dérober. Il avait fait ce miracle d'échapper. Il avait réussi ce chef-d'œuvre, le plus difficile de tous dans une telle guerre, la fuite. Il avait repris possession de la forêt pour s'y retrancher, du pays pour y combattre, de l'ombre pour y disparaître. Il était redevenu le redoutable allant et venant, l'errant sinistre, le capitaine des invisibles, le chef des hommes souterrains, le maître des bois. Gauvain avait la victoire, mais Lantenac avait la liberté. Lantenac désormais avait la sécurité, la course illimitée devant lui, le choix inépuisable des asiles. Il était insaisissable, introuvable, inaccessible. Le lion avait été pris au piège, et il en était sorti.

Eh bien, il y était rentré.

Le marquis de Lantenac avait, volontairement, spontanément, de sa pleine préférence, quitté la forêt, l'ombre, la sécurité, la liberté, pour rentrer dans le plus effroyable péril, intrépidement, une première fois, Gauvain l'avait vu, en se précipitant dans l'incendie au risque de s'y engouffrer, une deuxième fois, en descendant cette échelle qui le rendait à ses ennemis, et qui, échelle de sauvetage pour les autres, était pour lui échelle de perdition.

Et pourquoi avait-il fait cela ?

Pour sauver trois enfants.

Et maintenant qu'allait-on faire de cet homme ?

Le guillotiner.

Ainsi, cet homme, pour trois enfants, les siens ? non ; de sa famille ? non ; de sa caste ? non ; pour trois petits pauvres, les premiers venus, des enfants trouvés, des inconnus, des déguenillés, des va-nu-pieds, ce gentilhomme, ce prince, ce vieillard, sauvé, délivré, vainqueur, car l'évasion est un triomphe, avait tout risqué, tout compromis, tout remis en question, et, hautainement, en même temps qu'il rendait les enfants, il avait apporté sa tête, et cette tête, jusqu'alors terrible, maintenant auguste, il l'avait offerte.

Et qu'allait-on faire ?

L'accepter.

Le marquis de Lantenac avait eu le choix entre la vie d'autrui et la sienne ; dans cette option superbe, il avait choisi sa mort.

Et on allait la lui accorder.

On allait le tuer.

Quel salaire de l'héroïsme !

Répondre à un acte généreux par un acte sauvage !

Donner ce dessous à la révolution !

Quel rapetissement pour la république !

Tandis que l'homme des préjugés et des servitudes, subitement transformé, rentrait dans l'humanité, eux, les hommes de la délivrance et de l'affranchissement, ils resteraient dans la guerre civile, dans la routine du sang, dans le fratricide !

Et la haute loi divine de pardon, d'abnégation, de rédemption, de sacrifice, existerait pour les combattants de l'erreur, et n'existerait pas pour les soldats de la vérité !

Quoi ! ne pas lutter de magnanimité ! se résigner à cette défaite, étant les plus forts, d'être les plus faibles, étant les victorieux, d'être les meurtriers, et de faire dire qu'il y a, du côté de la monarchie, ceux qui sauvent les enfants, et du côté de la république, ceux qui tuent les vieillards !

On verrait ce grand soldat, cet octogénaire puissant, ce combattant désarmé, volé plutôt que pris, saisi en pleine bonne action, garrotté avec sa permission, ayant encore au front la sueur d'un dévouement grandiose, monter les marches de l'échafaud comme on monte les degrés d'une apothéose ! Et l'on mettrait sous le couperet cette tête, autour de laquelle voleraient suppliantes les trois âmes des petits anges sauvés ! et, devant ce supplice infamant pour les bourreaux, on verrait le sourire sur la face de cet homme, et sur la face de la république la rougeur !

Et cela s'accomplirait en présence de Gauvain, chef !

Et pouvant l'empêcher, il s'abstiendrait ! Et il se contenterait de ce congé altier, — *cela ne te regarde plus !* — Et il ne se dirait point qu'en pareil cas, abdication, c'est complicité ! Et il ne s'apercevrait pas que, dans une action si énorme, entre celui qui fait et celui qui laisse faire, celui qui laisse faire est le pire, étant le lâche !

Mais cette mort, ne l'avait-il pas promise ? lui, Gauvain, l'homme clément, n'avait-il pas déclaré que Lantenac faisait exception à la clémence, et qu'il livrerait Lantenac à Cimourdain ?

Cette tête, il la devait. Eh bien, il la payait. Voilà tout.

Mais était-ce bien la même tête ?

Jusqu'ici Gauvain n'avait vu dans Lantenac que le combattant barbare, le fanatique de royauté et de féodalité, le massacreur de prisonniers, l'assassin déchaîné par la guerre, l'homme sanglant. Cet homme-là, il ne le craignait pas ; ce proscripteur, il le proscrirait ; cet implacable le trouverait implacable. Rien de plus simple, le chemin était tracé et lugubrement facile à suivre, tout était prévu, on tuera celui qui tue, on était dans la ligne droite de l'horreur. Inopinément, cette ligne droite s'était rompue, un tournant imprévu révélait un horizon nouveau, une métamorphose avait eu lieu. Un Lantenac inattendu entrait en scène. Un héros sortait du monstre ; plus qu'un héros, un homme. Plus qu'une âme, un cœur. Ce n'était plus un tueur que Gauvain avait devant lui, mais un sauveur. Gauvain était terrassé par un flot de clarté céleste. Lantenac venait de le frapper d'un coup de foudre de bonté.

Et Lantenac transfiguré ne transfigurerait pas Gauvain ! Quoi ! ce coup de lumière serait sans contrecoup ! L'homme du passé irait en avant, et l'homme de l'avenir en arrière ! L'homme des barbaries et des superstitions ouvrirait des ailes subites, et planerait, et regarderait ramper sous lui, dans de la fange et dans de la nuit, l'homme de l'idéal ! Gauvain resterait à plat ventre dans la vieille ornière féroce, tandis que Lantenac irait dans le sublime courir les aventures !

Autre chose encore.

Et la famille !

Ce sang qu'il allait répandre, – car le laisser verser, c'est le verser soi-même, – est-ce que ce n'était pas son sang, à lui Gauvain ? Son grand-père était mort, mais son grand-oncle vivait ; et ce grand-oncle, c'était le marquis de Lantenac. Est-ce que celui des deux frères qui était dans le tombeau ne se dresserait pas pour empêcher l'autre d'y entrer ? Est-ce qu'il n'ordonnerait pas à son petit-fils de respecter désormais cette couronne de cheveux blancs, sœur de sa propre auréole ? Est-ce qu'il n'y avait pas là, entre Gauvain et Lantenac, le regard indigné d'un spectre ?

Est-ce donc que la révolution avait pour but de dénaturer l'homme ? Est-ce pour briser la famille, est-ce pour étouffer l'humanité, qu'elle était faite ? Loin de là. C'est pour affirmer ces réalités suprêmes, et non pour les nier, que 89 avait surgi. Renverser les bastilles, c'est délivrer l'humanité ; abolir la féodalité, c'est fonder la famille. L'auteur étant le point de départ de l'autorité, et l'autorité étant incluse dans l'auteur, il n'y a point d'autre autorité que la paternité ; de là la légitimité de la reine-abeille qui crée son peuple, et qui, étant mère, est reine ; de là l'absurdité du roi-homme, qui, n'étant pas le père, ne peut être le maître ; de là la suppression du roi ; de là la république. Qu'est-ce que tout cela ? C'est la famille, c'est l'humanité, c'est la révolution. La révolution, c'est l'avènement du peuple, et, au fond, le Peuple, c'est l'Homme.

Il s'agissait de savoir si, quand Lantenac venait de rentrer dans l'humanité, Gauvain allait, lui, rentrer dans la famille.

Il s'agissait de savoir si l'oncle et le neveu allaient se rejoindre dans la lumière supérieure, ou bien si à un progrès de l'oncle répondrait un recul du neveu.

La question, dans ce débat pathétique de Gauvain avec sa conscience, arrivait à se poser ainsi, et la solution semblait se dégager d'elle-même : sauver Lantenac.

Oui, mais la France ?

Ici le vertigineux problème changeait de face brusquement.

Quoi ! la France était aux abois ! la France était livrée, ouverte, démantelée ! elle n'avait plus de fossé, l'Allemagne passait le Rhin ; elle n'avait plus de muraille, l'Italie enjambait les Alpes et l'Espagne les Pyrénées. Il lui restait le grand abîme, l'Océan. Elle avait pour elle le gouffre. Elle pouvait s'y adosser, et, géante, appuyée à toute la mer, combattre toute la terre. Situation, après tout, inexpugnable. Eh bien non, cette situation allait lui manquer. Cet Océan n'était plus à elle. Dans cet Océan, il y avait l'Angleterre. L'Angleterre, il est vrai, ne savait comment passer. Eh bien, un homme allait lui jeter le pont, un homme allait lui tendre la main, un homme allait dire à Pitt, à Craig, à Cornwallis, à Dundas, aux pirates : venez ! un homme allait crier : Angleterre, prends la France ! Et cet homme était le marquis de Lantenac.

Cet homme, on le tenait. Après trois mois de chasse, de poursuite, d'acharnement, on l'avait enfin saisi. La main de la révolution venait de s'abattre sur le maudit ; le poing crispé de 93 avait pris le meurtrier royaliste au collet ; par un de ces effets de la préméditation mystérieuse qui se mêle d'en haut aux choses humaines, c'était dans son propre cachot de famille que ce parricide attendait maintenant son châtiment ; l'homme féodal était dans l'oubliette féodale ; les pierres de son château se dressaient contre lui et se fermaient sur lui, et celui qui voulait livrer son pays était livré par sa maison. Dieu avait visiblement édifié tout cela ; l'heure juste avait sonné ; la révolution avait fait prisonnier cet ennemi public ; il ne pouvait plus combattre, il ne pouvait plus lutter, il ne pouvait plus nuire ; dans cette Vendée où il y avait tant de bras, il était le seul cerveau ; lui fini, la guerre civile était finie ; on l'avait ; dénouement tragique et heureux ; après tant de massacres et de carnages, il était là, l'homme qui avait tué, et c'était son tour de mourir.

Et il se trouverait quelqu'un pour le sauver !

Cimourdain, c'est-à-dire 93, tenait Lantenac, c'est-à-dire la monarchie, et il se trouverait quelqu'un pour ôter de cette serre de bronze cette proie ! Lantenac, l'homme en qui se concentrait cette gerbe de fléaux qu'on nomme le passé, le marquis de Lantenac était dans la tombe, la lourde porte éternelle s'était refermée sur lui, et quelqu'un viendrait, du dehors, tirer le verrou ! ce malfaiteur social était mort, et avec lui la révolte, la lutte fratricide, la guerre bestiale, et quelqu'un le ressusciterait !

Oh ! comme cette tête de mort rirait !

Comme ce spectre dirait : c'est bon, me voilà vivant, imbéciles !

Comme il se remettrait à son œuvre hideuse ! comme Lantenac se replongerait, implacable et joyeux, dans le gouffre de haine et de guerre ! comme on reverrait, dès le lendemain, les maisons brûlées, les prisonniers massacrés, les blessés achevés, les femmes fusillées !

Et après tout, cette action qui fascinait Gauvain, Gauvain ne se l'exagérait-il pas ?

Trois enfants étaient perdus ; Lantenac les avait sauvés.

Mais qui donc les avait perdus ?

N'était-ce pas Lantenac ?

Qui avait mis ces berceaux dans cet incendie ?

N'était-ce pas l'Imânus ?

Qu'était-ce que l'Imânus ?

Le lieutenant du marquis.

Le responsable, c'est le chef.

Donc l'incendiaire et l'assassin, c'était Lantenac.

Qu'avait-il donc fait de si admirable ?

Il n'avait point persisté, rien de plus.

Après avoir construit le crime, il avait reculé devant. Il s'était fait horreur à lui-même. Le cri de la mère avait réveillé en lui ce fond de vieille pitié humaine, sorte de dépôt de la vie universelle, qui est dans toutes les âmes, même les plus fatales. A ce cri, il était revenu sur ses pas. De la nuit où il s'enfonçait, il avait rétrogradé vers le jour. Après avoir fait le crime, il l'avait défait. Tout son mérite était ceci : n'avoir pas été un monstre jusqu'au bout.

Et pour si peu, lui rendre tout ! lui rendre l'espace, les champs, les plaines, l'air, le jour, lui rendre la forêt dont il userait pour le banditisme, lui rendre la liberté dont il userait pour la servitude, lui rendre la vie dont il userait pour la mort !

Quant à essayer de s'entendre avec lui, quant à vouloir traiter avec cette âme altière, quant à lui proposer sa délivrance sous condition, quant à lui demander s'il consentirait, moyennant la vie sauve, à s'abstenir désormais de toute hostilité et de toute révolte ; quelle faute ce serait qu'une telle offre, quel avantage on lui donnerait, à quel dédain on se heurterait, comme il souffletterait la question par la réponse ! comme il dirait : Gardez les hontes pour vous. Tuez-moi !

Rien à faire en effet avec un tel homme, que le tuer

ou le délivrer. Cet homme était à pic. Il était toujours prêt à s'envoler ou à se sacrifier ; il était à lui-même son aigle et son précipice. Ame étrange.

Le tuer ? quelle anxiété ! le délivrer ? quelle responsabilité !

Lantenac sauvé, tout serait à recommencer avec la Vendée comme avec l'hydre tant que la tête n'est pas coupée. En un clin d'œil, et avec une course de météore, toute la flamme, éteinte par la disparition de cet homme, se rallumerait. Lantenac ne se reposerait pas tant qu'il n'aurait point réalisé ce plan exécrable, poser, comme un couvercle de tombe, la monarchie sur la république et l'Angleterre sur la France. Sauver Lantenac, c'était sacrifier la France ; la vie de Lantenac, c'était la mort d'une foule d'êtres innocents, hommes, femmes, enfants, repris par la guerre domestique ; c'était le débarquement des Anglais, le recul de la révolution, les villes saccagées, le peuple déchiré, la Bretagne sanglante, la proie rendue à la griffe. Et Gauvain, au milieu de toutes sortes de lueurs incertaines et de clartés en sens contraires, voyait vaguement s'ébaucher dans sa rêverie et se poser devant lui ce problème : la mise en liberté du tigre.

Et puis, la question reparaissait sous son premier aspect ; la pierre de Sisyphe, qui n'est pas autre chose que la querelle de l'homme avec lui-même, retombait : Lantenac, était-ce donc le tigre ?

Peut-être l'avait-il été ; mais l'était-il encore ? Gauvain subissait ces spirales vertigineuses de l'esprit revenant sur lui-même, qui font la pensée pareille à la couleuvre. Décidément, même après examen, pouvait-on nier le dévouement de Lantenac, son abnégation stoïque, son désintéressement superbe ? Quoi ! en présence de toutes les gueules de la guerre civile ouvertes, attester l'humanité ! quoi ! dans le conflit des vérités inférieures, apporter la vérité supérieure ! quoi ! prouver qu'au-dessus des royautés, au-dessus des révolutions, au-dessus des questions terrestres, il y a l'immense attendrissement de l'âme humaine, la protection due aux faibles par les forts, le salut dû à ceux qui sont perdus par ceux qui sont sauvés, la paternité due à tous les enfants par tous les vieillards ! Prouver ces choses magnifiques, et le prouver par le don de sa tête ! quoi, être un général et renoncer à la stratégie, à la bataille, à la revanche ! quoi, être un royaliste, prendre une balance, mettre dans un plateau le roi de France, une monarchie de quinze siècles, les vieilles lois à rétablir, l'antique société à restaurer, et dans l'autre, trois petits paysans quelconques, et trouver le roi, le trône, le sceptre et les quinze siècles de monarchie légers, pesés à ce poids de trois innocences ! quoi ! tout cela ne serait rien ! quoi ! celui qui a fait cela resterait le tigre et devrait être traité en bête fauve ! non ! non ! non ! ce n'était pas un monstre l'homme qui venait d'illuminer de la clarté d'une action divine le précipice des guerres civiles ! le porte-glaive s'était métamorphosé en porte-lumière. L'infernal Satan était redevenu le Lucifer céleste. Lantenac s'était racheté de toutes ses barbaries par un acte de sacrifice ; en se perdant matériellement il s'était sauvé moralement ; il s'était refait innocent ; il avait signé sa propre grâce. Est-ce que le droit de se pardonner à soi-même n'existe pas ? Désormais il était vénérable.

Lantenac venait d'être extraordinaire. C'était maintenant le tour de Gauvain.

Gauvain était chargé de lui donner la réplique.

La lutte des passions bonnes et des passions mauvaises faisait en ce moment sur le monde le chaos ; Lantenac, dominant ce chaos, venait d'en dégager l'humanité ; c'était à Gauvain maintenant d'en dégager la famille.

Qu'allait-il faire ?

Gauvain allait-il tromper la confiance de Dieu ?

Non. Et il balbutiait en lui-même : — Sauvons Lantenac.

Alors c'est bien. Va, fais les affaires des Anglais.

Déserte. Passe à l'ennemi. Sauve Lantenac et trahis la France.

Et il frémissait.

Ta solution n'en est pas une, ô songeur ! – Gauvain voyait dans l'ombre le sinistre sourire du sphinx.

Cette situation était une sorte de carrefour redoutable où les vérités combattantes venaient aboutir et se confronter, et où se regardaient fixement les trois idées suprêmes de l'homme, l'humanité, la famille, la patrie.

Chacune de ces voix prenait à son tour la parole, et chacune à son tour disait vrai. Comment choisir ? chacune à son tour semblait trouver le joint de sagesse et de justice, et disait : Fais cela. Était-ce cela qu'il fallait faire ? Oui. Non. Le raisonnement disait une chose ; le sentiment en disait une autre ; les deux conseils étaient contraires. Le raisonnement n'est que la raison ; le sentiment est souvent la conscience ; l'un vient de l'homme, l'autre de plus haut.

C'est ce qui fait que le sentiment a moins de clarté et plus de puissance.

Quelle force pourtant dans la raison sévère !

Gauvain hésitait.

Perplexités farouches.

Deux abîmes s'ouvraient devant Gauvain. Perdre le marquis ? ou le sauver ? Il fallait se précipiter dans l'un ou dans l'autre.

Lequel de ces deux gouffres était le devoir ?

III

LE CAPUCHON DU CHEF

C'est au devoir en effet qu'on avait affaire.

Le devoir se dressait ; sinistre devant Cimourdain, formidable devant Gauvain.

Simple devant l'un ; multiple, divers, tortueux, devant l'autre.

Minuit sonna, puis une heure du matin.

Gauvain s'était, sans s'en apercevoir, insensiblement rapproché de l'entrée de la brèche.

L'incendie ne jetait plus qu'une réverbération diffuse et s'éteignait.

Le plateau, de l'autre côté de la tour, en avait le reflet, et devenait visible par instants, puis s'éclipsait, quand la fumée couvrait le feu. Cette lueur, ravivée par soubresauts et coupée d'obscurités subites, disproportionnait les objets et donnait aux sentinelles du camp des aspects de larves. Gauvain, à travers sa méditation, considérait vaguement ces effacements de la fumée par le flamboiement et du flamboiement par la fumée. Ces apparitions et ces disparitions de la clarté devant ses yeux avaient on ne sait quelle analogie avec les apparitions et les disparitions de la vérité dans son esprit.

Soudain, entre deux tourbillons de fumée une flammèche envolée du brasier décroissant éclaira vivement le sommet du plateau et y fit saillir la silhouette vermeille d'une charrette. Gauvain regarda cette charrette ; elle était entourée de cavaliers qui avaient des chapeaux de gendarme. Il lui sembla que c'était la charrette que la longue-vue de Guéchamp lui avait fait voir à l'horizon, quelques heures auparavant, au moment où le soleil se couchait. Des hommes étaient sur la charrette et avaient l'air occupés à la décharger. Ce qu'ils retiraient de la charrette paraissait pesant, et rendait par moments un son de ferraille ; il eût été difficile de dire ce que c'était ; cela ressemblait à des charpentes ; deux d'entre eux descendirent et posèrent à terre une caisse qui, à en juger par sa forme, devait contenir un objet triangulaire. La flammèche s'éteignit, tout rentra dans les ténèbres ; Gauvain, l'œil fixe, demeura pensif devant ce qu'il y avait là dans l'obscurité.

Des lanternes s'étaient allumées, on allait et venait sur le plateau, mais les formes qui se mouvaient étaient confuses, et d'ailleurs Gauvain d'en bas, et de l'autre côté du ravin, ne pouvait voir que ce qui était tout à fait sur le bord du plateau.

Des voix parlaient, mais on ne percevait pas les paroles. Çà et là, des chocs sonnaient sur du bois. On entendait aussi on ne sait quel grincement métallique pareil au bruit d'une faulx qu'on aiguise.

Deux heures sonnèrent.

Gauvain lentement, et comme quelqu'un qui ferait volontiers deux pas en avant et trois pas en arrière, se dirigea vers la brèche. A son approche, reconnaissant dans la pénombre le manteau et le capuchon galonné du commandant, la sentinelle présenta les armes. Gauvain pénétra dans la salle du rez-de-chaussée, transformée en corps de garde. Une lanterne était pendue à la voûte. Elle éclairait juste assez pour qu'on pût traverser la salle sans marcher sur les hommes du poste, gisant à terre sur de la paille, et la plupart endormis.

Ils étaient couchés là ; ils s'y étaient battus quelques heures auparavant ; la mitraille, éparse sous eux en grains de fer et de plomb, et mal balayée, les gênait un peu pour dormir ; mais ils étaient fatigués, et ils se reposaient. Cette salle avait été le lieu horrible ; là on avait attaqué ; là on avait rugi, hurlé, grincé, frappé, tué, expiré ; beaucoup des leurs étaient tombés morts sur ce pavé où ils se couchaient assoupis ; cette paille qui servait à leur sommeil buvait le sang de leurs camarades ; maintenant c'était fini, le sang était étanché, les sabres étaient essuyés, les morts étaient morts ; eux ils dormaient paisibles. Telle est la guerre. Et puis, demain, tout le monde aura le même sommeil.

A l'entrée de Gauvain, quelques-uns de ces hommes assoupis se levèrent, entre autres l'officier qui commandait le poste. Gauvain lui désigna la porte du cachot :

— Ouvrez-moi, dit-il.

Les verrous furent tirés, la porte s'ouvrit.

Gauvain entra dans le cachot.

La porte se referma derrière lui.

LIVRE SEPTIÈME

FÉODALITÉ ET RÉVOLUTION

I

L'ANCÊTRE

Une lampe était posée sur la dalle de la crypte, à côté du soupirail carré de l'oubliette.

On apercevait aussi sur la dalle la cruche pleine d'eau, le pain de munition et la botte de paille. La crypte étant taillée dans le roc, le prisonnier qui eût eu la fantaisie de mettre le feu à la paille eût perdu sa peine ; aucun risque d'incendie pour la prison, certitude d'asphyxie pour le prisonnier.

A l'instant où la porte tourna sur ses gonds, le marquis marchait dans son cachot ; va-et-vient machinal propre à tous les fauves mis en cage.

Au bruit que fit la porte en s'ouvrant puis en se refermant, il leva la tête, et la lampe qui était à terre entre Gauvain et le marquis éclaira ces deux hommes en plein visage.

Ils se regardèrent, et ce regard était tel qu'il les fit tous deux immobiles.

Le marquis éclata de rire et s'écria :

— Bonjour, monsieur. Voilà pas mal d'années que je n'ai eu la bonne fortune de vous rencontrer. Vous me faites la grâce de venir me voir. Je vous remercie. Je ne demande pas mieux que de causer un peu. Je commençais à m'ennuyer. Vos amis perdent le temps, des constatations d'identité, des cours martiales, c'est long toutes ces manières-là. J'irais plus vite en besogne. Je suis ici chez moi. Donnez-vous la peine d'entrer. Eh bien, qu'est-ce que vous dites de tout ce qui se passe ? C'est original, n'est-ce pas ? Il y avait une fois un roi et une reine ; le roi, c'était le roi ; la reine, c'était la France. On a tranché la tête au roi et marié la reine à Robespierre ; ce monsieur et cette dame ont eu une fille qu'on nomme la guillotine, et avec laquelle il paraît que je ferai connaissance demain matin. J'en serai charmé. Comme de vous voir. Venez-vous pour cela ? Avez-vous monté en grade ? Seriez-vous le bourreau ? Si c'est une simple visite d'amitié, j'en suis touché. Monsieur le vicomte, vous ne savez peut-être plus ce que c'est qu'un gentilhomme. Eh bien, en voilà un, c'est moi. Regardez ça. C'est curieux ; ça croit en Dieu, ça croit à la tradition, ça croit à la famille, ça croit à ses aïeux, ça croit à l'exemple de son père, à la fidélité, à la loyauté, au devoir envers son prince, au respect des vieilles lois, à la vertu, à la justice ; et ça vous ferait fusiller avec plaisir. Ayez, je vous prie, la bonté de vous asseoir. Sur le pavé, c'est vrai ; car il n'y a pas de fauteuil dans ce salon ; mais qui vit dans la boue peut s'asseoir par terre. Je ne dis pas cela pour vous offenser, car ce que nous appelons la boue, vous l'appelez la nation. Vous n'exigez sans doute pas que je crie Liberté, Égalité, Fraternité ? Ceci est une ancienne chambre de ma maison ; jadis les seigneurs y mettaient les manants ; maintenant les manants y mettent les seigneurs. Ces niaiseries-là se nomment une révolution. Il paraît qu'on me coupera le cou d'ici à trente-six heures. Je n'y vois pas d'inconvénient. Par exemple, si l'on était poli, on m'aurait envoyé ma tabatière, qui est là-haut dans la chambre des miroirs, où vous avez joué tout enfant et où je vous ai fait sauter sur mes genoux. Monsieur, je vais vous apprendre une chose, vous vous appelez Gauvain, et, chose bizarre, vous avez du sang noble dans les veines, pardieu, le même sang que le mien, et ce sang qui fait de moi un homme d'honneur fait de vous un gueusard. Telles sont les particularités. Vous me direz que ce n'est pas votre faute. Ni la mienne. Parbleu, on est un malfaiteur sans le savoir. Cela tient à l'air qu'on respire ; dans des temps comme les nôtres, on n'est pas responsable de ce qu'on fait, la révolution est coquine pour tout le monde ; et tous vos grands criminels sont de grands innocents. Quelles buses ! A commencer par vous. Souffrez que je vous admire. Oui, j'admire un garçon tel que vous, qui, homme de qualité, bien situé dans l'État, ayant un grand sang à répandre pour les grandes causes, vicomte de cette Tour-Gauvain, prince de Bretagne, pouvant être duc par droit et pair de France par héritage, ce qui est à peu près tout ce que peut désirer ici-bas un homme de bon sens, s'amuse, étant ce qu'il est, à être ce que vous êtes, si bien qu'il fait à ses ennemis l'effet d'un scélérat et à ses amis l'effet d'un imbécile. A propos, faites mes compliments à monsieur l'abbé Cimourdain.

Le marquis parlait à son aise, paisiblement, sans rien souligner, avec sa voix de bonne compagnie, avec son œil clair et tranquille, les deux mains dans ses goussets. Il s'interrompit, respira longuement, et reprit :

— Je ne vous cache pas que j'ai fait ce que j'ai pu pour vous tuer. Tel que vous me voyez, j'ai trois fois, moi-même, en personne, pointé un canon sur vous. Procédé discourtois, je l'avoue ; mais ce serait faire fond sur une mauvaise maxime que de s'imaginer qu'en guerre l'ennemi cherche à nous être agréable. Car nous sommes en guerre, monsieur mon neveu. Tout est à feu et à sang. C'est pourtant vrai qu'on a tué le roi. Joli siècle.

Il s'arrêta encore, puis poursuivit :

— Quand on pense que rien de tout cela ne serait arrivé si l'on avait pendu Voltaire et mis Rousseau aux galères ! Ah ! les gens d'esprit, quel fléau ! Ah çà, qu'est-ce que vous lui reprochez, à cette monarchie ? c'est vrai, on envoyait l'abbé Pucelle à son abbaye de Corbigny, en lui laissant le choix de la voiture et tout le temps qu'il voudrait pour faire le chemin, et quant à votre monsieur Titon, qui avait été, s'il vous plaît, un fort débauché, et qui allait chez les filles avant d'aller aux miracles du diacre Pâris, on le transférait du château de Vincennes au château de Ham en Picardie, qui est, j'en conviens, un assez vilain endroit. Voilà les griefs ; je m'en souviens ; j'ai crié aussi dans mon temps ; j'ai été aussi bête que vous.

Le marquis tâta sa poche comme s'il y cherchait sa tabatière, et continua :

— Mais pas aussi méchant. On parlait pour parler. Il y avait aussi la mutinerie des enquêtes et des requêtes, et puis ces messieurs les philosophes sont venus, on a brûlé les écrits au lieu de brûler les auteurs, les cabales de la cour s'en sont mêlées ; il y a eu tous ces benêts, Turgot, Quesnay, Malesherbes, les physiocrates, et cætera, et le grabuge a commencé. Tout est venu des écrivailleurs et des rimailleurs. L'Encyclopédie ! Diderot ! d'Alembert ! Ah ! les méchants bélîtres ! Un homme bien né comme ce roi de Prusse, avoir donné là dedans ! Moi, j'eusse supprimé tous les gratteurs de papier. Ah ! nous étions des justiciers, nous autres. On peut voir ici sur le mur la marque des roues d'écartèlement. Nous ne plaisantions pas. Non, non, point d'écrivassiers ! Tant qu'il y aura des Arouet, il y aura des Marat. Tant qu'il y aura des grimauds qui griffonnent, il y aura des gredins qui assassinent ; tant qu'il y aura de l'encre, il y aura de la noirceur ; tant que la patte de l'homme tiendra la plume de l'oie, les sottises frivoles engendreront les sottises atroces. Les livres font les crimes. Le mot chimère a deux sens, il signifie rêve, et il signifie monstre. Comme on se paye de billevesées ! Qu'est-ce que vous nous chantez avec vos droits ? Droits de l'homme ! droits du peuple ! Cela est-il assez creux, assez stupide, assez imaginaire, assez vide de sens ! Moi, quand je dis : Havoise, sœur de Conan II, apporta le comté de Bretagne à Hoël, comte de Nantes et de Cornouailles, qui laissa le trône à Alain Fergant, oncle de Berthe, qui épousa Alain le Noir, seigneur de la Roche-sur-Yon, et en eut Conan le Petit, aïeul de Guy ou Gauvain de Thouars, notre ancêtre, je dis une chose claire, et voilà un droit. Mais vos drôles, vos marauds, vos croquants, qu'appellent-ils leurs droits ? Le déicide et le régicide. Si ce n'est pas hideux ! Ah ! les marouffles ! J'en suis fâché pour vous, monsieur ; mais vous êtes de ce fier sang de Bretagne ; vous et moi, nous avons Gauvain de Thouars pour grand-père ; nous avons encore pour aïeul ce grand duc de Montbazon qui fut pair de France et honoré du collier des ordres, qui attaqua le faubourg de Tours et fut blessé au combat d'Arques, et qui mourut grand-veneur de France en sa maison de Couzières en Touraine, âgé de quatre-vingt-six ans. Je pourrais vous parler encore du duc de Laudunois, fils de la dame de la Garnache, de Claude de Lorraine, duc de Chevreuse, et de Henri de Lenoncourt, et de Françoise de Laval-Boisdauphin. Mais à quoi bon ? Monsieur a l'honneur d'être un idiot, et il tient à être l'égal de mon palefrenier. Sachez ceci, j'étais déjà un vieil homme que vous étiez encore un marmot. Je vous ai mouché, morveux, et je vous moucherais encore. En grandissant, vous avez trouvé moyen de vous rapetisser. Depuis que nous ne nous sommes vus, nous sommes allés chacun de notre côté, moi du côté de l'honnêteté, vous du côté opposé. Ah ! je ne sais pas comment tout cela finira ; mais messieurs vos amis sont de fiers misérables. Ah ! oui, c'est beau, j'en tombe d'accord, les progrès sont superbes, on a supprimé dans l'armée la peine de la chopine d'eau infligée trois jours consécutifs au soldat ivrogne ; on a le maximum, la Convention, l'évêque Gobel, monsieur Chaumette et monsieur Hébert, et l'on extermine en masse tout le passé, depuis la Bastille jusqu'à l'almanach. On remplace les saints par les légumes. Soit, messieurs les citoyens, soyez les maîtres, régnez, prenez vos aises, donnez-vous-en, ne vous gênez pas. Tout cela n'empêchera pas que la religion ne soit la religion, que la royauté n'emplisse quinze cents ans de notre histoire, et que la vieille seigneurie française, même décapitée, ne soit plus haute que vous. Quant à vos chicanes sur le droit historique des races royales, nous en haussons les épaules. Chilpéric, au fond, n'était qu'un moine appelé Daniel ; ce fut Rainfroi qui inventa Chilpéric pour ennuyer Charles Martel ; nous savons ces choses-là aussi bien que vous. Ce n'est pas la question. La question est ceci : être un grand royaume ; être la vieille France, être ce pays d'arrangement magnifique, où l'on considère premièrement la personne sacrée des monarques, seigneurs absolus de l'État, puis les princes, puis les officiers de la couronne, pour les armes sur terre et sur mer, pour l'artillerie, direction et surintendance des finances. Ensuite il y a la justice souveraine et subalterne, suivie du maniement des gabelles et recettes générales, et enfin la police du royaume dans ses trois ordres. Voilà qui était beau et noblement ordonné ; vous l'avez détruit. Vous avez détruit les provinces, comme de lamentables ignorants que vous êtes, sans même vous douter de ce que c'était que les provinces. Le génie de la France est composé du génie même du continent, et chacune des provinces de France représentait une vertu de l'Europe ; la franchise de l'Allemagne était en Picardie, la générosité de la Suède en Champagne, l'industrie de la Hollande en Bourgogne, l'activité de la Pologne en Languedoc, la gravité de l'Espagne en Gascogne, la sagesse de l'Italie en Provence, la subtilité de la Grèce en Normandie, la fidélité de la Suisse en Dauphiné. Vous ne saviez rien de tout cela ; vous avez cassé, brisé, fracassé, démoli, et vous avez été tranquillement des bêtes brutes. Ah ! vous ne voulez plus avoir de nobles ! Eh bien, vous n'en aurez plus. Faites-en votre deuil. Vous n'aurez plus de paladins, vous n'aurez plus de héros. Bonsoir les grandeurs anciennes. Trouvez-moi un d'Assas à présent ! Vous avez tous peur pour votre peau. Vous n'aurez plus les chevaliers de Fontenoy qui saluaient avant de tuer, vous n'aurez plus les combattants en bas de soie du siège de Lérida ; vous n'aurez plus de ces fières journées militaires où les panaches passaient comme des météores ; vous êtes un peuple fini ; vous subirez ce viol, l'invasion ; si Alaric II revient, il ne trouvera plus en face de lui Clovis ; si Abdérame revient, il ne trouvera plus en face de lui Charles Martel ; si les Saxons reviennent, ils ne trouveront plus devant eux Pépin ; vous n'aurez plus Agnadel, Rocroy, Lens, Staffarde, Nerwinde, Steinkerque, la Marsaille, Raucoux, Lawfeld, Mahon ; vous n'aurez plus Marignan avec François Ier ; vous n'aurez plus Bouvines avec Philippe Auguste faisant prisonnier, d'une main, Renaud, comte de Boulogne, et de l'autre, Ferrand, comte de Flandre. Vous aurez Azincourt, mais vous n'aurez plus pour s'y faire tuer, enveloppé de son drapeau, le sieur de Bacqueville, le grand porte-oriflamme ! Allez ! allez ! faites ! Soyez les hommes nouveaux. Devenez petits !

Le marquis fit un moment silence, et repartit :

— Mais laissez-nous grands. Tuez les rois, tuez les nobles, tuez les prêtres, abattez, ruinez, massacrez, foulez tout aux pieds, mettez les maximes antiques sous le talon de vos bottes, piétinez le trône, trépignez l'autel, écrasez Dieu, dansez dessus ! C'est votre affaire. Vous êtes des traîtres et des lâches, incapables de dévouement et de sacrifice. J'ai dit. Maintenant faites-moi guillotiner, monsieur le vicomte. J'ai l'honneur d'être votre très humble.

Et il ajouta :

— Ah ! je vous dis vos vérités ! Qu'est-ce que cela me fait ? Je suis mort.

— Vous êtes libre, dit Gauvain.

Et Gauvain s'avança vers le marquis, défit son manteau de commandant, le lui jeta sur les épaules, et lui rabattit le capuchon sur les yeux. Tous deux étaient de même taille.

— Eh bien, qu'est-ce que tu fais ? dit le marquis.

Gauvain éleva la voix et cria :

— Lieutenant, ouvrez-moi.

La porte s'ouvrit.

Gauvain cria :

— Vous aurez soin de refermer la porte derrière moi.

Et il poussa dehors le marquis stupéfait.

La salle basse, transformée en corps de garde, avait, on s'en souvient, pour tout éclairage, une lanterne de corne qui faisait tout voir trouble, et donnait plus de nuit que de jour. Dans cette lueur confuse, ceux des soldats qui ne dormaient pas virent marcher au milieu d'eux, se dirigeant vers la sortie, un homme de haute stature ayant le manteau et le capuchon galonné de commandant en chef ; ils firent le salut militaire, et l'homme passa.

Le marquis, lentement, traversa le corps de garde, traversa la brèche, non sans s'y heurter la tête plus d'une fois, et sortit.

La sentinelle, croyant voir Gauvain, lui présenta les armes.

Quand il fut dehors, ayant sous ses pieds l'herbe des champs, à deux cents pas la forêt, et devant lui l'espace, la nuit, la liberté, la vie, il s'arrêta et demeura un moment immobile comme un homme qui s'est laissé faire, qui a cédé à la surprise, et qui, ayant profité d'une porte ouverte, cherche s'il a bien ou mal agi, hésite avant d'aller plus loin, et donne audience à une dernière pensée. Après quelques secondes de rêverie attentive, il leva sa main droite, fit claquer son médius contre son pouce et dit : Ma foi !

Et il s'en alla.

La porte du cachot s'était refermée. Gauvain était dedans.

II

LA COUR MARTIALE

Tout alors dans les cours martiales était à peu près discrétionnaire. Dumas, à l'assemblée législative, avait esquissé une ébauche de législation militaire, retravaillée plus tard par Talot au conseil des Cinq-Cents, mais le code définitif des conseils de guerre n'a été rédigé que sous l'empire. C'est de l'empire que date, par parenthèse, l'obligation imposée aux tribunaux militaires de ne recueillir les votes qu'en commençant par le grade inférieur. Sous la révolution cette loi n'existait pas.

En 1793, le président d'un tribunal militaire était presque à lui seul tout le tribunal ; il choisissait les membres, classait l'ordre des grades, réglait le mode du vote ; il était le maître en même temps que le juge.

Cimourdain avait désigné, pour prétoire de la cour martiale, cette salle même du rez-de-chaussée où avait été la retirade et où était maintenant le corps de garde. Il tenait à tout abréger, le chemin de la prison au tribunal et le trajet du tribunal à l'échafaud.

A midi, conformément à ses ordres, la cour était en séance avec l'apparat que voici : trois chaises de paille, une table de sapin, deux chandelles allumées, un tabouret devant la table.

Les chaises étaient pour les juges et le tabouret pour l'accusé. Aux deux bouts de la table il y avait deux autres tabourets, l'un pour le commissaire-auditeur qui était un fourrier, l'autre pour le greffier qui était un caporal.

Il y avait sur la table un bâton de cire rouge, le sceau de la République en cuivre, deux écritoires, des dossiers de papier blanc, et deux affiches imprimées, étalées toutes grandes ouvertes, contenant l'une, la mise hors la loi, l'autre, le décret de la Convention.

La chaise du milieu était adossée à un faisceau de

drapeaux tricolores ; dans ces temps de rude simplicité, un décor était vite posé, et il fallait peu de temps pour changer un corps de garde en cour de justice.

La chaise du milieu, destinée au président, faisait face à la porte du cachot.

Pour public, les soldats.

Deux gendarmes gardaient la sellette.

Cimourdain était assis sur la chaise du milieu, ayant à sa droite le capitaine Guéchamp, premier juge, et à sa gauche le sergent Radoub, deuxième juge.

Il avait sur la tête son chapeau à panache tricolore, à son côté son sabre, dans sa ceinture ses deux pistolets. Sa balafre, qui était d'un rouge vif, ajoutait à son air farouche.

Radoub avait fini par se faire panser. Il avait autour de la tête un mouchoir sur lequel s'élargissait lentement une plaque de sang.

A midi, l'audience n'était pas encore ouverte, une estafette, dont on entendait dehors piaffer le cheval, était debout près de la table du tribunal. Cimourdain écrivait. Il écrivait ceci :

« Citoyens membres du Comité de salut public.

« Lantenac est pris. Il sera exécuté demain. »

Il data et signa, plia et cacheta la dépêche, et la remit à l'estafette, qui partit.

Cela fait, Cimourdain dit d'une voix haute :

— Ouvrez le cachot.

Les deux gendarmes tirèrent les verrous, ouvrirent le cachot, et y entrèrent.

Cimourdain leva la tête, croisa les bras, regarda la porte, et cria :

— Amenez le prisonnier.

Un homme apparut entre les deux gendarmes, sous le cintre de la porte ouverte.

C'était Gauvain.

Cimourdain eut un tressaillement.

— Gauvain ! s'écria-t-il.

Et il reprit.

— Je demande le prisonnier.

— C'est moi, dit Gauvain.
— Toi ?
— Moi.
— Et Lantenac ?
— Il est libre.
— Libre !
— Oui.
— Évadé ?
— Évadé.

Cimourdain balbutia avec un tremblement :

— En effet, ce château est à lui, il en connaît toutes les issues, l'oubliette communique peut-être à quelque sortie, j'aurais dû y songer, il aura trouvé moyen de s'enfuir, il n'aura eu besoin pour cela de l'aide de personne.

— Il a été aidé, dit Gauvain.
— A s'évader ?
— A s'évader.
— Qui l'a aidé ?
— Moi.
— Toi !
— Moi.
— Tu rêves !
— Je suis entré dans le cachot, j'étais seul avec le prisonnier, j'ai ôté mon manteau, je le lui ai mis sur le dos, je lui ai rabattu le capuchon sur le visage, il est sorti à ma place et je suis resté à la sienne. Me voici.
— Tu n'as pas fait cela !
— Je l'ai fait.
— C'est impossible.
— C'est réel.
— Amenez-moi Lantenac !
— Il n'est plus ici. Les soldats, lui voyant le manteau de commandant, l'ont pris pour moi et l'ont laissé passer. Il faisait encore nuit.
— Tu es fou.
— Je dis ce qui est.

Il y eut un silence. Cimourdain bégaya :

— Alors tu mérites...

— La mort, dit Gauvain.

Cimourdain était pâle comme une tête coupée. Il était immobile comme un homme sur qui vient de tomber la foudre. Il semblait ne plus respirer. Une grosse goutte de sueur perla sur son front.

Il raffermit sa voix et dit :

— Gendarmes, faites asseoir l'accusé.

Gauvain se plaça sur le tabouret.

Cimourdain reprit :

— Gendarmes, tirez vos sabres.

C'était la formule usitée quand l'accusé était sous le poids d'une sentence capitale.

Les gendarmes tirèrent leurs sabres.

La voix de Cimourdain avait repris son accent ordinaire.

— Accusé, dit-il, levez-vous.

Il ne tutoyait plus Gauvain.

III

LES VOTES

Gauvain se leva.

— Comment vous nommez-vous ? demanda Cimourdain.

Gauvain répondit :

— Gauvain.

Cimourdain continua l'interrogatoire.

— Qui êtes-vous ?

— Je suis commandant en chef de la colonne expéditionnaire des Côtes-du-Nord.

— Êtes-vous parent ou allié de l'homme évadé ?

— Je suis son petit-neveu.

— Vous connaissez le décret de la Convention ?

— J'en vois l'affiche sur votre table.

— Qu'avez-vous à dire sur ce décret ?

— Que je l'ai contresigné, que j'en ai ordonné l'exécution, et que c'est moi qui ai fait faire cette affiche au bas de laquelle est mon nom.

— Faites choix d'un défenseur.

— Je me défendrai moi-même.

— Vous avez la parole.

Cimourdain était redevenu impassible. Seulement son impassibilité ressemblait moins au calme d'un homme qu'à la tranquillité d'un rocher.

Gauvain demeura un moment silencieux et comme recueilli.

Cimourdain reprit :

— Qu'avez-vous à dire pour votre défense ?

Gauvain leva lentement la tête, ne regarda personne, et répondit :

— Ceci : une chose m'a empêché d'en voir une autre ; une bonne action, vue de trop près, m'a caché cent actions criminelles ; d'un côté un vieillard, de l'autre des enfants, tout cela s'est mis entre moi et le devoir. J'ai oublié les villages incendiés, les champs ravagés, les prisonniers massacrés, les blessés achevés, les femmes fusillées, j'ai oublié la France livrée à l'Angleterre ; j'ai mis en liberté le meurtrier de la patrie. Je suis coupable. En parlant ainsi, je semble parler contre moi ; c'est une erreur. Je parle pour moi. Quand le coupable reconnaît sa faute, il sauve la seule chose qui vaille la peine d'être sauvée, l'honneur.

— Est-ce là, repartit Cimourdain, tout ce que vous avez à dire pour votre défense ?

— J'ajoute qu'étant le chef, je devais l'exemple, et qu'à votre tour, étant les juges, vous le devez.

— Quel exemple demandez-vous ?

— Ma mort.

— Vous la trouvez juste ?

— Et nécessaire.

— Asseyez-vous.

Le fourrier, commissaire-auditeur, se leva et donna lecture, premièrement, de l'arrêté qui mettait hors la loi le ci-devant marquis de Lantenac ; deuxièmement, du décret de la Convention édictant la peine capitale contre quiconque favoriserait l'évasion d'un rebelle prisonnier. Il termina par les quelques lignes imprimées au bas de l'affiche du décret, intimant défense « de porter aide et secours » au rebelle susnommé « sous peine de mort », et signées : *le commandant en chef de la colonne expéditionnaire*, GAUVAIN.

Ces lectures faites, le commissaire-auditeur se rassit.

Cimourdain croisa les bras et dit :

– Accusé, soyez attentif. Public, écoutez, regardez, et taisez-vous. Vous avez devant vous la loi. Il va être procédé au vote. La sentence sera rendue à la majorité simple. Chaque juge opinera à son tour, à haute voix, en présence de l'accusé, la justice n'ayant rien à cacher.

Cimourdain continua :

– La parole est au premier juge. Parlez, capitaine Guéchamp.

Le capitaine Guéchamp ne semblait voir ni Cimourdain, ni Gauvain. Ses paupières abaissées cachaient ses yeux immobiles fixés sur l'affiche du décret et la considérant comme on considérerait un gouffre. Il dit :

– La loi est formelle. Un juge est plus et moins qu'un homme ; il est moins qu'un homme, car il n'a pas de cœur ; il est plus qu'un homme, car il a le glaive. L'an 414 de Rome, Manlius fit mourir son fils pour le crime d'avoir vaincu sans son ordre. La discipline violée voulait une expiation. Ici, c'est la loi qui a été violée ; et la loi est plus haute encore que la discipline. Par suite d'un accès de pitié, la patrie est remise en danger. La pitié peut avoir les proportions d'un crime. Le commandant Gauvain a fait évader le rebelle Lantenac. Gauvain est coupable. Je vote la mort.

– Écrivez, greffier, dit Cimourdain.

Le greffier écrivit : « Capitaine Guéchamp : la mort. »

Gauvain éleva la voix.

– Guéchamp, dit-il, vous avez bien voté, et je vous remercie.

Cimourdain reprit :

— La parole est au deuxième juge. Parlez, sergent Radoub.

Radoub se leva, se tourna vers Gauvain et fit à l'accusé le salut militaire. Puis il s'écria :

— Si c'est ça, alors, guillotinez-moi, car j'en donne ici ma nom de Dieu de parole d'honneur la plus sacrée, je voudrais avoir fait, d'abord ce qu'a fait le vieux, et ensuite ce qu'a fait mon commandant. Quand j'ai vu cet individu de quatre-vingts ans se jeter dans le feu pour en tirer les trois mioches, j'ai dit : Bonhomme, tu es un brave homme ! et quand j'apprends que c'est mon commandant qui a sauvé ce vieux de votre bête de guillotine, mille noms de noms, je dis : Mon commandant, vous devriez être mon général, et vous êtes un vrai homme, et moi, tonnerre ! je vous donnerais la croix de Saint-Louis, s'il y avait encore des croix, s'il y avait encore des saints, et s'il y avait encore des louis ! Ah çà ! est-ce qu'on va être des imbéciles, à présent ? Si c'est pour des choses comme ça qu'on a gagné la bataille de Jemmapes, la bataille de Valmy, la bataille de Fleurus et la bataille de Wattignies, alors il faut le dire. Comment ! voilà le commandant Gauvain qui depuis quatre mois mène toutes ces bourriques de royalistes tambour battant, et qui sauve la république à coups de sabre, et qui a fait la chose de Dol où il fallait joliment de l'esprit, et, quand vous avez cet homme-là, vous tâchez de ne plus l'avoir ! et, au lieu d'en faire votre général, vous voulez lui couper le cou ! je dis que c'est à se jeter la tête la première par-dessus le parapet du Pont-Neuf, et que vous-même, citoyen Gauvain, mon commandant, si, au lieu d'être mon général, vous étiez mon caporal, je vous dirais que vous avez dit de fichues bêtises tout à l'heure. Le vieux a bien fait de sauver les enfants, vous avez bien fait de sauver le vieux, et si l'on guillotine les gens parce qu'ils ont fait de bonnes actions, alors va-t'en à tous les diables, je ne sais plus du tout de quoi il est question. Il n'y a plus de raison pour qu'on s'arrête. C'est pas vrai, n'est-ce pas, tout ça ? Je me pince pour savoir si je suis éveillé. Je ne comprends pas. Il fallait donc que le vieux laisse brûler les mômes tout vifs, il fallait donc que mon commandant laisse couper le cou au vieux. Tenez, oui, guillotinez-moi. J'aime autant ça. Une supposition, les mioches seraient morts, le bataillon du Bonnet-Rouge était déshonoré. Est-ce que c'est ça qu'on voulait ? Alors mangeons-nous les uns les autres. Je me connais en politique aussi bien que vous qui êtes là, j'étais du club de la section des Piques. Sapristi ! nous nous abrutissons à la fin ! Je résume ma façon de voir. Je n'aime pas les choses qui ont l'inconvénient de faire qu'on ne sait plus du tout où on en est. Pourquoi diable nous faisons-nous tuer ? Pour qu'on nous tue notre chef ! Pas de ça, Lisette. Je veux mon chef ! Il me faut mon chef. Je l'aime encore mieux aujourd'hui qu'hier. L'envoyer à la guillotine, mais vous me faites rire ! Tout ça, nous n'en voulons pas. J'ai écouté. On dira tout ce qu'on voudra. D'abord, pas possible.

Et Radoub se rassit. Sa blessure s'était rouverte. Un filet de sang qui sortait du bandeau coulait le long de son cou, de l'endroit où avait été son oreille.

Cimourdain se tourna vers Radoub.

— Vous votez pour que l'accusé soit absous ?

— Je vote, dit Radoub, pour qu'on le fasse général.

— Je vous demande si vous votez pour qu'il soit acquitté.

— Je vote pour qu'on le fasse le premier de la république.

— Sergent Radoub, votez-vous pour que le commandant Gauvain soit acquitté, oui ou non ?

— Je vote pour qu'on me coupe la tête à sa place.

— Acquittement, dit Cimourdain. Écrivez, greffier.

Le greffier écrivit : « Sergent Radoub : acquittement. »

Puis le greffier dit :

— Une voix pour la mort. Une voix pour l'acquittement. Partage.

C'était à Cimourdain de voter.

Il se leva. Il ôta son chapeau et le posa sur la table.

Il n'était plus pâle ni livide. Sa face était couleur de terre.

Tous ceux qui étaient là eussent été couchés dans des suaires que le silence n'eût pas été plus profond.

Cimourdain dit d'une voix grave, lente et ferme :

— Accusé Gauvain, la cause est entendue. Au nom de la république, la cour martiale, à la majorité de deux voix contre une...

Il s'interrompit, il eut comme un temps d'arrêt ; hésitait-il devant la mort ? hésitait-il devant la vie ? toutes les poitrines étaient haletantes. Cimourdain continua :

— ... Vous condamne à la peine de mort.

Son visage exprimait la torture du triomphe sinistre. Quand Jacob dans les ténèbres se fit bénir par l'ange qu'il avait terrassé, il devait avoir ce sourire effrayant.

Ce ne fut qu'une lueur, et cela passa. Cimourdain redevint de marbre, se rassit, remit son chapeau sur sa tête et ajouta :

— Gauvain, vous serez exécuté demain, au lever du soleil.

Gauvain se leva, salua et dit :

— Je remercie la cour.

— Emmenez le condamné, dit Cimourdain.

Cimourdain fit un signe, la porte du cachot se rouvrit, Gauvain y entra, le cachot se referma. Les deux gendarmes restèrent en faction des deux côtés de la porte, le sabre nu.

On emporta Radoub, qui venait de tomber sans connaissance.

IV

APRÈS CIMOURDAIN JUGE, CIMOURDAIN MAÎTRE

Un camp, c'est un guêpier. En temps de révolution surtout. L'aiguillon civique, qui est dans le soldat, sort volontiers et vite, et ne se gêne pas pour piquer le chef après avoir chassé l'ennemi. La vaillante troupe qui avait pris la Tourgue eut des bourdonnements variés, d'abord contre le commandant Gauvain quand on apprit l'évasion de Lantenac. Lorsqu'on vit Gauvain sortir du cachot où l'on croyait tenir Lantenac, ce fut comme une commotion électrique, et en moins d'une minute tout le corps fut informé. Un murmure éclata dans la petite armée, ce premier murmure fut : – Ils sont en train de juger Gauvain. Mais c'est pour la frime. Fiez-vous donc aux ci-devant et aux calotins ! Nous venons de voir un vicomte qui sauve un marquis, et nous allons voir un prêtre qui absout un noble !

Quand on sut la condamnation de Gauvain, il y eut un deuxième murmure : – Voilà qui est fort ! notre chef, notre brave chef, notre jeune commandant, un héros ! C'est un vicomte, eh bien, il n'en a que plus de mérite à être républicain ! comment ! lui, le libérateur de Pontorson, de Villedieu, de Pont-au-Beau ! le vainqueur de Dol et de la Tourgue ! celui par qui nous sommes invincibles ! celui qui est l'épée de la république dans la Vendée ! l'homme qui depuis cinq mois tient tête aux chouans et répare toutes les sottises de Léchelle et des autres ! ce Cimourdain ose le condamner à mort ! pourquoi ? parce qu'il a sauvé un vieillard qui avait sauvé trois enfants ! un prêtre tuer un soldat !

Ainsi grondait le camp victorieux et mécontent. Une sombre colère entourait Cimourdain. Quatre mille hommes contre un seul, il semble que ce soit une force ; ce n'en est pas une. Ces quatre mille hommes étaient une foule, et Cimourdain était une volonté. On savait que Cimourdain fronçait aisément le sourcil, et il n'en fallait pas davantage pour tenir l'armée en respect. Dans ces temps sévères, il suffisait que l'ombre du Comité de salut public fût derrière un homme pour faire cet homme redoutable et pour faire aboutir l'imprécation au chuchotement et le chuchotement au silence. Avant comme après les murmures, Cimourdain restait l'arbitre du sort de Gauvain comme du sort de tous. On savait qu'il n'y avait rien à lui demander et qu'il n'obéirait qu'à sa conscience, voix surhumaine entendue de lui seul. Tout dépendait de lui. Ce qu'il avait fait comme juge martial, seul, il pouvait le défaire comme délégué civil. Seul il pouvait faire grâce. Il avait pleins pouvoirs ; d'un signe il pouvait mettre Gauvain en liberté ; il était le maître de la vie et de la mort ; il commandait à la guillotine. En ce moment tragique, il était l'homme suprême.

On ne pouvait qu'attendre.

La nuit vint.

V

LE CACHOT

La salle de justice était redevenue corps de garde ; le poste était doublé comme la veille ; deux factionnaires gardaient la porte du cachot fermée.

Vers minuit, un homme, qui tenait une lanterne à la main, traversa le corps de garde, se fit reconnaître et se fit ouvrir le cachot. C'était Cimourdain.

Il entra et la porte resta entr'ouverte derrière lui.

Le cachot était ténébreux et silencieux. Cimourdain fit un pas dans cette obscurité, posa la lanterne à terre, et s'arrêta. On entendait dans l'ombre la respiration égale d'un homme endormi. Cimourdain écouta, pensif, ce bruit paisible.

Gauvain était au fond du cachot, sur la botte de paille. C'était son souffle qu'on entendait. Il dormait profondément.

Cimourdain s'avança avec le moins de bruit possible, vint tout près et se mit à regarder Gauvain ; une mère regardant son nourrisson dormir n'aurait pas un plus tendre et plus inexprimable regard. Ce regard était plus fort peut-être que Cimourdain ; Cimourdain appuya, comme font quelquefois les enfants, ses deux poings sur ses yeux, et demeura un moment immobile. Puis il s'agenouilla, souleva doucement la main de Gauvain et posa ses lèvres dessus.

Gauvain fit un mouvement. Il ouvrit les yeux, avec le vague étonnement du réveil en sursaut. La lanterne éclairait faiblement la cave. Il reconnut Cimourdain.

— Tiens, dit-il, c'est vous, mon maître.

Et il ajouta :

— Je rêvais que la mort me baisait la main.

Cimourdain eut cette secousse que nous donne parfois la brusque invasion d'un flot de pensées ; quelquefois ce flot est si haut et si orageux qu'il semble qu'il va éteindre l'âme. Rien ne sortit du profond cœur de Cimourdain. Il ne put dire que : Gauvain !

Et tous deux se regardèrent ; Cimourdain avec des yeux pleins de ces flammes qui brûlent les larmes, Gauvain avec son plus doux sourire.

Gauvain se souleva sur son coude et dit :

— Cette balafre que je vois sur votre visage, c'est le coup de sabre que vous avez reçu pour moi. Hier encore vous étiez dans cette mêlée à côté de moi et à cause de moi. Si la providence ne vous avait pas mis près de mon berceau, où serais-je aujourd'hui ? dans les ténèbres. Si j'ai la notion du devoir, c'est de vous qu'elle me vient. J'étais né noué. Les préjugés sont des ligatures, vous m'avez ôté ces bandelettes, vous avez remis ma croissance en liberté, et de ce qui n'était déjà plus qu'une momie, vous avez refait un enfant. Dans l'avorton probable vous avez mis une conscience. Sans vous, j'aurais grandi petit. J'existe par vous. Je n'étais qu'un seigneur, vous avez fait de moi un citoyen ; je n'étais qu'un citoyen, vous avez fait de moi un esprit ; vous m'avez fait propre, comme homme, à la vie terrestre, et, comme âme, à la vie céleste. Vous m'avez donné, pour aller dans la réalité humaine, la clef de vérité, et, pour aller au delà, la clef de lumière. Ô mon maître, je vous remercie. C'est vous qui m'avez créé.

Cimourdain s'assit sur la paille à côté de Gauvain et lui dit :

— Je viens souper avec toi.

Gauvain rompit le pain noir, et le lui présenta. Cimourdain en prit un morceau ; puis Gauvain lui tendit la cruche d'eau.

— Bois le premier, dit Cimourdain.

Gauvain but et passa la cruche à Cimourdain qui but après lui. Gauvain n'avait bu qu'une gorgée. Cimourdain but à longs traits.

Dans ce souper, Gauvain mangeait et Cimourdain buvait, signe du calme de l'un et de la fièvre de l'autre.

On ne sait quelle sérénité terrible était dans ce cachot. Ces deux hommes causaient.

Gauvain disait :

— Les grandes choses s'ébauchent. Ce que la révolution fait en ce moment est mystérieux. Derrière l'œuvre visible il y a l'œuvre invisible. L'une cache l'autre. L'œuvre visible est farouche, l'œuvre invisible est sublime. En cet instant je distingue tout très nettement. C'est étrange et beau. Il a bien fallu se servir des matériaux du passé. De là cet extraordinaire 93. Sous un échafaudage de barbarie se construit un temple de civilisation.

— Oui, répondit Cimourdain. De ce provisoire sortira le définitif. Le définitif, c'est-à-dire le droit et le devoir parallèles, l'impôt proportionnel et progressif, le service militaire obligatoire, le nivellement, aucune déviation, et, au-dessus de tous et de tout, cette ligne droite, la loi. La république de l'absolu.

— Je préfère, dit Gauvain, la république de l'idéal.

Il s'interrompit, puis continua :

— Ô mon maître, dans tout ce que vous venez de dire, où placez-vous le dévouement, le sacrifice, l'abnégation, l'entrelacement magnanime des bienveillances, l'amour ? Mettre tout en équilibre, c'est bien ; mettre tout en harmonie, c'est mieux. Au-dessus de la balance il y a la lyre. Votre république dose, mesure et règle l'homme ; la mienne l'emporte en plein azur ; c'est la différence qu'il y a entre un théorème et un aigle.

— Tu te perds dans le nuage.

— Et vous dans le calcul.

— Il y a du rêve dans l'harmonie.

— Il y en a aussi dans l'algèbre.

— Je voudrais l'homme fait par Euclide.

— Et moi, dit Gauvain, je l'aimerais mieux fait par Homère.

Le sourire sévère de Cimourdain s'arrêta sur Gauvain comme pour tenir cette âme en arrêt.

— Poésie. Défie-toi des poëtes.

— Oui, je connais ce mot. Défie-toi des souffles, défie-toi des rayons, défie-toi des parfums, défie-toi des fleurs, défie-toi des constellations.

— Rien de tout cela ne donne à manger.

— Qu'en savez-vous ? l'idée aussi est nourriture. Penser, c'est manger.

— Pas d'abstraction. La république c'est deux et deux font quatre. Quand j'ai donné à chacun ce qui lui revient...

— Il vous reste à donner à chacun ce qui ne lui revient pas.

— Qu'entends-tu par là ?

— J'entends l'immense concession réciproque que chacun doit à tous et que tous doivent à chacun, et qui est toute la vie sociale.

— Hors du droit strict, il n'y a rien.

— Il y a tout.

— Je ne vois que la justice.

— Moi, je regarde plus haut.

— Qu'y a-t-il donc au-dessus de la justice ?

— L'équité.

Par moments ils s'arrêtaient comme si des lueurs passaient.

Cimourdain reprit :

— Précise, je t'en défie.

— Soit. Vous voulez le service militaire obligatoire. Contre qui ? contre d'autres hommes. Moi, je ne veux pas de service militaire. Je veux la paix. Vous voulez les misérables secourus, moi je veux la misère supprimée. Vous voulez l'impôt proportionnel. Je ne veux point d'impôt du tout. Je veux la dépense commune réduite à sa plus simple expression et payée par la plus-value sociale.

— Qu'entends-tu par là ?

— Ceci : d'abord supprimez les parasitismes ; le parasitisme du prêtre, le parasitisme du juge, le parasitisme du soldat. Ensuite, tirez parti de vos richesses ; vous jetez l'engrais à l'égout, jetez-le au sillon. Les trois quarts du sol sont en friche, défrichez la France, supprimez les vaines pâtures ; partagez les terres communales. Que tout homme ait une terre, et que toute terre ait un homme. Vous centuplerez le produit social. La France, à cette heure, ne donne à ses paysans que quatre jours de viande par an ; bien cultivée, elle nourrirait trois cents millions d'hommes, toute l'Europe. Utilisez la nature, cette immense auxiliaire dédaignée. Faites travailler pour vous tous les souffles de vent, toutes les chutes d'eau, tous les effluves magnétiques. Le globe a un réseau veineux souterrain ; il y a dans ce réseau une circulation prodigieuse d'eau, d'huile, de feu ; piquez la veine du globe, et faites jaillir cette eau pour vos fontaines, cette huile pour vos lampes, ce feu pour vos foyers. Réfléchissez au mouvement des vagues, au flux et reflux, au va-et-vient des marées. Qu'est-ce que l'océan ? une énorme force perdue. Comme la terre est bête ! ne pas employer l'océan !

— Te voilà en plein songe.

— C'est-à-dire en pleine réalité.

Gauvain reprit :

— Et la femme ? qu'en faites-vous ?

Cimourdain répondit :

— Ce qu'elle est. La servante de l'homme.

— Oui. A une condition.

— Laquelle ?

— C'est que l'homme sera le serviteur de la femme.

— Y penses-tu ? s'écria Cimourdain, l'homme serviteur ! jamais. L'homme est maître. Je n'admets qu'une royauté, celle du foyer. L'homme chez lui est roi.

— Oui. A une condition.

— Laquelle ?

— C'est que la femme y sera reine.

— C'est-à-dire que tu veux pour l'homme et pour la femme...

— L'égalité.

— L'égalité ! y songes-tu ? les deux êtres sont divers.

— J'ai dit l'égalité. Je n'ai pas dit l'identité.

Il y eut encore une pause, comme une sorte de trêve entre ces deux esprits échangeant des éclairs. Cimourdain la rompit.

— Et l'enfant ! à qui le donnes-tu ?

— D'abord au père qui l'engendre, puis à la mère qui l'enfante, puis au maître qui l'élève, puis à la cité qui le virilise, puis à la patrie qui est la mère suprême, puis à l'humanité qui est la grande aïeule.

— Tu ne parles pas de Dieu.

— Chacun de ces degrés, père, mère, maître, cité, patrie, humanité, est un des échelons de l'échelle qui monte à Dieu.

Cimourdain se taisait, Gauvain poursuivit :

— Quand on est au haut de l'échelle, on est arrivé à Dieu. Dieu s'ouvre ; on n'a plus qu'à entrer.

Cimourdain fit le geste d'un homme qui en rappelle un autre.

— Gauvain, reviens sur la terre. Nous voulons réaliser le possible.

— Commencez par ne pas le rendre impossible.

— Le possible se réalise toujours.

— Pas toujours. Si l'on rudoie l'utopie, on la tue. Rien n'est plus sans défense que l'œuf.

— Il faut pourtant saisir l'utopie, lui imposer le joug du réel, et l'encadrer dans le fait. L'idée abstraite doit se transformer en idée concrète ; ce qu'elle perd en beauté, elle le regagne en utilité ; elle est moindre, mais meilleure. Il faut que le droit entre dans la loi ; et, quand le droit s'est fait loi, il est absolu. C'est là ce que j'appelle le possible.

— Le possible est plus que cela.

— Ah ! te revoilà dans le rêve.

— Le possible est un oiseau mystérieux toujours planant au-dessus de l'homme.

— Il faut le prendre.

— Vivant.

Gauvain continua :

— Ma pensée est : Toujours en avant. Si Dieu avait voulu que l'homme reculât, il lui aurait mis un œil derrière la tête. Regardons toujours du côté de l'aurore, de l'éclosion, de la naissance. Ce qui tombe encourage ce qui monte. Le craquement du vieil arbre est un appel à l'arbre nouveau. Chaque siècle fera son œuvre, aujourd'hui civique, demain humaine. Aujourd'hui la question du droit, demain la question du salaire. Salaire et droit, au fond c'est le même mot. L'homme ne vit pas pour n'être point payé ; Dieu en donnant la vie contracte une dette ; le droit, c'est le salaire inné ; le salaire, c'est le droit acquis.

Gauvain parlait avec le recueillement d'un prophète. Cimourdain écoutait. Les rôles étaient intervertis, et maintenant il semblait que c'était l'élève qui était le maître.

Cimourdain murmura :

— Tu vas vite.

— C'est que je suis peut-être un peu pressé, dit Gauvain en souriant.

Et il reprit :

— Ô mon maître, voici la différence entre nos deux utopies. Vous voulez la caserne obligatoire, moi, je veux l'école. Vous rêvez l'homme soldat, je rêve l'homme citoyen. Vous le voulez terrible, je le veux pensif. Vous fondez une république de glaives, je fonde...

Il s'interrompit :

— Je fonderais une république d'esprits.

Cimourdain regarda le pavé du cachot, et dit :

— Et en attendant que veux-tu ?

— Ce qui est.

— Tu absous donc le moment présent ?

— Oui.

— Pourquoi ?

— Parce que c'est une tempête. Une tempête sait toujours ce qu'elle fait. Pour un chêne foudroyé, que de forêts assainies ! La civilisation avait une peste, ce grand vent l'en délivre. Il ne choisit pas assez peut-être. Peut-il faire autrement ? Il est chargé d'un si rude balayage ! Devant l'horreur du miasme, je comprends la fureur du souffle.

Gauvain continua :

— D'ailleurs, que m'importe la tempête, si j'ai la boussole, et que me font les événements, si j'ai ma conscience !

Et il ajouta de cette voix basse qui est aussi la voix solennelle :

— Il y a quelqu'un qu'il faut toujours laisser faire.

— Qui ? demanda Cimourdain.

Gauvain leva le doigt au-dessus de sa tête. Cimourdain suivit du regard la direction de ce doigt levé, et, à travers la voûte du cachot, il lui sembla voir le ciel étoilé.

Ils se turent encore.

Cimourdain reprit :

— Société plus grande que nature. Je te le dis, ce n'est plus le possible, c'est le rêve.

— C'est le but. Autrement, à quoi bon la société ? Restez dans la nature. Soyez les sauvages. Otaïti est un paradis. Seulement, dans ce paradis on ne pense pas. Mieux vaudrait encore un enfer intelligent qu'un paradis bête. Mais non, point d'enfer. Soyons la société humaine. Plus grande que nature. Oui. Si vous n'ajoutez rien à la nature, pourquoi sortir de la nature ? Alors, contentez-vous du travail comme la fourmi, et du miel comme l'abeille. Restez la bête ouvrière au lieu d'être l'intelligence reine. Si vous ajoutez quelque chose à la nature, vous serez nécessairement plus grand qu'elle ; ajouter, c'est augmenter ; augmenter, c'est grandir. La société, c'est la nature sublimée. Je veux tout ce qui manque aux ruches, tout ce qui manque aux fourmilières, les monuments, les arts, la poésie, les héros, les génies. Porter des fardeaux éternels, ce n'est pas la loi de l'homme. Non, non, non, plus de parias, plus d'esclaves, plus de forçats, plus de damnés ! Je veux que chacun des attributs de l'homme soit un symbole de civilisation et un patron de progrès ; je veux la liberté devant l'esprit, l'égalité devant le cœur, la fraternité devant l'âme. Non ! plus de joug ! l'homme est fait, non pour traîner des chaînes, mais pour ouvrir des ailes. Plus d'homme reptile. Je veux la transfiguration de la larve en lépidoptère ; je veux que le ver de terre se change en une fleur vivante, et s'envole. Je veux...

Il s'arrêta. Son œil devint éclatant.

Ses lèvres remuaient. Il cessa de parler.

La porte était restée ouverte. Quelque chose des rumeurs du dehors pénétrait dans le cachot. On entendait de vagues clairons, c'était probablement la diane ; puis des crosses de fusil sonnant à terre, c'étaient les sentinelles qu'on relevait ; puis, assez près de la tour, autant qu'on en pouvait juger dans l'obscurité, un mouvement pareil à un remuement de planches et de madriers, avec des bruits sourds et intermittents qui ressemblaient à des coups de marteau.

Cimourdain, pâle, écoutait. Gauvain n'entendait pas.

Sa rêverie était de plus en plus profonde. Il semblait qu'il ne respirât plus, tant il était attentif à ce qu'il voyait sous la voûte visionnaire de son cerveau. Il avait de doux tressaillements. La clarté d'aurore qu'il avait dans la prunelle grandissait.

Un certain temps se passa ainsi. Cimourdain lui demanda :

— A quoi penses-tu?

— A l'avenir, dit Gauvain.

Et il retomba dans sa méditation. Cimourdain se leva du lit de paille où ils étaient assis tous les deux. Gauvain ne s'en aperçut pas. Cimourdain, couvant du regard le jeune homme pensif, recula lentement jusqu'à la porte, et sortit. Le cachot se referma.

VI

CEPENDANT LE SOLEIL SE LÈVE

Le jour ne tarda pas à poindre à l'horizon.

En même temps que le jour, une chose étrange, immobile, surprenante, et que les oiseaux du ciel ne connaissaient pas, apparut sur le plateau de la Tourgue au-dessus de la forêt de Fougères.

Cela avait été mis là dans la nuit. C'était dressé, plutôt que bâti. De loin sur l'horizon c'était une silhouette faite de lignes droites et dures ayant l'aspect d'une lettre hébraïque ou d'un de ces hiéroglyphes d'Égypte qui faisaient partie de l'alphabet de l'antique énigme.

Au premier abord, l'idée que cette chose éveillait était l'idée de l'inutile. Elle était là parmi les bruyères en fleur. On se demandait à quoi cela pouvait servir. Puis on sentait venir un frisson. C'était une sorte de tréteau ayant pour pieds quatre poteaux. A un bout du tréteau, deux hautes solives, debout et droites, reliées à leur sommet par une traverse, élevaient et tenaient suspendu un triangle qui semblait noir sur l'azur du matin. A l'autre bout du tréteau, il y avait une échelle. Entre les deux solives, en bas, au dessous du triangle, on distinguait une sorte de panneau composé de deux sections mobiles qui, en s'ajustant l'une à l'autre, offraient au regard un trou rond à peu près de la dimension du cou d'un homme. La section supérieure du panneau glissait dans une rainure, de façon à pouvoir se hausser ou s'abaisser. Pour l'instant, les deux croissants qui en se rejoignant formaient le collier étaient écartés. On apercevait au pied des deux piliers portant le triangle une planche pouvant tourner sur charnière et ayant l'aspect d'une bascule. A côté de cette planche il y avait un panier long, et entre les deux piliers, en avant, et à l'extrémité du tréteau, un panier carré. C'était peint en rouge. Tout était en bois, excepté le triangle qui était en fer. On sentait que cela avait été construit par des hommes, tant c'était laid, mesquin et petit ; et cela aurait mérité d'être apporté là par des génies, tant c'était formidable.

Cette bâtisse difforme, c'était la guillotine.

En face, à quelques pas, dans le ravin, il y avait un autre monstre, la Tourgue. Un monstre de pierre faisant pendant au monstre de bois. Et, disons-le, quand l'homme a touché au bois et à la pierre, le bois et la pierre ne sont plus ni bois ni pierre, et prennent quelque chose de l'homme. Un édifice est un dogme, une machine est une idée.

La Tourgue était cette résultante fatale du passé qui s'appelait la Bastille à Paris, la Tour de Londres en Angleterre, le Spielberg en Allemagne, l'Escurial en Espagne, le Kremlin à Moscou, le château Saint-Ange à Rome.

Dans la Tourgue étaient condensés quinze cents ans, le moyen âge, le vasselage, la glèbe, la féodalité ; dans la guillotine une année, 93 ; et ces douze mois faisaient contre-poids à ces quinze siècles.

La Tourgue, c'était la monarchie; la guillotine, c'était la révolution.

Confrontation tragique.

D'un côté, la dette; de l'autre, l'échéance. D'un côté, l'inextricable complication gothique, le serf, le seigneur, l'esclave, le maître, la roture, la noblesse, le code multiple ramifié en coutumes, le juge et le prêtre coalisés, les ligatures innombrables, le fisc, les gabelles, la mainmorte, les capitations, les exceptions, les prérogatives, les préjugés, les fanatismes, le privilège royal de banqueroute, le sceptre, le trône, le bon plaisir, le droit divin; de l'autre, cette chose simple, un couperet.

D'un côté, le nœud; de l'autre, la hache.

La Tourgue avait été longtemps seule dans ce désert. Elle était là avec ses mâchicoulis d'où avaient ruisselé l'huile bouillante, la poix enflammée et le plomb fondu, avec ses oubliettes pavées d'ossements, avec sa chambre aux écartèlements, avec la tragédie énorme dont elle était remplie; elle avait dominé de sa figure funeste cette forêt, elle avait eu dans cette ombre quinze siècles de tranquillité farouche, elle avait été dans ce pays l'unique puissance, l'unique respect et l'unique effroi; elle avait régné; elle avait été, sans partage, la barbarie; et tout à coup elle voyait se dresser devant elle et contre elle, quelque chose, — plus que quelque chose, — quelqu'un d'aussi horrible qu'elle, la guillotine.

La pierre semble quelquefois avoir des yeux étranges. Une statue observe, une tour guette, une façade d'édifice contemple. La Tourgue avait l'air d'examiner la guillotine.

Elle avait l'air de s'interroger.

Qu'était-ce que cela?

Il semblait que cela était sorti de terre.

Et cela en était sorti en effet.

Dans la terre fatale avait germé l'arbre sinistre. De cette terre, arrosée de tant de sueurs, de tant de larmes, de tant de sang, de cette terre où avaient été creusées tant de fosses, tant de tombes, tant de cavernes, tant d'embûches, de cette terre où avaient pourri toutes les espèces de morts faits par toutes les espèces de tyrannies, de cette terre superposée à tant d'abîmes, et où avaient été enfouis tant de forfaits, semences affreuses, de cette terre profonde, était sortie, au jour marqué, cette inconnue, cette vengeresse, cette féroce machine porte-glaive, et 93 avait dit au vieux monde :

— Me voilà.

Et la guillotine avait le droit de dire au donjon :

— Je suis ta fille.

Et en même temps le donjon, car ces choses fatales vivent d'une vie obscure, se sentait tué par elle.

La Tourgue, devant la redoutable apparition, avait on ne sait quoi d'effaré. On eût dit qu'elle avait peur. La monstrueuse masse de granit était majestueuse et infâme, cette planche avec son triangle était pire. La toute-puissante déchue avait l'horreur de la toute-puissante nouvelle. L'histoire criminelle considérait l'histoire justicière. La violence d'autrefois se comparait à la violence d'à présent; l'antique forteresse, l'antique prison, l'antique seigneurie, où avaient hurlé les patients démembrés, la construction de guerre et de meurtre, hors de service et hors de combat, violée, démantelée, découronnée, tas de pierres valant un tas de cendres, hideuse, magnifique et morte, toute pleine du vertige des siècles effrayants, regardait passer la terrible heure vivante. Hier frémissait devant Aujourd'hui, la vieille férocité constatait et subissait la nouvelle épouvante, ce qui n'était plus que le néant ouvrait des yeux d'ombre devant ce qui était la terreur, et le fantôme regardait le spectre.

La nature est impitoyable; elle ne consent pas à retirer ses fleurs, ses musiques, ses parfums et ses rayons devant l'abomination humaine; elle accable l'homme du contraste de la beauté divine avec la laideur sociale; elle ne lui fait grâce ni d'une aile de papillon ni d'un chant d'oiseau ; il faut qu'en plein meurtre, en pleine vengeance, en pleine barbarie, il subisse le regard des choses sacrées ; il ne peut se soustraire à l'immense reproche de la douceur universelle et à l'implacable sérénité de l'azur. Il faut que la difformité des lois humaines se montre toute nue au milieu de l'éblouissement éternel. L'homme brise et broie, l'homme stérilise, l'homme tue ; l'été reste l'été, le lys reste le lys, l'astre reste l'astre.

Ce matin-là, jamais le ciel frais du jour levant n'avait été plus charmant. Un vent tiède remuait les bruyères, les vapeurs rampaient mollement dans les branchages, la forêt de Fougères, toute pénétrée de l'haleine qui sort des sources, fumait dans l'aube comme une vaste cassolette pleine d'encens ; le bleu du firmament, la blancheur des nuées, la claire transparence des eaux, la verdure, cette gamme harmonieuse qui va de l'aigue-marine à l'émeraude, les groupes d'arbres fraternels, les nappes d'herbes, les plaines profondes, tout avait cette pureté qui est l'éternel conseil de la nature à l'homme. Au milieu de tout cela s'étalait l'affreuse impudeur humaine ; au milieu de tout cela apparaissaient la forteresse et l'échafaud, la guerre et le supplice, les deux figures de l'âge sanguinaire et de la minute sanglante ; la chouette de la nuit du passé et la chauve-souris du crépuscule de l'avenir. En présence de la création fleurie, embaumée, aimante et charmante, le ciel splendide inondait d'aurore la Tourgue et la guillotine, et semblait dire aux hommes : Regardez ce que je fais et ce que vous faites.

Tels sont les formidables usages que le soleil fait de sa lumière.

Ce spectacle avait des spectateurs.

Les quatre mille hommes de la petite armée expéditionnaire étaient rangés en ordre de combat sur le plateau. Ils entouraient la guillotine de trois côtés, de façon à tracer autour d'elle, en plan géométral, la figure d'un E ; la batterie placée au centre de la plus grande ligne faisait le cran de l'E. La machine rouge était comme enfermée dans ces trois fronts de bataille, sorte de muraille de soldats repliée des deux côtés jusqu'aux bords de l'escarpement du plateau ; le quatrième côté, le côté ouvert, était le ravin même, et regardait la Tourgue.

Cela faisait une place en carré long, au milieu de laquelle était l'échafaud. A mesure que le jour montait, l'ombre portée de la guillotine décroissait sur l'herbe.

Les artilleurs étaient à leurs pièces, mèches allumées.

Une douce fumée bleue s'élevait du ravin ; c'était l'incendie du pont qui achevait d'expirer.

Cette fumée estompait sans la voiler la Tourgue dont la haute plate-forme dominait tout l'horizon. Entre cette plate-forme et la guillotine il n'y avait que l'intervalle du ravin. De l'une à l'autre on pouvait se parler.

Sur cette plate-forme avaient été transportées la table du tribùnal et la chaise ombragée de drapeaux tricolores. Le jour se levait derrière la Tourgue et faisait saillir en noir la masse de la forteresse et, à son sommet, sur la chaise du tribunal et sous le faisceau de drapeaux, la figure d'un homme assis, immobile et les bras croisés.

Cet homme était Cimourdain. Il avait, comme la veille, son costume de délégué civil, sur la tête le chapeau à panache tricolore, le sabre au côté et les pistolets à la ceinture.

Il se taisait. Tous se taisaient. Les soldats avaient le fusil au pied et baissaient les yeux. Ils se touchaient du coude, mais ne se parlaient pas. Ils songeaient confusément à cette guerre, à tant de combats, aux fusillades des haies si vaillamment affrontées, aux nuées de paysans furieux chassés par leur souffle, aux citadelles prises, aux batailles gagnées, aux victoires, et il leur semblait maintenant que toute cette gloire leur tournait en honte. Une sombre attente serrait toutes les poitrines. On voyait sur l'estrade de la guillotine le bourreau qui allait et venait. La clarté grandissante du matin emplissait majestueusement le ciel.

Soudain on entendit ce bruit voilé que font les tambours couverts d'un crêpe. Ce roulement funèbre approcha ; les rangs s'ouvrirent, et un cortège entra dans le carré, et se dirigea vers l'échafaud.

D'abord, les tambours noirs, puis une compagnie de grenadiers, l'arme basse, puis un peloton de gendarmes, le sabre nu, puis le condamné, – Gauvain.

Gauvain marchait librement. Il n'avait de cordes ni aux pieds ni aux mains. Il était en petit uniforme ; il avait son épée.

Derrière lui venait un autre peloton de gendarmes.

Gauvain avait encore sur le visage cette joie pensive qui l'avait illuminé au moment où il avait dit à Cimourdain : Je pense à l'avenir. Rien n'était ineffable et sublime comme ce sourire continué.

En arrivant sur le lieu triste, son premier regard fut pour le haut de la tour. Il dédaigna la guillotine.

Il savait que Cimourdain se ferait un devoir d'assister à l'exécution. Il le chercha des yeux sur la plate-forme. Il l'y trouva.

Cimourdain était blême et froid. Ceux qui étaient près de lui n'entendaient pas son souffle.

Quand il aperçut Gauvain, il n'eut pas un tressaillement.

Gauvain cependant s'avançait vers l'échafaud.

Tout en marchant, il regardait Cimourdain et Cimourdain le regardait. Il semblait que Cimourdain s'appuyât sur ce regard.

Gauvain arriva au pied de l'échafaud. Il y monta. L'officier qui commandait les grenadiers l'y suivit. Il défit son épée et la remit à l'officier, il ôta sa cravate et la remit au bourreau.

Il ressemblait à une vision. Jamais il n'avait apparu plus beau. Sa chevelure brune flottait au vent ; on ne coupait pas les cheveux alors. Son cou blanc faisait songer à une femme, et son œil héroïque et souverain faisait songer à un archange. Il était sur l'échafaud, rêveur. Ce lieu-là aussi est un sommet. Gauvain y était debout, superbe et tranquille. Le soleil, l'enveloppant, le mettait comme dans une gloire.

Il fallait pourtant lier le patient. Le bourreau vint, une corde à la main.

En ce moment-là, quand ils virent leur jeune capitaine si décidément engagé sous le couteau, les soldats n'y tinrent plus ; le cœur de ces gens de guerre éclata. On entendit cette chose énorme, le sanglot d'une armée. Une clameur s'éleva : Grâce ! grâce ! Quelques-uns tombèrent à genoux ; d'autres jetaient leurs fusils et levaient les bras vers la plate-forme où était Cimourdain. Un grenadier cria en montrant la guillotine :

— Reçoit-on des remplaçants pour ça ? Me voici. — Tous répétaient frénétiquement : Grâce ! grâce ! et des lions qui auraient entendu cela eussent été émus ou effrayés, car les larmes des soldats sont terribles.

Le bourreau s'arrêta, ne sachant plus que faire.

Alors une voix brève et basse, et que tous pourtant entendirent, tant elle était sinistre, cria du haut de la tour :

— Force à la loi !

On reconnut l'accent inexorable. Cimourdain avait parlé. L'armée frissonna.

Le bourreau n'hésita plus. Il s'approcha tenant sa corde.

— Attendez, dit Gauvain.

Il se tourna vers Cimourdain, lui fit, de sa main droite encore libre, un geste d'adieu, puis se laissa lier.

Quand il fut lié, il dit au bourreau :

— Pardon. Un moment encore.

Et il cria :

— Vive la République !

On le coucha sur la bascule. Cette tête charmante et fière s'emboîta dans l'infâme collier. Le bourreau lui releva doucement les cheveux, puis pressa le ressort; le triangle se détacha et glissa lentement d'abord, puis rapidement; on entendit un coup hideux...

Au même instant on en entendit un autre. Au coup de hache répondit un coup de pistolet. Cimourdain venait de saisir un des pistolets qu'il avait à sa ceinture, et, au moment où la tête de Gauvain roulait dans le panier, Cimourdain se traversait le cœur d'une balle. Un flot de sang lui sortit de la bouche, il tomba mort.

Et ces deux âmes, sœurs tragiques, s'envolèrent ensemble, l'ombre de l'une mêlée à la lumière de l'autre.

DOSSIER HISTORIQUE ET LITTÉRAIRE

I. LE RELIQUAT DE *QUATREVINGT-TREIZE*

Du chantier Quatrevingt-Treize, *il nous reste de nombreux matériaux. Notes de travail, ébauches, pages rédigées puis écartées, ces textes se répartissent thématiquement pour l'essentiel en « Faits relatifs à l'état de la France avant la Révolution », notes pour le roman envisagé mais non écrit sur « la Monarchie », passages « réservés pour le volume : Pages d'histoire », notes documentaires sur la période révolutionnaire, et notes pour le roman proprement dit. L'édition dite de l'Imprimerie nationale recueille plus de six cents fiches, écrites sur des bouts de papier de toutes sortes, groupées en dix-neuf dossiers, remontant à 1841, mais s'accumulant surtout à partir de 1863 et de 1869.*

Voici des extraits des « Pages d'histoire », consacrés aux rues de Paris sous la Révolution, aux tribunes publiques de la Convention et aux triumvirs. On comparera ces lignes à celles retenues pour le roman, en méditant ce mot prêté à Paul Valéry : « Si vous voyiez ce que je jette ! » (textes 1, 2 et 3).

Texte 1

LES RUES DE PARIS

A l'époque où furent jetées les fondations de la république, les rues de Paris ont eu deux aspects révolutionnaires très distincts, avant et après le 9 thermidor.

Avant thermidor, c'était grandiose et farouche.

On pouvait prendre là sur le fait cette bizarrerie hautaine propre aux peuples qui commencent la liberté par tous les essais du bien et du mal à la fois.

On se permet tout, parce que tout a été défendu. Aucune délivrance n'agit autrement.

Il sied pourtant de ne verser ni dans un extrême ni dans l'autre ; ni dans l'erreur de ces esprits à vue basse qui considèrent la Révolution comme un incident dans la vie monarchique des peuples, comme un entr'acte entre deux despotismes, et comme une intercalation sur laquelle Dieu ouvre la parenthèse par Louis XVI et la ferme par Napoléon ; ni dans l'erreur des optimistes absolus qui glorifient l'événement en bloc sans tenir compte des fractures faites à la loi morale.

Pour nous la loi morale est inviolable. Les événements eux-mêmes sont responsables devant l'âme humaine. Nous avons sur eux droit d'examen. Ils nous sont à la fois imposés et proposés ; imposés comme faits de force majeure, proposés comme cas de conscience. Plus d'un nous est offert comme une énigme à deviner. Nous ne pouvons abdiquer l'équité.

Disons-le nettement, la Révolution a commis des crimes. Pourquoi le dissimuler ? A quoi bon les atténuations ? Qu'a-t-elle besoin d'excuses ? elle est immense.

Oui, immense, mais furieuse ; immense, mais souvent sanguinaire ; immense, mais parfois féroce. Elle a réalisé par des moyens de sauvagerie un but de civilisation.

Trône, sceptre, couronne, d'or pour le prince, de fer pour les sujets, affreuse main de justice, codes féodaux, parlements atroces, clergés sanglants, pestilences de la monarchie, exhalaisons morbides des âmes stagnantes, pourriture de douze siècles, tout ce miasme emporté en quelques mois ; vaste assainissement, la civilisation purifiée, l'avenir nettoyé, le vieil air vénéneux devenu respirable, prodigieux azur au-dessus de toutes les têtes, éclaircissement céleste inondant la terre. Tels sont les résultats.

Mais alors, dit-on, que sert d'inventorier les ravages, les arrachements convulsifs, les désastres ? à quoi bon chicaner la catastrophe ?

A quoi bon ? à ceci :

Il ne faut pas qu'il soit dit que les éternels principes du vrai défaillent devant une unité quelconque, que la justice dans l'ensemble absout l'iniquité dans le détail, que le but communique son innocence aux moyens, que peu importe comment ni par où, mais qu'il suffit d'arriver; il ne faut pas qu'il soit dit que l'échafaud passe sans être dénoncé; il ne faut pas qu'il soit dit que le massacre passe sans être détesté; il ne faut pas qu'il soit dit que l'historien recrache le sang versé par les rois et boit le sang versé par les peuples; il ne faut pas qu'il soit dit que, parce qu'il y a sur lui un fatal reflet de pourpre, la cause du faible est désertée; il ne faut pas qu'il soit dit que la proximité du trône ait pu convertir un berceau en sépulcre, et qu'un petit enfant ait pu périr de misère dans un cachot sous l'étouffement énorme d'une genèse sociale, sans qu'il se soit élevé un cri de pitié. Il ne faut pas que cela soit dit.

Si cela n'était pas dit, il y aurait une lacune dans la révolution même, et en dépit de la suprême clarté qu'elle a répandue, il resterait dans l'âme humaine un coin noir.

Si cela n'était pas dit, la loi sociale serait dégagée, la loi morale ne le serait pas.

C'est pourquoi nous sommes de ceux qui constatent la quantité de mal mêlée à la quantité de bien. Le bien l'emporte dans une proportion incommensurable. Tant mieux. Nous n'en jugeons pas moins nécessaire de maintenir au-dessus de tout les principes qui sont le ciel même de la conscience.

De même qu'à la monarchie, nous disons à la révolution la vérité. La révolution a été colossale, terrible et salutaire. Mais nous ne cachons pas ses emportements, ses rages, ses écumes inutiles, ses dévastations, ses voies de fait, ses épouvantes. On ne flatte pas l'ouragan.

Insistons-y, car les vérités primordiales veulent être soulignées et lorsqu'il s'agit des réalités profondes innées en nous il n'y a point de redites, la révolution est un fait complexe dont il faut signaler la violence et adorer le bienfait. En la constatant, nous faisons la part de la loi morale humaine que nous possédons et de la loi morale divine qui nous échappe.

Tous les excès, toutes les frénésies, toutes les barbaries que résume le mot Terrorisme, sont inextricablement mêlés au salut du monde; ils en sont peut-être la rançon. Il y a dans le prodigieux fait révolutionnaire un côté crime; nous le haïssons comme crime, nous le respectons comme mystère; nous condamnons la fureur révolutionnaire, en la vénérant; nous flétrissons 93, à genoux.

Extrait des *Œuvres complètes*, Club français du livre, tome XV/1, 1970.

Texte 2

LES TRIBUNES PUBLIQUES

A la Convention, le peuple était chez lui.

Rien de plus étrange que les tribunes publiques de la Convention. La foule, malgré les cris de colère du représentant Chiappe, y était souveraine.

Les tribunes empiétaient sur la tribune ; cela tenait à ce que la Convention était plus en révolution qu'en république. La violation de l'inviolabilité des représentants se rattache au même phénomène. En république tout est libre ; en révolution tout est responsable.

Plus tard, la révolution s'épuise, la république se fonde, et quand la tribune parle, les tribunes se taisent. C'est l'âge de paix succédant à l'âge de guerre.

Les tribunes publiques à la Convention, c'était la révolution tutoyant l'assemblée. Familiarité énorme. La Convention était assemblée nationale ; dans les tribunes on sentait le peuple universel. Ce peuple était témoin, et par moments ce témoin était juge. Les tribunes applaudissaient volontiers, caresses de griffe. Elles interrompaient. Elles intervenaient. Elles étaient là comme le chœur dans la tragédie antique. Elles dégageaient la philosophie des situations ; elles commandaient les entrées et les sorties ; elles venaient en aide à ceux qui manquaient de mémoire, rappelant à tous le rôle, le devoir, le but, l'idée, le mot. Drame démesuré dont les événements étaient les personnages et le peuple le souffleur.

Les tribunes avaient leurs hommes, parfois presque aussi fameux que ceux de l'Assemblée. Là s'agitaient les orateurs des clubs populaires. Delcloche, Vincent, Tollède. Tel mot qui, dit dans l'Assemblée, eût fait sourire Marat, dit dans les tribunes, le faisait pâlir. Un jour, le 12 mars, il traita Fournier l'Américain de *scélérat*, une voix des tribunes lui cria : *Tais-toi, domestique des princes !* Et Marat se souvint qu'il avait été médecin des écuries du comte d'Artois. C'est dans ces tribunes-là qu'apparaissait de temps en temps ce sauvage juré Renaudin qui disait : *Je suis une hache.* C'est là que vint un jour Chamfort qui applaudissait et disait : *Voudriez-vous qu'on nettoyât les écuries d'Augias avec un plumeau?* Là passaient toutes les figures du temps. Audouin, le prêtre que Pache avait pris pour gendre, le sincère et éloquent Loustalot, Nolleau, ancien procureur au parlement, qui avait eu pour premier clerc Brissot et pour deuxième clerc Robespierre, le curé de Saint-Germain-des-Prés, Keravenanc, qui avait marié Danton, le curé de Saint-Sulpice, Pancemont, qui avait Momoro pour paroissien et qui eut la belle madame Momoro déesse de la raison dans son église, l'oncle de Barère, Daure, par qui Malesherbes fit parvenir sa demande de défendre le roi, l'honnête Cahier de Gerville qui avait été ministre avant Roland et qui, lorsqu'il parlait dans le conseil, s'arrêtait court à chaque craquement de la boiserie, s'imaginant que la reine, cachée, écoutait; Trouvé qui écrivait dans *le Moniteur : Quoi! on verra tous les jours, dans la même tribune, les mêmes visages!* Là se dessinait, parmi ces faces attentives, l'encolure massive de Coffinhal; là on entrevoyait parfois un spectateur funèbre, acteur horrible ailleurs, le Laubardemont de la république, le Jeffryes de la révolution, Fouquier-Tinville, épais cheveux noirs, profil d'oiseau de proie, longue lévite, grosse cravate, gilet croisé, pantalon entrant dans de lourdes bottes à revers jaunes, venant, sa journée finie, à la Convention s'inspirer, ayant, comme beaucoup de juges, la férocité de sa place.

Cet homme ne se dérangeait que pour la Convention et le Comité de salut public, dont il prenait les ordres, vivait pour tuer, couchait au tribunal sur un matelas à terre, se plaignait de n'avoir pas le temps d'embrasser sa femme et ses enfants, n'embrassait que la guillotine, maîtresse à laquelle il donnait toutes ses heures et qui finit par refermer ses deux bras rouges sur lui.

Là se montra un moment, dans un rayonnement de gloire vite effacé, ce lamentable Dumouriez, un intrigant dans un vaillant, sauvant la France et la vendant, élevant l'Argonne à la hauteur des Thermopyles et terminant l'épopée par un imbroglio, sublime sur le théâtre, abject dans la coulisse, ayant dans l'histoire le commencement d'un héros et la fin d'un traître, quelque chose comme Léonidas pensionné par Xerxès. Là se pressaient, mêlés à la sombre foule, ce municipal Albertier qui, voyant sur la cheminée de Louis XVI, au Temple, une horloge signée *Lepaute, horloger du roi*, avait mis un pain à cacheter sur le mot *roi*, Duplay, hôte de Robespierre, Brochet, séide de Marat, Monville, ami d'Égalité, Talleyrand, ce masque.

On y voyait des femmes. L'histoire se souvient des terribles ; Mercier les appelle *tricoteuses* et *pourvoyeuses de guillotine*. Elles assistaient à la Convention comme les Euménides assistaient à l'Olympe. Mais en regard des farouches, il y avait les charmantes. Tous ces hommes aimaient. Vergniaud aimait mademoiselle Candeille, la Belle Fermière, qui venait l'entendre et le voir. Buzot aimait madame Roland qu'on apercevait quelquefois dans une pénombre, voilée ; Tallien aimait Thérésa Cabarrus ; Hérault de Séchelles aimait une jeune femme qu'il avait ramenée de sa mission de Savoie et dont il a emporté le nom dans le tombeau ; outre mademoiselle Candeille, une jeune fille venait pour Vergniaud, celle à laquelle, le jour de sa mort, il envoya sa montre où il avait gravé avec une épingle la date : *16 octobre*. Dans les tribunes étaient venues les deux maîtresses de Dumouriez, celle de Bretagne, madame de Beauvert, et celle de Belgique, « la jeune Crumpipen », comme l'appelait Duhem. Lodoïska venait pour Louvet, la marquise de Montendre pour Fayau, madame de Thorin pour Saint-Just, Élisabeth Duplay pour Le Bas, Lucile Desmoulins pour son mari, madame de Sainte-Amaranthe, Catherine Théos, madame Amblard et la marquise de Chalabre pour Robespierre ; et, dès qu'elles avaient pris place, Gorsas fredonnait le couplet de Girey-Dupré :

Suivi de ses dévotes,
De sa cour entouré,
Le roi des sans-culottes,
Robespierre est entré,

chanson qui fit tomber la tête de celui qui l'avait faite et de celui qui l'avait chantée. La marquise de Laubespin venait pour Marat, ce qui n'empêchait pas Marat de dire en regardant la loge où étaient ces femmes : *Tas de concubines !*

Ces belles n'avaient pas de cheveux ; elles les coupaient pour s'en faire des perruques. C'était la mode : Suzanne de Saint-Fargeau, en épousant le riche hollandais de Witt, reçut en cadeau de noces douze perruques. Madame Dufresnoy fut célèbre quelques mois pour sa pièce *Armand ou le bienfait des perruques*. Ces bizarreries étaient la mode.

Ces têtes curieuses, ces visages émus, ces faces inquiètes, épiaient, scrutaient, sondaient l'assemblée. Tous ces yeux fouillaient toutes ces consciences.

On considérait, au banc du pouvoir exécutif, Tondu Lebrun, ministre des Affaires étrangères, Monge, qui, plus tard, installa au Capitole la république romaine, Pache, qui avait un désaccord inquiétant entre le regard et le sourire, Garat, qui le chapeau sur la tête, avait lu l'arrêt de mort à Louis XVI comme Bradshaw à Charles Ier, avec cette différence qu'ensuite Bradshaw mourut proscrit et Garat sénateur. On tendait l'oreille et l'on entendait le philosophe Garat chuchoter : *Les hommes et les grandes assemblées ne sont pas faits de façon que d'un côté il n'y ait que des dieux et de l'autre que des diables.* On entendait Marat crier : *Femme Roland, rendez compte des deniers du peuple que vous avez dilapidés!*

On regardait, aux deux extrémités de la haine et de la colère, ces deux figures féminines aux yeux bleus, Louvet et Saint-Just; Louvet criant : *Hommes de la montagne, vous périrez!* Saint-Just disant : *Je prête serment à l'avenir.* On regardait circuler de banc en banc les journaux de Prudhomme, de Loustalot, de Camille Desmoulins, de Marat, d'Hébert, d'autres, le journal de Barère, *le Point du jour*, le journal de Gorsas, *le Courrier de Versailles*, le journal de Louvet, *la Sentinelle*, le journal de Tallien, *l'Ami des citoyens*. La foule voyait Danton se pencher à l'oreille de Bentabole au moment même où il murmurait ce mot qui a porté témoignage contre lui : *Je n'avais que deux issues, sauver Louis XVI, ou le perdre.* On cherchait du regard Carnot, le dictateur militaire, et Cambon, le dictateur financier; l'un qui a fait la Grande Armée, l'autre, qui a fait le Grand Livre. On reconnaissait ceux-ci à leur élégance, ceux-là à leur cynisme; car tous les costumes étaient là, depuis la lévite à double collet de Barbaroux jusqu'à la carmagnole de Chabot aux jambes nues, depuis l'escarpin de Laclos jusqu'aux sabots de Camboulas. Quelques représentants portaient au cou un ruban auquel était suspendue une petite plaque dorée figurant les tables de la loi.

On questionnait son voisin sur Fabre d'Églantine, à peu près sans cravate, allant et venant de la Gironde à la Montagne, avec son gilet à carreaux et son habit à boutons de corne, ayant un œil plus haut que l'autre, ce qui lui donnait l'air habituellement étonné. On se désignait du doigt la haute taille de Barère, le grand col et les favoris de La Source, le grave visage d'Anacharsis Clootz, Prussien qui dédaignait la Prusse et adorait la France, le front pensif de Vergniaud, l'illustre profil de Condorcet. Toutes les prunelles se fixaient sur Camille Desmoulins, tout jeune, se promenant au pied de la tribune entre les deux témoins de son mariage, Brissot qui devait mourir par lui et Robespierre par qui il devait mourir. Personne ne faisait attention à l'homme qui devait trancher le nœud énorme, à cet obscur représentant Louchet, dont la destinée était de ne dire qu'un mot, un seul mot : *Je demande l'arrestation de Robespierre*, et de faire le 9 thermidor.

Cette assemblée péremptoire parlait une langue diffuse. Cette tribune délayait l'absolu. Jamais on ne vit tant de concision dans les actes et tant de prolixité dans les paroles. Les décrets tranchaient, l'éloquence émoussait. Rien d'étrange comme la déclamation dans l'abîme. Coups droits, et phraséologie indécise. Une amplification molle et vague se répand sur tous ces fermes profils d'hommes, et voile d'on ne sait quelle faconde pompeuse les grandes lignes des catastrophes. Le terrorisme était racinien. Des têtes qui allaient être coupées parlaient comme on parle à l'Académie. Couthon haranguait comme Théramène. C'était quelque chose comme la redondance noble des tragédies classiques, une emphase terne, la sauvagerie recourant à l'élégance, toujours l'action directe et jamais le mot propre, des périphrases à travers lesquelles tombait le couteau de la guillotine.

On enguirlandait de périodes la simplicité sinistre de l'échafaud. Un massacre s'appelait « une hécatombe », on ne disait pas *tuer*, on disait : *immoler*. On attestait des *mânes*. Le couperet de Sanson, pris en bonne part, était « le fer vengeur de la loi » et, pris en mauvaise part, « la hache des proscripteurs ». L'Espagnol était l'*Ibère*, le Savoyard était l'*Allobroge*. Anacharsis Clootz, pour dire : *Nous prendrons la Hollande*, disait : *le Batave nous attend avec ses troupeaux nombreux*. Saint-Just vantait « la volupté d'une cabane et d'un champ fertile cultivé par vos mains ». Dubois de Crancé s'écriait : « Que Louis périsse, et disons ensuite au peuple : Fais voler nos têtes sur l'échafaud. » *On veut nous faire assassiner*, cela se traduit, c'est Vergniaud qui parle, par : « On nous menace du glaive des assassins. » C'est encore Vergniaud qui pour dire « nous tuerions un dictateur », dit : *un chef ne paraîtrait parmi nous que pour être à l'instant percé de mille coups*. David, pour dire : *je ne suis pas orateur, je suis peintre*, dit (29 mars 1793) : « Le ciel, qui répartit ses dons entre tous ses enfants, voulut que j'exprimasse mon âme et ma pensée par l'organe de la peinture, et non par les sublimes accents de cette éloquence persuasive que font retentir parmi nous les fils de la liberté. » Voter contre le jury, c'est « saper le boulevard de l'innocence ». Barbaroux dit : « Vos commissaires dans le département des Bouches-du-Rhône se sont présentés comme des torrents dévastateurs, comme des rochers de la montagne, écrasant les troupeaux et les plantes, mais Marseille, comme un chêne inébranlable, les a arrêtés dans leur cours. » Carra rend compte d'une action à laquelle il a assisté, et pour dire : « Nous avons battu l'ennemi », il dit : « Nous avons vu la victoire suivre nos drapeaux. » Les communications de la Commune à la Convention sont du même style ; Pache, assisté de Dorat-Cubières, écrit : « Les républicains n'ont qu'à paraître sous les drapeaux de la liberté dans les départements où les révoltés osent lever un front audacieux, pour les faire rentrer dans la poussière. » On ne dit pas : « Faites sonner le tocsin », on dit : *il faut que l'airain frémisse*. Des femmes enceintes ont avorté dans les foules qui se pressent aux portes des boulangers, Mercier dit : « Que de précieux gages de l'amour conjugal ont été anéantis à la source de la vie ! »

Le même Mercier, pour dire que les femmes ne mettent pas de fichus, écrit : « Sous une gaze artistement peinte palpitent les réservoirs de la maternité. » La Source se justifie par cette explication : « Eh quoi ! nous conspirerions pour *avoir le plaisir de voir tomber nos têtes !* » (12 mars 1793). Guadet veut dire : *je suis pauvre*, il s'écrie : « Voyez-moi arriver à l'Assemblée. Suis-je traîné par des coursiers superbes ? » Robespierre exprimant la même idée, dit : « Où sont mes trésors ? »

Cela n'empêche pas cependant Robespierre de trouver par moments, même dans ce style, de magnifiques et effrayantes formules. Ainsi : « Le glaive des lois, jusqu'à ce jour, n'a été que vertical ; il tombe de haut en bas ; je le veux horizontal. » Ce mot tragique, c'est tout 93. Robespierre, du reste, avait parfois des accès de style ferme et franc. Ainsi il disait, dans un vrai langage lapidaire : *J'entends appliquer la peine de mort à la royauté*. Et il émettait, avec un laconisme magistral, cette pensée d'où est sortie la Terreur : *avoir des entrailles pour les oppresseurs, c'est n'en point avoir pour les opprimés*.

Mais le jargon solennel dominait. Le côté faux du style du dix-septième siècle a influé sur la langue jusqu'à la fin du dix-huitième, et le mauvais goût de la littérature royale étalait ses phrases en pleine Convention.

En même temps on était « sensible », adjectif à la mode. Ceci était l'influence de Raynal et de Mably. Un représentant, Delagueulle, nom qui fit rire dans une heure funèbre, votait ainsi sur Louis XVI : « Je suis *un homme sensible*, mais pas de fausse pitié ; la mort. » Un autre, Cassanges, disait : « C'est avec *la plus grande sensibilité* que je vote la mort. »

On s'injuriait avec un choix bizarre d'expressions. Danton qualifiait Marat « acerbe et volcanique ». Danton, disons-le, à force de vraie éloquence et de spontanéité fougueuse, échappait habituellement au singulier langage régnant ; mais s'il y tombait par hasard, il dépassait tout ; il lui arriva un jour de dire : *Je me suis retranché dans la citadelle de la raison, j'en sortirai avec le canon de la vérité.*

Les néologismes abondaient. On *scélératisait* un monument ; on *emphasait* un acte ; on *dépanthéonisait* un homme. On *dédéifiait* une idole. Marat lui-même cherchait le beau langage ; Dumouriez ayant dîné chez Talma, Marat écrivait : *un enfant de Thalie fête un enfant de Mars.*

Il est plus difficile de tuer la rhétorique que la monarchie.

Ibid.

Texte 3

ROBESPIERRE, DANTON, MARAT.

De quelque parti qu'on soit, à quelque hauteur ou à quelque profondeur qu'on soit placé, quel que soit le point de vue qu'on choisisse, on voit au sommet de cette assemblée trois hommes. Trois grands hommes ? non. Trois géants ? oui. Robespierre, Danton, Marat.

Trois silhouettes noires dans ce flamboiement.

Ces trois hommes étaient sur la Convention. Elle craignait le premier, aimait le second et haïssait le troisième.

Elle décapita celui qu'elle aimait et celui qu'elle craignait, et déifia celui qu'elle haïssait.

Un défilé de spectres rend fixe le regard de l'historien. Qui sont ces trois hommes ?

Robespierre, dans cet embrasement d'âmes qu'on appelle la Révolution, eut la toute-puissance de la froideur. Il fut le glacier de cet Etna. Il est peut-être le seul ouvrier d'une grande œuvre qui ait eu le fanatisme sans l'enthousiasme.

Jamais homme ne fut plus complètement l'homme fatal. Il composait et nourrissait sa rigidité de faits, de chiffres, d'apophtegmes, d'axiomes, de chimères. Sa parole décrétait. Il avait habituellement l'attitude et le silence des hommes attentifs à l'Inconnu qui leur parle à l'oreille. C'est aux incorruptibles seulement qu'on peut pardonner d'être inexorables ; il était incorruptible. Il était exact, secret, altier. Garat écrivait : *J'ai demandé une entrevue à Robespierre. Il me l'a accordée avec insolence.* Robespierre demeurait au numéro 396 de la rue Saint-Honoré, chez le menuisier Duplay, ancien protégé de madame Geoffrin. Robespierre habitait une mansarde avec fenêtre sur le toit ; il avait un pupitre de sapin, quatre chaises de paille, un lit de noyer, des tablettes de bois blanc contre le mur où étaient ses papiers rangés en ordre, et écrivait ses discours avec une tragédie, *Athalie* ou *Esther*, ouverte sur sa table. Il n'improvisait pas, si ce n'est dans les cas extrêmes. Il parlait longuement. Mercier l'appelle *avocat de sept heures*. Il était défiant, minutieusement renseigné. Il portait toujours sur lui un carnet où l'histoire a dû jeter les yeux et où on lisait des notes comme celles-ci : « Bourdon de l'Oise a été vu ce matin dans la rue, immobile, réfléchissant. — Tallien a marchandé ce matin des livres sur le quai. Il regardait de côté et d'autre. — » Et cette ligne écrite de sa main : *Bourdon de l'Oise semble agité par les Furies*. Le soir du jour où il vota la mort de Louis XVI, il rentra, et ne dit pas une parole. Quand le fiacre où était Louis XVI allant à l'échafaud passa devant sa fenêtre, il la fit fermer. Il disait : *Les grossièretés du père Duchêne manquent de respect au peuple*. Il était toujours poudré de frais, ce qui faisait dire à Hébert : *Robespierre a la nourriture du pauvre dans ses cheveux*. Le soir, il se chauffait au feu des copeaux de menuisier où faisaient cercle Saint-Just, Lebas, le serrurier Didier, l'imprimeur Nicolas, et une femme noble, madame de Bruyères-Chalabre. Robespierre allait quelquefois au Théâtre-Français, jamais à d'autres théâtres, travaillait volontiers la nuit, sortait toujours seul, et suivi d'un chien appelé Brount ; quelquefois ses amis l'escortaient de loin ; il s'en fâchait. A la Constituante, il n'avait donné la main qu'à Pétion et aux Lameth ; à la Convention il ne la donnait qu'à Camille Desmoulins. Il ne riait jamais en public. Il n'avait été ni du 14 juillet, ni du 6 octobre, ni du 20 juin, ni du 10 août, ni du 2 septembre, d'aucune journée ; Danton de toutes, Robespierre était avant tout puriste. Sa politique, comme sa morale, ressemblait à une syntaxe.

Ni Robespierre, ni Danton, ni Marat, ni même Mirabeau,

n'existent par eux-mêmes. Insistons-y, il est presque inutile de les juger comme hommes. Autant juger les pierres que jette une fronde. Qui est responsable ? la fronde ? non. Pas même la fronde. Qui donc ? le bras. Allez chercher ce bras au fond de l'infini.

Les hommes qui existent par eux-mêmes, ce sont les penseurs. Ils veulent ce qu'ils font, et ce qu'ils font ne les mène pas. Aussi sont-ils les seuls responsables, et dans l'absolu, les seuls grands. Molière est responsable, Voltaire est responsable. Les autres, qu'on appelle hommes d'action, ne sont que des lutteurs ; leur travail les domine, leur œuvre les tyrannise ; nous venons de le dire, ils ont pour collaborateurs les événements, plus hauts qu'eux. La révolution est plus grande que ses hommes ; aussi cette colossale femelle a tué tous ses mâles. Ils l'ont fécondée et elle les a dévorés. Rien de pareil dans les régions de l'esprit pur ; là est la vraie toute-puissance et la vraie immortalité du génie humain. Faire l'*Iliade* est plus beau que prendre Troie ; Homère est plus grand qu'Achille*.

Robespierre, Danton, Marat, ce sont trois ignivomes précédant la lumière, trois dragons au service d'un archange, trois foudres déblayant les nuées devant l'astre.

Danton était haut, Robespierre moyen, Marat bas.

Trois puissances s'entre-dévorant. Danton, dans la logique des situations, et d'après la quantité de racine que chacun avait, devait tomber le premier, Robespierre le second, Marat le troisième. Charlotte Corday sauva Marat.

Grâce à elle, Marat ne tomba pas, il mourut.

Robespierre, Danton, Marat. Triangle d'hommes. Figure vivante du mystérieux couperet qui a tranché la tête au passé.

Ces trois termes, peuple, nation, populace, représentent le triple organisme de la révolution, Cité, Patrie, Place publique, et expliquent cet effrayant engrenage du droit dans la violence et de la fureur dans la justice qui a été la Terreur.

La Terreur a été fatale dans tous les sens du mot, c'est-à-dire nécessaire et funeste. Nécessaire, car elle est une addi-

* Voir si je n'ai pas dit quelque chose de pareil dans le livre *Shakespeare* (le beau serviteur du vrai). [Note de Victor Hugo en marge de la dernière phrase.]

tion; funeste, car sans la Terreur les États-Unis d'Europe seraient aujourd'hui fondés, et c'est la Terreur qui a refoulé et fait rentrer dans les poitrines l'aspiration des peuples vers la grande république humaine. A qui l'échafaud a-t-il rendu service? Au trône. Il y a fraternité entre ces deux tréteaux adossés l'un à l'autre depuis quatre mille ans; et même quand ils se combattent, ils s'entr'aident.

Sans la Terreur aucun prétexte aux polémiques; la Terreur a été l'argument intarissable, et c'est sur elle que s'est appuyée l'immense calomnie royaliste. Otez la Terreur, pas de dix-huit brumaire possible, pas de restauration présentable, Bonaparte fût resté Bonaparte, les Bourbons fussent restés des fantômes et n'eussent pas été des revenants. La Terreur a effaré les faibles, cette vaste force confuse, heurté ce qu'il y a de tendre dans la conscience, bouleversé tout l'horizon, et rendu la monarchie acceptable. La Terreur a défiguré l'avenir par une interposition affreusement transparente de supplices et d'échafauds. Maintenant, la Terreur pouvait-elle être évitée? Question profonde. Dans quelle proportion la Terreur se rattache-t-elle aux lois dynamiques?

La Terreur a été le recul redoutable de la révolution lançant son projectile; toute machine de guerre offre ce contresens; l'affût va en arrière pendant que le boulet va en avant. Recul dans la tyrannie connexe à l'éruption dans la liberté; l'un soldant l'autre. Tel est le phénomène.

Le correcteur d'épreuves de la Révolution, c'est Robespierre; il revoyait tout, il rectifiait tout; il semble que, même lui disparu, la lueur sinistre de sa prunelle soit restée sur ce formidable exemplaire de progrès. Robespierre soignait son style comme son costume; il ne risquait une phrase qu'en grande toilette. Il haïssait le sublime; il trouvait Mirabeau excessif, Danton énorme. Énorme, dans cette bouche serrée et mince, était une critique. Il avait le goût d'un certain beau médiocre. Racine était son poëte, David était son peintre. S'il eût connu Bonaparte, il lui eût préféré Moreau. Il reprochait à Buonarotti son aïeul Michel-Ange.

Il était vertueux comme il était propre. Il ne pouvait souffrir sur lui ni un grain de poussière ni un vice. Sa probité faisait partie de sa correction. Il ne fut pas la raison de la révolution, il en fut la logique; il en fut plus que la logique, il en fut l'algèbre. Il eut l'immense force de la ligne droite; il en eut aussi l'impuissance. Le défaut de sa politique fut celui de sa littérature, l'abstraction. Avec cela sagace, trouvant le joint, voyant juste. Pas un homme ne fut plus bourgeois, pas un homme ne fut plus populaire.

Robespierre fut terne, pâle, froid, prodigieux. Robespierre avait été un enfant rieur; adolescent, il aimait les oiseaux, apprenait par cœur Gresset, rimait des bergerades comme Saint-Just. Fadaises préludant aux rugissements.

Un exterminateur charmeur, est-ce que cela est possible? Oui. Car ce charmeur et cet exterminateur, ce fut Danton.

Danton, visage large, narines ouvertes, œil qui menace et attire à la fois, cynique mélancolique, paresseux tonnant, marqué de petite vérole comme Mirabeau, aussi corrompu et plus courageux, ayant la même nonchalance dans la fougue, plus capable de crime et moins déshonoré par le vice, meilleur et pire, ayant l'instinct du vrai, du tendre et du juste, adorant sa jeune femme, féroce à ses heures, affreux quand on voit ses bas côtés, sublime pourtant, sphinx lui aussi, et, comme Mirabeau, ayant une face de génie et une croupe de monstre.

Il y avait en Danton un Hercule; son éloquence avait des muscles. Robespierre était dédaigneux, Danton aussi; mais le dédain de Danton était joyeux, tandis que le dédain de Robespierre était rêveur. Après les tremblements de terre de la place publique, ce que Danton aimait le mieux, c'étaient les fleurs de son petit jardin d'Arcis-sur-Aube; Danton jetait son argent, sa santé, son temps, sa vie.

Ce prodigue avait les coudes râpés d'un avare, il achevait d'user à la tribune son vieil habit rouge d'ancien ministre de la Justice. Il avait la réconciliation brusque; le 2 juin, il demande la tête d'Henriot, puis le rencontre à la buvette, lui tend son verre et lui dit : *Pas de rancune*. Robespierre écrivait tout, Danton n'écrivait rien; il faisait écrire par Fabre d'Églantine ce qu'il signait.

Il y a eu deux Mirabeaux : Mirabeau et Danton.

Frères effrayants. Le même colosse ne pouvait convenir aux deux âges de la révolution, Le premier Briarée suffisait à 89; pour 93, il en fallait un deuxième qui fût pareil et qui fût autre. Nécessité des événements qui ont pour loi de s'incarner dans les hommes. De là Danton. Danton fut l'action dont Mirabeau avait été la parole. Dans les profondeurs crépusculaires de l'histoire, Mirabeau et Danton mêlent leurs branches, de façon que par instants on ne distingue plus l'arbre terrible de l'arbre horrible.

Marat fut une espèce d'invisible, présent partout. Être senti sans être vu, c'est le propre des dieux et des démons. Marat apparaissait à la Convention, à la Commune, aux Cordeliers, puis disparaissait. Il vivait caché. Où ? On ne savait. Il avait la laideur sépulcrale. Face de cuivre jaune avec dents qui semblaient vert-de-grisées. Trois femmes l'aimèrent, une femme du monde, la marquise de Laubespin, une femme de théâtre, mademoiselle Fleury, et une femme du peuple, Simone Évrard, qu'il appelait tantôt Catherine, tantôt Albertine. Camille Desmoulins disait : *Marat, c'est un poing crispé qui sort de terre*.

La Convention traitait Marat avec mépris, il la traitait avec hauteur. Un jour, le 9 juillet, il écrivit à la Convention une lettre pour réclamer « la mise à prix des têtes des Capets rebelles ». Et Bréard s'écria : *On opine dans l'assemblée et non dehors. Je demande l'ordre du jour*. Marat avait des refuges ; d'abord chez l'actrice, mademoiselle Fleury, puis chez un curé, Bassal, puis chez un boucher, Legendre. De la cave de Legendre, il passa dans les souterrains des Cordeliers. Il avait fait un livre sur et pour l'immortalité de l'âme. Il était suisse, comme Rousseau. Voltaire lui avait écrit : *Rentrez dans le néant, votre empire*.

Il vendait ses chaises de paille et son bois de lit pour payer son imprimeur. Il avait, en 1789, vendu lui-même dans la rue aux passants un remède de son invention. Il fit d'abord un effet d'ombre ; on n'y croyait pas ; madame Roland demandait à Danton : *Est-ce qu'il existe, ce Marat ?* Il était sur la liste d'*hommes achetables* du duc d'Orléans. Il avait été recommandé aux électeurs pour la Convention par Chabot et Taschereau. Marat disait : « J'aimerais mieux *ne jamais mourir* que d'être au Panthéon à côté de Mirabeau. » Il alla au Panthéon pourtant, et il en chassa Mirabeau, qui, reflux inexorable, jeté à l'égout, l'y attira. Marat n'était pas plus un écrivain que Robespierre n'était un orateur ; ces hommes étaient des forces. Un jour la Convention rejeta Marat, l'envoya se faire juger dehors et le livra au tribunal révolutionnaire ; Marat revint dans les bras de la foule, en triomphe, ayant sur la tête, par-dessus son madras sale, une couronne de laurier.

Marat entrevoyait l'hébertisme, en surveillait la formation, le pressentait, le flairait comme le lynx flaire le chatpard et le redoutait. Quand il fut de la Convention, il sortit de son souterrain et habita rue de l'École-de-Médecine, n° 18, un petit logement de quelques chambres. On peut voir encore la maison. Il vivait là avec Simone, qui avait quitté son mari pour lui, et s'était faite sa servante. Couple étrange et douloureux. Elle était pâle, il était livide. On entendait jour et nuit elle tousser, lui gronder. Les yeux de Marat, blessés du jour, clignotants, arrogants, s'adoucissaient pour Simone. Ces deux spectres s'aimaient. Marat, les pieds souvent nus dans de gros souliers à clous, toujours un poing dans ses cheveux, passait quinze heures de suite devant une table où était son encrier en forme de cornet, disputait, mais ne causait pas, écrivait sans cesse, dormait peu. Nul talent, une puissance énorme. Sorte de malade formidable, appuyé d'un côté sur le faux, de l'autre sur le vrai. Robespierre avait toujours Racine ouvert sur sa table, Marat avait l'Évangile.

Pourquoi de tels hommes ?

Pourquoi Robespierre, Danton et Marat ?

Parce qu'il le faut.

Certaines heures veulent certains hommes. En 93, il y avait dans la révolution trois courants ; il y avait trois peuples dans le peuple : le peuple qui suivait Robespierre, le peuple qui suivait Danton, le peuple qui suivait Marat.

Le peuple qui suivait Robespierre, c'était le peuple. Robespierre incarnait l'être abstrait, le Peuple, créé par la révolution en regard de l'être vivant, l'Homme. L'homme est libre, le peuple est solidaire ; l'homme est multiple, le peuple est un ; l'homme a des devoirs, le peuple a des droits ; l'homme est un débiteur, le peuple est un créancier ; l'homme a la famille, le peuple a la commune ; l'homme a droit à la vie individuelle, le peuple a droit à la vie sociale. Trouver le trait d'union entre ces deux termes, combiner la liberté du premier avec l'unité du second, le Moi avec le Nous, et en composer la république, souder le peuple à l'homme, et de l'amalgame faire sortir le citoyen, cette haute pensée était le fond vrai de Robespierre. Il la sentait plus qu'il ne la sondait, mais elle était en lui. C'est par là qu'il est grand. Ce qui était dans Robespierre à l'état de rêve était dans le peuple à l'état de réalité. Le peuple portait dans ses entrailles ce fœtus, l'avenir. Robespierre était son précurseur. Il aima Robespierre comme le matin aime son étoile.

Le peuple qui suivait Danton, c'était la nation. Le peuple exprime une idée, la nation en exprime une autre. Tous deux, peuple et nation, ont la même âme, mais l'un représente cette âme au dedans, l'autre la représente au dehors ; cette âme se condense dans le peuple et rayonne dans la nation. C'est pourquoi Robespierre est la concentration, et Danton l'expansion. C'est pourquoi Robespierre s'émeut de la guerre civile et Danton de la guerre étrangère. Pitt et Cobourg résumaient leur double préoccupation. Danton faisait face à Cobourg, et Robespierre à Pitt.

Pitt inquiétait Robespierre; ces deux hommes jeunes, gouvernant, l'un la France, l'autre l'Angleterre, interrompaient parfois, l'un son travail monarchique, l'autre son œuvre populaire, et se regardaient fixement. Robespierre était préoccupé de l'Angleterre, et Danton de l'Allemagne. Pour Danton, l'Europe était dans le camp prussien, pour Robespierre elle était dans le cabinet britannique. Ce que la coalition du continent fit sur Danton, le soulèvement de la Vendée le fit sur Robespierre. A la prise de Machecoul, l'étincelle jaillit de Robespierre comme, à la prise de Verdun, l'éclair avait jailli de Danton. Robespierre mit le doigt sur la Vendée, et dit : l'Angleterre est là. Il ne se trompait pas. Mais Danton de son côté avait raison d'être sinistre devant cette déclaration des monarchies : « Affamer Paris. Prendre Paris. Trier les habitants. Supplicier les révolutionnaires (*écrit de la main du roi de Prusse*). Envahir la France. Mettre le feu aux villes. Mieux vaut un désert qu'un peuple révolté (*écrit de la main de l'empereur d'Allemagne*). » C'est pourquoi, quand Robespierre disait au peuple : *De la logique!* Danton criait à la nation : *De l'audace!*

Le peuple qui suivait Marat, c'était la populace.

La populace. Création difforme de la société. Fille sourde de cette mère aveugle. Lie de ce pressoir.

Tous les êtres frappés de la damnation sociale, toutes les faiblesses ayant sur leur chair une meurtrissure d'inégalité, toutes les misères d'invention humaine, c'est-à-dire d'autant plus réelles qu'elles sont factices, toutes les détresses crachées, vomies et revomies, bues et rebues par ce monstre qu'on appelait dans le passé la loi; malades fouettés à l'entrée des hôpitaux parce qu'ils sont malades, vagabondages, plaies, mendicités, indigences châtiées, foule innombrable, innocents sortis de la chambre de torture absous et estropiés, soldats passés aux baguettes pour un pli à l'uniforme, femmes marquées *V* pour le maraudage d'une pomme, et *W* pour la récidive, filles tondues et faites de force prostituées pour un mot irrévérent à un exempt de police, délinquants ayant passé six mois liés par le cou debout jour et nuit les pieds dans la boue à la poutre basse du Châtelet, pères, mères, sœurs, frères, filles, femmes des braconniers accrochés au gibet pour une perdrix tuée, des faux-saulniers roués pour une livre de sel, des servantes suppliciées pour vol de cinq sous, des garçons de quinze ans envoyés aux galères pour chapeau gardé sur la tête au passage d'une procession, des prisonniers mitraillés en tas par les mousqueteries à travers les grilles des geôles, des enfants pendus sous les aisselles pour ce crime d'être frères d'un voleur, des religionnaires tels que Charnier qui fut rompu vif parce qu'il était le petit-fils d'un homme qui avait rédigé l'édit de Nantes, tout cela, toutes ces âmes lamentables, les spoliés du fisc, les dévalisés de Versailles, les affamés du pacte de Famine, les anciens patients des pénalités scélérates, pilori, tabouret, ceps, fer chaud, essorillement, poing coupé, émasculation, langue arrachée pour un jurement, in-pace à vie, hart, roue, bûcher, chaudière bouillante, écartèlement, toutes les faims, toutes les soifs, toutes les férocités nées du vieux tourment éternel, tous les produits de ces manufactures d'hommes horribles et de femmes obscènes que le code appelle maisons de correction, toutes les créations de ces usines qu'on nommait la Salpêtrière et Bicêtre, tous les chefs-d'œuvre de ces fabriques de bandits, tous les fronts bas d'ignorance, tous les yeux devenus myopes à force de stupeur sociale, toutes les bouches tordues par le sanglot, par le blasphème, par le rire furieux, par la chanson sale, par le baiser convulsif de la prostitution, par le hurlement bestial sous le fouet ou le bâton, toutes les poitrines pleines de haine, tous les cœurs débordant d'une écume de souffrances, toutes les consciences forcenées, toutes les passions qui s'abritent dans ces mots redoutables, rancunes, revanches, revendications, redressements, représailles, toutes ces iniquités qui ont dans leur abîme la justice, toutes ces démences qui au fond ont raison (hélas!), tout cela suivait Marat. Tout cela grondait quand Marat sifflait, haïssait quand il soupçonnait, frappait quand il blâmait, mordait quand il grinçait, tuait quand il dénonçait, et quand Marat tonnait, foudroyait.

Tout cela, tant que Marat vécut, le fit infernal, et quand il fut mort, le déclara divin.

Tout cela, qu'était-ce? Votre œuvre, ô vieux monde évanoui. Par vos codes, par vos luxes, par vos exactions, par vos voies de fait, par vos vices, vous avez déchiré le peuple. De là la plèbe. La plèbe est le haillon social. Mob, foule, *fex urbis*, tout cela est de construction humaine. C'est le produit de notre industrie. Telle est notre habileté. Marat, c'est le mal souffert devenu le mal vengeur. C'est le patient changé en bourreau. Transfiguration épouvantable. Il ne tiendrait qu'à nous que ce que nous appelons « la canaille » ne fût pas. Cette chose qui nous effraie, c'est nous qui la fabriquons. Les lois font les bagnes, les mœurs font les lupanars. La lumière crée le peuple, la nuit enfante la plèbe. La veste rouge du forçat est taillée dans la robe rouge du juge. Les conservateurs de l'ignorance sont les producteurs de monstres. O sociétés humaines, voulez-vous n'avoir pas de Marats, ne faites pas de populaces.

Marat a ceci qu'il est original.

Robespierre et Danton ont des analogues; Marat n'en a pas. Lycurgue est un Robespierre, Dracon est un Robespierre, Caton l'Ancien est un Robespierre, Louis XI est un Robespierre, Pierre Arbuez est un Robespierre, Richelieu est un Robespierre. Danton, on vient de le dire, a son semblable, Mirabeau; trop près de lui peut-être, car l'un gêne l'autre. Quant à Marat, il est sans pareil dans l'histoire. Rien ne lui ressemble et il ne ressemble à personne; Marat est un cas de tératologie historique; Marat est un être inouï, disproportionné, invraisemblable, qui, même après qu'on a constaté qu'il est réel, semble impossible. Il vit de haine, et il en meurt. Est-ce un tyran? non. Il n'a pas eu le pouvoir. Est-ce un bourreau? non. Il a rêvé l'échafaud, il ne l'a pas dressé. Est-ce un brigand? non. Il est seul, pauvre, et il ne répand que de l'encre. Qu'est-ce donc? c'est un problème. C'est le martyr de ce qu'il éprouve et de ce qu'il inspire; c'est un despote qui est opprimé; c'est un médecin qui est malade; c'est un tourmenteur qui est torturé; c'est un assassin qui est assassiné. Marat, c'est Marat.

Les siècles finissent par avoir une poche de fiel. Cette poche crève. C'est Marat.

Même victorieux, Marat était funèbre. Le jour de son triomphe, il s'écria : *Couronne de laurier sur ma tête, et corde au cou des Girondins!*

Marat s'est formé goutte à goutte.

S'irriter contre Marat, c'est s'irriter contre un stalactite.

Regardez cette voûte, c'est l'histoire. Rocher monstre, formation terrible, plafond sinistre du genre humain. C'est de là que Marat a suinté. Un cœur a été composé de ce qui est tombé de Busiris, de ce qui est tombé de Tibère, de ce qui est tombé de Borgia, de ce qui est tombé de Philippe II, de ce qui est tombé des autodafés, de ce qui est tombé des dragonnades, de ce qui est tombé de Damiens, et le résidu vivant de cette filtration épouvantable, c'est Marat.

Et Hébert? dira-t-on. Est-ce que ce n'est pas un Marat? Non. Il y a un abîme entre Hébert et Marat. Hébert est le misérable, Marat est la misère.

*
**

Voici un autre développement, dont la conclusion est la même et qui par l'écriture nous semble antérieur de quelques années au dossier précédent. (Note de l'Imprimerie nationale)

Danton et Robespierre incarnent la révolution, Robespierre dans sa logique, Danton dans son génie.

Le jour où Robespierre guillotina Danton, le jour où la logique de la révolution en tua le génie, on put prévoir la fin, les flamboiements révolutionnaires sont transparents, le 9 thermidor fut visible, le rendez-vous de l'échafaud put être donné, et Danton put jeter ce cri à Robespierre : *Dans trois mois!* Chose redoutable à méditer, Robespierre tuant Danton, c'est un suicide.

Robespierre froid, c'est la logique; Robespierre s'échauffant devient l'envie. Or la logique ne doit point avoir de passion. Une parallèle ne doit point jalouser l'autre. Robespierre fit cette faute contre la géométrie qui était sa loi, et cette faute le tua. La logique doit être parfaite. Robespierre eut le tort de se sentir homme devant Danton. La destinée, cette justice obscure mystérieusement d'accord avec l'équilibre universel, frappa Robespierre à ce défaut de sa cuirasse : l'envie.

Il y a des hommes événements; Robespierre et Danton sont de ces hommes-là. Ils personnifient des faits. Otez la révolution, Danton et Robespierre n'ont plus de raison d'être. L'histoire les ignorera. Ce seront deux avocats de province, obscurs, l'un déclamant à Arcis-sur-Aube, l'autre chicanant à Arras, à peine éloquents. La révolution les gonfle et en fait deux hommes énormes. Puissance des souffles.

La chicane de Robespierre devient nitre, soufre et vitriol; la déclamation de Danton devient tonnerre.

Toute la révolution, rien que la révolution, voilà Danton et Robespierre. Toute la révolution, c'est Danton; rien que la révolution, c'est Robespierre.

Marat est autre.

Robespierre et Danton, chacun à leur façon, veulent; Marat hait.

Marat n'appartient pas spécialement à la révolution française ; Marat est un type antérieur ; profond et terrible. Marat, c'est le vieux spectre immense. Si vous voulez savoir son vrai nom, criez dans l'abîme ce mot : *Marat*, l'écho, du fond de l'infini, vous répondra : *Misère !*

Le gouffre, questionné sur Marat, sanglote.

Marat est un malade.

Malade de quelle maladie ? De l'antique maladie du genre humain. Malade de la fatalité. Malade de la souffrance. Malade de la famine. Malade de la guenille. Malade du grabat.

Tous les jacques, tous les pauvres, tous les maigres concentrés dans un squelette vivant, voilà Marat.

Marat n'est pas seulement malade, il est malsain. Il cherche à donner son mal. Il y a de l'hydrophobie en lui. Une rage inouïe lui tient lieu d'intelligence. Le propre de cette rage, qui n'est autre chose qu'un total de désespoirs, c'est, même rassasiée, de ne pas s'éteindre, et, après avoir dévoré, de continuer à mordre.

Marat a Louis XVI. Après Louis XVI, il lui faudrait Vergniaud, après Vergniaud, Danton, après Danton, Robespierre ; après Robespierre, que faudrait-il à Marat ? Marat.

Sur le radeau de détresse, est-ce que la misère n'en vient pas à dévorer la misère ?

Mais une question. Question étrange. La révolution étant donnée, de quel droit Marat y représentait-il la misère ?

De quel droit représentait-il l'ignorance, lui savant ? De quel droit représentait-il les bras nus et les pieds nus, lui médecin bien payé ? De quel droit représentait-il la haine des princes, lui officier de la maison d'Artois ?

Était-ce donc un hypocrite ? non. Jouait-il un rôle ? non. Avait-il un masque ? non.

Marat, c'est la conviction ; Marat, c'est la probité épouvantable ; Marat, c'est le tigre ayant foi. Il est incorruptible comme le bronze de son cœur. Marat croit. Marat n'a pas souffert, et pourtant il est la souffrance ; on ne lui a pas fait de mal, et pourtant il se venge. Il se venge de quoi ? de tout le mal qu'on a fait au genre humain. Où ? partout. Quand ? toujours. Quant à lui, il n'a pas à se plaindre, et il écume.

Mais il est donc une autre personne que lui-même ? est-ce possible ? Comment cela se fait-il ? Ici de certains côtés effrayants du mystère se laissent entrevoir, et l'intuition révèle ce pourquoi qui échappe à la raison. Les apocalypses révolutionnaires sont des palingénésies. Dans toutes les époques qui sont des résultantes, toutes les incarnations sont requises par le besoin des événements ; la nuée est profonde, les langues de feu du gouffre volent, des âmes redoutables cherchant des corps, errent au-dessus des multitudes, ces âmes sont des idées, elles flottent dans l'ombre, puis tout à coup tombent sur une tête, s'abattent sur un passant, emplissent un homme, oblitèrent sa conscience, remplacent le moi de cet homme par le moi mystérieux des foules, allument sous ce crâne une hydre de passions, et alors c'est formidable, on entend un rugissement surhumain qui est aussi un gémissement, un inconnu, inconnu à lui-même, se dresse, les foudres blêmissent une face dans les ténèbres, et tout l'immense abîme est subitement éclairé par cette apparition, Marat !

Ces hommes, plus et moins qu'hommes, sont des fonctionnaires de la ruine ; ils ont une mission, qui est l'écroulement. L'horreur les environne et les enveloppe, et les garde jusqu'à ce qu'elle les tue. Un matin l'horreur publique se fait femme, prend un couteau, entre dans leur chambre, et les poignarde dans leur baignoire. On guillotine Charlotte Corday, *Bruto major*, et l'on dit : Marat est mort. Non, Marat n'est pas mort. Mettez-le au Panthéon ou jetez-le à l'égout, qu'importe, il renaît le lendemain.

Il renaît dans l'homme qui n'a pas de travail, dans la femme qui n'a pas de pain, dans la fille qui se prostitue, dans l'enfant qui n'apprend pas à lire ; il renaît dans les greniers de Rouen, il renaît dans les caves de Lille ; il renaît dans le grenier sans feu, dans le grabat sans couverture, dans le chômage, dans le prolétariat, dans le lupanar, dans le bagne, dans vos codes sans pitié, dans vos écoles sans horizon, et il se reforme de tout ce qui est l'ignorance, et il se recompose de tout ce qui est la nuit. Ah ! que la société humaine y prenne garde, on ne tuera Marat qu'en tuant la misère ; Charlotte Corday n'a rien fait ; tant qu'il y aura des misérables, il y aura sur l'horizon un nuage qui peut devenir un fantôme, et un fantôme qui peut devenir Marat.

Ibid.

II. VICTOR HUGO ET LA RÉVOLUTION FRANÇAISE

On peut dire que Victor Hugo, que la Révolution hante, pour qui le XIX*e siècle est véritablement le fils de l'événement climatérique, ce « grand fait chaotique et génésiaque que nos pères ont vu et qui a donné un nouveau point de départ au monde » (*William Shakespeare, *1864), la fait équivaloir au sens même de l'histoire. « Ce mot, Révolution, sera le nom de la civilisation, jusqu'à ce qu'il soit remplacé par le mot Harmonie » (*ibid.*). L'action poétique et politique s'écrit constamment au verso d'une page sans cesse relue et interrogée.*

Si Hugo s'éprouve initialement comme étant du « parti de sa mère », fidèle à la légende d'une Sophie Trébuchet vendéenne, s'il fait de la Vendée une métaphore de sa propre origine, il se rapproche à la fois de son père et de la Révolution après la mort de sa mère. Vers la fin de la Restauration, après 1827, Victor Hugo, révolutionnaire en littérature, le devient progressivement en politique. En 1830, il identifie le « vaste progrès » qui s'accomplit en art à un « corollaire immédiat de notre grand mouvement social de 1789 ». Puis l'exil lui rendra plus proches les figures de Danton et de Robespierre. Fondamentalement, ses vues politiques ne changeront guère. L'exemple de la Terreur, considérée comme paroxysme de la Révolution, nous le montre : elle est affreuse dans l'absolu, contingence nécessaire à son heure, inutile et probablement impossible désormais.

Donc, après avoir exalté la Vendée en 1819 (texte 4), qualifié 1793 de « saturnales de l'athéisme et de l'anarchie » dans la préface des Odes, *refusé les « gens coiffés du bonnet rouge et entêtés de la guillotine » (*Journal d'un révolutionnaire de 1830, *recueilli dans* Littérature et philosophie mêlées, *1834), désigné « 93, point noir dans le ciel bleu de 89 » (*Étude sur Mirabeau, *1835), proclamé en 1841 dans son discours de réception à l'Académie française la grandeur de la Convention (« Assemblée qui a brisé le trône et qui a sauvé le pays..., qui a commis des attentats et qui a fait des prodiges; que nous pouvons détester, que nous pouvons maudire, mais que nous devons admirer! »), Hugo se décide sans retour pour la République, et fustige à partir des* Châtiments *toutes les monarchies de l'histoire. Pièce liminaire, « Nox » (texte 5) comporte une invocation à 93. Puis* Les Contemplations[1] *(« Les révolutions, qui viennent tout venger, / Font un bien éternel dans leur mal passager », « Écrit en 1846 ») et l'épopée écrite en 1857, mais publiée seulement en 1881 dans* Les Quatre Vents de l'esprit *(texte 6), marquent de façon décisive la place que 1793 prend désormais dans l'imaginaire hugolien : « Car ce quatrevingt treize où vous avez frémi, / Qui dut être, et que rien ne peut plus faire éclore, / C'est la lueur de sang qui se mêle à l'aurore » (« Écrit en 1846 »).*

1793 figure également dans Les Misérables *et sous-tend le dialogue entre monseigneur Myriel et l'ancien conventionnel G. (I, X). S'y confirme l'idée que la Terreur ne saurait avoir le dernier mot, ce que l'ajout de 1870 au poème de 1857 corrobore : « Soit. Mais quoi que ce soit qui ressemble à la haine/ N'est pas le dénouement, et l'aurore est certaine... » Non daté, destiné à une publication posthume, « L'échafaud » (texte 7) rassemble tous les thèmes pertinents pour comprendre le roman. Quant à « Jean Chouan », écrit en 1876 (texte 8), il vaut comme postface à* Quatrevingt-treize, *portant un ultime regard sur les « héros de l'ombre ».*

1. Disponibles dans la même collection (n° 6040).

Texte 4

LA VENDÉE

A Monsieur le Vicomte de Chateaubriand.

Ave, Caesar, morituri te salutant.

I

« Qui de nous, en posant une urne cinéraire,
N'a trouvé quelque ami pleurant sur un cercueil ?
Autour du froid tombeau d'une épouse ou d'un frère
Qui de nous n'a mené le deuil ? »
— Ainsi sur les malheurs de la France éplorée
Gémissait la Muse sacrée
Qui nous montra le ciel ouvert,
Dans ces chants où, planant sur Rome et sur Palmyre,
Sublime, elle annonçait les douceurs du martyre
Et l'humble bonheur du désert !

Depuis, à nos tyrans rappelant tous leurs crimes,
Et vouant aux remords ces cœurs sans repentirs,
Elle a dit : « En ces temps la France eut des victimes ;
Mais la Vendée eut des martyrs ! »
— Déplorable Vendée, a-t-on séché tes larmes ?
Marches-tu, ceinte de tes armes,
Au premier rang de nos guerriers ?
Si l'Honneur, si la Foi n'est pas un vain fantôme,
Montre-moi quels palais ont remplacé le chaume
De tes rustiques chevaliers !

Hélas ! tu te souviens des jours de ta misère !
Des flots de sang baignaient tes sillons dévastés,
Et le pied des coursiers n'y foulait de poussière
Que la cendre de tes cités !
Ceux-là qui n'avaient pu te vaincre avec l'épée

Semblaient, dans leur rage trompée,
Implorer l'enfer pour appui;
Et, roulant sur la plaine en torrents de fumée,
Le vaste embrasement poursuivait ton armée,
Qui ne fuyait que devant lui!

II

La Loire vit alors, sur ses plages désertes,
S'assembler les tribus des vengeurs de nos rois,
Peuple qui ne pleurait, fier de ses nobles pertes,
Que sur le Trône et sur la Croix.
C'étaient quelques vieillards fuyant leurs toits en flammes,
C'étaient des enfants et des femmes,
Suivis d'un reste de héros;
Au milieu d'eux marchait leur Patrie exilée,
Car ils ne laissaient plus qu'une terre peuplée
De cadavres et de bourreaux.

On dit qu'en ce moment, dans un divin délire,
Un vieux prêtre parut parmi ces fiers soldats,
Comme un saint chargé d'ans qui parle du martyre
Aux nobles anges des combats;
Tranquille, en proclamant de sinistres présages,
Les souvenirs des anciens âges
S'éveillaient dans son cœur glacé;
Et, racontant le sort qu'ils devaient tous attendre,
La voix de l'avenir semblait se faire entendre
Dans ses discours pleins du passé.

III

« Au-delà du Jourdain, après quarante années,
Dieu promit une terre aux enfants d'Israël;
Au-delà de ces flots, après quelques journées,
Le Seigneur vous promet le ciel.
Ces bords ne verront plus vos phalanges errantes;

Dieu, sur des plaines dévorantes,
Vous prépare un tombeau lointain;
Votre astre doit s'éteindre, à peine à son aurore;
Mais Samson expirant peut ébranler encore
Les colonnes du Philistin!

« Vos guerriers périront; mais, toujours invincibles,
S'ils ne peuvent punir, ils sauront se venger;
Car ils verront encor fuir ces soldats terribles
Devant qui fuyait l'étranger!
Vous ne mourrez pas tous sous des bras intrépides;
Les uns, sur des nefs homicides,
Seront jetés aux flots mouvants;
Ceux-là promèneront des os sans sépulture,
Et cacheront leurs morts sous une terre obscure,
Pour les dérober aux vivants!

« Et vous, ô jeune Chef, ravi par la victoire
Aux hasards de Mortagne, aux périls de Saumur,
L'honneur de vous frapper dans un combat sans gloire
Rendra célèbre un bras obscur.
Il ne sera donné qu'à bien peu de nos frères
De revoir, après tant de guerres,
La place où furent leurs foyers;
Alors, ornant son toit de ses armes oisives,
Chacun d'eux attendra que Dieu donne à nos rives
Les lis, qu'il préfère aux lauriers.

« Vendée, ô noble terre! ô ma triste patrie!
Tu dois payer bien cher le retour de tes rois!
Avant que sur nos bords croisse la fleur chérie,
Ton sang l'arrosera deux fois.
Mais aussi, lorsqu'un jour l'Europe réunie
De l'arbre de la tyrannie
Aura brisé les rejetons,
Tous les rois vanteront leurs camps, leur flotte immense,
Et, seul, le Roi Chrétien mettra dans la balance

L'humble glaive des vieux Bretons!

« Grand Dieu! – Si toutefois, après ces jours d'ivresse,
Blessant le cœur aigri du héros oublié,
Une voix insultante offrait à sa détresse
Les dons ingrats de la pitié;
Si sa mère, et sa veuve, et sa fille, éplorées,
S'arrêtaient, de faim dévorées,
Au seuil d'un favori puissant,
Rappelant à celui qu'implore leur misère
Qu'elles n'ont plus ce fils, cet époux et ce père
Qui croyait leur léguer son sang;

« Si, pauvre et délaissé, le citoyen fidèle,
Lorsqu'un traître enrichi se riait de sa foi,
Entendait au sénat calomnier son zèle
Par celui qui jugea son roi;
Si, pour comble d'affronts, un magistrat injuste,
Déguisant sous un nom auguste
L'abus d'un insolent pouvoir,
Venait, de vils soupçons chargeant sa noble tête,
Lui demander ce fer, sa première conquête, –
Peut-être son dernier espoir;

« Qu'il se résigne alors. – Par ses crimes prospères
L'impie heureux insulte au fidèle souffrant;
Mais que le juste pense aux forfaits de nos pères,
Et qu'il songe à son Dieu mourant.
Le Seigneur veut parfois le triomphe du vice;
Il veut aussi, dans sa justice,
Que l'innocent verse des pleurs;
Souvent, dans ses desseins, Dieu suit d'étranges voies,
Lui qui livre Satan aux infernales joies,
Et Marie aux saintes douleurs! »

IV

Le vieillard s'arrêta. Sans croire à son langage,
Ils quittèrent ces bords, pour n'y plus revenir;
Et tous croyaient couvert des ténèbres de l'âge

L'esprit qui voyait l'avenir ! –
Ainsi, faible en soldats, mais fort en renommée,
Ce débris d'une illustre armée
Suivait sa bannière en lambeaux ;
Et ces derniers Français que rien ne put défendre,
Loin de leur temple en deuil et de leur chaume en
[cendre,
Allaient conquérir des tombeaux !

1819.

Odes et Ballades (1822 et 1826).

Texte 5

NOX

VIII

Voilà ce qu'on a vu ! l'histoire le raconte,
Et lorsqu'elle a fini pleure, rouge de honte.

Quand se réveillera la grande nation,
Quand viendra le moment de l'expiation,
Glaive des jours sanglants, oh ! ne sors pas de l'ombre !
Non ! non ! il n'est pas vrai qu'en plus d'une âme
[sombre,
Pour châtier ce traître et cet homme de nuit,
A cette heure, ô douleur, ta nécessité luit !
Souvenirs où l'esprit grave et pensif s'arrête !
Gendarmes, sabre nu, conduisant la charrette,
Roulements des tambours, peuple criant : frappons !
Foule encombrant les toits, les seuils, les quais, les
[ponts,
Grèves des temps passés, mornes places publiques
Où l'on entrevoyait des triangles obliques,
Oh ! ne revenez pas, lugubres visions !

Ciel! nous allions en paix devant nous, nous faisions
Chacun notre travail dans le siècle où nous sommes,
Le poëte chantait l'œuvre immense des hommes,
La tribune parlait avec sa grande voix,
On brisait échafauds, trônes, carcans, pavois,
Chaque jour décroissaient la haine et la souffrance,
Le genre humain suivait le progrès saint, la France
Marchait devant, avec sa flamme sur le front;
Ces hommes sont venus! lui, ce vivant affront,
Lui, ce bandit, qu'on lave avec l'huile du sacre,
Ils sont venus, portant le deuil et le massacre,
Le meurtre, les linceuls, le fer, le sang, le feu,
Ils ont semé cela sur l'avenir. Grand Dieu!

Et maintenant, pitié, voici que tu tressailles
A ces mots effrayants : vengeance! représailles!

Et moi, proscrit qui saigne aux ronces des chemins,
Triste, je rêve et j'ai mon front dans mes deux mains,
Et je sens, par instants, d'une aile hérissée,
Dans les jours qui viendront s'enfoncer ma pensée!
Géante aux chastes yeux, à l'ardente action,
Que jamais on ne voie, ô Révolution,
Devant ton fier visage où la colère brille,
L'Humanité, tremblante et te criant : ma fille!
Et, couvrant de son corps même les scélérats,
Se traîner à tes pieds en se tordant les bras!
Ah! tu respecteras cette douleur amère,
Et tu t'arrêteras, Vierge, devant la Mère!

O travailleur robuste, ouvrier demi-nu,
Moissonneur envoyé par Dieu même, et venu
Pour faucher en un jour dix siècles de misère,
Sans peur, sans pitié, vrai, formidable et sincère,
Egal par la stature au colosse romain,
Toi qui vainquis l'Europe et qui pris dans ta main
Les rois, et les brisas les uns contre les autres,

Né pour clore les temps d'où sortirent les nôtres,
Toi qui par la terreur sauvas la liberté,
Toi qui portes ce nom sombre : Nécessité !
Dans l'histoire où tu luis comme en une fournaise,
Reste seul à jamais. Titan quatrevingt-treize !
Rien d'aussi grand que toi ne viendrait après toi.

D'ailleurs, né d'un régime où dominait l'effroi,
Ton éducation sur ta tête affranchie
Pesait, et, malgré toi, fils de la monarchie,
Nourri d'enseignements et d'exemples mauvais,
Comme elle tu versas le sang ; tu ne savais
Que ce qu'elle t'avait appris : le mal, la peine,
La loi de mort mêlée avec la loi de haine ;
Et, jetant bas tyrans, parlements, rois, Capets,
Tu te levais contre eux et comme eux tu frappais.

Nous, grâce à toi, géant qui gagnas notre cause,
Fils de la liberté, nous savons autre chose.
Ce que la France veut pour toujours désormais,
C'est l'amour rayonnant sur ses calmes sommets,
La loi sainte du Christ, la fraternité pure.
Ce grand mot est écrit dans toute la nature :
Aimez-vous ! aimez-vous ! – Soyons frères ; ayons
L'œil fixé sur l'Idée, ange aux divins rayons.
L'Idée à qui tout cède et qui toujours éclaire
Prouve sa sainteté même dans sa colère.
Elle laisse toujours les principes debout.
Être vainqueurs, c'est peu, mais rester grands, c'est [tout.
Quand nous tiendrons ce traître, abject, frissonnant, [blême,
Affirmons le progrès dans le châtiment même.

La honte, et non la mort. – Peuples, couvrons d'oubli
L'affreux passé des rois, pour toujours aboli,
Supplices, couperets, billots, gibets, tortures !
Hâtons l'heure promise aux nations futures,

Où, calme et souriant aux bons, même aux ingrats,
La concorde, serrant les hommes dans ses bras,
Penchera sur nous tous sa tête vénérable!
Oh! qu'il ne soit pas dit que, pour ce misérable,
Le monde en son chemin sublime a reculé!
Que Jésus et Voltaire auront en vain parlé!
Qu'il n'est pas vrai qu'après tant d'efforts et de peine,
Notre époque ait enfin sacré la vie humaine,
Hélas! et qu'il suffit d'un moment indigné
Pour perdre le trésor par les siècles gagné!
On peut être sévère et de sang économe.
Oh! qu'il ne soit pas dit qu'à cause de cet homme
La guillotine au noir panier, qu'avec dégoût
Février avait prise et jetée à l'égout,
S'est réveillée avec les bourreaux dans leurs bouges,
A ressaisi sa hache entre ses deux bras rouges,
Et, dressant son poteau dans les tombes scellé,
Sinistre, a reparu sous le ciel étoilé!

Extrait de « Nox », *Les Châtiments*, 1853.

Texte 6

LA RÉVOLUTION

Les révolutions, ces grandes affranchies,
Sont farouches, étant filles des monarchies.

Donc, quand le genre humain voulut, enfin lassé,
Entrer dans l'avenir et sortir du passé,
Il n'aperçut pas d'autre ouverture que celle
Qui s'offrait, sous ce fer où l'éclair étincelle,
Entre ces deux poteaux, chambranles effrayants.

Oui, c'est la seule issue, hommes, troupeaux fuyants;
Sortez par ce sépulcre. O mystère insondable!
Hélas! c'est du passé la porte formidable!
Entrez dans l'avenir par ce pas sépulcral.
C'est à travers le mal qu'il faut sortir du mal.
Le genre humain, pour fuir de la sanglante ornière,

Marche sur une tête humaine, la dernière;
C'est avec de l'enfer qu'il commence ses cieux;
Et l'homme en écrasant le monstre est monstrueux.

Éruption des droits de l'homme! Sombres laves!
Sortie exaspérée et fauve des esclaves!
Triste loi du reflux qui ne peut dévier!
Lugubre enfantement du Vingt et un Janvier!
Tout un monde surgit, tout un monde s'écroule;
Fiacre horrible qui passe au milieu de la foule!

Sacerdoce et Pouvoir sont là; que disent-ils?
Morne chuchotement de ces deux noirs profils!
Pendant qu'autour d'eux gronde, éclate et se proclame
La révolte du peuple et l'émeute de l'âme,
Pendant que, sur la terre et dans le firmament,
On entend le funèbre et double craquement
De l'ancien paradis et de l'ancien royaume,
Le roi spectre tout bas parle au prêtre fantôme.

Qu'est-ce qu'il avait fait, ce roi, ce condamné,
Ce patient pensif et pâle? Il était né.
Est-ce une injuste mort? Qui donc l'oserait dire?
C'est la punition; c'est aussi le martyre.
Responsabilité sombre de l'innocent!
O révolutions! l'idéal est en sang;
Le sublime est horrible et l'horrible est sublime;
Et comment expliquer ces aspects de l'abîme?

Oh! quels chocs de faisceaux, de tribuns, de pavois!
Je vois luire les fronts, j'entends parler les voix;
La lumière est accrue et l'ombre est agrandie;
Toute cette héroïque et vaste tragédie
Passe devant mes yeux comme par tourbillons.

La Marseillaise dit : Formez vos bataillons!
Là-bas, dans un rayon de gouffre et de colère,
Le vieux bonnet damné du forçat séculaire
Luit au bout d'une pique, étrange labarum.
Ce n'est pas un sénat, ce n'est pas un forum,
C'est un tas de Titans qui vient tout reconstruire;
Ces colosses hagards se mettent à bruire;
Nuit, tourmente; océan épouvantable et beau!

Chaque vague qui fuit s'appelle Mirabeau,
Robespierre, Brissot, Guadet, Buzot, Barnave,
Pétion… — Hébert salit l'écume de sa bave.
Et, submergé, saignant, arraché, mort, épars,
Le vieux dogme, partout, noyé de toutes parts,
Tombe, et tout le passé s'en va dans la même onde.
Danton parle ; il est plein de la rumeur d'un monde ;
C'est une idée et c'est un homme ; il resplendit ;
Il ébranle les cœurs et les murs ; ce qu'il dit
Est semblable au passage orageux d'un quadrige ;
Un torrent de parole énorme qu'il dirige,
Un verbe surhumain, superbe, engloutissant,
S'écroule de sa bouche en tempête, et descend
Et coule et se répand sur la foule profonde ;
Il bâtit ? non, il brise ; il détruit ? non, il fonde.
Pendant qu'il jette au vent de l'avenir ses cris,
Mêlés à la clameur des vieux trônes proscrits,
Le peuple voit passer une roue inouïe
De tonnerre et d'éclairs dont l'ombre est éblouie ;
Il parle ; il est l'élu, l'archange, l'envoyé !
Et l'interrompra-t-on ? qui l'ose est foudroyé.
Qui pourrait lui barrer la route ? qui ? personne.
Tout ploie en l'écoutant, tout s'émeut, tout frissonne.
Tant ces discours, tombés d'en haut, sont accablants,
Tant l'âme est forte, et tant, pour les hommes tremblants,
Ces roulements du char de l'esprit sont terribles !

Auprès des flamboyants se dressent les horribles :
Justiciers, punisseurs, vengeurs, démons du bien.
— Grâce ! encore un moment ! grâce ! — Ils répondent : [Rien.
Entendez-vous Marat qui hurle dans sa cave ?

Sa morsure aux tyrans s'en va baiser l'esclave.
Il souffle la fureur, les griefs acharnés,
La vengeance, la mort, la vie, aux déchaînés ;
A plat ventre, grinçant des dents, livide, oblique,
Il travaille à l'immense évasion publique ;
Il perce l'épais mur du bagne, et, dans son trou,
Du grand cachot de l'ombre il tire le verrou ;
Il saisit l'ancien monde ; il met à nu sa plaie ;
Il le traîne de rue en rue, il est la claie ;
Il est en même temps la huée ; il écrit ;
Le vent d'orage emporte et sème son esprit,

Une feuille, de fange et d'aurore inondée,
Espèce de guenille horrible de l'idée ;
Il dénonce, il délivre ; il console, il maudit ;
De la liberté sainte il est l'âpre bandit ;
Il agite l'antique et monstrueuse chaîne,
Hideux, faisant sonner ce fer contre sa haine ;
On voit autour de lui des ossements humains ;
Charlotte, ayant le cœur des ancêtres romains,
Seule osera tenter cet antre inabordable ;
Il est le misérable, il est le formidable ;
Il est l'auguste infâme ; il est le nain géant ;
Il égorge, massacre, extermine, en créant ;
Un pauvre en deuil l'émeut, un roi saignant le charme ;
Sa fureur aime ; il verse une effroyable larme ;
Comme il pleure avec rage au secours des souffrants !
Il crie au mourant : Tue ! Il crie au volé : Prends !
Il crie à l'opprimé : Foule aux pieds ! broie ! accable !
Doux pour une détresse et pour l'autre implacable,
Il fait à cette foule, à cette nation,
A ce peuple, un salut d'extermination.
Dur, mais grand ; front livide entre les fronts célèbres !
Ténébreux, il attaque et poursuit les ténèbres.
Cette chauve-souris fait la guerre au corbeau.
Prêtre imposteur du vrai, difforme amant du beau,
Il combat l'ombre avec toutes les armes noires.
Pierres, boue et crachats, affronts, cris dérisoires,
Hymnes à l'échafaud, poignard, rire infernal,
Il puise à pleines mains dans l'affreux arsenal ;
Cet homme peut toucher à tout, hors à la foudre.
La meule doit broyer si le moulin veut moudre ;
Sur les versants divers des abîmes penchants,
Ceux qui paraissent bons, ceux qui semblent méchants,
Ébauchent en commun la même délivrance ;
Ils font le droit, ils font le peuple, ils font la France.
Qu'appelez-vous Bourbon, majesté, roi, dauphin ?
Toute chose dont sort l'indigence, la faim,
L'ignorance, le mal, la guerre, l'homme brute,
C'est fini, cela doit s'en aller dans la chute ;
C'est une tête. Eh bien, le panier la reçoit.
Ils marchent, détruisant l'obstacle, quel qu'il soit ;
Et c'est leur dogme à tous : — Tuer quiconque tue.
Ruine où l'ordre éclôt, vit et se constitue !

C'est par excès d'amour qu'ils abhorrent; bonté
Devient haine; ils n'ont plus de cœur que d'un côté
A force de songer au sort des misérables,
Et par miséricorde ils sont inexorables.
Pour eux ce blond dauphin, c'est déjà tout un roi;
Qu'importe sa pâleur, sa fièvre, son effroi?
Ils écoutent le triste avenir qui sanglote;
L'enfant a dans leur main la lourdeur d'un despote;
Ils l'écrasent — meurs donc! — sous le trône natal.
Ainsi tous les débris du vieux monde fatal,
Évêques mis aux fers, rois traînés à la barre,
Disparaissent, broyés sous leur pitié barbare.
Tigres compatissants! formidables agneaux!
Le sang que Danton verse éclabousse Vergniaux;
Sous la Montagne ainsi qu'aux pieds de la Gironde
Le même avenir chante et la même horreur gronde.

Oui, le droit se dressa sur les codes bâtards;
Oui, l'on sentit, ainsi qu'à tous les avatars,
Le tressaillement sourd du flanc des destinées,
Quand, montant lentement son escalier d'années,
Le dix-huitième siècle atteignit quatrevingt;
Encore treize, le nombre étrange, et le jour vint.
Alors, comme il arrive à chaque phénomène,
A chaque changement d'âge de l'âme humaine,
Comme lorsque Jésus mourut au Golgotha,
L'éternel sablier des siècles s'arrêta,
Laissant l'heure incomplète et discontinuée;
L'œil profond des penseurs plongea dans la nuée,
Et l'on vit une main qui retournait le temps.
On comprit qu'on touchait aux solennels instants,
Que tout recommençait, qu'on entrait dans la phase,
Que le sommet allait descendre sous la base,
Que le nadir allait devenir le zénith,
Que le peuple montait sur le roi qui finit!

Un blême crépuscule apparut sur Sodome,
Promesse menaçante; et le peuple, pauvre homme,
Mendiant dont le vent tordait le vil manteau,
Forçat dans sa galère ou juif dans son ghetto,
Se leva, suspendit sa plainte monotone,
Et rit, et s'écria : — Voici la grande automne!
La saison vient. C'est mûr. Un signe est dans les cieux.

La Révolution, pressoir prodigieux,
Commença le travail de la vaste récolte,
Et, des cœurs comprimés exprimant la révolte,
Broyant les rois caducs debout depuis Clovis,
Fit son œuvre suprême et triste, et sous sa vis
Toute l'Europe fut comme une vigne sombre.
Alors, dans le champ vague et livide de l'ombre,
Se répandit, fumant, on ne sait quel flot noir,
O terreur! et l'on vit, sous l'effrayant pressoir,
Naître de la lumière à travers d'affreux voiles,
Et jaillir et couler du sang et des étoiles;
On vit le vieux sapin des trônes ruisseler,
Tandis qu'on entendait tout le passé râler,
Et, le front radieux, la main rouge et fangeuse,
Chanter la Liberté, la grande vendangeuse.
Jours du peuple cyclope et de l'esprit titan!
Vie et trépas tournant le même cabestan!
Temps splendide et fatal, qui mêle en sa fournaise
Au cri d'un Josaphat l'hymne d'une Genèse!
Quiconque t'osera regarder fixement,
Convention, cratère, Etna, gouffre fumant,
Quiconque plongera la fourche dans ta braise,
Quiconque sondera ce puits : Quatrevingt-treize,
Sentira se cabrer et s'enfuir son esprit.

Quand Moïse vit Dieu, le vertige le prit;
Et moi, devant l'histoire aux horizons sans nombre,
Je tremble, et j'ai le même éblouissement sombre,
Car c'est voir Dieu que voir les grandes lois du sort.

Non, le glaive, la mort répondant à la mort,
Non, ce n'est pas la fin. Jette plus bas la sonde,
Mon esprit. Ce serait l'étonnement du monde
Et la déception des hommes qu'un progrès
N'apparût qu'en laissant aux justes des regrets,
Que l'ombre attristât l'aube à se lever si lente,
Et que, pour le toucher avec sa main sanglante
Le temps de lui céder la place et le chemin,
Toujours l'affreux hier ensanglantât demain!
Non, ce n'est pas la fin. Non, il n'est pas possible,
Dieu, que toute ta loi soit de changer de cible,
Et de faire passer le meurtre et le forfait
Des mains des rois aux mains du peuple stupéfait.
Le peuple ne veut pas de ce morne héritage.

Que serait donc l'effort de l'homme si le sage
N'avait à constater qu'un résultat si vain,
Le choc du droit humain contre le droit divin !
Et s'il n'apercevait que cette lueur trouble
Quand il écoute au fond de l'ombre la voix double,
Le passé, l'avenir, la matière, l'esprit,
La voix du peuple Enfer, la voix du peuple Christ !

C'est vrai, l'histoire est sombre. O rois ! hommes tragiques !
Démences du pouvoir sans limites ! logiques
De l'épée et du sceptre, exterminant, broyant,
Allant à travers tout à leur but effrayant !
Oh ! la toute-puissance a Caïn pour ancêtre.
Rien qu'à voir par éclairs les siècles apparaître,
Quels règnes inouïs ! que d'étranges lueurs !
Voici les idiots à côté des tueurs.
Zam, s'éveillant trop tard, met l'aurore à l'amende ;
Claude égorge sa femme et puis la redemande ;
Bajazet veut lier les vents à des poteaux ;
Xercès fouette la mer, Phur crache sur l'Athos ;
Pillage, trahison, vol, parjure, homicide ;
Ici le parricide et là l'infanticide ;
Pères dénaturés, fils en rébellion ;
Octave usurpe, opprime, égorge, et dans Lyon
Soixante nations lui bâtissent un temple ;
La Flandre est un bûcher que Philippe contemple ;
Léon dix en riant étrangle un cardinal ;
Maxence après Galère apparaît infernal ;
Voilà Sanche, abruti d'ivresses funéraires ;
Celui-ci, Mahomet, tua ses dix-neuf frères ;
Après avoir frappé son père, Manfredi
S'assied dessus jusqu'à ce qu'il soit refroidi ;
Les Transtamares font revivre les Orestes ;
Achab fait ramasser sous sa table ses restes
Par des hommes sans mains, sans pieds, sans dents, sans [yeux ;
Caïus triomphe avec du sang jusqu'aux essieux ;
Richard d'York étouffe Édouard cinq ; Ramire
Le Mauvais est mauvais, mais Jean le Bon est pire ;
Sélim, tout effaré de débauche et d'encens,
Court dans Stamboul, perçant de flèches les passants ;
Zeb plante une forêt de gibets à Nicée ;
Christiern fait tous les jours arroser d'eau glacée

Des captifs enchaînés nus dans des souterrains;
Galéas Visconti, les bras liés aux reins,
Râle, étreint par les nœuds de la corde que Sforce
Passe dans les œillets de sa veste de force;
Cosme, à l'heure où midi change en brasier le ciel,
Fait lécher par un bouc son père enduit de miel;
Soliman met Tauris en feu pour se distraire;
Alonze, furieux qu'on allaite son frère,
Coupe le bout des seins d'Urraque avec ses dents;
Vlad regarde mourir ses neveux prétendants
Et rit de voir le pal leur sortir par la bouche;
Borgia communie; Abbas, maçon farouche,
Fait avec de la brique et des hommes vivants
D'épouvantables tours qui hurlent dans les vents;
Là, le sceptre vandale, ici la loi burgonde;
Cléopâtre renaît pire dans Frédégonde;
Ivan est sur Moscou, Carlos est sur Madrid;
Sous cet autre, Louis dit le Grand, on ouvrit
Les mères pour tuer leurs enfants dans leurs ventres.
Mais où sont donc les loups! Oh! les antres! les antres!
La jungle où les boas glissent, fangeux et froids!
Est-ce du sang qui coule aux veines de ces rois?
Ont-ils des cœurs aussi? Sont-ils ce que nous sommes!
Cieux profonds! oh! plutôt que l'aspect de ces hommes,
La rencontre du tigre, et, plutôt que leur voix,
Le sourd rugissement des lions dans les bois!

Eh bien, vengeance donc! mort! malheur! représailles!
La torche aux Rhamséions, aux Kremlins, aux Versailles!
Qu'Ossa soit à son tour broyé par Pélion!
Au bourreau les bourreaux! Justice! talion!

Non! Jamais d'échafauds! C'est par d'autres répliques
Que doivent s'affirmer les saintes républiques.
Ce siècle, le plus grand des siècles, l'a compris.
Le jour où Février se leva sur Paris,
Il fit deux parts de l'œuvre immense de nos pères,
Et, grave, agenouillé devant les grands mystères,
Ne gardant que le droit, rendit à Dieu la mort.
Notre doigt n'est pas fait pour presser le ressort
De ce fer monstrueux qui tombe et se relève;
La liberté n'est pas un outil de la Grève;
Elle s'emmanche mal au couperet hideux;
Carrier, Le Bas, Hébert, sont des Philippes deux;

Fouquier-Tinville touche au duc d'Albe; Barrère
Vaut de Maistre, et Chaumette a Bâville pour frère;
Marat, Couthon, Saint-Just, d'où la vengeance sort,
Servent la vie avec les choses de la mort;
Ce qu'ils font est fatal; c'est toujours la vieille œuvre,
Et l'on y sent le froid de l'antique couleuvre.
Non, le vrai ne doit point avoir de repentirs;
Au nom de tous les morts et de tous les martyrs,
Non, jamais de vengeance! et la vie est sacrée.
L'aigle des temps nouveaux, planant dans l'empyrée,
Laisse le sang rouiller le bec du vieux vautour;
Le peuple doit grandir, étant maître à son tour,
Et c'est par la douceur que la grandeur se prouve.
Concorde! Nos enfants ne tètent plus la louve;
Notre avenir n'est plus dans un antre, allaité
Par l'affreux ventre noir de la fatalité.

Ce patient, traîné dans un tombeau qui roule,
Ces prunelles de tigre éclatant dans la foule,
Ce prêtre, ce bourreau, tout ce groupe fatal,
Ce tréteau, pilori s'il n'est pas piédestal,
Ce panier, cette fosse infâme qui se creuse,
Cette hache, c'était de l'ombre malheureuse;
Cela cachait le ciel, le vrai, l'astre éclipsé;
C'était du crépuscule et c'était du passé;
Le peuple sent en lui sa nouvelle âme éclore,
Et ne veut rien du soir et veut tout de l'aurore.
Avançons. Le progrès, c'est un besoin d'azur.

Certes, Danton fut grand; Robespierre était pur;
Jadis, broyant, malgré les cris et les menaces,
Les mâchoires de l'hydre entre ses poings tenaces,
Gladiateur géant du cirque des fléaux,
Ayant à déblayer tout l'antique chaos,
Ce grand Quatrevingt-treize a fait ce qu'il dut faire;
Mais nous qui respirons l'idéale atmosphère,
Nous sommes d'autres cœurs; les temps fatals sont clos;
Notre siècle, au-dessus du vieux niveau des flots,
Au-dessus de la haine, au-dessus de la crainte,
Fait sa tâche; il construit la grande Babel sainte;
Dieu laisse cette fois l'homme bâtir sa tour.

La république doit s'affirmer par l'amour,
Par l'entrelacement des mains et des pensées,
Par tous les lys s'ouvrant à toutes les rosées,
Par le beau, par le bon, par le vrai, par le grand,
Par le progrès debout, vivant, marchant, flagrant,
Par la matière à l'homme enfin libre asservie,
Par le sourire auguste et calme de la vie,
Par la fraternité sur tous les seuils riant,
Et par une blancheur immense à l'orient.

Après le dix août superbe, où dans la brume
Sous le dernier éclair le dernier trône fume,
Après Louis, martyr de son hérédité,
Roi que brise la France en mal de liberté,
Après cette naissance, après cette agonie,
Toute l'œuvre tragique et farouche est finie.
L'ère d'apaisement suit l'ère de terreur.

Le droit n'a pas besoin de se mettre en fureur,
Et d'arriver les mains pleines de violences,
Et de jeter un glaive au plateau des balances;
Il paraît, on tressaille; il marche, on dit : C'est Dieu.

Mort à la mort! Au feu la loi sanglante! au feu
Le vieux koran de fer, l'affreux code implacable
Qui tord l'irrémissible avec l'irrévocable,
Qui frappe, qui se venge, et qui se trompe! A bas,
Croix qui saisis Jésus et lâches Barabbas!
A bas, potence, avec toutes tes branches noires!
Fourche que Vouglans mêle à ses réquisitoires,
Solive épouvantable où Tristan s'accouda,
Machine de Tyburn et de la Cebada,
Démolis-toi toi-même, et croule, mutilée,
Avec le saint-office et la chambre étoilée,
Et tourne contre toi la mort que tu contiens!
Charpente que l'enfer fait lécher à ses chiens,
Va pourrir dans la terre éternelle et divine
Qui ne te connaît point, toi l'arbre sans racine,
Qui t'exclut de la sève et qui ne donne pas
La vie au bois féroce où germe le trépas!
Fuis, dissous-toi, perds-toi dans la grande nature!
Engins qu'ont maniés le meurtre et la torture,
O monstrueux outils de la tombe, assassins,
Rappelez-vous les bons, les innocents, les saints,

Et demandez-vous-en compte les uns aux autres!
Tous les crimes du faible ont pour source les vôtres.

Poutre, ébrèche la hache et brise le couteau;
Hache, deviens cognée et frappe le poteau,
Frappe; exterminez-vous, ô ténébreux complices!
Et tombe pêle-mêle, ô forêt des supplices,
Roue, échelle, garrot, gibet, et glaive, et faux,
Sous le bras du progrès, bûcheron d'échafauds!

Extrait du « Livre épique »,
Les Quatre Vents de l'esprit, 1881.

Texte 7

L'ÉCHAFAUD

Oh! les mornes chevaux, comme ils allaient, farouches!
Nul souffle ne sortait de leurs fatales bouches,
Nul regard n'étoilait la noirceur de leurs yeux.
A mesure que, froids, sourds et silencieux,
Ils entraient plus avant dans la grande nuit triste,
L'infini, qui, muet, aux prodiges assiste,
Épaississait la brume au fond de l'horizon;
Et les arbres, troublés d'un sépulcral frisson,
Tordaient leurs bras souffrants et leurs branches meurtries,
Tandis que cheminaient le long des Tuileries,
Toujours du même pas vertigineux et lent,
Les deux cavaliers noirs et le cavalier blanc.

Devant eux, comme un cap où les flots se déchirent,
L'angle de la terrasse apparut; ils franchirent
Ce pas sombre, et le bruit cessa sur les pavés,
Et l'ombre fit silence; ils étaient arrivés.

L'eau du fleuve fuyait, d'obscurité couverte.

O terreur! au milieu de la place déserte,
Au lieu de la statue, au point même où leurs yeux
Cherchaient le Bien-Aimé triomphal et joyeux,

Apparaissaient, hideux et debout dans le vide,
Deux poteaux noirs portant un triangle livide ;
Le triangle pendait, nu, dans la profondeur ;
Plus bas on distinguait une vague rondeur,
Espèce de lucarne ouverte sur de l'ombre ;
Deux nuages traçaient au fond des cieux ce nombre :
— Quatrevingt-treize — chiffre on ne sait d'où venu.

C'était on ne sait quel échafaud inconnu.

Lugubre, il se dressait ; derrière sa charpente
De quelque étrange abîme on devinait la pente ;
Les arbres regardaient l'horrible vision ;
L'ouragan retenait sa respiration
Devant la silhouette informe et ténébreuse ;
Et tout semblait hagard ; tant la machine affreuse,
Rouge comme un carnage et noire comme un deuil,
Debout entre l'énigme et l'homme, sur un seuil
Qui peut-être est le ciel, peut-être la géhenne,
Contenait de néant, d'épouvante et de haine !
Sous le blême triangle une échelle tremblait.
L'échafaud, immobile et monstrueux, semblait
Communiquer avec la tombe universelle.
Une pourpre, semblable à celle qui ruisselle
Et qui fume le long du mur des abattoirs,
Filtrait de telle sorte entre les pavés noirs
Qu'elle écrivait ce mot mystérieux : Justice.
On devinait que l'âpre et farouche bâtisse,
Calme, définitive, inexprimable à voir,
Avait été construite avec du désespoir,
Et sortait des douleurs, des pleurs et des décombres ;
Et que les deux poteaux, dans les carrefours sombres
Où l'homme marche triste, aveuglément conduit,
Avaient jadis marqué les routes de la nuit ;
On pouvait, dans la brume où l'infini commence,
Lire sur l'un : Pouvoir, et sur l'autre : Démence ;
Le cercle, qui s'ouvrait sous le lourd coutelas,
Rappelait le carcan — et la couronne, hélas !
On sentait, à travers la vague horreur des rêves,
Que ce triangle était forgé de tous les glaives,
Du fer d'Achab ainsi que du fer d'Attila ;
Toute l'immensité de la mort était là.
Montant dans la nuée et jusqu'aux cieux terribles.

A peine palpitaient les choses invisibles;
Pas un cri, pas un bruit, pas un souffle. Parfois,
Et ceci redoublait la terreur des trois rois,
Entre les deux sanglants et tragiques pilastres,
La brume s'écartait et l'on voyait les astres.

Car, ô nuit! on sentait que Dieu, le grand voilé,
A cette chose étrange et triste était mêlé;
L'éternité pesait dans ce lieu tout entière;
Cette place fatale en semblait la frontière.

Les rois lisaient le mot écrit sur le pavé.

L'œil qui dans ce moment suprême eût observé
Ces figures, de glace et de calme vêtues,
Eût vu distinctement pâlir les trois statues.

Ils se taisaient; et tout se taisait autour d'eux;
Si la mort eût tourné son sablier hideux,
On en eût entendu glisser le grain de sable.

Une tête passa dans l'ombre formidable.
Cette tête était blême; il en tombait du sang.
Et les trois cavaliers frémirent; et, froissant
Vaguement le pommeau de sa lugubre épée,
L'aïeul de bronze dit à la tête coupée
(Dialogue funèbre et du gouffre écouté) :
— Oh! l'expiation, dans ce lieu redouté,
Règne sans doute avec quelque ange pour ministre?
Quel est ton crime, ô toi qui vas, tête sinistre,
Plus pâle que le Christ sur son noir crucifix?

— Je suis le petit-fils de votre petit-fils.

— Et d'où viens-tu?

— Du trône. O rois, l'ombre est terrible!

— Spectre, quelle est là-bas cette machine horrible?

— C'est la fin, dit la tête au regard sombre et doux.

— Et qui donc l'a construite?

— O mes pères, c'est vous.

25 décembre 1857. Christmas.

Toute la lyre, 1888-1893.

Texte 8

JEAN CHOUAN

Les blancs fuyaient, les bleus mitraillaient la clairière.

Un coteau dominait cette plaine, et derrière
Ce monticule nu, sans arbre et sans gazon,
Les farouches forêts emplissaient l'horizon.

En arrière du tertre, abri sûr, rempart sombre,
Les blancs se ralliaient, comptant leur petit nombre,
Et Jean Chouan parut, ses longs cheveux au vent.
— Ah ! personne n'est mort, car le chef est vivant !
Dirent-ils. Jean Chouan écoutait la mitraille.
— Nous manque-t-il quelqu'un ? — Non. — Alors qu'on [s'en aille !
Fuyez tous ! — Les enfants, les femmes aux abois
L'entouraient, effarés. — Fils, rentrons dans les bois !
Dispersons-nous ! — Et tous, comme des hirondelles
S'évadent dans l'orage immense à tire-d'ailes,
Fuirent vers le hallier noyé dans la vapeur ;
Ils couraient ; les vaillants courent quand ils ont peur ;
C'est un noir désarroi qu'une fuite où se mêle
Au vieillard chancelant l'enfant à la mamelle ;
On craint d'être tué, d'être fait prisonnier !
Et Jean Chouan marchait à pas lents, le dernier,
Se retournant parfois et faisant sa prière.

Tout à coup on entend un cri dans la clairière,
Une femme parmi les balles apparaît.
Toute la bande était déjà dans la forêt,
Jean Chouan seul restait ; il s'arrête, il regarde ;
C'est une femme grosse, elle s'enfuit, hagarde
Et pâle, déchirant ses pieds nus aux buissons ;
Elle est seule ; elle crie : A moi, les bons garçons !
Jean Chouan rêveur dit : C'est Jeanne-Madeleine.
Elle est le point de mire au milieu de la plaine ;
La mitraille sur elle avec rage s'abat.
Il eût fallu que Dieu lui-même se courbât
Et la prît par la main et la mît sous son aile,

Tant la mort formidable abondait autour d'elle;
Elle était perdue. Ah! criait-elle, au secours!
Mais les bois sont tremblants et les fuyards sont sourds.
Et les balles pleuvaient sur la pauvre brigande.

Alors sur le coteau qui dominait la lande
Jean Chouan bondit, fier, tranquille, altier, viril,
Debout : — C'est moi qui suis Jean Chouan! cria-t-il.
Les bleus dirent : — C'est lui, le chef! Et cette tête,
Prenant toute la foudre et toute la tempête,
Fit changer à la mort de cible. — Sauve-toi!
Cria-t-il, sauve-toi, ma sœur! — Folle d'effroi,
Jeanne hâta le pas vers la forêt profonde.
Comme un pin sur la neige ou comme un mât sur l'onde,
Jean Chouan, qui semblait par la mort ébloui,
Se dressait, et les bleus ne voyaient plus que lui.
— Je resterai le temps qu'il faudra. Va, ma fille!
Va, tu seras encor joyeuse en ta famille.
Et tu mettras encor des fleurs à ton corset!
Criait-il. — C'était lui maintenant que visait
L'ardente fusillade, et sur sa haute taille
Qui semblait presque prête à gagner la bataille,
Les balles s'acharnaient, et son puissant dédain
Souriait; il levait son sabre nu... — Soudain
Par une balle, ainsi l'ours est frappé dans l'antre,
Il se sentit trouer de part en part le ventre;
Il resta droit, et dit : — Soit. *Ave Maria!*
Puis, chancelant, tourné vers le bois, il cria :
— Mes amis! mes amis! Jeanne est-elle arrivée?
Des voix dans la forêt répondirent : — Sauvée!
Jean Chouan murmura : C'est bien! et tomba mort.

Paysans! paysans! hélas! vous aviez tort,
Mais votre souvenir n'amoindrit pas la France;
Vous fûtes grands dans l'âpre et sinistre ignorance;
Vous que vos rois, vos loups, vos prêtres, vos halliers
Faisaient bandits, souvent vous fûtes chevaliers;
A travers l'affreux joug et sous l'erreur infâme
Vous avez eu l'éclair mystérieux de l'âme;
Des rayons jaillissaient de votre aveuglement;
Salut! Moi le banni, je suis pour vous clément;
L'exil n'est pas sévère aux pauvres toits de chaumes;
Nous sommes des proscrits, vous êtes des fantômes;
Frères, nous avons tous combattu; nous voulions

L'avenir; vous vouliez le passé, noirs lions;
L'effort que nous faisions pour gravir sur la cime,
Hélas! vous l'avez fait pour rentrer dans l'abîme;
Nous avons tous lutté, diversement martyrs,
Tous sans ambitions et tous sans repentirs,
Nous pour fermer l'enfer, vous pour rouvrir la tombe;
Mais sur vos tristes fronts la blancheur d'en haut tombe,
La pitié fraternelle et sublime conduit
Les fils de la clarté vers les fils de la nuit,
Et je pleure en chantant cet hymne tendre et sombre,
Moi, soldat de l'aurore, à toi, héros de l'ombre.

La Légende des siècles, nouvelle série, 1877.

III. LES HISTORIENS DU XIXe SIÈCLE ET LA GUERRE DE VENDÉE

Pour l'historien du siècle héritier de la grande rupture, la Révolution constitue un passage quasi obligé et un défi. Enjeu majeur, elle s'impose comme point nodal de toute entreprise visant à dégager un sens de l'histoire. Ligne de partage, elle force l'engagement. Et dans la Révolution, la Terreur et la guerre civile valent comme moments cruciaux : elles font passer l'historien sous les fourches caudines de leur terrible logique. Situer, relater, comprendre, interpréter : la tâche est redoutable, et, encore aujourd'hui, la Vendée suscite bien des polémiques.

Après Thiers et Mignet, adeptes de l'école fataliste, qui inaugurent le débat, et lèvent l'hypothèque de la Terreur en attribuant son implacable nécessité aux ennemis de la Révolution, Michelet et Quinet proposent leur point de vue. Entre 1847 et 1853, Michelet publie son Histoire de la Révolution française. *La Vendée, « monstre informe et sans nom » pour les révolutionnaires, est la « révolution de l'isolement et de l'insociabilité » (texte 9), le fait d'une manipulation qui lance un « malheureux peuple ignorant » « contre ses propres intérêts » (texte 10). Edgar Quinet, de son côté, prend de la hauteur en analysant « deux fanatismes » dans sa* Révolution *de 1865 (texte 11).*

Texte 9

MARS 93

Ce grand mouvement, tout populaire dans ses commencements, eut même, sur plusieurs points, le caractère d'une horrible fête, où des masses du peuple, ivres et joyeusement féroces, assouvirent leur vieille haine sur *les messieurs* des villes. Là, comme ailleurs, le paysan haïssait la ville à trois titres différents, *comme autorité* d'où venaient les lois, *comme banque* et industrie qui attirait son argent, enfin *comme supériorité*. L'ouvrier même des villes, par rapport aux masses ignorantes qui vivaient entre deux haies sans jamais parler qu'à leurs bœufs, c'était une aristocratie.

Tout cela est naturel. Est-ce à dire que dans la Vendée il n'y ait rien d'artificiel ?

Le pape, dès 90, l'avait annoncée et prédite au roi. Le clergé d'Angers, en février 92, dans sa lettre à Louis XVI, l'annonce encore, la déclare imminente.

La Vendée éclate deux fois, on vient de le voir, au moment précis de l'invasion.

Quelle part le clergé et la noblesse eurent-ils aux commencements de l'insurrection ?

La noblesse n'en eut aucune. La Rouërie essaya inutilement d'étendre dans le Poitou l'association bretonne. Les nobles étaient abattus, terrassés, de la mort de Louis XVI. Beaucoup avaient été à Coblentz, avaient essuyé l'impertinence de l'émigration et revenaient dégoûtés. Rentrés chez eux, les pieds au feu, ils faisaient les morts, heureux que les comités patriotiques des villes voisines voulussent bien ne pas s'informer de leur malencontreux voyage.

Le clergé eut grande part à la Vendée, mais très inégale, grande en Anjou et dans le Bocage, moindre au Marais, variable dans les localités si diverses de la Bretagne. Ni en Vendée ni en Bretagne, il n'aurait rien fait, si la République n'était venu au foyer même du paysan pour l'en arracher, l'ôter de son champ, de ses bœufs, l'affubler de l'uniforme, l'envoyer à la frontière se battre pour ce qu'il détestait. Jamais, sans cela, les cloches, les sermons ni les miracles n'auraient armé le Vendéen.

La réquisition était l'épreuve et la pierre de touche, le vrai moment pour la Vendée. Sous l'ancien régime, on ne venait jamais à bout d'y faire tirer la milice. Le Vendéen était enraciné dans le sol, il ne faisait qu'un avec la terre et les arbres de la terre. Plutôt que de quitter ses bœufs, sa haie, son enclos, il eût fait la guerre au Roi. Tel le Bocage, tel le Marais. L'homme du Marais, qui vit entre un fossé et une mare, à moitié dans l'eau, adore son pays de fièvres. Forcer cet homme aquatique de venir à terre, c'est risquer de le rejeter plutôt dans la mer, le donner aux contrebandiers.

Le clergé parut donner au pays une sorte d'unité fanatique. Mais cette unité apparente tint aussi en grande partie à une passion commune qui animait ces populations diverses, à leur profond esprit local ; — passion contraire à l'unité.

Si la Vendée est une révolution, c'est celle de l'insociabilité, celle de l'esprit d'isolement. Les Vendées haïssent le centre, mais se haïssent elles-mêmes. Quelque fanatiques qu'elles soient, ce n'est pas le fanatisme qui a décidé le combat : c'est une pensée d'intérêt, c'est le refus du sacrifice. *Le trône et l'autel*, d'accord ; *le bon Dieu et nos bons prêtres*, oui, mais pour se dispenser de marcher à la frontière.

Écoutez l'aveu naïf de la proclamation vendéenne (fin mars) : « Point de milice ; laissez-nous dans nos campagnes... Vous dites que l'ennemi vient, qu'il menace nos foyers... Eh bien ! c'est de nos foyers, s'il y vient jamais, que nous saurons le combattre... »

Autrement dit : Vienne l'ennemi !... que les armées autrichiennes, avec leurs Pandours, leurs Croates, ravagent la France à leur aise... Qu'importe la France à la Vendée ?... La Lorraine et la Champagne seront à feu et à sang ; mais ce n'est pas la Vendée. Paris périra peut-être, l'œil du monde sera crevé... Mais qu'importe aux Vendéens ?... Meure la France, et meure le monde !... Nous aviserons au salut lorsque le cheval cosaque apparaîtra dans nos haies.

Hélas ! malheureux sauvages ! vous-mêmes vous vous condamnez. Ces mots de farouche égoïsme, c'est sur vous qu'ils vont retomber.

Car vous ne dites pas seulement : Que nous importe la

France ? Mais : *Qu'importe la Bretagne ?* – Et : *Qu'importe Maine-et-Loire ?* Le Vendéen ne daigne donner la main au Chouan. – Bien plus, les Vendéens entre eux, sauf les masses fanatiques qu'une propagande spéciale organisa dans le Bocage, les Vendéens se haïssent, se dédaignent et se méprisent ; ceux d'en haut ne parlent qu'avec dérision *des grenouilles du Marais*. Les Charette et les Stofflet se renvoient le nom de *brigands*.

Non, vous prendriez vos chefs dans un rang plus bas encore, votre révolte serait encore plus populaire, grossière, ignorante, vous n'êtes pas la Révolution. Nous aurions tort de donner ce grand nom à la Vendée.

Car la Révolution, quelles qu'aient été ses fureurs et son ivresse, fut ivre de l'Unité. Et la Vendée, tant démocratique qu'elle ait pu être dans la forme, fut ivre de la Discorde.

Elle professa hardiment qu'elle représentait la discorde antique, les droits opposés des provinces et le vieux chaos.

Ce chaos et cette discorde, qu'auraient-ils été contre la coalition du monde ? Rien que la mort de la France.

La discorde vendéenne, c'est la mort nationale. Cela dit, tout est jugé. Nous tenons d'en haut le fil ; nous savons où est le droit. Nous pouvons maintenant raconter ; justement, impartialement, nous dirons ce que firent les uns et les autres, et rendrons pleine justice au grand cœur de nos ennemis... Ennemis ? non, c'est la France encore. La coalition, frappée de la bravoure républicaine, n'a pas été moins effrayée de celle des Vendéens.

Cette France égarée de l'Ouest a ouvert les yeux enfin ; elle a vu, bien tard il est vrai, qu'elle s'était battue pour rien, que dis-je ?, pour faire triompher ses véritables ennemis. Charette est mort désespéré, et, mourant, il a lancé le dernier cri de la Vendée, son douloureux anathème. Combien plus, en 1815, fut-elle éclairée, quand elle vit rentrer les Bourbons avec ses prudents héros qui ne se hasardèrent en France que derrière un million d'hommes, et qui, pour remerciement, demandèrent en rentrant leurs droits seigneuriaux aux paysans qui s'étaient fait tailler en pièces pour eux ! La scène fut grande, à Auray, quand Madame, visitant cette terre trempée du sang des siens, trente mille hommes qui survivaient, la plupart blessés, mutilés, vinrent là, sous leurs cheveux blancs, sur leurs bâtons, leurs béquilles, au bras de leurs petits-fils, voir encore, avant de mourir, la fille de Louis XVI... Ces pauvres gens tombèrent face contre terre, les yeux pleins de larmes... A travers les larmes, ils regardent... Madame avait les yeux secs; elle n'avait pu prendre sur elle de pardonner à la France, et pas même à la Vendée... Ils se relevèrent bien tristes, le cœur flétri et amer. La République était vengée... Depuis ce jour, la Vendée appartient à la Patrie.

Jules Michelet, *Histoire de la Révolution française*, livre X, chap. v.

Texte 10

LES VENDÉENS. – LEUR APPEL À L'ÉTRANGER (mars-juin 93)

Deux phénomènes inattendus se virent à la fin de juin, l'un qui faillit perdre la France, et l'autre qui la sauva.

Les trois Vendées (de l'Anjou, du Bocage et du Marais), essentiellement discordantes entre elles et communiquant très mal, s'unirent un moment, formèrent une même masse d'une grande armée barbare, et sur la Loire roulèrent ensemble, à Saumur, à Angers, à Nantes, leur épouvantable flot.

Mais voici l'autre phénomène : les Girondins, proscrits à Paris comme royalistes, organisèrent dans l'Ouest, délaissé et sans secours, la plus vigoureuse défense contre les royalistes. Ils votèrent des troupes contre la Convention, et les envoyèrent contre la Vendée. Sauf quelques centaines de Bretons qui allèrent au Calvados, la Bretagne girondine resta dans son rôle héroïque; elle fut le vrai roc de la résistance et contre le royalisme breton qu'elle portait dans son sein, et contre l'émigration qui la menaçait de Jersey, enfin contre l'invasion vendéenne qu'elle brisa devant Nantes.

L'attaque de Nantes, fait minime si l'on considérait le nombre des morts, est un fait immense pour les résultats. L'empereur Napoléon a dit avec raison que le salut de cette ville avait été le salut de la France.

Nantes présenta de mars en juin un spectacle d'unanimité rare et formidable. Les mesures sévères, terribles, qu'exigeait la situation, furent prises par l'administration girondine et, sur la demande des modérés, exécutées énergiquement par les Girondins et les Montagnards, sans distinction. Ce fut le club girondin qui, le 13 mars, par l'organe du jeune Villenave, demanda le tribunal révolutionnaire et l'exécution immédiate des traîtres, la guillotine sur la place, de plus une cour martiale ambulante qui, parcourant le département avec la force armée, jugerait et exécuterait.

On entrevoit par ceci (et l'on verra mieux plus tard) que la France républicaine, parmi tant de dissidences extérieures et bruyantes, tant de cris, tant de menaces, conservait un fonds d'unité.

Il est curieux de voir, en opposition, combien la Coalition, si parfaitement une dans ses manifestes, était discordante, combien les Vendées, qui pour frapper Nantes prennent une apparence d'unité si terrible, combien elles étaient divisées, hostiles pour elles-mêmes.

Nous ignorions encore, en 1850, quand nous écrivîmes les premières parties de cette histoire, les moyens tout artificiels qu'on employa pour lancer ce malheureux peuple, ignorant, aveugle, contre ses propres intérêts. Nous ne connaissions non plus que très imparfaitement les mésintelligences des chefs, la rivalité intérieure des nobles et du clergé.

La première machine, on l'a vu, fut l'emploi d'un paysan ignorant, intelligent, héroïque, Cathelineau, que d'Elbée et le clergé opposèrent aux nobles. D'Elbée, saxon de naissance, était haï et jalousé des autres chefs, officiers inférieurs et gentilshommes campagnards, généralement de peu de tête. Il n'eût pu dans les commencements commander lui-même. Le clergé, après les affaires de Fontenay, fit parler Cathelineau. Il menaça les nobles poitevins d'emmener ses compatriotes, les paysans de l'Anjou. Lescure, le *saint du Poitou*, qui appartenait aux prêtres, appuya. Et tout dès lors fut sous une même influence, qui fut celle du clergé.

La seconde machine employée entre les deux combats de Fontenay, lorsque les Vendéens étaient abattus de leur échec, vint à point les relever. On leur fabriqua un évêque. Un soldat républicain pris par eux, et depuis secrétaire de Lescure, déclara que, sous l'habit laïque, il était en réalité un des quatre vicaires apostoliques envoyés par le pape en France, de plus évêque d'Agra. Les fameuses sœurs de la Sagesse, mêlées à toutes les intrigues ; Brin, leur curé de Saint-Laurent ; le curé de Saint-Laud d'Angers, le curé Bernier, tous tombent à genoux, demandent la bénédiction du fourbe. Le peuple est ivre de joie, il sonne les cloches à toute volée.

Le but de Lescure et des autres chefs était de faire de la Vendée une force unique, sous une même direction, et pour cela de soumettre les curés à ce prétendu évêque. Dans un acte du 1er juin, signé du nom de Lescure, on dit : « Que les curés qui n'ont pas reçu encore les pouvoirs de leurs évêques, et qui ne s'adresseront pas à M. l'évêque d'Agra, *pour qu'il règle leur conduite*, seront arrêtés. »

D'Elbée, Lescure et le clergé firent Cathelineau général en chef. On nomma général de cavalerie un séminariste de dix-sept ans, le jeune Forestier, fils d'un cordonnier de Caudron, aventureux, intrépide et d'une jolie figure.

A l'avant-garde marchait le plus souvent un autre jeune homme, cousin de Lescure, Henri de Larochejaquelein, *M. Henri*, comme l'appelaient les paysans. Il portait au col un mouchoir rouge ; toute l'armée en porta. C'était un jeune homme de vingt et un ans, qui avait déjà six ans de service, étant entré à quinze ans dans la cavalerie. Son père était colonel de Royal-Pologne. Le jeune homme n'avait pas émigré ; on l'avait fait capitaine dans la garde constitutionnelle de Louis XVI. Ni le séjour de Paris, ni ce détestable corps, école d'escrime et d'insolence, n'avaient changé le Vendéen. Il était resté un vrai gentilhomme de campagne, grand chasseur, toujours à cheval, fort connu des paysans.

C'était une grande figure svelte, anglaise plutôt que française, cheveux blonds, l'air à la fois timide et hautain, comme sont souvent les Anglais. Il avait, au plus haut degré, une chose bonne pour l'attaque : le mépris de l'ennemi.

Ces braves, qui nous méprisaient tant, ignoraient que chez les *patauds*, dans les armées républicaines, il y avait les plus grands hommes de guerre du siècle (et de tous les siècles), des hommes d'un tout autre ordre qu'eux, les Masséna, les Hoche, les Bonaparte.

Les masses vendéennes, qui suivaient ces chefs, éparses et confuses, eurent ce bonheur à Saumur de trouver les républicains moins organisés encore. Ceux-ci avaient avec eux cependant un organisateur habile, Berthier, le célèbre chef de l'état-major de l'empereur. Mais Berthier, Menou, Coustard, Santerre, les généraux républicains, n'arrivèrent qu'au moment de la bataille. Ils ne purent rien que payer vaillamment de leur personne ; les deux premiers furent blessés et eurent plusieurs chevaux tués sous eux. Ils avaient contre eux à la fois l'indiscipline et la trahison. La veille même, Larochejaquelein, déguisé, avait dîné dans Saumur. Un garde d'artillerie fut surpris enclouant une pièce de canon. Dans le combat même, deux bataillons à qui Coustard ordonnait de garder le pont de Saumur crièrent qu'il les trahissait, et le mirent lui-même à la bouche d'un canon.

Avec tout cela, les Vendéens eurent peine à emporter l'affaire. Larochejaquelein chargeait obstinément sur la droite sans voir que, toujours resserré entre le coteau et la rivière, il ne pouvait se déployer avec avantage. Ce fut à sept heures du soir que Cathelineau, montant sur une hauteur, vit nettement la difficulté. Il donna à la bataille une meilleure direction. On tourna les républicains. Les bataillons, de formation nouvelle, s'effrayèrent, se débandèrent, s'enfuirent par la ville en désordre, puis par les ponts de la Loire.

A huit heures, Coustard, voyant que la gauche était perdue et l'ennemi déjà dans la ville, entreprit de la reprendre. Il ordonna aux cuirassiers commandés par Weissen de nettoyer la chaussée qui y conduisait en prenant une batterie qu'établissaient les Vendéens : « Où m'envoies-tu ? dit Weissen. — A la mort ! » lui dit Coustard. Weissen obéit bravement, mais il ne fut point soutenu, et revint couvert de blessures.

Le représentant Bourbotte se battit aussi comme un lion. Son cheval fut tué, et il était pris, si un jeune lieutenant, en pleine mêlée, ne fût descendu et ne lui eût donné le sien. Bourbotte admira le jeune homme, et fut plus préoccupé de lui que de son péril. Il le trouva intelligent autant qu'héroïque. Dès ce jour, il ne le perdit pas de vue qu'il ne l'eût fait général. Six mois après, ce général, le jeune Marceau, gagnait la bataille décisive du Mans, où s'ensevelit la Vendée.

Cinq mille hommes se rendirent dans Saumur et mirent bas les armes. Mais ceux qui restaient dans les redoutes extérieures ne se rendirent pas. En vain Stofflet les attaqua avec vingt pièces de canon.

La route de Paris était ouverte. Qui empêchait de remonter la Loire, de montrer le drapeau blanc aux provinces du Centre ? Henri de Larochejaquelein voulait qu'on allât au moins jusqu'à Tours.

Les Vendéens n'avaient qu'une cavalerie misérable ; s'il en eût été autrement, rien n'eût empêché certainement mille hommes bien montés et déterminés de percer jusqu'à Paris.

Pour se faire suivre de la masse vendéenne, il n'y fallait pas songer. Le paysan avait fait un prodigieux effort, en restant si longtemps sous le drapeau. Parti (la seconde fois) le 9 avril, il avait à peine, en passant de Fontenay à Saumur, revu ses foyers. Plusieurs au 9 juin se trouvaient absents de chez eux depuis deux mois ! Or, telles sont les habitudes du paysan vendéen, comme l'observe très bien Bourniseau, que, « quand il eût été question de prendre Paris, on n'eût pu l'empêcher, au bout de six jours, d'aller revoir sa femme et de prendre une chemise blanche ». Aussi Cathelineau était d'avis qu'on ne s'écartât pas beaucoup et qu'on se contentât d'Angers.

Mais les chefs généralement voulaient aller à la mer.

Lescure voulait y aller à gauche, prendre Niort et La Rochelle.

Bonchamp voulait y aller à droite, par la Bretagne, étendre la chouannerie qui déjà avait commencé, tâter les côtes normandes, savoir si elles étaient vraiment royalistes ou girondines.

D'Elbée allait à la mer par Nantes, par l'entrée de la Loire, cette grande porte de la France. C'est l'avis qui prévalut.

Ils attendaient impatiemment les secours de l'Angleterre, et ils savaient qu'ils n'en recevraient rien tant qu'ils n'apparaîtraient pas en force sur la côte et ne pourraient pas offrir un port aux Anglais.

Dès le lendemain de l'insurrection, les Vendéens avaient imploré les secours de l'étranger.

Le 6 avril, d'Elbée et Sapinaud chargent un certain Guerry de Tiffauges de demander de la poudre à Noirmoutier, ou, si Noirmoutier n'en a pas, de prendre tous les moyens de s'en procurer d'Espagne ou d'Angleterre.

Le 8 avril, ce n'est plus de la poudre seulement, ce sont des hommes : « Nous prions M. le commandant au premier port d'Angleterre de vouloir bien s'intéresser auprès des puissances anglaises pour nous procurer des munitions *et des forces imposantes de troupes de ligne.* D'ELBÉE, SAPINAUD, quartier général de Saint-Fulgent. »

Sur un autre point de la Vendée, le chevalier de La Roche Saint-André écrit, dans une lettre du 8 avril : « Que les comités royalistes ont décidé qu'il irait demander *secours* en Espagne. »

Nous ne faisons aucun doute qu'en retour de ces demandes, les Vendéens n'aient reçu, ce qui passait le plus aisément, de l'or et de faux assignats.

M. Pitt ne se souciait nullement d'envoyer des hommes. Il croyait, non sans raison, que la vue des habits rouges pouvait produire d'étranges effets sur l'esprit des Vendéens, créer entre eux de grandes mésintelligences, les préparer peut-être à se rapprocher des républicains.

On s'ignorait tellement les uns les autres que, par un double malentendu, Pitt croyait la Vendée girondine, et la Convention croyait que Nantes était royaliste.

Pitt s'obstinait donc. Ses messagers, à la fin d'août, puis en novembre, disaient : « Si vous êtes royalistes, si le pays est royaliste, qu'on nous donne un port comme gage et facilité de descente. »

Si les Vendéens eussent pris Nantes, ils devenaient, en réalité, les maîtres de la situation. Un si grand événement leur eût donné à la fois la mer, la Loire, plusieurs départements, un vrai royaume d'Ouest. La Bretagne royaliste eût secoué la girondine, qui la comprimait, et la Normandie peut-être eût suivi. Les Anglais arrivaient alors, mais comme un accessoire utile, comme auxiliaires subordonnés.

Jules Michelet, *Ibid.*,
livre XI, chap. V.

Texte 11

UNE GUERRE DE RELIGION
LA VENDÉE
EN QUOI DIFFÉRAIENT LES DEUX FANATISMES

Les soulèvements de Lyon, Marseille, Toulon avaient été purement politiques; la révolte de la Vendée fut religieuse, et la différence ne tarda pas à se montrer. Lyon, une fois bloqué, le 25 août, cessa d'être redoutable. L'insurrection n'avait qu'une tête, et la Convention put la saisir; la ville se rendit le 9 octobre. Marseille avait été prise le 23 août. A Toulon, quand le jeune commandant d'artillerie Bonaparte eut mis le doigt sur la carte, au point d'attaque, la ville tomba; le fantôme de la royauté du Midi disparut. Les mitraillades de Fouché, Collot d'Herbois, Fréron, Barras, vinrent après le péril et le firent paraître plus grand.

Tout est différent en Vendée : la guerre n'y est pas renfermée en des murailles; elle n'a pas une capitale; au contraire, elle est partout ailleurs que dans les villes. Où est un Vendéen, enfant, homme, vieillard, là est un soldat, un ennemi. Aucune des règles de l'ancien art militaire ne s'applique à cette guerre nouvelle; car les armes principales sont des prières dans les églises écartées, des chapelets à la boutonnière, des sacrés-cœurs cousus aux habits; ce sont encore des processions nocturnes, des rassemblements dans les bois, des serments de ne plus obéir au recrutement, des récits de miracles, des voix secrètes d'en haut qui appellent toute une population à se lever, des conspirations cachées derrière l'autel de chaque hameau. Les prêtres officient, en plein air, dans les bruyères ou les marais. Vous diriez un soulèvement d'anciens Gaulois à la voix des Druides.

Les paysans s'arment les premiers. La noblesse était encore incertaine dans ses châteaux, quand ils vinrent la sommer de se déclarer. Ce sont des villageois qui entraînent les Lescure, les Larochejaquelein, les Bonchamp, les d'Elbée, les Charette. Contraste digne de remarque : du côté des révolutionnaires, les classes supérieures avaient poussé le peuple; chez les Vendéens, c'est le peuple qui pousse les classes supérieures.

Napoléon préféra donner sa démission plutôt que de faire la guerre en Vendée. Pourquoi? Il ne voyait point dans ces guerres la possibilité de développer la grande stratégie, la géométrie militaire qui fermentait dans sa tête. C'était un cas particulier qui pouvait déconcerter l'art nouveau. Dans cette Iliade rustique, bocagère, pleine d'embûches, toujours ramenée aux mêmes villages, tournant dans le cercle des mêmes horizons, entre Machecoul, Montaigu, Chollet, Châtillon, Fontenay, il y avait des pièges pour la gloire. Que serait-il arrivé si celle de Napoléon Bonaparte eût trébuché dès les premiers pas entre deux haies, dans les sabots sanglants d'un paysan de Vendée?

Le plus pieux, le plus humble, est leur premier général. C'est le voiturier colporteur Cathelineau, le saint d'Anjou. Il pétrissait son pain quand il prit le commandement. Du 10 au 14 mars, il s'empare de Saint-Florent, de Chemillé. Un garde-chasse, Stofflet, lui amène deux mille paysans; Foret, ancien domestique, sept cents. A la tête de cette foule, armée de faux, de faucilles, de bâtons et de quelques fusils, Cathelineau marche sur Chollet, la première ville du Bocage. Il l'attaque; les femmes tombent à genoux et prient au loin dans les champs, dans les bois, pendant les combats. De chaque partie du territoire s'élève un vœu, un cri de haine.

Cathelineau a trouvé, dans Chollet, un canon ciselé; les paysans le baptisent du nom de Marie-Jeanne, le couvrent de rubans et de fleurs. Ce sera pour eux une relique sacrée, gage de la victoire. Autour de ce palladium sont réunis déjà plus de vingt mille combattants, ce qu'on appellera la grande armée. Le lendemain, tout a disparu. Chacun a regagné sa chaumière, car la semaine de Pâques est arrivée; il n'est pas un seul de ces soldats qui ne veuille aller communier dans son église natale.

La piété fait ainsi la meilleure partie de leur tactique. Si leurs adversaires, les Bleus, viennent pour les cerner, ils ne trouveront personne. Chacun, par d'étroites clairières, aura regagné sa métairie; mais dans une campagne de trois jours les paysans ont eu le sentiment de leur force. Il ne faut qu'un signal porté en secret par un enfant, une femme, pour qu'ils se réunissent de nouveau en plus grand nombre. Ainsi, la grande armée, comme au temps de la Ligue, se forme, marche, combat, s'évanouit pour reparaître en moins d'une semaine.

Que peuvent contre elle toutes les combinaisons de la stratégie? Cette armée n'a pas besoin de magasins; chaque soldat a près de lui son approvisionnement dans son gîte. Elle n'a pas besoin de se ménager des lignes de retraite. Son moyen le plus sûr est de se disperser volontairement; les sentiers les plus opposés la conduisent à son but. Point d'hôpitaux; toutes les chaumières en tiennent lieu.

Lorsqu'il faut combattre, ils y sont préparés; car il est impossible de les y forcer. Alors la contrée entière combat avec eux, naturellement retranchés derrière de larges fossés, d'épaisses haies d'où ils font un feu plongeant et sûr; ils précèdent chaque coup de fusil d'un signe de croix. Dans le bas Poitou et le Marais, de nombreux canaux les protègent.

Appuyés sur une longue perche, ils s'élancent d'un bord à l'autre, ou ils se dérobent dans leurs ioles.

Qu'on se représente au milieu de cette contrée soulevée quinze mille soldats républicains dispersés par petits détachements. Pour eux tout est surprise : tant de haines imprévues, une manière de combattre si nouvelle, un acharnement si inconcevable à repousser leurs bienfaits! Aucun d'eux n'avait supposé qu'une ancienne religion, tenue pour surannée, eût une telle puissance. La Convention elle-même ne l'avait pas imaginé. Toute la France fut lente à croire qu'une guerre religieuse fût encore possible au dix-huitième siècle; aussi les secours arrivèrent-ils trop tard. Cependant les républicains ne s'effrayèrent pas de leur petit nombre. Aux invocations des saints, aux rites, aux offices dans les bois, aux sermons nocturnes, entremêlés de fusillades, au tocsin, au *Te Deum*, ils opposent *la Marseillaise*.

On vit ainsi deux fanatismes aux prises, dont l'un renfermait une religion antique et l'autre une idole de la liberté qui attendait tout de l'avenir.

Dans cette guerre religieuse, les républicains ne songeaient point à arracher aux Vendéens leur religion; et ils leur faisaient autant de mal que s'ils eussent voulu la leur ôter.

D'autre part, les Vendéens n'étaient point ennemis de l'égalité civile des républicains; pourtant ils les exécraient comme s'ils eussent différé en toutes choses.

Rien ne fut capable d'arrêter le premier élan de cette armée de paysans commandée par un paysan. Les campagnes leur appartenaient; ils s'emparent des villes. Quoique gagnées à la Révolution, elles n'allèrent pas jusqu'à résister à outrance à l'armée catholique. Les paysans entrent dans Thouars, Parthenay, Fontenay, Vihiers, Doué, Montreuil; ils prirent même Saumur et Angers. Napoléon a écrit que si les Vendéens, à ce moment, eussent marché sur Paris, la République eût été perdue. J'ai bien de la peine à le croire. Dans leur propre pays, ils n'enlevaient que des villes qui ne faisaient point de défense; encore, dans chacune d'elles, étaient-ils abandonnés par une partie des leurs, impatients de retourner au village. Comment supposer qu'après une longue marche à travers les départements où tout leur eût été hostile, ils se fussent si aisément emparés de la capitale?

Jusque-là, cette armée, comme un essaim, avait tourbillonné sur elle-même. Soudain, elle se dirige sur Nantes.

C'était d'un seul coup tendre la main à l'Angleterre, porter la Vendée sans la quitter dans le nord de la France. L'insurrection, en gardant ses racines innombrables, aurait eu une tête puissante ; il est difficile de dire combien la guerre eût été plus redoutable à la Révolution. Charette attaque par la rive gauche de la Loire, Cathelineau par la rive droite ; il arrivait déjà sur la place Viarme quand il a le bras cassé d'une balle. Les paysans, voyant couler le sang du saint d'Anjou, désespèrent de la victoire. Sans doute aussi les bonnes dispositions du chef des républicains, le général Canclaux, et le courage des troupes contribuèrent à la fuite de l'armée catholique. Nantes est sauvée ; une occasion si grande pour les Vendéens ne se retrouvera plus. Ils auront des armées plus nombreuses, les esprits seront plus acharnés, le sang coulera avec plus de fureur ; mais le terrain manquera à la conquête, la victoire ne saura où se poser. Les Vendéens rentrent dans leurs repaires du Bocage et du Marais ; ils y commencent la guerre de partisans.

Cependant la Convention a compris ce qu'il en coûte d'avoir une religion pour ennemie. Les renforts arrivent de tous côtés aux républicains. Rendue libre par la capitulation de juillet, cette fameuse garnison de Mayence, d'abord honnie, puis exaltée par les clubs, accourt en poste. Déjà la Convention avait eu l'idée d'opposer aux généraux paysans de la Vendée, à Cathelineau, Stofflet, Forestier, des généraux républicains pris dans le peuple, Rossignol, Santerre et bientôt Léchelle. Mais cette égalité militaire que les royalistes acceptaient dans leurs rangs, fut repoussée des républicains comme un scandale et une indiscipline. Les généraux improvisés, au lieu de recevoir l'appui des autres chefs, ne recueillirent que soupçons ou injures. Cette contradiction entre l'esprit d'égalité dans les rangs des Vendéens et la susceptibilité hautaine dans ceux des républicains, n'est pas un des moindres sujets d'étonnement dans cette guerre qui en a fait voir tant d'autres.

Singulière surprise pour les soldats de fer de Mayence que de se voir arrêtés dès le commencement, à Mortagne, à Torfou, par les paysans de Stofflet et d'Elbée ! Le grand Kléber surtout s'en indigna ; il rejeta sa défaite sur Rossignol et Santerre. Il est probable que même ces invincibles Mayençais eurent besoin de faire quelque apprentissage d'une guerre si nouvelle. Le vaste plan qui consistait à prendre les Vendéens entre les deux armées sorties l'une de

Nantes et l'autre de Saumur, était en soi trop difficile, trop étranger aux conditions de la Vendée, pour qu'il soit besoin d'expliquer les premiers échecs par la trahison ou la lâcheté. Mais les incidents de la guerre se reproduisaient dans la Convention ; chaque défaite est reprochée à chaque parti, suivant le général qui commande. Après les morts, ce sont les factions qui combattent.

Dans les guerres les plus célèbres, il y a une direction pour les armées ; victorieuses ou vaincues, elles avancent ou reculent, et le récit marche avec elles. Ici, c'est une mêlée qui dure non pas un jour, mais des années ; dans cette mêlée ce ne sont pas seulement des individus, comme dans Homère, ce sont des armées qui se prennent corps à corps ; elles périssent pour renaître toujours à la même place ; la même bataille perdue la veille est regagnée le lendemain. Point de droite ou de gauche. La Vendée est un vaste cercle qui fait face partout. À certains jours les Mayençais ouvrent une trouée au milieu de l'incendie et du carnage ; puis le cercle se reforme, les républicains sont rejetés. Ni victoire, ni défaite n'est durable, l'atrocité de la lutte persiste seule. Les fuyards, les blessés sont assommés par les femmes, les enfants. Le plus élégant des gentilshommes, le plus gracieux, M. de Marigny, égorge de sa main les prisonniers. Pendant six mois, dans cette enceinte de l'Anjou et du haut Poitou, les Français, impuissants contre des Français, ne purent que s'entre-tuer, tant le courage, l'instinct naturel de la guerre, et même le fanatisme sont égaux des deux côtés.

Chez les Vendéens, les prêtres vouent leurs fuyards à l'enfer ; chez les républicains, la Convention voue les siens à l'échafaud. Santerre est défait à Coron ; Kléber à Torfou. Cent cinquante mille républicains se fondent dans cette bataille de six mois, et il n'y a encore pour personne un pouce de terrain assuré. Au milieu de ce tourbillon s'élèvent les figures de Kléber, de Marceau, d'Aubert-Dubayet. Merlin de Thionville arrive presque à leur hauteur. Parmi les Vendéens, le jeune Henri de la Rochejaquelein, Lescure, d'Elbée, Stofflet, Bonchamp ; au loin, dans le bas Poitou, Charette auquel on a refusé une part de butin (quelques centaines de souliers), se venge en se tenant à l'écart. Il semble trahir la cause pour laquelle il se bat avec acharnement ; car il hait tous ceux auxquels il ne commande pas.

Dans cette confusion inextricable, si vous cherchez un

plan militaire, quelque chose de semblable à la stratégie moderne, voici ce que vous finissez par apercevoir : c'est une espèce de battue à travers les bois, qui refoule devant elle tout ce qui a vie. Par deux côtés principaux, par Nantes et par Saumur, les Vendéens sont rejetés les uns sur les autres ; au midi, vers Niort, Westermann les empêche de sortir de l'enceinte de fer et de feu. Souvent cette stratégie est renversée ; il ne reste alors que les traces du carnage, les villes, les villages en flammes, et le désir mutuel d'extermination.

Cependant la grande armée royale est réunie à Cholet ; enveloppée, elle y combat deux jours avec désespoir. Ses principaux chefs, Lescure, Bonchamp, d'Elbée, sont blessés mortellement. Une seule issue reste pour la retraite, la Loire. Tous s'y précipitent par une marche de nuit. Kléber, Marceau, n'avaient qu'à étendre la main pour les noyer dans le fleuve. Mais les républicains ont eux-mêmes à panser leurs blessures. Chose extraordinaire, s'il pouvait y avoir matière à s'étonner dans une guerre où tout est surprise, ils laissent trois jours aux Vendéens pour se transporter sur l'autre rive. Peut-être craignirent-ils l'effet du désespoir chez des hommes qu'ils apprenaient enfin à connaître. Peut-être aussi jugèrent-ils que c'était une victoire suffisante d'avoir ôté la Vendée aux Vendéens.

En effet, rien de plus lamentable que le passage de la Loire par ce peuple qui a été comparé aux Hébreux chassés d'Égypte. Depuis le temps des migrations des barbares, pareil spectacle ne s'était pas présenté en Europe. Les femmes, les enfants, même les troupeaux mêlés aux combattants, sur une ligne de quatre lieues de long ; une multitude éperdue, sanglante, assise sur les deux rives et poussant des cris de douleur ou de joie, suivant qu'ils avaient perdu ou qu'ils retrouvaient leur famille ou leurs compagnons ; les lamentations des blessés, les prières des agonisants, les sermons des prêtres mêlés à la fusillade lointaine, aux cris des rameurs, au murmure du fleuve autour des îles, tout cela, dit un survivant de cette scène, nous reportait en esprit au jour du jugement dernier. Des paroisses entières fuyaient ; et pour cette multitude de quatre-vingt mille hommes, il n'y avait qu'une vingtaine de petites barques. On s'attendait, à chaque minute, à voir déboucher les Bleus. Bonchamp expire en touchant l'autre bord. Lescure, porté sur un fauteuil de paille, est mourant ; Henri de la Rochejaquelein le remplace dans le commandement.

La véritable raison qui porta l'armée vendéenne à passer la Loire fut la nécessité. Il fallait mettre le fleuve entre elle et des vainqueurs impitoyables ; mouvement naturel d'une armée cernée qui s'échappe par la seule issue restée ouverte. Mais les chefs qui survivaient trouvèrent promptement dans ce désastre un motif d'espérer. Ils disaient que l'on quittait un pays épuisé de batailles, que l'on toucherait sur l'autre bord une terre neuve encore pour la guerre civile. La Bretagne surtout n'attendait que le signal. On y trouverait une seconde Vendée, qui profiterait des victoires et des revers de la première ; il y en avait même, comme le prince de Talmont, qui pensaient que c'était là le chemin de Paris. On laissait aux armées de Kléber, de Marceau, les villes et les villages en cendres du Poitou, de l'Anjou. Et quelle joie de se venger de tant d'incendies et de meurtres par l'incendie de la capitale et le meurtre de la Convention !

Personne ne prononçait le nom de retraite ; on allait chercher un plus grand champ de bataille. Dans les premiers jours, on ne savait encore si c'était aux Bas-Bretons ou aux Anglais que l'on tendrait d'abord la main. C'est aux Anglais que la préférence fut donnée. Les Vendéens se hâtent vers Granville. Ils devaient y trouver avec un port de mer un abri pour les femmes, les blessés, et la main puissante de l'Angleterre. Dès lors la Vendée se transforme. Jusque-là elle était restée française en déchirant la France ; elle devient anglaise de cœur en pleine sécurité de conscience. Aucun scrupule ne se montra ni dans les chefs ni dans l'armée ; l'idée vivante de patrie n'existait que parmi les révolutionnaires. L'ancien régime ne voyant la France que dans le roi, livrait sans remords une patrie qu'il ne reconnaissait plus : la haine était si aveugle que la cause catholique cherche son salut dans le peuple qui personnifie l'hérésie.

L'espoir d'attirer à eux l'Angleterre donne des ailes aux Vendéens ; ils courent on ne sait à quelle conquête. Les républicains les atteignent dans Laval ; ils croyaient avoir affaire à des fuyards. Les Vendéens se retournent contre les républicains, et les mènent tambour battant jusqu'à Château-Gonthier. C'est là que sont écrasés les Mayençais qui déjà s'étaient relevés, plus forts, de tant de désastres ; mais cette fois ils achèvent de disparaître. La Convention profite de leur petit nombre pour leur ôter leur nom et les fondre dans d'autres corps d'armée ; on craignait que, chez eux, le soldat ne primât déjà le citoyen.

Débarrassée de ses plus terribles adversaires, l'armée vendéenne prend neuf jours de repos dans Laval; puis, comme si elle était maîtresse de la France, elle court vers la basse Normandie. Elle traverse sans combats Mayenne, Fougères, Dol, et se jette enfin sur Granville. Une mer déserte, pas une voile à l'horizon, ce spectacle fut le premier châtiment de l'armée qui avait mis tout son espoir dans la flotte anglaise. Mais le caractère des Vendéens était de ne montrer jamais plus d'audace que lorsque tout semblait perdu.

Ils étaient encore trente mille. Armés de quelques échelles, les paysans tentent l'escalade avec fureur. Ils pénètrent dans les faubourgs, y mettent le feu; le jour et la nuit qui suivent, l'attaque continue; les regards se reportaient de l'assaut des murailles sur la haute mer, pour y chercher les secours attendus. Ces secours ne vinrent pas. Alors il fallut se retirer et reprendre cette même route que l'on venait de suivre.

Dans une situation aussi désastreuse, le découragement ne se montra encore nulle part. Les Vendéens étaient soutenus par l'espoir de revenir à la Loire, comme ils avaient été soutenus précédemment par celui d'atteindre la mer. A Dol, la retraite est fermée par les républicains. Les paysans errants, affamés, passent sur le corps des Bleus, en font un grand carnage, et vont chanter un *Te Deum* à Fougères. Partout, sur leur chemin, ils apprennent que les malades, les blessés qu'ils ont laissés après eux ont été fusillés. La nécessité de vaincre entre dans tous les cœurs. Enfin ils sont au terme de leurs vœux : ils ont atteint la Loire aux environs d'Angers, et de l'autre côté est la patrie vendéenne.

Mais c'est là que l'illusion tombe. L'impossibilité d'emporter des murailles se retrouve à Angers comme à Granville. Après un assaut de trente heures, il faut se retirer sans savoir où. Cette armée qui tourne sur elle-même, sans direction, dans un pays où tout reste neutre ou ennemi, était frappée à la tête; il ne s'agissait plus que de décider où elle devait périr. Elle marche sur Le Mans, et semble encore, en fuyant, menacer Paris; ce fut son dernier jour de témérité.

Marceau l'atteint au Mans; il lui tue quinze mille hommes. Qui n'eût cru que les restes allaient se débander? Mais non! comme si elle n'eût pu mourir, elle se relève pour marcher sur Laval; elle y rentre et va une dernière fois tenter de repasser la Loire. A Ancenis, elle revoit son fleuve sauveur. Ses deux chefs, Henri de Larochejaquelein et Stofflet, se jettent dans une barque et atteignent l'autre rive ; ils ne peuvent revenir.

L'armée errante, privée de ses généraux, réduite à dix mille hommes, traquée de tous côtés, marche sur Blain ; elle arrive à Savenay. C'est encore Marceau qui la suit. Elle périt enfin sous cette grande épée, mais d'un seul coup et tout entière, comme un seul homme. Les bois, les fermes éloignées recueillent quelques femmes traînant après elles leurs enfants, restes des quatre-vingt mille Vendéens qui, le 17 octobre, avaient passé la Loire.

Qui ne croirait que c'est fait pour toujours de la *révolte de l'Ouest?* mais que dire, au contraire, d'une guerre dans laquelle, après de semblables victoires, tout est à recommencer ?

Après Savenay, la France crut qu'il n'y avait plus de Vendée. Le général Turreau remplace Marceau, et trouve que rien n'est fait. Il organise ses douze colonnes infernales ; il les lance à travers l'Anjou, le Poitou, pour extirper ce qui a échappé à la guerre précédente. Sur cette terre nue d'habitants, on trouve encore, jusqu'en mai 1784, à livrer dix affaires générales, soixante combats. Pendant que Turreau établit ses camps retranchés, les représentants du peuple décrètent « que tous les habitants de la Vendée quitteront le pays ». Carrier est à Nantes ; il invente les noyades. La Convention le met à l'aise ; c'est l'extermination qu'elle ordonne.

Après ces fureurs, Turreau déclare que les moyens militaires ne suffisent plus, que « la *régénération* morale serait à désirer », qu'elle seule pourrait exécuter ce que le sabre et le fusil ne peuvent faire, qu'il faudrait, après tout, essayer de la « douceur ».

L'épée s'est usée ; elle demande grâce. Quelle chose incroyable ! La contrée est déserte, et il se trouve toujours des armées de paysans, des gens « étrangers au métier, des hordes impétueuses » pour livrer bataille et écraser les meilleurs militaires. Cette guerre est, pour eux, « l'écueil des talents et de la gloire ». Voilà ce que confesse Turreau. La conséquence qui nous reste à en tirer, c'est qu'une religion ne peut être extirpée que par une autre religion.

De nos jours, dans une guerre de même nature, le csar de Russie a employé un moyen bien puissant : il donne aux paysans de Pologne les terres des nobles, et personne ne réclame. Qu'eût-on dit si la Convention, usant d'un moyen de ce genre, eût distribué aux soldats vendéens rentrés en grâce les domaines de la noblesse vendéenne ? Quels cris de malédictions en Europe contre les conventionnels ! C'est alors qu'on les eût accusés de tous les crimes. L'idée ne leur vint pas de ce partage, qui seul peut-être eût résolu la question de la Vendée ; mais ce qui est licite et glorieux dans un csar eût été le dernier des forfaits chez des hommes de révolution.

Il arriva ainsi que l'on ne prit, ni dans la religion, ni dans la propriété, aucune mesure profonde, irrévocable. On fit des actions glorieuses, héroïques ; on les fit avec des pensées timides. De là, l'historien Niebuhr[1] remarquait déjà avec étonnement qu'en dépit des confiscations et des guerres civiles, la noblesse française a conservé la plus grande partie de ses terres ; un autre écrivain non moins autorisé ajoute qu'elle est aujourd'hui plus riche qu'en 89.

QU'UNE RELIGION PEUT SEULE VAINCRE UNE RELIGION. LES VAINQUEURS REVIENNENT À CELLE DES VAINCUS.

Ainsi se confirment, avec évidence, les idées contenues dans cet ouvrage.

La guerre de Vendée fut une guerre religieuse dans laquelle la religion positive n'était que d'un côté. Cela donna un tel désavantage aux républicains, qu'en dépit de leur héroïsme, ils arrivèrent à ce dénoûment étrange : tout vainqueurs qu'ils étaient, ils revinrent à la religion des vaincus ; c'est ce qu'ils furent obligés d'appeler triomphe et pacification.

On vit là que des idées vagues n'ont aucune prise sur des peuples liés à une foi positive. Vous pouvez les anéantir, mais non les convertir à la vérité nue.

D'ailleurs, l'extermination suppose, dans celui qui l'exerce, un principe absolu de croyance.

Quand Mahomet frappait du glaive, il présentait le Coran. Quand le duc d'Albe exterminait les Pays-Bas, certain de n'être renié dans aucune de ses cruautés, il avait le pape derrière lui. Mais où était le Coran de Carrier ? où était son pape ? Il avait beau exterminer les prêtres ; der-

1. *Histoire romaine*, t. III, p. 374.

rière lui, Danton se mariait devant un prêtre insermenté. Robespierre soutenait le bas clergé. La Convention proclamait en principe la liberté de ceux qu'elle faisait égorger. Une telle contradiction, si monstrueuse, eût pu durer des siècles sans rien produire. Que l'on remplisse d'eau ou de sang le tonneau des Danaïdes, qu'importe ? c'est le même enfer du vide.

Carrier reste exécrable et il a laissé debout tout ce qu'il a cru engloutir. En dépit de ses noyades, combien il est loin de la vertu des cent mille échafauds du duc d'Albe !

En résumé, qui a vaincu ? Est-ce la Vendée ? Est-ce la Révolution ? Cette question étonne. La surprise augmente quand on voit quelle réponse elle appelle.

La Terreur n'a pu réduire les Vendéens ; elle n'a pas même obtenu de trêve. La pacification n'est devenue réelle que lorsqu'on a accordé aux Vendéens et aux Chouans ce qu'ils demandaient, l'ancien régime dans la religion. Les prêtres réfractaires, en pleine révolte avec les choses nouvelles, ont dû être laissés pour guides et tuteurs du peuple.

Hoche engage les généraux et les soldats de la Révolution à assister aux offices de ces mêmes prêtres qui avaient juré haine éternelle aux hommes et aux choses de 89. Par là, il est vrai, on obtint la paix ; ce moyen, sinon le plus honorable, fut au moins le plus politique et le seul efficace. Mais, dans la réalité, où étaient les vainqueurs ?

Les révolutionnaires n'obtinrent un triomphe apparent qu'en renonçant à leurs propres idées pour se plier à celles de leurs adversaires ; ce qui semble marquer que le catholicisme n'aurait pu être vaincu que par une autre forme du christianisme.

La Révolution n'aurait pu entamer l'ancienne religion qu'en lui opposant une autre foi positive. Mais cela étant impossible, tous les efforts de la France moderne et un demi-million d'hommes se consumèrent en vain ; ils ne réussirent qu'à montrer leur impuissance dans l'ordre des choses fondamentales.

Le sang des Cathelineau, des Stofflet n'a pas été versé inutilement ; les paysans de Vendée ont obtenu ce qui leur mit les armes à la main. Ils ont gagné pour leur postérité la suprématie, en fait, de leur religion, la domination réelle de leurs prêtres, de leurs autels ; ils les ont rétablis, non seulement pour eux, mais pour toute la France.

Au contraire, la religion de liberté de leurs adversaires républicains, les Kléber, les Marceau, les Quetineau, les

Merlin de Thionville, les Philippeaux, où est-elle? Où sont ses rites? Où sont ses autels, ses trophées? Elle a disparu des âmes plus encore que des choses.

Par là, l'historien peut être entraîné à dire, s'il s'arrête aux apparences, que ce sont les Vendéens qui ont vaincu, puisqu'ils ont sauvé ce qu'ils mettaient au-dessus de tout, et qu'au contraire leurs adversaires ont perdu la chose même pour laquelle ils combattaient.

Ce ne serait pas, en effet, répondre à la question posée plus haut de dire que les Bleus l'ont emporté puisqu'ils ont imposé l'égalité du Code civil; car il n'est pas un article de ces lois qui ait été une cause de guerre entre les uns et les autres.

Est-ce contre les principes du Code civil ou pénal, ou de commerce, ou de procédure que s'insurgeaient les paysans de Vendée? Nullement. Eux aussi étaient amoureux de l'égalité. Tel de leurs chefs, comme Jolly, détestait la noblesse. Charette ne reconnaissait d'autre hiérarchie que sa volonté; il tenait à l'écart, dans l'antichambre, Larochejaquelein vaincu et errant. « Nous voilà maintenant tous frères et sœurs », disaient les paysans à madame de Lescure.

Pour ménager cet esprit d'égalité, les Vendéens furent longtemps commandés par des hommes du peuple, ce qu'il fut presque impossible à la Convention d'obtenir de ses armées.

On vit ainsi cette contradiction : des armées royales obéissant à de simples paysans, vêtus encore de leurs costumes de labour, et des officiers républicains presque soulevés à la pensée d'avoir pour chefs un Santerre, un Rossignol, un Léchelle, qui, hier encore, n'avaient pas d'épaulettes; car c'est ce qu'on leur reprochait autant que leur incapacité. Il y avait loin de là aux Romains consolant l'imbécile Varron de sa défaite.

C'étaient de pauvres généraux; qui en doute? Mais ils eussent eu toutes les qualités nécessaires, l'emploi leur en eût été rendu presque impossible. Kléber, au lieu de les encourager, le prit sur eux avec une telle hauteur, que des hommes de génie même en eussent été embarrassés. Aucun mérite dans un chef civil ne trouvait grâce devant ce commencement de morgue militaire; par où l'on peut croire que Kléber et Marceau sont morts à temps pour leur gloire; ils sont restés les héros incomparables, étrangers à tous les jougs. Qui voudrait soutenir l'idée d'un Kléber et d'un Marceau maréchaux d'empire?

Il est bien visible aujourd'hui qu'aucune république n'est possible, ni même aucune liberté durable, avec une grande armée permanente où le civil est tenu en mépris. A ce point de vue, les Vendéens, en prenant tous leurs chefs dans le civil, étaient dans le plan d'une république ; leur armée a montré que, si elle ne valait rien pour la conquête, elle était admirable pour la défense de son territoire. L'armée républicaine contenait déjà les germes du militarisme qui a été le fléau caché dans toutes nos gloires. Mais le bras de fer de la Convention se leva à temps ; il empêcha ces germes d'éclore.

Edgar Quinet, *La Révolution*, livre XIII, chap. V et VI

IV. VARIATIONS SUR LES RÉVOLUTIONNAIRES

La littérature du XIX*e siècle abonde en textes d'histoire ou de fiction, ou mêlant les deux, relatifs à ou imprégnés par la Révolution et ses acteurs. On ne saurait proposer ici d'anthologie, fût-elle succincte. Contentons-nous d'articuler sommairement quelques pages prenant pour objet l'évocation plus ou moins directe et précise des grands chefs révolutionnaires. On remarquera, sous d'apparentes différences d'approche, le présupposé du déterminisme psychologique et sa combinaison avec l'événement. Force des choses, des caractères et des idéologies (textes 12, 13, 14, 15, 16, 17, 18, 19 et 20)?*

VIGNY

Dans Stello *(1832), Vigny fait raconter au Docteur Noir, tenant de l'« analyse », « une histoire de la Terreur » (entendons du temps de la Terreur). Fait pour le bénéfice du poète Stello, le récit devient vision dantesque et théâtrale, évoque de grandioses saturnales sataniques célébrant le culte de la Mort, formidable promotion et revanche des médiocres (texte 12).*

Texte 12

UNE HISTOIRE DE LA TERREUR

Quatre-vingt-quatorze sonnait à l'horloge du dix-huitième siècle, Quatre-vingt-quatorze, dont chaque minute fut sanglante et enflammée. L'an de Terreur frappait horriblement et lentement au gré de la terre et du ciel, qui l'écoutaient en silence. On aurait dit qu'une puissance, insaisissable comme un fantôme, passait et repassait parmi les hommes, tant leurs visages étaient pâles, leurs yeux égarés, leurs têtes ramassées entre leurs épaules reployées, comme pour les cacher et les défendre. — Cependant un caractère de grandeur et de gravité sombre était empreint sur tous ces fronts menacés et jusque sur la face des enfants ; c'était comme ce masque sublime que vous met la mort. Alors les hommes s'écartaient les uns des autres ou s'abordaient brusquement comme des combattants. Leur salut ressemblait à une attaque, leur bonjour à une injure, leur sourire à une convulsion, leur habillement aux haillons d'un mendiant, leur coiffure à une guenille trempée dans le sang, leurs réunions à des émeutes, leurs familles à des repaires d'animaux mauvais et défiants, leur éloquence aux cris des halles, leurs amours aux orgies bohémiennes, leurs cérémonies publiques à de vieilles tragédies romaines manquées sur des tréteaux de province ; leurs guerres à des migrations de peuples sauvages et misérables, les noms du temps à des parodies poissardes.

Mais tout cela était grand, parce que, dans la cohue républicaine, si tout homme jouait au pouvoir, tout homme du moins jetait sa tête au jeu.

Pour cela seul, je vous parlerai des hommes de ce temps-là plus gravement que je n'ai fait des autres. Si mon premier langage était scintillant et musqué comme l'épée de bal et la poudre, si le second était pédantesque et prolongé comme la perruque et la queue d'un alderman, je sens que ma parole doit être ici forte et brève comme le coup d'une hache qui sort fumante d'une tête tranchée.

Au temps dont je veux parler, la Démocratie régnait. Les Décemvirs, dont le premier fut Robespierre, allaient achever leur règne de trois mois. Ils avaient fauché autour d'eux toutes les idées contraires à celle de la Terreur. Sur l'échafaud des Girondins ils avaient abattu les idées d'*amour pur de la liberté* ; sur celui des Hébertistes, les idées du *culte de la raison* unies à l'*obscénité* montagnarde et *républicaniste* ; sur l'échafaud de Danton ils avaient tranché la dernière pensée de *modération* ; restait donc LA TERREUR. Elle donna son nom à l'époque.

Le Comité de salut public marchait librement sur sa grande route, l'élargissant avec la guillotine. Robespierre et Saint-Just menaient la machine roulante : l'un la traînait en jouant le grand prêtre, l'autre la poussait en jouant le prophète *apocalyptique*.

Comme la Mort, fille de Satan, l'épouvante lui-même, la Terreur, leur fille, s'était retournée contre eux et les pressait de son aiguillon. Oui, c'étaient leurs effrois de chaque nuit qui faisaient leurs horreurs de chaque jour.

Tout à l'heure, monsieur, je vous prendrai par la main et je vous ferai descendre avec moi dans les ténèbres de leur cœur ; je tiendrai devant vos yeux le flambeau dont les yeux faibles détestent la lumière, l'inexorable flambeau de Machiavel, et dans ces cœurs troublés vous verrez clairement et distinctement naître et mourir des sentiments immondes, nés, à mon sens, de leur situation dans les événements et de la faiblesse de leur organisation incomplète, plus que d'une aveugle perversité dont leurs noms porteront toujours la honte et resteront les synonymes.

Ici Stello regarda le Docteur Noir avec l'expression d'une grande surprise. L'autre continua :

— C'est une doctrine qui m'est particulière, monsieur, qu'il n'y a ni héros ni monstre. — Les enfants seuls doivent se servir de ces mots-là. — Vous êtes surpris de me voir ici de votre avis, c'est que j'y suis arrivé par le raisonnement lucide, comme vous par le sentiment aveugle. Cette différence seule est entre nous, que votre cœur vous inspire, pour ceux que les hommes qualifient de *monstres*, une profonde pitié, et ma tête me donne pour eux un profond mépris. C'est un mépris glacial, pareil à celui du passant qui écrase la limace. Car, s'il n'y a de monstres qu'aux cabinets anatomiques, toujours y a-t-il de si misérables créatures, tellement livrées, et si brutalement, à des instincts obscurs et bas, tellement poussées, sous le vent de leur sottise, par le vent de la sottise d'autrui, tellement enivrées, étourdies et abruties du sentiment faux de leur propre valeur et de leurs droits établis on ne sait sur quoi, que je ne me sens ni rire ni larmes pour eux, mais seulement le dégoût qu'inspire le spectacle d'une nature manquée.

Les Terroristes sont de ces gens qui souvent m'ont fait ainsi détourner la vue; mais aujourd'hui je l'y ramène pour vous, cette vue attentive et patiente que rien ne détournera de leurs cadavres jusqu'à ce que nous y ayons tout observé, jusqu'aux os du squelette.

Il n'y a pas d'année qui ait fait autant de théories sur ces hommes que n'en fait cette année 1832 en un seul de ses jours, parce qu'il n'y a pas d'époque où plus grand nombre de gens ait nourri plus d'espérances et amassé plus de probabilités de leur ressembler et de les imiter.

C'est en effet une chose toute commode aux médiocrités qu'un temps de révolution. Alors que le beuglement de la voix étouffe l'expression pure de la pensée, que la hauteur de la taille est plus prisée que la grandeur du caractère, que la harangue sur la borne fait taire l'éloquence à la tribune, que l'injure des feuilles publiques voile momentanément la sagesse durable des livres; quand un scandale de la rue fait une petite gloire et un petit nom; quand les ambitieux centenaires feignent, pour les piper, d'écouter les écoliers imberbes qui les endoctrinent; quand l'enfant se guinde sur le bout du pied pour prêcher les hommes; quand les grands noms sont secoués pêle-mêle dans des sacs de boue, et tirés à la loterie populaire par la main des pamphlétaires; quand les vieilles hontes de famille redeviennent des espèces d'honneurs, hérédité chère à bien des Capacités connues; quand les taches de sang font auréole au front, sur ma foi, c'est un bon temps!

A quelle médiocrité, s'il vous plaît, serait-il défendu de prendre un grain luisant de cette grappe du Pouvoir politique, fruit réputé si plein de richesse et de gloire? Quelle petite coterie ne peut devenir club? quel club, assemblée? quelle assemblée, comices? quels comices, sénat? et quel sénat ne peut régner? Et ont-ils pu régner sans qu'un homme y régnât? Et qu'a-t-il fallu? — Oser! — Ah! le beau mot que voilà! Quoi! c'est là tout? — Oui, tout! Ceux qui l'ont fait l'ont dit. — Courage donc, vides cerveaux, criez et courez! — Ainsi font-ils.

Mais l'habitude des synthèses a été prise dès longtemps par eux sur les bancs; on en a pour tout, on les attelle à tout : le sonnet a la sienne. Quand on veut user des morts, on peut bien leur prêter son système; chacun s'en fait un, bon ou mauvais ; selle à tous chevaux, il faut qu'elle aille. Monterez-vous le Comité de salut public ? Qu'il endosse la selle !

On a cru les membres de ce Comité farouche dévoués profondément aux intérêts du peuple et tout sacrifiant aux progrès de l'humanité, tout, jusqu'à leur sensibilité naturelle, tout, jusqu'à l'avenir de leur nom, qu'ils vouaient sciemment à l'exécration. – Système de l'année, à son usage.

Il est vrai qu'on les a presque dits aussi hydrophobes. – On les a peints comme décidés à raser de la surface de la terre toutes les têtes dont les yeux avaient vu la monarchie, et gouvernant tout exprès pour se donner la joie d'égorger. – Système de trembleurs surannés.

On leur a construit un projet édifiant d'adoucissement successif dans leur pouvoir, de confiance dans le règne de la vertu, de conviction dans la moralité de leurs crimes. – Système d'honnêtes enfants qui n'ont que du blanc et du noir devant les yeux, ne rêvent qu'anges ou démons et ne savent pas quel incroyable nombre de masques hypocrites de toute forme, de toute couleur, de toute taille, peuvent cacher les traits des hommes qui ont passé l'âge des passions dévouées et se sont livrés sans réserve aux passions égoïstes.

Il s'en trouve qui, plus forts, font à ces gens l'honneur de leur supposer une doctrine religieuse. Ils disent :

S'ils étaient Athées et Matérialistes, peu leur importait : un meurtre impuni ne faisait qu'écraser, selon leur foi, une chose agissante.

S'ils étaient Panthéistes, peu leur importait-il, puisqu'ils ne faisaient qu'une transformation selon leur foi.

Reste donc le cas fort douteux où ils eussent été Chrétiens sincères, et alors la condamnation était réservée pour eux-mêmes, et le salut et l'indulgence pour la victime. A ce compte, il y aurait encore dévouement et service rendu à ses ennemis.

O Paradoxes ! que j'aime à vous voir sauter dans le cerceau !

– Et vous, que dites-vous ? interrompit Stello, passionnément attentif.

– Et moi, je vais chercher à suivre pas à pas les chemins de l'opinion publique relativement à eux.

La mort est pour les hommes le plus attachant spectacle parce qu'elle est le plus effrayant des mystères. Or, comme il est vrai qu'un sanglant dénouement suffit à illustrer quelque médiocre drame, à faire excuser ses défauts et vanter ses moindres beautés, de même l'histoire d'un homme public est illustrée aux yeux du vulgaire par les coups qu'il a portés et le grand nombre de morts qu'il a données, au point d'imprimer pour toujours je ne sais quel lâche respect de son nom. Dès lors, ce qu'il a osé faire d'atroce est attribué à quelque faculté surnaturelle qu'il posséda. Ayant fait peur à tant de gens, cela suppose une sorte de courage pour ceux qui ne savent pas combien de fois ce fut une lâcheté. Son nom étant une fois devenu synonyme d'Ogre, on lui sait gré de tout ce qui sort un peu des habitudes du bourreau. Si l'on trouve dans son histoire qu'il a souri à un petit enfant et qu'il a mis des bas de soie, cela devient trait de bonté et d'urbanité. En général, le Paradoxe nous plaît fort. Il heurte l'idée reçue, et rien n'appelle mieux l'attention sur le parleur ou l'écrivain. — De là les apologies paradoxales des grands tueurs de gens. — La Peur, éternelle reine des masses, ayant grossi, vous dis-je, ces personnages à tous les yeux, met tellement en lumière leurs moindres actes qu'il serait malheureux de n'y pas voir reluire quelque chose de passable. Dans l'un, ce fut tel plaidoyer hypocrite ; en l'autre, telle ébauche de système, tous deux donnant un faux air d'orateur et de législateur ; informes ouvrages où le style, empreint de la sécheresse et de la brusquerie du combat qui les enfantait, singe la concision et la fermeté du génie. Mais ces hommes gorgés de pouvoir et soûlés de sang dans leur inconcevable orgie politique, étaient médiocres et étroits dans leurs conceptions, médiocres et faux dans leurs œuvres, médiocres et bas dans leurs actions. — Ils n'eurent quelques moments d'éclat que par une sorte d'énergie fiévreuse, une rage de nerfs qui leur venait de leurs craintes d'équilibristes sur la corde, et surtout du sentiment qui avait comme remplacé leur âme, je veux dire l'*émotion continue de l'assassinat*.

Cette émotion, monsieur, poursuivit le Docteur en se croisant les jambes et prenant une prise de tabac plus à son aise, l'*émotion de l'assassinat* tient de la colère, de la peur et du spleen tout à la fois. Lorsqu'un suicidé s'est manqué, si vous ne lui liez les mains, il redouble (tout médecin le sait). Il en est de même de l'assassin, il croit se défaire d'un vengeur de son premier meurtre par un second, d'un vengeur du second par un troisième, et ainsi de suite pour sa vie entière s'il garde le Pouvoir (cette chose divine et sainte à jamais à ses yeux myopes!). Il opère alors sur une nation comme sur un corps qu'il croit gangrené : il coupe, il taille, il charpente. Il poursuit la tache noire, et cette tache, c'est son ombre, c'est le mépris et la haine qu'on a de lui : il la trouve partout. Dans son chagrin mélancolique et dans sa rage, il s'épuise à remplir une sorte de tonneau de sang percé par le fond, et c'est aussi là son enfer.

Voilà la maladie qu'avaient ces pauvres gens dont nous parlons, assez aimables du reste.

Je les ai, je crois, bien connus, comme vous allez voir par les choses que je vous conterai, et je ne haïssais pas leur conversation; elle était originale, il y avait du bon et du curieux surtout. Il faut qu'un homme voie un peu de tout pour bien savoir la vie vers la fin de la sienne — science bien utile au moment de s'en aller.

Toujours est-il que je les ai vus souvent et bien examinés; qu'ils n'avaient pas le pied fourchu, qu'ils n'avaient point de tête de tigre, de hyène et de loup, comme l'ont assuré d'illustres écrivains; ils se coiffaient, se rasaient, s'habillaient et déjeunaient. Il y en avait dont les femmes disaient : *Qu'il est bien!* Il y en avait plus encore dont on n'eût rien dit s'ils n'eussent rien été; et les plus laids ont ici d'honnêtes grammairiens et de polis diplomates qui les surpassent en airs féroces, et dont on dit : *Laideur spirituelle!* — Idées! idées en l'air! phrases de livres que toutes ces ressemblances animales! Les hommes sont partout et toujours de simples et faibles créatures plus ou moins ballottées et contrefaites par leur destinée. Seulement les plus forts ou les meilleurs se redressent contre elle et la façonnent à leur gré au lieu de se laisser pétrir par sa main capricieuse.

Les Terroristes se laissèrent platement entraîner à l'instinct absurde de la cruauté et aux nécessités dégoûtantes de leur position. Cela leur advint à cause de leur médiocrité, comme je l'ai dit.

Remarquez bien que, dans l'histoire du monde, tout homme régnant qui a manqué de grandeur personnelle a été forcé d'y suppléer en plaçant à sa droite le bourreau comme un ange gardien. Les pauvres Triumvirs dont nous parlons avaient profondément au cœur la conscience de leur dégradation morale. Chacun d'eux avait glissé dans une route meilleure, et chacun d'eux était quelque chose de manqué : l'un, avocat mauvais et plat; l'autre, médecin ignorant; l'autre, demi-philosophe; un autre, cul-de-jatte, envieux de tout homme debout et entier.

Intelligences confuses et mérites avortés de corps et d'âme, chacun d'eux savait donc quel était le mépris public pour lui, et ces rois honteux, craignant les regards, faisaient luire la hache pour les éblouir et les abaisser à terre.

Jusqu'au jour où ils avaient établi leur autorité triumvirale et décemvirale, leur ouvrage n'avait été qu'une critique continuelle, calomniatrice, hypocrite et toujours féroce des pouvoirs ou des influences précédentes. Dénonciateurs, accusateurs, destructeurs infatigables, ils avaient renversé la Montagne sur la Plaine, les Danton sur les Hébert, les Desmoulins sur les Vergniaud, en présentant toujours à la Multitude régnante la Méduse des conspirations, dont toute Multitude est épouvantée, la croyant cachée dans son sang et dans ses veines. Ainsi, selon leur dire, ils avaient tiré du corps social une sueur abondante, une sueur de sang; mais lorsqu'il fallut le mettre debout et le faire marcher, ils succombèrent à l'essai. Impuissants organisateurs, étourdis, pétrifiés par la solitude où ils se trouvèrent tout à coup, ils ne surent que recommencer à se combattre dans leur petit troupeau souverain. Tout haletants du combat, ils s'essayaient à griffonner quelque bout de système dont ils n'entrevoyaient même pas l'application probable : puis ils retournaient à la tâche plus facile de la monstrueuse saignée. Les trois mois de leur puissance souveraine furent pour eux comme le rêve d'une nuit de malade. Ils n'eurent pas la force d'y prendre le temps de penser. Et d'ailleurs, la Pensée, la Pensée calme, sainte, forte et pénétrante comme je la conçois, est une chose dont ils n'étaient plus dignes. — Elle ne descend pas dans l'homme qui a horreur de soi.

Ce qui leur restait d'idées pour leur usage dans la conversation, vous l'allez entendre, comme j'en eus moi-même l'occasion. L'ensemble de leur vie et les jugements qu'on en porte ne sont pas d'ailleurs ce qui m'occupe, mais toujours l'idée première de notre conversation, leurs dispositions envers les Poètes et tous les artistes de leur temps. Je les prends pour dernier exemple, et comme, après tout, ils furent la dernière expression du pouvoir Républicain-Démocratique, ils me seront un type excellent.

Je ne puis que gémir, avec les Républicains sincères et loyaux, du tort que tous ces hommes-là ont fait au beau nom latin de la *chose publique :* je conçois leur haine pour ces malheureux (âmes qui n'eurent pas une heure de paix), pour ces malheureux qui souillèrent aux yeux des nations leur forme gouvernementale favorite. Mais, en cherchant un peu, ne pourront-ils garder la *chose* avec un autre nom ? La langue est souple. J'en gémis, mais je n'y fus pour rien, je vous jure. — Je m'en lave les mains, lavez vos noms.

NODIER

Charles Nodier commence à faire paraître ses Souvenirs et portraits de la Révolution et de l'Empire *à partir de 1829. Robespierre y est peint à propos de l'éloquence révolutionnaire, et Nodier voit en lui l'exemple même de l'individu répondant aux besoins d'une époque (texte 13).*

Texte 13

Je n'hésite donc pas à répéter, malgré l'étrangeté de cette proposition, qu'il faut chercher peut-être dans les discours de Robespierre presque tout ce qu'il y avait de spiritualisme et de sentiments humains dans l'éloquence conventionnelle. En effet, à part quelques touchantes inspirations de Brissot auxquelles j'ai ailleurs rendu justice, et qui respirent une tendre et profonde mélancolie, ce n'est pas à la Gironde qu'il faut demander ce genre d'impressions qui descendent de haut. Essentiellement classique, elle ne se représente l'esprit de la nature que sous des formes matérielles. Son langage est l'expression élégante et forte de la philosophie et de la littérature du XVIIIe siècle, animées de toutes les ressources d'un beau génie qui réunit quelquefois la véhémence entraînante de Rousseau à la piquante ironie de Montesquieu ; mais il n'y a point de Dieu dans sa froide mythologie, et Robespierre accusait Guadet de n'avoir jamais entendu sans sourire le nom de la providence. Fauchet imprima bien un caractère religieux et solennel à quelques-uns de ses derniers discours ; mais ces discours n'appartiennent plus à la polémique révolutionnaire. Fauchet, frappé d'une illumination soudaine, et rappelé, comme saint Paul, par le Dieu qu'il avait persécuté, redevient, dans ces jours d'agonie qui précèdent son supplice, un orateur chrétien.

La question serait étrangement déplacée si je la mettais là. C'est comme si je m'occupais gravement d'établir quel fut le plus sincèrement dévot, de don Juan ou de Tartuffe, et je doute que la postérité s'avise jamais de s'en informer, quel que soit un jour le vaste loisir dont elle doit goûter les douceurs sous l'empire affermi de l'ordre légal et des libertés constitutionnelles.

Robespierre n'était nullement organisé en homme religieux, et son éducation sèchement philosophique n'avait certainement fait de lui qu'un athée ; mais les circonstances, en le portant sur un terrain tout à fait nouveau, le forcèrent à pénétrer dans les mystères de l'organisation des peuples. Sa popularité, acquise par deux grandes qualités de l'homme d'État, l'austérité des mœurs et le désintéressement le plus éprouvé lui donnaient le pouvoir presque sans son aveu, et pour assumer sur sa tête toute cette puissance qui régénère les nations, il n'avait plus besoin que de la faire écrire dans la loi. C'est alors qu'il rêva sans doute aux éléments essentiels des institutions politiques, et qu'en suivant les conséquences d'une ambition qu'il pouvait croire salutaire avec quelque motif, il arriva jusqu'à un Dieu. Une fois cette pensée acquise, il dut sentir intimement que la civilisation recommençait, et la France répondit à cette révélation de son cœur par un cri de joieunanime.

Les orgies scandaleuses des athées, le mythisme impur et dégoûtant des fêtes de la Raison, les stupides emblèmes de cette idolâtrie absurde qu'on essayait de substituer à des traditions au moins respectables par leur ancienneté, toutes les extravagances d'un temps extravagant parmi tous les temps avaient ouvert à Robespierre les avenues d'un trône. Médiocre peut-être, mais exhaussé par l'opinion et les événements, il comprit les avantages de sa position et de sa fortune, comme Bonaparte dut les comprendre un peu plus tard. Robespierre n'était pas parvenu au temps de souscrire un concordat avec le pape ; il le fit avec le ciel ; il rendit la France à Dieu pour la prendre, et ce charlatanisme solennel, renouvelé de tous les voleurs de couronnes des temps anciens et modernes, n'eut pas moins de succès chez le peuple le plus perfectionné des temps modernes qu'il n'en avait eu chez les barbares des temps anciens. J'ai entendu souvent ridiculiser la déclaration du peuple français « qui reconnaissait l'Être Suprême et l'immortalité de l'âme ». J'avoue que, les dogmes admis, le côté bouffon de cette formule m'échappe tout à fait, et pour compléter ma pensée, j'ajoute que je la trouve très convenable et très belle. Seulement pour l'apprécier il faut prendre la peine de se transporter au temps. « Rien n'était plus. » C'est donc ici la pierre angulaire d'une société naissante. C'est le renouvellement d'un monde; c'est le cri de ce monde éclos d'un autre chaos, qui se rend compte de sa création, et qui en fait hommage à son auteur; l'élan de la société entière, le jour où elle a retrouvé les titres oubliés de sa destination éternelle. Quand on juge ces choses-là dans de petites circonstances, avec de petits organes dont les petites impressions se réfléchissent dans de petites âmes, on a peut-être le droit de trouver ridicule ce qui serait effectivement ridicule dans les temps ordinaires : mais telle n'était pas la situation de Robespierre. Au point où il était placé, et où il était venu sans le savoir, il fallait recommencer, et il recommençait en homme sensé, par le commencement.

Il y a plus. Rien ne prouve qu'il savait lui-même pourquoi il faisait ce qu'il faisait. Il obéissait à je ne sais quel instinct qui répond d'une manière inexplicable aux besoins d'une époque, et qui ne manque jamais au jour où il est indispensablement attendu. Il se trouve dans la masse d'individus la plus anti-sociale un esprit de socialité qui s'éveille à la décadence des nations, et qui recueille avec amour les débris de leur civilisation pour la refaire. Ce n'est pas une faveur spéciale de quelque organisation privilégiée, c'est une chance de conservation ou de réédification qui se reproduit éternellement dans l'espèce. Les circonstances font les hommes, et la plupart des hommes ne sont rien que par elles. Retirez la Révolution de l'histoire, et Robespierre ne sera très probablement qu'un avocat de province, tout au plus digne de l'Académie d'Arras; Bonaparte, qu'un excellent officier, hargneux, difficile à vivre, et d'assez mauvaise compagnie, qui couve inutilement un génie stérile. Jetez l'un et l'autre avec une impulsion invincible au milieu d'un monde ébranlé jusque dans ses fondements, et ce monde va changer de face.

Tout se ressentit de ce mouvement immense, et la parole de l'homme, qui est le signe essentiel de l'esprit social, s'en ressentit plus que tout le reste. Il y a une éloquence de temps, une éloquence d'événements, de passions et de sympathies, qui ressemble à celle du génie dans ses causes et dans ses effets, parce que son génie, à elle, réside dans la pensée universelle, et qu'elle ne jette pas un son du haut de la tribune qui n'aille exciter un long retentissement et un enthousiasme simultané dans l'âme de la multitude.

Je n'ai pas dissimulé que c'était là, tout au plus, l'éloquence de Robespierre, et cependant je conviens que son talent a grandi à mes yeux dans une proportion indéfinissable depuis que je l'ai comparé. La nature n'avait rien fait pour lui qui semblait le prédestiner aux succès de l'orateur. Qu'on s'imagine un homme assez petit, aux formes grêles, à la physionomie effilée, au front comprimé sur les côtés, comme une bête de proie, à la bouche longue, pâle et serrée, à la voix rauque dans le bas, fausse dans les tons élevés, et qui se convertissait, dans l'exaltation et la colère, en une espèce de glapissement assez semblable à celui des hyènes : voilà Robespierre. Ajoutez à cela l'attirail d'une coquetterie empesée, prude et boudeuse, et vous l'aurez presque tout entier. Ce qui caractérise l'âme, le regard, c'est en lui je ne sais quel trait pointu qui jaillit d'une prunelle fauve, entre deux paupières convulsivement rétractiles, et qui vous blesse en vous touchant. Vous devinez tout au plus au frémissement nerveux qui parcourt ses membres palpitants, au tic habituel qui tourmente les muscles de sa face, et qui leur prête spontanément l'expression du rire ou de la douleur, au tressaillement de ses doigts qui jouent sur la planche de la tribune comme sur les touches d'une épinette, que toute l'âme de cet homme est intéressée dans le sentiment qu'il veut communiquer, et qu'à force de s'identifier avec la passion qui le domine, il peut devenir, de temps en temps, grand et imposant comme elle. C'est une singulière méprise que d'avoir appelé Bonaparte « la Révolution incarnée ». Il n'y a rien de plus dissident dans toutes les combinaisons des événements et de la pensée. Bonaparte était tout simplement le despotisme incarné. La Révolution incarnée, c'est Robespierre avec son horrible bonne foi, sa naïveté de sang, et sa conscience pure et cruelle.

Les combinaisons de Robespierre devenu maître de la Terreur n'étaient pas même le calcul d'une ambition spéculative. Il avait senti que ce système ne pouvait pas durer, et il croyait sa main assez forte pour retenir le char de la Révolution sur la pente où il descendait dans l'abîme. Quant à s'en faire à lui un char d'ovation et de triomphe, je doute qu'il y ait pensé avec une grande puissance de résolution, puisqu'il ne profita point de la fête religieuse du 20 prairial pour franchir tout ce qui restait de barrières entre la dictature et lui.

J'ai le malheur d'être assez vieux pour me rappeler distinctement cette cérémonie, et j'étais, grâce au ciel, assez jeune pour en jouir sans mélange des terribles impressions de cette époque. Je n'y voyais qu'une pieuse solennité, à laquelle je portais toute l'effusion d'un cœur disposé à croire, et que l'idée de Dieu a toujours charmé, même dans ces moments d'amère déception où elle ne l'a pas convaincu. Jamais un jour d'été ne s'était levé plus pur sur notre horizon. Je n'ai trouvé que longtemps après, au midi et au levant de l'Europe, cette transparence de firmament à travers laquelle le regard semble pénétrer d'autres cieux. Le peuple y voyait du miracle, et s'imaginait qu'il y avait, dans cette magnificence inaccoutumée du ciel et du soleil, un gage certain de la réconciliation de Dieu avec la France. Les supplices avaient cessé, l'instrument de la mort avait disparu sous des tentures et des fleurs. Un bruit d'amnistie se répandait de tous côtés, et si Robespierre avait osé confirmer cette espérance, toutes les difficultés s'aplanissaient devant lui. Mais il s'enivra de la joie publique, et trop confiant dans cette faveur mobile, dont aucun homme ne fut investi au même degré, il remit peut-être à d'autres jours un projet dont l'exécution ne paraissait plus lui offrir aucun obstacle.

Il avait pourtant fait tous les frais de sa tentative, et la foule comprenait, sans s'étonner, qu'elle allait avoir un maître. C'était partout un instinct d'ordre qui faisait sentir à tout le monde le besoin de la sécurité, et sans doute celui d'un pouvoir modéré qui maintient la société avec sagesse dans des bornes légales. Il n'y avait pas une seule croisée de la ville qui ne fût pavoisée de son drapeau, pas un seul batelet de la rivière qui ne voguât sous des banderoles. La plus petite maison portait sa décoration de draperies ou de guirlandes; la plus petite rue était semée de fleurs, et, dans l'ivresse générale, les cris de haine et de mort s'étaient évanouis comme la dernière rumeur d'une tempête à l'aspect d'une matinée pacifique. On se rapprochait sans se connaître, on s'embrassait sans se nommer; les banquets publics servis dans les rues réunissaient le riche au pauvre, l'aristocrate au jacobin, et cette cohue énorme fut sans confusion, sans dispute, sans accident. Le repos était une nécessité si universelle ! Les uns avaient si grande hâte de jouir sans trouble de ce qu'ils avaient acquis ; les autres étaient si fatigués de douleurs et si altérés de consolations, le peuple si las d'émotions qui ne sont pas faites pour sa simple et sainte intelligence ! – Enfin le cortège arriva. C'était la première fois qu'on voyait les membres de la Convention astreints à un costume uniforme, et cette particularité, propre à la monarchie et aux gouvernements aristocratiques, pouvait passer pour une espèce de révélation. Léonard Bourdon avait presque de la tournure, et Armonville lui-même ne manquait pas d'une sorte de dignité. L'habit de cérémonie des conventionnels faisant la Fête-Dieu par l'ordre de Robespierre était bleu barbeau, noué de la ceinture tricolore. Leurs sabres, leurs chapeaux, leurs rubans, leurs panaches, la majesté affectée de leur marche processionnelle, ce mélange d'hiérophantisme et de patriciat sauvages, ces cris d'un peuple émerveillé, à qui l'on vient de rendre Dieu par décret, il faut avoir vu tout cela pour le croire, et pour comprendre que tout cela était très beau. Chaque député tenait un bouquet de fleurs. Robespierre portait seul un habit bleu foncé. Il avait un bouquet sur le cœur et un bouquet énorme à la main. Il lui était trop difficile de donner à sa morne physionomie l'expression du sourire, qui n'a peut-être jamais effleuré ses lèvres ; mais je me souviens qu'il tenait levés avec fierté sa tête blême et son front lisse, et que son œil, ordinairement voilé, exprimait quelque tendresse et quelque enthousiasme. Ce sont ces qualités qu'on lui conteste, même comme orateur, et dont j'ai dit qu'il restait des traces dans ses discours, surtout depuis l'époque dont je parle, et où il avait nécessairement compris la nécessité de rattacher la France révolutionnaire à la société européenne. Celui du 20 prairial est si connu, qu'il serait superflu d'en rapporter quelques fragments. C'est le seul qu'on ait jamais cité ; mais il y a dans les autres de beaux mouvements qui n'avaient jamais été exprimés avec cet air d'énergie et de nouveauté, et dont le développement ne manque pas, je pense, de ce mérite du style que notre délicatesse française fait passer avant toutes les autres puissances de la parole.

Voyez, par exemple, ce discours du 7 prairial, où il convoque la France aux pieds de l'Éternel auteur des choses, et où il supplie la République de rappeler parmi les mortels la liberté et la justice exilées. Il comprend cependant qu'il reste une ressource aux ennemis de la vérité, l'assassinat ! Et voilà ce mot qui se prolonge comme un refrain solennel à travers de magnifiques périodes à la manière d'Isnard et de Vergniaud.

« Eh bien ! ajoute-t-il, si vous voulez étouffer les factions, elles vous assassineront ! J'en conviens ; et nous n'avons pas fait entrer dans nos calculs l'avantage de vivre longuement. Ce n'est point pour vieillir que l'on déclare la guerre à tous les tyrans, et, ce qui est bien plus dangereux encore, à tous les crimes. Quel homme sur la terre a jamais défendu impunément les droits de l'humanité ?... Je trouve, au reste, pour mon compte, que la situation où les ennemis de la République m'ont placé n'est pas sans avantage ; plus la vie des défenseurs de la liberté est incertaine et précaire, plus ils sont indépendants de la méchanceté des hommes. Entouré de leurs complots et de leurs assassins, je vis d'avance dans le nouvel ordre de choses où ils veulent m'envoyer ; je ne tiens plus à mon existence passagère que par l'amour de la patrie et par la soif de la justice. Plus ils sont empressés de terminer ma carrière ici-bas, plus je sens le besoin de la remplir d'actions utiles au bonheur de mes semblables, et de laisser au moins au genre humain un testament dont la lecture fera pâlir les tyrans. »

Il faut avouer que nous aurions peu d'objections contre une pareille éloquence, si elle était scellée du timbre de l'antiquité, et honorée de l'approbation banale des rhéteurs. Ce que j'y remarque surtout, c'est ce sentiment de courageuse tristesse et de prévision tragique qui me paraît l'expression tout entière de l'époque, et dont je trouve cependant peu d'autres exemples dans les orateurs révolutionnaires.

Les esprits absolus qui ne veulent rien accorder à Robespierre ont été obligés de recourir à la supposition commune et commode d'un faiseur obligeant qui fournissait à ses travaux oratoires, et sans doute à ses improvisations, le fruit de quelques veilles éloquentes dont il n'a jamais trahi le secret. Robespierre avait pour secrétaire, à l'époque de sa mort, un jeune homme nommé Duplay, fils de son hôte le menuisier, et dont on prétend qu'il avait secrètement épousé la sœur. On l'appelait Duplay le boiteux, parce qu'il avait été grièvement blessé à Valmy, dans une des premières journées militaires de la Révolution. C'était un de ces esprits jeunes et fervents, en qui la fermentation des idées nouvelles avait hâté le développement de quelques facultés que toute autre époque aurait laissées stériles et méconnues ; mais rien n'a prouvé dans le reste de sa vie, et il a survécu de beaucoup à Robespierre, que la nature l'eût doué à un degré remarquable du talent de parler et d'écrire*. C'est d'ailleurs sur des lambeaux écrits en entier de la main de Robespierre, et qui avaient toute la soudaineté, tout l'abandon, tout le désordre même d'une composition hâtive, qu'a été imprimé le fameux discours du 8 thermidor, qui précéda la catastrophe de moins de vingt-quatre heures, et ce discours est certainement ce que Robespierre a laissé de plus remarquable. Il est surtout vraiment monumental, vraiment digne de l'histoire, en ce point qu'il révèle, d'une manière éclatante, les projets d'amnistie et les théories libérales et humaines qui devaient faire la base du gouvernement à venir, sous l'influence modératrice de Robespierre, si la terreur n'avait triomphé le 9 thermidor, et qui triomphèrent à leur tour, malgré ce sanglant coup d'État, parce que la nation, fatiguée d'oppression et de massacres, ne comprenait plus de coup d'État qui ne dût être le signal de son affranchissement.

« Je ne connais que deux partis », dit Robespierre, et il n'est pas inutile de rappeler aux lecteurs prévenus que c'est lui qui parle ainsi ; « je ne connais que deux partis, celui des bons et celui des mauvais citoyens... Le cœur flétri par l'expérience de tant de trahisons, je crois à la nécessité d'appeler la probité et tous les sentiments généreux au secours de la République. Je sens que partout où se rencontre un homme de bien, en quelque lieu qu'il soit assis, il faut lui tendre la main, et le serrer contre son cœur. Je crois à des circonstances fatales qui n'ont rien de commun avec les desseins criminels ; je crois à la détestable influence de l'intrigue, et surtout à la puissance sinistre de la calomnie... Ce sont les méchants seulement qu'il faut punir des crimes et des malheurs du monde... Ceux qui nous font la guerre ne sont-ils pas les apôtres de l'athéisme et de l'immoralité ?... Que m'importe qu'ils poursuivent l'aristocratie — s'ils assassinent la vertu ? »

Je continue à copier, et je m'y crois autorisé ; le dernier

* J'ai fait quelque part une mention moins avantageuse de Duplay, mais on m'a démontré que j'étais trompé par une confusion de noms, et rien ne me coûte moins que de me rétracter, quand je me trompe. C'est, au reste, sur des événements dont tous mes contemporains sont, autant que moi, les témoins et les juges, la seule inexactitude de faits qui m'ait été reprochée. (Nodier)

discours de Robespierre est devenu si rare, qu'il peut passer pour inédit.

« On veut, s'écrie-t-il, m'arracher la vie avec le droit de défendre le peuple ! Oh ! je leur abandonnerai ma vie sans regret. J'ai l'expérience du passé, je vois l'avenir ! Quel ami de la patrie peut survivre au moment où il n'est plus permis de la servir et de défendre l'innocence opprimée ?... Comment supporter le supplice de voir cette horrible succession de traîtres, plus ou moins habiles à cacher leurs âmes hideuses sous le voile de la vertu ou sous celui de l'amitié, et qui laisseront à la postérité l'embarras de décider lequel des persécuteurs de mon pays fut le plus lâche et le plus atroce ?... En voyant la multitude des crimes que le torrent de la Révolution a roulés pêle-mêle avec les vertus civiques, j'ai craint quelquefois, je l'avoue, d'être souillé aux yeux de l'avenir par le voisinage impur de tant de pervers, et je m'applaudis de voir la fureur des Verrès et des Catilina de mon pays tracer une profonde ligne de démarcation entre eux et les gens de bien. J'ai vu dans toutes les histoires les défenseurs de la liberté accablés par la calomnie, égorgés par les factions ; mais leurs oppresseurs sont morts aussi. Les bons et les méchants disparaissent de la terre, mais à des conditions différentes... Non, Chaumette, non, la mort n'est pas un sommeil éternel. La mort est le commencement de l'immortalité. »

Les probabilités de la haute fortune politique de Robespierre étaient changées. Il devait se défendre, le 8 thermidor, de ce plan, vrai ou faux, de dictature réparatrice qu'il aurait trouvé, six semaines auparavant, trop facile à exécuter. Sa réponse à cette accusation est un de ces modèles d'ironie spirituelle dont on citerait à peine l'équivalent dans les meilleurs discours de Mirabeau. Il n'y a rien nulle part de plus ingénieux, de plus fin et de plus noble à la fois.

« Quel terrible usage les ennemis de la République ont fait, dit-il, du seul nom d'une magistrature romaine ! Et si leur érudition nous est si fatale, que n'avons-nous pas à redouter de leurs intrigues et de leurs trésors ! Je ne parle pas de leurs armées. Mais qu'il me soit permis de renvoyer au duc d'York et à ses écrivains royaux les patentes de cette dignité ridicule qu'ils m'ont expédiées les premiers. Il y a trop d'insolence à des rois qui ne sont pas sûrs de conserver leurs couronnes, de s'arroger le droit d'en distribuer si largement. »

Ce trait sublime : « Je ne parle pas de leurs armées », est de la hauteur de Nicomède et de Corneille.

Le chant du cygne de Robespierre, ce long codicille *in articulo mortis*, ne manque pas, comme on voit, de beautés de style et de beautés de sentiment ; mais il est vague et mal ordonné, ce qui ne prouve rien à la vérité contre la logique de l'orateur, car on s'aperçoit qu'il a été composé d'un jet, et qu'il n'a pu être revu. C'est un plaidoyer improvisé en face de l'échafaud, et qui n'offre, au total, que la paraphrase diffuse, mais éloquente, d'une seule pensée.

« Eh quoi !... je n'aurais passé sur la terre que pour y laisser le nom d'un tyran !... un tyran !... Si je l'étais, ils ramperaient à mes pieds, je les gorgerais d'or, je leur assurerais le droit de commettre tous les crimes, et ils seraient reconnaissants !... Qui suis-je, moi que l'on accuse ? un esclave de la liberté, un martyr vivant de la République, la victime encore plus que le fléau du crime... Otez-moi ma conscience... je suis le plus malheureux de tous les hommes. »

Ces citations sont choisies dans les meilleures pages de Robespierre. Elles donnent sa mesure la plus large comme personnage politique et comme écrivain. Aussi la seule induction que je prétende en tirer, je le répète, c'est que Robespierre n'était pas tout à fait si nul qu'on l'a fait au gré des thermidoriens, et que la tribune a souvent retenti depuis d'accents moins imposants et de périodes moins sonores. Mais, encore une fois, il n'a jamais figuré qu'au second rang parmi les orateurs de la Montagne. Jusqu'au mois d'avril 1794, il y fut dominé de très haut par l'ascendant de Danton, l'homme à la voix stentorée, aux improvisations jaculatoires, aux idées abruptes, aux images fortement colorées, espèce de tribun voluptueux, dans lequel il y avait l'étoffe d'Aristippe et de Démosthène. Depuis la mise en accusation de Danton, la première place appartient à Saint-Just, écolier aventureux, qui était sorti tout formé du moule d'une révolution ; type unique chez les modernes du spartiate de Lycurgue et du légiste de Dracon ; âme stoïque et inflexible que la nature n'avait peut-être pas faite cruelle, mais qui ne répugnait pas à la rigueur et même à la cruauté, quand il s'agissait d'attester son impassibilité par quelque résolution féroce ; l'homme le plus puissamment organisé de cette partie de l'assemblée, et qui, séide fidèle et sincère de Robespierre, dont l'intègre et incorruptible austérité l'avait soumis, s'exerçait dans une carrière plus forte à la vocation de Mahomet.

Pour ne plus revenir sur cette question, dont je ne me

dissimule pas l'étrangeté ; pour me justifier de cette justification tout à fait relative d'un homme qu'on ne peut défendre de tout sans démence ; pour en finir avec la polémique excitée par cette hypothèse que j'ai hasardée le premier, et qui ne pouvait pas, à la vérité, être admise sans contestation, il suffit de reporter l'attention du lecteur sur la statistique et la physionomie morale de la Convention au 9 thermidor. Si la tyrannie méthodique, si la terreur organisée en système avaient un siège quelque part, c'était dans ces comités de gouvernement, depuis longtemps déjà désertés par Robespierre. L'attaque partit du sommet de la Montagne, et des hommes les plus aveuglément dévoués aux excès furieux de la démocratie en délire : de Billaud-Varennes, le lion des jacobins ; du farouche Collot d'Herbois, le plus cruel de leurs proconsuls ; d'Amar, de Vadier, de Voulland, de Legendre, de Fréron, ligue de furieux ou de malades, qui sauva la patrie sans le vouloir, et dont le seul but était d'exploiter la Révolution au profit de la dévastation et de la mort. Tels étaient les chefs de cet exécrable parti des thermidoriens, qui n'arrachait la France à Robespierre que pour la donner au bourreau, et qui, trompé dans ses sanguinaires espérances, a fini par la jeter à la tête d'un officier téméraire ; de cette faction à jamais odieuse devant l'histoire, qui a tué la République au cœur dans la personne de ses derniers défenseurs, pour se saisir sans partage du droit de décimer le peuple, et qui n'a pas même eu la force de profiter de ses crimes. Robespierre la connaissait si bien, qu'il dédaigna de lui adresser la parole, et que, se tournant vers une autre partie de l'assemblée, pure, mais mobile et méticuleuse, qui renfermait beaucoup de vertus privées et peu de forces politiques, il implora de cette majorité flottante l'appui des honnêtes gens. Elle ne répondit pas. Brutus, plus expert que Robespierre dans la science des révolutions, ne serait point tombé dans cette erreur. Il n'attendit rien de la vertu aux champs de Philippes ; il la nia, et livra son cœur au poignard amical de Straton. L'histoire montre partout quelle espèce de secours il y a lieu d'attendre des honnêtes gens dans les circonstances extrêmes comme celle-ci, où il ne s'agissait de rien moins que du triomphe de la tyrannie des comités sur la cause de l'humanité et la justice. Un chef de parti qui n'a plus de ressources que dans le dévouement et l'énergie de ce qu'on appelle les honnêtes gens, doit s'envelopper de son manteau et se brûler la cervelle.

LAMARTINE

Dans son Histoire des Girondins *(1847), Lamartine nous présente un Robespierre résumant à lui seul la Révolution, à la fois comme processus et dans son esprit le plus profond (texte 14).*

Texte 14

Dans l'ombre encore, et derrière les chefs de l'Assemblée nationale*, un homme, presque inconnu, commençait à se mouvoir, agité d'une pensée inquiète qui semblait lui interdire le silence et le repos; il tentait en toute occasion la parole et s'attaquait indifféremment à tous les orateurs, même à Mirabeau. Précipité de la tribune, il y remontait le lendemain; humilié par les sarcasmes, étouffé par les murmures, désavoué par tous les partis, disparaissant entre les grands athlètes qui fixaient l'attention publique, il était sans cesse vaincu, jamais lassé. On eût dit qu'un génie intime et prophétique lui révélait d'avance la vanité de tous ces talents, la toute-puissance de la volonté et de la patience, et qu'une voix entendue de lui seul lui disait dans l'âme : « Ces hommes qui te méprisent t'appartiennent; tous les détours de cette Révolution qui ne veut pas te voir viendront aboutir à toi, car tu t'es placé sur sa route comme l'inévitable excès auquel aboutit toute impulsion! » Cet homme, c'était Robespierre.

Il y a des abîmes qu'on n'ose pas sonder et des caractères qu'on ne veut pas approfondir, de peur d'y trouver trop de ténèbres et trop d'horreur; mais l'histoire, qui a l'œil impassible du temps, ne doit pas s'arrêter à ces terreurs, elle doit comprendre ce qu'elle se charge de raconter.

Maximilien Robespierre était né à Arras** d'une famille

* L'Assemblée Constituante.
** En 1758.

pauvre, honnête et respectée ; son père, mort en Allemagne, était d'origine anglaise. Cela explique ce qu'il y avait de puritain dans cette nature. L'évêque d'Arras avait fait les frais de son éducation. Le jeune Maximilien s'était distingué, au sortir du collège, par une vie studieuse et par des mœurs austères. Les lettres et le barreau partageaient son temps. La philosophie de Jean-Jacques Rousseau avait pénétré profondément son intelligence ; cette philosophie, en tombant dans une volonté active, n'était pas restée une lettre morte : elle était devenue en lui un dogme, une foi, un fanatisme. Dans l'âme forte d'un sectaire, toute conviction devient secte. Robespierre était le Calvin de la politique ; il couvait dans l'obscurité la pensée confuse de la rénovation du monde social et du monde religieux, comme un rêve qui obsédait inutilement sa jeunesse, quand la Révolution vint lui offrir ce que la destinée offre toujours à ceux qui épient sa marche, l'occasion. Il la saisit. Il fut nommé député du tiers aux états généraux. Seul peut-être de tous ces hommes qui ouvraient à Versailles la première scène de ce drame immense, il entrevoyait le dénouement. Comme l'âme humaine, dont les philosophes ignorent le siège dans le corps humain, la pensée de tout un peuple repose quelquefois dans l'individu le plus ignoré d'une vaste foule. Il ne faut mépriser personne, car le doigt de la destinée marque dans l'âme et non sur le front. Robespierre n'avait rien, ni dans la naissance, ni dans le génie, ni dans l'extérieur, qui le désignât à l'attention des hommes. Aucun éclat n'était sorti de lui, son pâle talent n'avait rayonné que dans le barreau ou dans les académies de province ; quelques discours verbeux, remplis d'une philosophie sans muscles et presque pastorale, quelques poésies froides et affectées avaient inutilement affiché son nom dans l'insignifiance des recueils littéraires du temps ; il était plus qu'inconnu, il était médiocre et dédaigné. Ses traits n'avaient rien de ce qui fait arrêter le regard, quand il flotte sur une grande assemblée ; rien n'était écrit en caractères physiques sur cette puissance tout intérieure : il était le dernier mot de la Révolution, mais personne ne pouvait le lire.

Robespierre était de petite taille, ses membres étaient grêles et anguleux, sa marche saccadée, ses attitudes affectées, ses gestes sans harmonie et sans grâce ; sa voix, un peu aigre, cherchait les inflexions oratoires et ne trouvait que la fatigue et la monotonie ; son front était assez beau, mais petit, bombé au-dessus des tempes, comme si la masse et le mouvement embarrassé de ses pensées l'avaient élargi à force d'efforts ; ses yeux, très voilés par les paupières et très aigus aux extrémités, s'enfonçaient profondément dans les cavités de leurs orbites ; ils lançaient un éclair bleuâtre assez doux, mais vague et flottant comme un reflet de l'acier frappé par la lumière ; son nez, droit et petit, était fortement tiré par des narines relevées et trop ouvertes ; sa bouche était grande, ses lèvres minces et contractées désagréablement aux deux coins, son menton court et pointu, son teint d'un jaune livide, comme celui d'un malade ou d'un homme consumé de veilles et de méditations. L'expression habituelle de ce visage était une sérénité superficielle sur un fond grave, et un sourire indécis entre le sarcasme et la grâce. Il y avait de la douceur, mais une douceur sinistre. Ce qui dominait dans l'ensemble de sa physionomie, c'était la prodigieuse et continuelle tension du front, des yeux, de la bouche, de tous les muscles de la face. On voyait en l'observant que tous les traits de son visage, comme tout le travail de son âme, convergeaient sans distraction sur un seul point, avec une telle puissance qu'il n'y avait aucune déperdition de volonté dans ce caractère, et qu'il semblait voir d'avance ce qu'il voulait accomplir, comme s'il l'eût eu déjà en réalité sous les yeux.

Tel était alors l'homme qui devait absorber en lui tous ces hommes, et en faire ses victimes après en avoir fait ses instruments. Il n'était d'aucun parti, mais de tous les partis qui servaient tour à tour son idéal de la Révolution. C'était là sa force, car les partis s'arrêtaient ; lui ne s'arrêtait pas. Il plaçait cet idéal comme un but en avant de chaque mouvement révolutionnaire ; il marchait avec ceux qui voulaient l'atteindre ; puis, quand le but était dépassé, il se plaçait plus loin et y marchait encore avec d'autres hommes, en continuant ainsi, sans jamais dévier, sans jamais s'arrêter, sans jamais reculer. La Révolution, décimée dans sa route, devait inévitablement se résumer un jour dans une dernière expression. Il voulait que ce fût lui. Il se l'était incorporée tout entière, principes, pensées, passions, colères, et la forçait ainsi de s'incorporer un jour en lui. Ce jour était loin.

ALEXANDRE DUMAS

Alexandre Dumas, qui consacre de nombreuses pages romanesques à la Révolution, fait sienne la vision de Michelet dans La Comtesse de Charny *(1852-1853) pour rendre compte des moments les plus tragiques où naît la Terreur (texte 15).*

Texte 15

LA RÉVOLUTION SANGLANTE

La révolution de 1789, c'est-à-dire celle des Necker, des Sieyès et des Bailly, s'était terminée en 1790 ; celle des Barnave, des Mirabeau et des La Fayette avait eu sa fin en 1792 ; la grande révolution, la révolution sanglante, la révolution des Danton, des Marat et des Robespierre était commencée.

En accolant les noms de ces trois derniers personnages, nous ne voulons pas les confondre dans une seule et même appréciation : tout au contraire, ils représentent, à nos yeux, dans leur individualité bien distincte, les trois faces des trois années qui vont s'écouler.

Danton s'incarnera dans 1792 ; Marat, dans 1793 ; Robespierre, dans 1794.

Les événements se pressent, d'ailleurs ; voyons les événements : nous examinerons ensuite les moyens par lesquels cherchent à les prévenir ou à les précipiter l'Assemblée nationale et la Commune.

Au surplus, nous voici à peu près tombé dans l'histoire : tous les héros de notre livre, à quelques exceptions près, ont déjà sombré dans la tempête révolutionnaire.

Que sont devenus les trois frères Charny, Georges, Isidore et Olivier ? Ils sont morts. Que sont devenues la reine et Andrée ? Elles sont prisonnières. Que devient La Fayette ? Il est en fuite.

Le 17 août, La Fayette, par une adresse, avait appelé

l'armée à marcher sur Paris, à y rétablir la Constitution, à défaire le 10 août et à restaurer le roi.

La Fayette, l'homme loyal, avait perdu la tête comme les autres; ce qu'il voulait faire, c'était conduire directement les Prussiens et les Autrichiens à Paris.

L'armée le repoussa d'instinct, comme, huit mois plus tard, elle repoussa Dumouriez.

L'histoire eût accolé l'un à l'autre les noms de ces deux hommes — nous voulons dire enchaîné — si La Fayette, détesté par la reine, n'avait eu le bonheur d'être arrêté par les Autrichiens, et envoyé à Olmutz : la captivité fit oublier la désertion.

Le 18, La Fayette passa la frontière.

Le 21, ces ennemis de la France, ces alliés de la royauté contre lesquels on a fait le 10 août, et contre lesquels on va faire le 2 septembre; ces Autrichiens que Marie-Antoinette appelait à son aide pendant cette claire nuit où la lune, en passant à travers les vitres de la chambre à coucher de la reine, versait le jour sur son lit, ces Autrichiens investissaient Longwy.

Après vingt-quatre heures de bombardements, Longwy se rendait.

La veille de cette reddition, à l'autre extrémité de la France, la Vendée se soulevait : la prestation du serment ecclésiastique était le prétexte de ce soulèvement.

Pour faire face à ces événements, l'Assemblée nommait Dumouriez au commandement de l'armée de l'Est, et décrétait La Fayette d'arrestation.

Elle arrêtait qu'aussitôt que la ville de Longwy serait rentrée au pouvoir de la nation française, toutes les maisons, à l'exception des maisons nationales, seraient détruites et rasées, elle rendait une loi qui bannissait du territoire tout prêtre non assermenté, elle autorisait les visites domiciliaires; elle confisquait et mettait en vente les biens des émigrés.

Pendant ce temps, que faisait la Commune?

Nous avons dit quel était son oracle : Marat.

La Commune guillotinait sur la place du Carrousel. On lui donnait une tête par jour; c'était bien peu; mais, dans une brochure qui paraît à la fin d'août, les membres du tribunal expliquent l'énorme travail qu'ils se sont imposé pour obtenir ce résultat, si peu satisfaisant qu'il soit. Il est vrai que la brochure est signée : Fouquier-Tinville!

Aussi, voyez ce que rêve la Commune; nous allons assister tout à l'heure à la réalisation de ce rêve.

C'est le 23, au soir, qu'elle donne son prospectus.

Suivie d'une tourbe ramassée dans les ruisseaux des faubourgs et des halles, une députation de la Commune se présente, vers minuit, à l'Assemblée nationale.

Que demande-t-elle ? Que les prisonniers d'Orléans soient amenés à Paris, pour y subir leur supplice.

Or, les prisonniers d'Orléans ne sont pas jugés.

Soyez tranquille, c'est une formalité dont la Commune se passera.

D'ailleurs, elle a la fête du 10 août qui va lui venir en aide.

Sergent, son artiste, en est l'ordonnateur ; il a déjà mis en scène la procession de la patrie en danger, et vous savez s'il a réussi.

Cette fois, Sergent se surpassera.

Il s'agit de remplir de deuil, de vengeance, de douleur meurtrière, les âmes de tous ceux qui ont perdu, au 10 août, un être qui leur était cher.

En face de la guillotine qui fonctionne sur la place du Carrousel, il élève, au milieu du grand bassin des Tuileries, une gigantesque pyramide toute recouverte de serge noire ; sur chaque face sont rappelés les massacres que l'on reproche aux royalistes : massacre de Nancy, massacre de Nîmes, massacre de Montauban, massacre du Champ de Mars.

La guillotine disait : « Je tue ! » la pyramide disait : « Tue ! »

Ce fut le soir du dimanche 27 août — cinq jours après l'insurrection de la Vendée, faite par les prêtres ; quatre jours après la reddition de Longwy, dont le général Clerfayt venait de prendre possession au nom du roi Louis XVI — que la procession expiatoire se mit en marche, afin de profiter des mystérieuses majestés que les ténèbres jettent sur toutes choses.

D'abord, à travers des nuages de parfums brûlant sur toute la route à parcourir, s'avançaient les veuves et les orphelines du 10 août, drapées de robes blanches, la taille serrée de ceintures noires, portant, dans une arche construite sur le modèle de l'arche antique, cette pétition dictée par Mme Roland, écrite sur l'autel de la Patrie par Mlle de Kéralio, dont les feuilles sanglantes avaient été retrouvées dans le Champ de Mars, et qui, dès le 17 juillet 1791, demandait la République.

Puis venaient de gigantesques sarcophages noirs, faisant

allusion à ces charrettes que l'on chargeait le soir du 10 août dans les cours des Tuileries, et que l'on dirigeait vers les faubourgs, gémissantes du poids des cadavres; puis des bannières de deuil et de vengeance, demandant la mort pour la mort; puis la Loi, statue colossale, armée d'un glaive à sa taille. Elle était suivie des juges des tribunaux, en tête desquels marchait le tribunal révolutionnaire du 10 août, celui-là qui s'excusait de ne faire tomber qu'une tête par jour.

Puis arrivait la Commune, la mère sanglante de ce tribunal sanglant, conduisant dans ses rangs la statue de la Liberté, de la même taille que celle de la Loi, puis, enfin, l'Assemblée, portant ces couronnes civiques qui consolent peut-être les morts, mais qui sont si insuffisantes aux vivants.

Tout cela s'avançait majestueusement, au milieu des sombres chants de Chénier, de la musique sévère de Gossec, marchant comme elle d'un pied sûr.

Une partie de la nuit du 27 au 28 août se passa dans l'accomplissement de cette cérémonie expiatoire, fête funéraire de la foule, pendant laquelle la foule, montrant le poing à ces Tuileries vides, menaçait ces prisons, forteresses de sûreté qu'on avait données au roi et aux royalistes en échange de leurs palais et de leurs châteaux.

Puis, enfin, les derniers lampions éteints, les dernières torches réduites en fumée, le peuple se retira.

Les deux statues de la Loi et de la Liberté restèrent seules pour garder l'immense sarcophage; mais, comme personne ne les gardait elles-mêmes, soit imprudence, soit sacrilège, on dépouilla, pendant la nuit, les deux statues de leurs vêtements inférieurs : le lendemain, les deux pauvres déesses étaient moins que des femmes.

Le peuple, à cette vue, poussa un cri de rage ; il accusa les royalistes, courut à l'Assemblée, demanda vengeance, s'empara des statues, les rhabilla et les traîna en réparation sur la place Louis XV.

Plus tard, l'échafaud les y suivit, et leur donna, le 21 janvier, une terrible satisfaction de l'outrage qui leur avait été fait le 28 août!

Ce même jour 28 août, l'Assemblée avait rendu la loi sur les visites domiciliaires.

Le bruit commençait à se répandre, parmi le peuple, de la jonction des armées prussiennes et autrichiennes, et de la prise de Longwy par le général Clerfayt.

Ainsi, l'ennemi, appelé par le roi, les nobles et les prêtres, marchait sur Paris, et, en supposant que rien ne l'arrêtât, pouvait y être en six étapes.

Alors, qu'arriverait-il de ce Paris, bouillonnant comme un cratère, et dont les secousses, depuis trois ans, ébranlaient le monde? Ce qu'avait dit cette lettre de Bouillé, insolente plaisanterie dont on avait tant ri, et qui allait devenir une réalité : — il n'y resterait pas pierre sur pierre!

Il y avait plus : on parlait, comme d'une chose sûre, d'un jugement général, terrible, inexorable, qui, après avoir détruit Paris, détruirait les Parisiens. De quelle façon et par qui ce jugement serait-il rendu? Les écrits du temps vous le disent; la main sanglante de la Commune est tout entière dans cette légende qui, au lieu de raconter le passé, raconte l'avenir.

Pourquoi, d'ailleurs, n'y croirait-on pas, à cette légende? Voici ce qu'on lisait dans une lettre trouvée dans les Tuileries le 10 août, et que nous avons lue nous-même aux Archives, où elle est encore :

Les tribunaux arrivent derrière les armées; les parlementaires émigrés instruisent, chemin faisant, dans le camp du roi de Prusse, le procès des jacobins, et préparent leur potence.

De sorte que, quand les armées prussiennes et autrichiennes arriveront à Paris, l'instruction sera faite, le jugement rendu, et il n'y aura plus qu'à le mettre à exécution.

Puis, pour confirmer ce qu'a dit la lettre, voici ce qu'on imprime dans le *Bulletin officiel de la guerre :*

La cavalerie autrichienne, aux environs de Sarrelouis, a enlevé les maires patriotes et les républicains connus.

Des uhlans, ayant pris des officiers municipaux, leur ont coupé les oreilles, et les leur ont clouées sur le front.

Si l'on commettait de pareils actes dans la province inoffensive, que ferait-on au Paris révolutionnaire?...

Ce qu'on lui ferait, ce n'était plus un secret.

Voici la nouvelle qui se répandait, se débitant à tous les carrefours, s'éparpillant de chaque centre pour arriver aux extrémités :

On dressera un grand trône pour les rois alliés, en vue du monceau de ruines qui aura été Paris; toute la population prisonnière sera poussée, traînée, chassée captive au pied de ce trône ; là, comme au jour du jugement dernier, il se fera un triage des bons et des mauvais ; les bons, c'est-à-dire les royalistes, les nobles, les prêtres, passeront à droite, et la France leur sera rendue pour en faire ce qu'ils voudront ; les mauvais, c'est-à-dire les révolutionnaires, passeront à gauche, et ils y trouveront la guillotine, cet instrument inventé par la révolution, et par lequel la révolution périra.

La révolution, c'est-à-dire la France ; non seulement la France – car ce ne serait rien : les peuples sont faits pour servir d'holocauste aux idées –, non seulement la France, mais encore la pensée de la France !

Pourquoi aussi la France a-t-elle prononcé la première ce mot de *liberté* ? Elle a cru proclamer une chose sainte, la lumière des yeux, la vie des âmes ; elle a dit : « Liberté pour la France ! liberté pour l'Europe ! liberté pour le monde ! » Elle a cru faire une grande chose en émancipant la terre, et voilà qu'elle s'est trompée, à ce qu'il paraît ! voilà que Dieu lui donne tort ! voilà que la Providence est contre elle ! voilà qu'en croyant être innocente et sublime, elle était coupable et infâme ! voilà que, quand elle a cru faire une grande action, elle a commis un crime ! voilà qu'on la juge, qu'on la condamne, qu'on la décapite, qu'on la traîne aux gémonies de l'univers, et que l'univers, pour le salut duquel elle meurt, applaudit à sa mort !

Ainsi Jésus-Christ, crucifié pour le salut du monde, était mort au milieu des railleries et des insultes du monde !

Mais, enfin, pour faire face à l'étranger, ce pauvre peuple a peut-être quelque appui en lui-même ? Ceux qu'il a adorés, ceux qu'il a enrichis, ceux qu'il a payés le défendront peut-être ?

Non.

Son roi conspire avec l'ennemi, et, du Temple, où il est enfermé, continue de correspondre avec les Prussiens et les Autrichiens ; sa noblesse marche contre lui, organisée sous ses princes ; ses prêtres font révolter les paysans.

Du fond de leurs prisons les détenus royalistes battent des mains aux défaites de la France ; les Prussiens à Longwy ont fait pousser un cri de joie au Temple et à l'Abbaye.

Aussi, Danton, l'homme des résolutions extrêmes, est-il entré tout rugissant à l'Assemblée.

Le ministre de la Justice croit la justice impuissante, et vient demander qu'on lui donne la force ; et la justice, alors, marchera appuyée sur la force.

Il monte à la tribune, il secoue sa crinière de lion, il étend la main puissante qui, le 10 août, a brisé les portes des Tuileries.

« Il faut une convulsion nationale pour faire rétrograder les despotes, dit-il. Jusqu'ici nous n'avons eu qu'une guerre simulée ; ce n'est pas de ce misérable jeu qu'il doit être maintenant question. Il faut que le peuple se porte, se rue en masse sur les ennemis pour les exterminer d'un seul coup ; *il faut en même temps enchaîner tous les conspirateurs, il faut les empêcher de nuire !* »

Et Danton demanda la levée en masse, les visites domiciliaires, les perquisitions nocturnes, avec peine de mort contre quiconque entravera les opérations du gouvernement provisoire.

Danton obtint tout ce qu'il demandait.

Il eût demandé davantage, qu'il eût obtenu davantage.

« Jamais, dit Michelet, jamais peuple n'était entré si avant dans la mort. Quand la Hollande, voyant Louis XIV à ses portes, n'eut de ressource que de s'inonder, de se noyer elle-même, elle fut en moindre danger : elle avait l'Europe pour elle. Quand Athènes vit le trône de Xerxès sur le rocher de Salamine, [qu'elle] perdit terre, se jeta à la nage, [et n'eut] plus que de l'eau pour patrie, elle fut en moindre danger ; elle était toute sur sa flotte, puissante, organisée, dans la main du grand Thémistocle, et, [plus heureuse que la France], elle n'avait pas la trahison dans son sein. »

La France était désorganisée, dissoute, trahie, vendue et livrée ! La France était comme Iphigénie sous le couteau de Calchas. Les rois en cercle n'attendaient que sa mort pour que soufflât dans leurs voiles le vent du despotisme ; elle tendait les bras aux dieux, et les dieux étaient sourds !

Mais, enfin, quand elle sentit la froide main de la mort la toucher, par une violente et terrible contraction, elle se replia sur elle-même ; puis, volcan de vie, elle fit jaillir de ses propres entrailles cette flamme qui, pendant un demi-siècle, éclaira le monde.

Il est vrai que, pour ternir ce soleil, il y a une tache de sang.

La tache de sang du 2 septembre ! Nous allons y arriver, voir qui a répandu ce sang, et s'il doit être imputé à la France ; mais, auparavant, empruntons, pour clore ce chapitre, empruntons encore deux pages à Michelet.

Nous nous sentons impuissant près de ce géant, et, comme Danton, nous appelons la force à notre secours.

Voyez !

« Paris avait l'air d'une place forte. On se serait cru à Lille [ou] à Strasbourg. Partout des consignes, des factionnaires, des précautions militaires, prématurées, à vrai dire : l'ennemi était encore à cinquante ou soixante lieues. Ce qui était véritablement plus sérieux, touchant, c'était le sentiment de solidarité profonde, admirable, qui se révélait partout. Chacun s'adressait à tous, parlait, priait pour la patrie. Chacun se faisait recruteur, allait de maison en maison, offrait à celui qui pouvait partir, des armes, un uniforme, ce qu'il avait. Tout le monde était orateur, prêchait, discourait, chantait des chants patriotiques. Qui n'était auteur en ce moment singulier ? qui n'imprimait ? qui n'affichait ? qui n'était acteur dans ce grand spectacle ? Les scènes les plus naïves où tous figuraient, se jouaient partout sur les places, sur les théâtres d'enrôlement, aux tribunes où l'on s'inscrivait ; tout autour, c'étaient des chants, des cris, des larmes d'enthousiasme ou d'adieu. Et par-dessus toutes ces voix, une grande voix sonnait dans les cœurs, voix muette, d'autant plus profonde... la voix même de la France, éloquente en tous ses symboles, pathétique dans le plus tragique de tous, le drapeau saint et terrible du *Danger de la patrie*, appendu aux fenêtres de l'Hôtel de Ville. Drapeau immense, qui flottait aux vents, et semblait faire signe aux légions populaires de marcher en hâte des Pyrénées à l'Escaut, de la Seine au Rhin.

« Pour savoir ce que c'était que ce moment de sacrifice, il faudrait, dans chaque chaumière, dans chaque logis, voir l'arrachement des femmes, le déchirement des mères, à ce second accouchement plus cruel cent fois que celui où l'enfant fit son premier départ de leurs entrailles sanglantes. Il faudrait voir la vieille femme, les yeux secs, le cœur brisé, ramasser en hâte les quelques hardes que l'enfant emportera, les pauvres économies, les sous épargnés par le jeûne et qu'elle s'est volée à elle-même pour son fils, pour ce jour des dernières douleurs.

« Donner leurs enfants à cette guerre qui s'ouvrait avec si peu de chance, les immoler à cette situation extrême et désespérée, c'était plus que la plupart ne pouvaient faire. Elles succombaient à ces peines, ou bien, par une réaction naturelle, elles tombaient dans des accès de fureur. Elles ne ménageaient rien, ne craignaient rien. Aucune terreur n'a prise sur un tel état d'esprit ; quelle terreur pour qui veut la mort ?

« On nous a raconté qu'un jour (sans doute en août ou en septembre) une bande de ces femmes furieuses rencontrèrent Danton dans la rue, l'injurièrent comme elles auraient injurié la guerre elle-même, lui reprochant toute la révolution, tout le sang qui serait versé, et la mort de leurs enfants, le maudissant, priant Dieu que tout retombât sur sa tête. Lui, il ne s'étonna pas; et, quoiqu'il sentît tout autour de lui les ongles, il se retourna brusquement, regarda ces femmes, les prit en pitié; Danton avait beaucoup de cœur. Il monta sur une borne, et, pour les consoler, il commença à les injurier dans leur langue. Ses premières paroles furent violentes, burlesques, obscènes. Les voilà tout interdites. Sa fureur, vraie ou simulée, déconcerte leur fureur. Ce prodigieux orateur, instinctif et calculé, avait pour base populaire un tempérament sensuel et fort, tout fait pour l'amour physique, où dominaient la chair et le sang. Danton était d'abord et avant tout, un mâle; il y avait en lui du lion et du dogue, beaucoup aussi du taureau. Son masque effrayait; la sublime laideur d'un visage bouleversé prêtait à sa parole brusque, dardée par accès, une sorte d'aiguillon sauvage. Les masses, qui aiment la force, sentaient devant lui ce que fait éprouver de crainte et de sympathie pourtant tout être puissamment générateur. Et puis, sous ce masque violent, furieux, on sentait aussi un cœur; on finissait par se douter d'une chose; c'est que cet homme terrible, qui ne parlait que par menaces, cachait au fond un brave homme... Ces femmes ameutées autour de lui, sentirent confusément tout cela; et se laissèrent haranguer, dominer, maîtriser; il les mena où et comme il voulut. Il leur expliqua rudement à quoi sert la femme, à quoi sert l'amour, [à quoi sert] la génération et que l'on n'enfante pas pour soi, mais pour la patrie... Et arrivé là, il s'éleva tout à coup, ne parla plus pour personne, mais (il semblait) pour lui seul... Tout son cœur, dit-on, lui sortit de la poitrine, avec des paroles d'une tendresse violente pour la France... Et, sur ce visage étrange, brouillé de petite vérole, et qui ressemblait aux scories du Vésuve et de l'Etna, commencèrent à venir de grosses gouttes, et c'étaient des larmes... Ces femmes n'y purent tenir; elles pleurèrent la France, au lieu de pleurer leurs enfants, et, sanglotantes, s'enfuirent en se cachant le visage dans leur tablier. »

O grand historien qu'on appelle Michelet, où es-tu?

A Nervi?

O grand poète qu'on appelle Hugo, où es-tu?

A Jersey!

TAINE

Chez Taine, les chefs révolutionnaires relèvent d'une interprétation essentiellement psychologique. Les Origines de la France contemporaine *(1875-1893) se fondent sur une approche scientifique des événements et des motivations. Tel un romancier naturaliste, Taine dissèque ses personnages (textes 16, 17 et 18, extraits du livre III, chapitre I).*

Texte 16

MARAT

Quand un aliéné voit partout autour de lui, sur le plancher, sur les murs, au plafond, des scorpions, des araignées, un grouillement de vermine infecte et venimeuse, il ne songe plus qu'à l'écraser, et la maladie mentale entre dans sa dernière période : à la suite du délire ambitieux, de la manie des persécutions et du cauchemar fixe, la *monomanie homicide* s'est déclarée.

Dès les premiers mois de la Révolution, elle s'est déclarée chez Marat; c'est qu'elle lui était innée, inoculée d'avance; il l'avait contractée à bon escient et par principes; jamais la folie raisonnante ne s'est manifestée dans un cas plus net. — D'une part, ayant dérivé du besoin physique les droits de l'homme, il conclut « que la société doit, à ceux de ses membres qui n'ont aucune propriété et dont le travail suffit à peine à leurs besoins, une subsistance assurée, de quoi se nourrir, se loger et se vêtir convenablement, de quoi se soigner dans leurs maladies, dans leur vieillesse, et de quoi élever leurs enfants. Ceux qui regorgent de superflu doivent (donc) subvenir aux besoins de ceux qui manquent du nécessaire ». Sinon « l'honnête citoyen, que la société abandonne à sa misère et à son désespoir, rentre dans l'état de nature, et a le droit de revendiquer à main armée les avantages qu'il n'a pu aliéner que pour s'en procurer de plus grands. Toute autorité qui s'y oppose est tyrannique, et le juge qui le condamne à mort est un lâche assassin ». Ainsi les innombrables émeutes que provoque la disette sont justifiées, et, comme la disette est permanente, l'émeute quotidienne est légitime. – D'autre part, ayant posé en principe la souveraineté du peuple, il en déduit « le droit sacré qu'ont les commettants de révoquer leurs délégués », de les prendre au collet s'ils prévariquent, de les maintenir dans le devoir par la crainte, de leur tordre le cou s'ils ont jamais la tentation de voter mal ou de mal administrer. Or, cette tentation, ils l'ont toujours. « Il est une vérité éternelle dont il est important de convaincre les hommes : c'est que le plus mortel ennemi que le peuple ait à redouter, c'est le gouvernement ; » – « Tout ministre qui est deux fois vingt-quatre heures en place, lorsque le cabinet n'est pas dans l'impossibilité de machiner contre la patrie, est suspect. » – Levez-vous donc, misérables des villes et de la campagne, ouvriers sans ouvrage, traîneurs de rues qui couchez sous les ponts, rôdeurs de grands chemins, mendiants sans feu ni lieu, va-nu-pieds en loques, porteurs de besaces, porteurs de bâtons, et venez prendre à la gorge vos infidèles mandataires. – Au 14 juillet, aux 5 et 6 octobre, « le peuple avait le droit, non seulement d'exécuter quelques-uns des conspirateurs, mais celui de les immoler tous, de passer au fil de l'épée le corps entier des satellites royaux conjurés pour nous perdre, et la tourbe innombrable des traîtres à la patrie, quel que fût leur état et leur degré ». N'allez jamais à l'Assemblée « sans avoir vos poches pleines de cailloux destinés à lapider les scélérats qui ont l'impudence de prêcher les maximes » monarchiques ; « je ne vous recommande d'autre précaution que celle de crier gare aux voisins ». – « Ce n'est pas la retraite des ministres, c'est leurs têtes qu'il nous faut, c'est celle de tous les ministériels de l'Assemblée, c'est celle de votre maire, de votre général, de presque tout l'état-major, de la plupart des municipaux ; c'est celle des principaux agents du pouvoir exécutif dans le royaume. » – A quoi bon les demi-mesures, comme le sac de l'hôtel de Castries ? « Que vos vengeances soient raisonnées. La mort, la mort, voilà quelle doit être la punition des traîtres acharnés à vous perdre ; c'est la seule qui les glace d'effroi... Imitez donc l'exemple de vos implacables ennemis, n'allez jamais sans armes, et, afin qu'ils ne vous échappent pas par la longueur des arrêts de la justice, poignardez-les sur-le-champ ou brûlez-leur la cervelle. » — « J'entends vingt-cinq millions d'hommes s'écrier à l'unisson : Si les noirs et les ministériels gangrenés et archigangrenés sont assez téméraires pour faire passer le projet de licenciement et de reconstitution de l'armée, citoyens, dressez huit cents potences dans le jardin des Tuileries, et accrochez-y tous les traîtres à la patrie, l'infâme Riqueti, comte de Mirabeau, à leur tête, en même temps que vous ferez au milieu du bassin un vaste bûcher pour y rôtir les ministres et leurs suppôts. » — Si l'Ami du peuple pouvait rallier à sa voix 2 000 hommes déterminés, « pour sauver la patrie, il irait arracher le cœur de l'infernal Motier au milieu de ses nombreux bataillons d'esclaves, il irait brûler dans son palais le monarque et ses suppôts, il irait empaler les députés sur leurs sièges et les ensevelir sous les débris embrasés de leur antre ». — Au premier coup de canon sur la frontière, « il est indispensable que le peuple ferme les portes de toutes les villes et qu'il se défasse sans balancer de tous les prêtres séditieux, des fonctionnaires publics contre-révolutionnaires, des machinateurs connus et de leurs complices ». — « Il est de la sagesse des magistrats du peuple de faire fabriquer incessamment une énorme quantité de couteaux très forts, à lame courte et à deux tranchants bien effilés, pour armer de ces couteaux chaque citoyen bien connu comme ami de la patrie. Or tout l'art de combattre avec cette arme terrible consiste à se faire un bouclier du bras gauche, enveloppé jusqu'à l'aisselle d'une manche piquée en étoffe quelconque de laine, très rembourrée de chiffons, de bourre et de crin, puis de foncer sur l'ennemi avec le bras droit armé du glaive. » — Servons-nous au plus tôt de ces couteaux; car « quel moyen nous reste-t-il aujourd'hui pour mettre fin aux maux qui nous accablent? Je le répète, il n'en est aucun autre que les exécutions populaires. » — Voici enfin le trône à bas; mais « tremblez de vous laisser aller à la voix d'une fausse pitié... Point de quartier; je vous propose de décimer les membres contre-révolutionnaires de la municipalité, des justices de paix, des départements et de l'Assemblée nationale. » — Au commencement, un petit nombre de vies aurait suffi : « il fallait faire tomber 500 têtes après la prise de la Bastille, alors tout aurait été bien ». Mais, par imprévoyance et timidité, on a laissé le mal s'étendre, et plus il s'étend, plus l'amputation doit être large. — Avec le coup d'œil sûr du chirurgien, Marat en donne la dimension ; il a fait ses calculs d'avance. En septembre 1792, dans le Conseil de la Commune, il estime par approximation à 40 000 le nombre des têtes qu'il faut abattre. Six semaines plus tard, l'abcès social ayant prodigieusement grossi, le chiffre enfle à proportion : c'est 270 000 têtes qu'il demande, toujours par humanité, « pour assurer la tranquillité publique », à condition d'être chargé lui-même de cette opération, et de cette opération seulement, comme justicier sommaire et temporaire. – Sauf le dernier point, tout le reste lui a été accordé; il est fâcheux qu'il n'ait pu voir de ses yeux l'accomplissement parfait de son programme, les fournées du Tribunal révolutionnaire de Paris, les massacres de Lyon et de Toulon, les noyades de Nantes. – Dès l'abord et jusqu'à la fin, il a été dans le droit fil de la Révolution, lucide à force d'aveuglement, grâce à sa logique de fou, grâce à la concordance de sa maladie privée et de la maladie publique, grâce à la précocité de son délire plein parmi les autres délires incomplets et tardifs, seul immuable, sans remords, triomphant, établi du premier bond sur la cime aiguë que ses rivaux n'osent pas gravir ou ne gravissent qu'en tâtonnant.

Texte 17

DANTON

Il n'y a rien du fou chez Danton; au contraire, non seulement il a l'esprit le plus sain, mais il possède l'aptitude politique, et à un degré éminent, à un degré tel, que, de ce côté, nul de ses collaborateurs ou de ses adversaires n'approche de lui, et que, parmi les hommes de la Révolution, Mirabeau seul l'a égalé ou surpassé. – C'est un génie original, spontané, et non, comme la plupart de ses contemporains, un théoricien raisonneur et scribe, c'est-à-dire un fanatique pédant, une créature factice et fabriquée par les livres, un cheval de meule qui marche avec des œillères et tourne sans issue dans un cercle fermé. Son libre jugement n'est point entravé par les préjugés abstraits : il n'apporte point un contrat social, comme Rousseau, ni un art social, comme Siéyès, des principes ou des combinaisons de cabinet ; il s'en est écarté par instinct, peut-être aussi par mépris : il n'en avait pas besoin, il n'aurait su qu'en faire. Les systèmes sont des béquilles à l'usage des impotents, et il est valide ; les formules sont des lunettes à l'usage des myopes, et il a de bons yeux. « Il avait peu lu, peu médité, dit un témoin lettré et philosophe ; il ne savait presque rien, et il n'avait l'orgueil de rien deviner ; mais il *regardait et voyait*. Sa capacité naturelle, qui était très grande et qui n'était remplie de rien, se fermait naturellement aux notions vagues, compliquées et fausses, et s'ouvrait naturellement à toutes les notions d'expérience dont la vérité était manifeste... » Partant, « son coup d'œil sur les hommes et les choses, subit, net, impartial et vrai, avait la prudence solide et pratique ». Se représenter exactement les volontés divergentes ou concordantes, superficielles ou profondes, actuelles ou possibles des différents partis et de vingt-six millions d'âmes, évaluer juste la grandeur des résistances probables et la grandeur des puissances disponibles, apercevoir et saisir le moment décisif qui est unique, combiner les moyens d'exécution, trouver les hommes d'action, mesurer l'effet produit, prévoir les contre-coups prochains et lointains, ne pas se repentir et ne pas s'entêter, accepter les crimes à proportion de leur efficacité politique, louvoyer devant les obstacles trop forts, s'arrêter ou biaiser, même au mépris des maximes qu'on étale, ne considérer les choses et les hommes qu'à la façon d'un mécanicien, constructeur d'engins et calculateur de forces, voilà les facultés dont il a fait preuve au 10 août, au 2 septembre, pendant la dictature effective qu'il s'est arrogée entre le 10 août et le 21 septembre, puis dans la Convention, dans le premier Comité de salut public, au 31 mai et au 2 juin : on l'a vu à l'œuvre. Jusqu'au bout, en dépit de ses partisans, il a tâché de diminuer ou du moins de ne pas accroître les résistances que le gouvernement devait surmonter. Presque jusqu'au bout, en dépit de ses adversaires, il a tâché d'accroître ou au moins de ne pas détruire les puissances que le gouvernement pouvait employer. A travers les vociférations des clubs qui exigeaient l'extermination des Prussiens, la capture du roi de Prusse, le renversement de tous les trônes et le meurtre de Louis XVI, il a négocié la retraite presque pacifique de Brunswick, il a travaillé à séparer la Prusse de la coalition, il a voulu changer la guerre de propagande en une guerre d'intérêt, il a fait décréter par la Convention que

« la France ne s'immiscerait en aucune manière dans le gouvernement des autres puissances », il a obtenu l'alliance de la Suède, il a posé d'avance les bases du traité de Bâle, il a songé à sauver le roi. A travers les défiances et les attaques des Girondins qui veulent le déshonorer et le perdre, il s'obstine à leur tendre la main, il ne leur déclare la guerre que parce qu'ils lui refusent la paix, et il s'efforce de les préserver quand ils sont à terre. — Au milieu de tant de bavards et d'écrivailleurs dont la logique est verbale ou dont la fureur est aveugle, qui sont des serinettes à phrases ou des mécaniques à meurtres, son intelligence, toujours large et souple, va droit aux faits, non pour les défigurer et les tordre, mais pour s'y soumettre, s'y adapter et les comprendre. Avec un esprit de cette qualité, on va loin, n'importe dans quelle voie : reste à choisir la voie. Mandrin aussi, sous l'ancien régime, fut, dans un genre voisin, un homme supérieur; seulement pour voie, il avait choisi le grand chemin. [...]

Dès l'origine, il a compris le caractère propre et le procédé normal de la Révolution, c'est-à-dire l'emploi de la brutalité populaire : en 1788, il figurait déjà dans les émeutes. Dès l'origine, il a compris l'objet final et l'effet définitif de la Révolution, c'est-à-dire la dictature de la minorité violente : au lendemain du 14 juillet 1789, il a fondé dans son quartier une petite république indépendante, agressive et dominatrice, centre de la faction, asile des enfants perdus, rendez-vous des énergumènes, pandémonium de tous les cerveaux incendiés et de tous les coquins disponibles, visionnaires et gens à poigne, harangueurs de gazette ou de carrefour, meurtriers de cabinet ou de place publique, Camille Desmoulins, Fréron, Hébert, Chaumette, Clootz, Théroigne, Marat, et, dans cet État plus que jacobin, modèle anticipé de celui qu'il établira plus tard, il règne, comme il régnera plus tard, président perpétuel du district, chef du bataillon, orateur du club, machinateur des coups de main. Là, l'usurpation est de règle : on ne reconnaît aucune autorité légale; on brave le roi, les ministres, les juges, l'Assemblée, la municipalité, le maire, le commandant de la garde nationale. De par la nature et les principes, on s'est mis au-dessus des lois : le district prend Marat sous sa protection, place deux sentinelles à sa porte pour le garantir des poursuites, et résiste en armes à la force armée chargée d'exécuter le mandat d'arrêt. Bien mieux, au nom de Paris, « première sentinelle de la nation », on prétend gouverner la France. Danton vient déclarer à l'Assemblée nationale que les citoyens de Paris sont les représentants naturels des quatre-vingt-trois départements, et la somme, sur leur injonction, de rétracter un décret rendu. – Toute la pensée jacobine est là ; avec son coup d'œil supérieur, Danton l'a pénétrée jusqu'au fond, et l'a proclamée en termes propres ; à présent, pour l'appliquer grandement, il n'a plus qu'à passer du petit théâtre au grand, des Cordeliers à la Commune, au ministère, au Comité de salut public, et, sur tous ces théâtres, il joue le même rôle avec le même objet et les mêmes effets. Un despotisme institué par la conquête et maintenu par la crainte, le despotisme de la plèbe jacobine et parisienne, voilà son but et ses moyens ; c'est lui qui, adaptant les moyens au but et le but aux moyens, conduit les grandes journées et provoque les mesures décisives de la Révolution, le 10 août, le 2 septembre, le 31 mai, le 2 juin, le décret qui lève dans chaque grande ville une armée de sans-culottes salariés pour tenir les aristocrates sous « leurs piques », le décret qui, dans chaque commune où les grains sont chers, taxe les riches pour mettre le prix du pain à la portée des pauvres, le décret qui alloue aux ouvriers quarante sous par séance pour assister aux assemblées de section, l'institution du Tribunal révolutionnaire, la proposition « d'ériger le Comité de salut public en gouvernement provisoire », la proclamation de la Terreur, l'application du zèle jacobin à des œuvres effectives, l'emploi des 7 000 délégués des assemblées primaires renvoyés chez eux pour y devenir les agents du recrutement et de l'armement universels, les paroles enflammées qui lancent toute la jeunesse sur la frontière, les motions sensées qui limitent la levée en masse à la réquisition des hommes de dix-huit à vingt-cinq ans, et qui mettent fin aux scandaleuses carmagnoles chantées et dansées par la populace dans la salle même de la Convention. – Pour édifier la machine, il a déblayé le terrain, fondu le métal, forgé les grandes pièces, limé des boursouflures, dessiné le moteur central, ajusté les rouages secondaires, imprimé le premier élan et le branle final, fabriqué la cuirasse qui protège l'œuvre contre l'étranger et contre les chocs du dehors. La machine est de lui : pourquoi, après qu'il l'a construite, ne se charge-t-il pas de la manœuvrer ?

C'est que, s'il était capable de la construire, il n'est pas propre à la manœuvrer. Aux jours de crise, il peut bien donner un coup d'épaule, emporter les volontés d'une assemblée ou d'une foule, mener de haut et pendant quelques semaines un comité d'exécution. Mais le travail régulier, assidu, lui répugne ; il n'est pas fait pour les écritures, pour les paperasses et la routine d'une besogne administrative. Homme de police et de bureau, comme Robespierre et Billaud, lecteur minutieux de rapports quotidiens, annotateur de listes mortuaires, professeur d'abstractions décoratives, menteur à froid, inquisiteur appliqué et convaincu, il ne le sera jamais ; surtout il ne sera jamais bourreau méthodique. — D'une part, il n'a point sur les yeux le voile gris de la théorie : il voit les hommes, non pas à travers le contrat social, comme une somme d'unités arithmétiques, mais tels qu'ils sont en effet, vivants, souffrants et saignants, surtout ceux qu'il connaît, chacun avec sa physionomie et son geste. A ce spectacle, les entrailles s'émeuvent quand on a des entrailles, et il en a ; il a même du cœur, une large et vive sensibilité, la sensibilité de l'homme de chair et de sang en qui subsistent tous les instincts primitifs, les bons à côté des mauvais, que la culture n'a point desséché ni racorni, qui a pu faire et laisser faire les massacres de septembre, mais qui ne se résigne pas à pratiquer de ses mains, tous les jours, à l'aveugle, le meurtre systématique et illimité. Déjà en septembre, « couvrant sa pitié sous ses rugissements », il a dérobé ou arraché aux égorgeurs plusieurs vies illustres. Quand la hache approche des Girondins, il en est « malade de douleur » et de désespoir. « Je ne pourrai pas les sauver », s'écriait-il, « et de grosses larmes tombaient le long de son visage ». D'autre part, il n'a pas sur les yeux le bandeau épais de l'incapacité et de l'imprévoyance. Il a démêlé le vice intérieur du système, le suicide inévitable et prochain de la Révolution. « Les Girondins nous ont forcés de nous jeter dans le sans-culottisme qui les a dévorés, qui nous dévorera tous, qui se dévorera lui-même. » — « Laissez faire Robespierre et Saint-Just ; bientôt il ne restera plus en France qu'une Thébaïde avec une vingtaine de Trappistes politiques. » — A la fin, il voit plus clair encore : « A pareil jour, j'ai fait instituer le Tribunal révolutionnaire : j'en demande pardon à Dieu et aux hommes. — Dans les révolutions, l'autorité reste aux plus scélérats. — Il vaut mieux être un pauvre pêcheur que de gouverner les hommes. » — Mais il a prétendu les gouverner, il a construit le nouvel engin de gouvernement, et, sourde à ses cris, sa machine opère conformément à la structure et à l'impulsion qu'il lui a données. Elle est là debout devant lui, la sinistre machine, avec son énorme roue qui pèse sur la France entière, avec son engrenage de fer dont les dents multipliées compriment chaque portion de chaque vie, avec son couperet d'acier qui incessamment tombe et retombe; son jeu, qui s'accélère, exige chaque jour une plus large fourniture de vies humaines, et ses fournisseurs sont tenus d'être aussi insensibles, aussi stupides qu'elle. Danton ne le peut pas, ne le veut pas. – Il s'écarte, se distrait, jouit, oublie; il suppose que les coupe-tête en titre consentiront peut-être à l'oublier; certainement, ils ne s'attaqueront point à lui. « Ils n'oseraient »... « On ne me touche pas, moi : je suis l'arche. » Au pis, il aime mieux « être guillotiné que guillotineur ». – Ayant dit ou pensé cela, est mûr pour l'échafaud.

Texte 18

ROBESPIERRE

Même avec la résolution ferme de rester le coupe-tête en chef, il ne serait pas le représentant parfait de la Révolution. Elle est un brigandage, mais philosophique; le vol et l'assassinat sont inclus dans ses dogmes, mais comme un couteau dans son étui; c'est l'étui brillant et poli qu'il faut étaler en public, non le couteau tranchant et sanglant. Danton, comme Marat, montre trop ouvertement le couteau. Rien qu'à voir Marat, crasseux et débraillé, avec son visage de crapaud livide, avec ses yeux ronds, luisants et fixes, avec son aplomb d'illuminé et la fureur monotone de son paroxysme continu, le sens commun se révolte : on ne prend pas pour guide un maniaque homicide. Rien qu'à voir ou écouter Danton, avec ses gros mots de portefaix et sa voix qui semble un tocsin d'émeute, avec sa face de cyclope et ses gestes d'exterminateur, l'humanité s'effarouche : on ne se confie pas sans répugnance à un boucher politique. La Révolution a besoin d'un autre interprète, paré comme elle de dehors spécieux, et tel est Robespierre, avec sa tenue irréprochable, ses cheveux bien poudrés, son habit bien brossé, avec ses mœurs correctes, son ton dogmatique, son style étudié et terne. Aucun esprit, par sa médiocrité et son insuffisance, ne s'est trouvé si conforme à l'esprit du temps; à l'inverse de l'homme d'État, il plane dans l'espace vide, parmi les abstractions, toujours à cheval sur les principes, incapable d'en descendre, et de mettre le pied dans la pratique. « Ce b... là, disait Danton, n'est pas seulement capable de faire cuire un œuf. » — « Les vagues généralités de sa prédication, écrit un autre contemporain, n'aboutissaient pour l'ordinaire à aucune mesure, à aucun projet de loi. Il combattait tout, ne proposait rien, et le secret de sa politique s'accordait heureusement avec l'impuissance de son esprit et la nullité de ses conceptions législatives. » Quand il a dévidé le fil de sa scolastique révolutionnaire, il est à bout. — En matière de finances et d'art militaire, il ne sait rien et ne se risque pas, sauf pour dénigrer ou calomnier Carnot et Cambon qui savent et se risquent. — En fait de politique extérieure, son discours sur l'état de l'Europe est une amplification d'écolier; quand il expose les plans du ministère anglais, il atteint d'emblée le comble de la niaiserie chimérique; ôtez les phrases d'auteur, et ce n'est plus un chef de gouvernement qui parle, mais le portier des Jacobins. — Sur la France contemporaine et vivante, toute idée juste et précise lui manque : à la place des hommes, il aperçoit vingt-six millions d'automates simples, qu'il suffit de bien encadrer, pour qu'ils fonctionnent d'accord et sans heurts; en effet, par nature ils sont bons, et, après la petite épuration nécessaire, ils vont tous redevenir bons; aussi bien leur volonté collective est « la voix de la raison et de l'intérêt public ». C'est pourquoi, dès qu'ils sont réunis, ils sont sages. « Il faudrait, s'il était possible, que l'assemblée des délégués du peuple délibérât en présence du peuple entier »; à tout le moins, le corps législatif devrait siéger « dans un édifice vaste et majestueux, ouvert à douze mille spectateurs ». Notez que, depuis quatre ans, à la Constituante, à la Législative, à la Convention, à l'Hôtel de Ville, aux Jacobins, partout où s'est trouvé Robespierre, les tribunes n'ont jamais cessé de vociférer; au choc d'une expérience si palpable et si présente, tout esprit s'ouvrirait; le sien reste bouché, par le préjugé ou par l'intérêt; la vérité, même physique, n'y a point d'accès, soit parce qu'il est incapable de la comprendre, soit parce qu'il a besoin de l'exclure. Il est donc obtus ou charlatan, et, de fait, il est l'un et l'autre; car l'un et l'autre se fondent ensemble pour former le *cuistre*, c'est-à-dire l'esprit creux et gonflé qui, parce qu'il est plein de mots, se croit plein d'idées, jouit de ses phrases, et se dupe lui-même pour régenter autrui.

Tel est son nom, son caractère et son rôle; dans la Révolution, qui est une tragédie artificielle et déclamatoire, ce rôle est le premier. Devant le cuistre, peu à peu le fou et le barbare reculent au second plan; à la fin, Marat et Danton sont effacés ou s'effacent, et Robespierre seul en scène attire à lui tous les regards. — Si l'on veut le comprendre, il faut le regarder en place et parmi ses alentours. Au dernier stade d'une végétation intellectuelle qui finit, sur le rameau terminal du dix-huitième siècle, il est le suprême avorton et le fruit sec de l'esprit classique. De la philosophie épuisée, il n'a gardé que le résidu mort, des formules apprises, les formules de Rousseau, de Mably, de Raynal, sur « le peuple, la nature, la raison, la liberté, les tyrans, les factieux, la vertu, la morale », un vocabulaire tout fait, des expressions trop larges; dont le sens, déjà mal fixé chez les maîtres, s'évapore aux mains du disciple. Jamais il n'essaye d'arrêter ce sens; ses écrits et ses discours ne sont que des enfilades de sentences, abstraites et vagues; pas un fait précis et plein; pas un détail individuel et caractéristique, rien qui parle aux yeux et qui évoque une figure vivante, aucune observation personnelle et propre, aucune impression nette, franche et de première main. On dirait que, par lui-même, il n'a rien vu, qu'il ne peut ni ne veut rien voir, qu'entre lui et l'objet, des idées postiches se sont interposées à demeure : il les combine par le procédé logique, et simule la pensée absente par un jargon d'emprunt; rien au-delà. A ses côtés les autres Jacobins parlent aussi ce jargon d'école; mais nul ne le débite et ne s'y espace aussi longuement et aussi complaisamment que lui. Pendant des heures, on tâtonne à sa suite, parmi les ombres indéterminées de la politique spéculative, dans le brouillard froid et fondant des généralités didactiques, et, à travers tant de tirades incolores, on tâche en vain de saisir quelque chose : rien ne demeure entre les doigts. Alors, avec étonnement, on se demande ce qu'il a dit et parle; la réponse est qu'il n'a rien dit et qu'il parle pour parler, en sectaire devant les sectaires : ni le prédicant, ni son auditoire ne se lasseront jamais, l'un de faire tourner, l'autre de voir tourner la manivelle à dogmes. Et c'est tant mieux si elle est vide; plus elle est vide, plus elle tourne aisément et vite. Bien pis, dans le mot vide, il introduit le sens contraire ; ce qu'il entend par ses grands mots, justice, humanité, ce sont des abatis de têtes. Ainsi faisait un inquisiteur quand il découvrait dans un texte de l'Évangile l'ordre de brûler les hérétiques. — Par cette perversion extrême, le cuistre arrive à fausser son propre instrument mental ; désormais il peut en user à son gré, au gré de ses passions, croire qu'il sert la vérité quand il les sert. [...]

Quand la nature et l'histoire se concertent pour composer un personnage, elles y réussissent mieux que l'imagination humaine. Ni Molière dans son Tartuffe, ni Shakespeare dans son Richard III, n'ont osé mettre en scène l'hypocrite convaincu de sa sincérité et le Caïn qui se croit Abel. Le voici sur une scène colossale, en présence de cent mille spectateurs, le 8 juin 1794, au plus beau jour de sa gloire, dans cette fête de l'Être suprême, qui est le triomphe retentissant de sa doctrine et la consécration officielle de sa papauté. Deux personnages sont en lui, comme dans la Révolution qu'il représente, l'un, apparent, étalé, extérieur, l'autre, inavoué, dissimulé, intime, et le second recouvert par le premier. — Le premier, tout de parade, forgé par la cervelle raisonnante, est aussi factice que la farce solennelle qui se développe autour de lui. Conformément au programme de David, le peuple de comparses, qui défile devant une montagne allégorique, fait les gestes indiqués, pousse les cris commandés, sous l'œil d'Henriot et de ses gendarmes, et, à l'heure dite, éprouve les émotions prescrites. A cinq heures du matin, « amis, frères, époux, parents, enfants, s'embrassent... Le vieillard, les yeux mouillés par des larmes de joie, sent rajeunir son âme ». A deux heures, sur les estrades en gazon de la sainte montagne, « tout s'émeut, tout s'agite : ici les mères pressent les enfants qu'elles allaitent ; là, saisissant les plus jeunes de leurs enfants mâles, elles les présentent en hommage à l'Auteur de la nature ; au même instant, et simultanément, les fils, brûlant d'une ardeur guerrière, lèvent leurs épées et les déposent entre les mains de leurs vieux pères. Partageant l'enthousiasme de leurs fils, les vieillards ravis les embrassent et répandent sur eux la bénédiction paternelle... Tous les hommes répandus dans le Champ de la Réunion répéteront en chœur le (premier) refrain... Toutes les femmes répandues dans le Champ de la Réunion répéteront en chœur le (second) refrain... Tous les Français confondront leurs sentiments dans un embrassement fraternel ». Une idylle menée à la baguette devant des symboles moraux et des divinités de carton peint, quoi de plus beau pour le moraliste d'apparat, qui n'a jamais distingué le faux du vrai et dont la sensibilité à fleur de peau est empruntée aux écrivains sensibles! « Pour la première fois », son visage s'épanouit, il rayonne de joie, et l'enthousiasme du scribe se déverse, comme toujours, en phrases de livre : « Voilà, dit-il, la plus intéressante portion de l'humanité! L'univers est ici rassemblé. O nature, que ta puissance est sublime et délicieuse! Comme les tyrans doivent pâlir à l'idée de cette fête! » Lui-même n'en est-il pas le plus bel ornement? N'a-t-il pas été choisi à l'unanimité pour présider la Convention et pour conduire la cérémonie? N'est-il pas le fondateur du nouveau culte, du seul culte pur que la morale et la raison puissent avouer sur la terre? — En grand costume de représentant, culotte de nankin, habit bleu barbeau, ceinture tricolore, drapeau à panaches, tenant dans la main un bouquet d'épis et de fleurs, il marche le premier, en tête de la Convention, et sur l'estrade il officie : il met le feu au voile de l'idole qui représente l'Athéisme, et à sa place, tout d'un coup, par un mécanisme ingénieux, il fait apparaître l'auguste statue de la Sagesse. Là-dessus, il parle, puis il reparle, exhortant, apostrophant, prêchant, élevant son âme à l'Être suprême, avec quelles combinaisons oratoires! avec quel déroulement académique de petits versets enfilés bout à bout pour mieux lancer la tirade! avec quel savant équilibre de l'adjectif et du substantif! De ces périodes tressées comme pour une distribution de prix ou pour une oraison funèbre, de toutes ces fleurs fanées, s'exhale une odeur de sacristie et de collège; il la respire complaisamment et s'en enivre. Sans doute, en ce moment, il est de bonne foi, il s'admire sans hésitation ni réserve, il est à ses propres yeux, non seulement un grand écrivain et un grand orateur, mais encore un grand homme d'État, un grand citoyen : sa conscience artificielle et philosophique ne lui décerne que des éloges. — Mais regardez en dessous, ou plutôt attendez une minute. Derrière lui, l'impatience et l'antipathie se sont fait jour; Lecointre l'a bravé en face; des murmures, des injures, et, ce qui est pis, des sarcasmes sont arrivés jusqu'à ses oreilles. En pareil jour et en pareil lieu! Contre le pontife de la vérité, contre l'apôtre de la vertu! Comment les mécréants ont-ils osé? Silencieux, blême, il avale sa rage, et, perdant l'équilibre, il se précipite, les yeux clos, dans la voie du meurtre : coûte que coûte, les mécréants périront, tout de suite. Pour aller plus vite, il faut escamoter leurs têtes, et, comme « au Comité de salut public, jusqu'à ce moment, tout s'est fait de confiance », seul avec Couthon, sans prévenir ses collègues, il rédige, apporte et fait voter par la Convention la terrible loi de Prairial qui met à sa discrétion toutes les vies. — Dans sa hâte cauteleuse et maladroite, il a demandé trop; à la réflexion, chacun s'alarme pour soi-même ; il est forcé de reculer, de protester qu'on l'a mal compris, d'admettre une exception pour les représentants, partant de rengainer le couteau qu'il mettait déjà sur la gorge de ses adversaires. Mais il ne l'a pas lâché, il les guette, et, simulant la retraite, affectant le renoncement, tapi dans son coin, il attend qu'ils se discréditent, pour sauter sur eux une seconde fois. Cela ne tardera guère; car la machine d'extermination qu'il a installée le 22 prairial demeure entre leurs mains, et il faut qu'elle fonctionne entre leurs mains selon la structure qu'il lui a donnée, c'est-à-dire à tours accélérés, presque au hasard : à eux, l'odieux du massacre en grand et aveugle; non seulement il ne s'y oppose pas, mais, tout en feignant de s'abstenir, il y pousse. Renfermé dans son bureau particulier de police secrète, il commande des arrestations, il lance Hermann, son limier en chef, il prend lui-même, il signe le premier, il expédie sur-le-champ l'arrêté qui suppose des conspirations parmi les détenus et qui, instituant les « moutons » ou dénonciateurs subornés, va fabriquer les grandes fournées de la guillotine, afin de « purger et déblayer les prisons en un instant ». — « Ce n'est pas moi, dira-t-il plus tard; depuis plus de six semaines, l'impuissance de faire le bien et d'arrêter le mal m'a forcé à abandonner absolument mes fonctions de membre du Comité de salut public. » Perdre ses adversaires avec les meurtres que l'on commet, qu'on leur fait commettre et qu'on leur impute, du même coup de pinceau se blanchir et les noircir, quelle volupté! Si tout bas, par instants, la conscience naturelle essaye de murmurer, la conscience acquise et superposée intervient aussitôt pour lui imposer silence et pour déguiser sa rancune privée sous des prétextes publics : après tout, les gens guillotinés étaient des aristocrates, et les gens à guillotiner sont des hommes immoraux; ainsi le moyen est bon, et le but meilleur; en usant du moyen, comme en poursuivant le but, on exerce un sacerdoce. — Tel est le décor de la Révolution, un masque spécieux, et tel est le dessous de la Révolution, une face hideuse ; sous le règne nominal d'une théorie humanitaire, elle couvre la dictature effective des passions méchantes et basses ; dans son vrai représentant, comme en elle-même, on voit partout la férocité percer à travers la philanthropie et, du cuistre, sortir le bourreau.

ANATOLE FRANCE

Les Dieux ont soif *(1912), est l'un des meilleurs romans français consacrés à la Révolution française. Évariste Gamelin, le héros, révolutionnaire inconditionnel, y voit Robespierre à deux reprises, lors de la chute des Girondins et avant le 9 thermidor (textes 19 et 20).*

Texte 19

Ce jour-là, II vendémiaire, un homme jeune, le front fuyant, le regard perçant, le nez en pointe, le menton aigu, le visage grêlé, l'air froid, monta lentement à la tribune. Il était poudré à frimas et portait un habit bleu qui lui marquait la taille. Il avait ce maintien compassé, tenait cette allure mesurée qui faisait dire aux uns, en se moquant, qu'il ressemblait à un maître à danser et qui le faisait saluer par d'autres du nom d'« Orphée français ». Robespierre prononça d'une voix claire un discours éloquent contre les ennemis de la République. Il frappa d'arguments métaphysiques et terribles Brissot et ses complices. Il parla longtemps, avec abondance, avec harmonie. Planant dans les sphères célestes de la philosophie, il lançait la foudre sur les conspirateurs qui rampaient sur le sol.

Évariste entendit et comprit. Jusque-là, il avait accusé la Gironde de préparer la restauration de la monarchie ou le triomphe de la faction d'Orléans et de méditer la ruine de la ville héroïque qui avait délivré la France et qui délivrerait un jour l'univers. Maintenant, à la voix du sage, il découvrait des vérités plus hautes et plus pures ; il concevait une métaphysique révolutionnaire, qui élevait son esprit au-dessus des grossières contingences, à l'abri des erreurs des sens, dans la région des certitudes absolues. Les choses sont par elles-mêmes mélangées et pleines de confusion ; la complexité des faits est telle qu'on s'y perd. Robespierre les lui simplifiait, lui présentait le bien et le mal en des formules simples et claires. Fédéralisme, indivisibilité : dans l'unité et l'indivisibilité était le salut ; dans le fédéralisme, la damnation. Gamelin goûtait la joie profonde d'un croyant qui sait le mot qui sauve et le mot qui perd. Désormais le Tribunal révolutionnaire, comme autrefois les tribunaux ecclésiastiques, connaîtrait du crime absolu, du crime verbal. Et, parce qu'il avait l'esprit religieux, Évariste recevait ces révélations avec un sombre enthousiasme ; son cœur s'exaltait et se réjouissait à l'idée que désormais, pour discerner le crime et l'innocence, il possédait un symbole. Vous tenez lieu de tout, ô trésors de la foi !

Le sage Maximilien l'éclairait aussi sur les intentions perfides de ceux qui voulaient égaliser les biens et partager les terres, supprimer la richesse et la pauvreté et établir pour tous la médiocrité heureuse. Séduit par leurs maximes, il avait d'abord approuvé leurs desseins qu'il jugeait conformes aux principes d'un vrai républicain. Mais Robespierre, par ses discours aux Jacobins, lui avait révélé leurs menées et découvert que ces hommes, dont les intentions paraissaient pures, tendaient à la subversion de la République, et n'alarmaient les riches que pour susciter à l'autorité légitime de puissants et implacables ennemis. En effet, sitôt la propriété menacée, la population tout entière, d'autant plus attachée à ses biens qu'elle en possédait peu, se retournait brusquement contre la République. Alarmer les intérêts, c'est conspirer. Sous apparence de préparer le bonheur universel et le règne de la justice, ceux qui proposaient comme un objet digne de l'effort des citoyens l'égalité et la communauté des biens étaient des traîtres et des scélérats plus dangereux que les fédéralistes.

Mais la plus grande révélation que lui eût apportée la sagesse de Robespierre, c'était les crimes et les infamies de l'athéisme. Gamelin n'avait jamais nié l'existence de Dieu ; il était déiste et croyait à une providence qui veille sur les hommes ; mais, s'avouant qu'il ne concevait que très indistinctement l'Être suprême et très attaché à la liberté de conscience, il admettait volontiers que d'honnêtes gens pussent, à l'exemple de Lamettrie, de Boulanger, du baron d'Holbach, de Lalande, d'Helvétius, du citoyen Dupuis, nier l'existence de Dieu, à la charge d'établir une morale naturelle et de retrouver en eux-mêmes les sources de la justice et les règles d'une vie vertueuse. Il s'était même senti en sympathie avec les athées, quand il les avait vus injuriés ou persécutés. Maximilien lui avait ouvert l'esprit et dessillé les yeux. Par son éloquence vertueuse, ce grand homme lui avait révélé le vrai caractère de l'athéisme, sa nature, ses intentions, ses effets; il lui avait démontré que cette doctrine, formée dans les salons et les boudoirs de l'aristocratie, était la plus perfide invention que les ennemis du peuple eussent imaginée pour le démoraliser et l'asservir; qu'il était criminel d'arracher du cœur des malheureux la pensée consolante d'une providence rémunératrice et de les livrer sans guide et sans frein aux passions qui dégradent l'homme et en font un vil esclave, et qu'enfin l'épicurisme monarchique d'un Helvétius conduisait à l'immoralité, à la cruauté, à tous les crimes. Et, depuis que les leçons d'un grand citoyen l'avaient instruit, il exécrait les athées, surtout lorsqu'ils l'étaient d'un cœur ouvert et joyeux, comme le vieux Brotteaux.

Texte 20

Tandis que le soleil de thermidor se couchait dans une pourpre sanglante, Évariste errait, sombre et soucieux, par les jardins Marbeuf, devenus propriété nationale et fréquentés des Parisiens oisifs. On y prenait de la limonade et des glaces; il y avait des chevaux de bois et des tirs pour les jeunes patriotes. Sous un arbre, un petit Savoyard en guenilles, coiffé d'un bonnet noir, faisait danser une marmotte au son aigre de sa vielle. Un homme, jeune encore, svelte, en habit bleu, les cheveux poudrés, accompagné d'un grand chien, s'arrêta pour écouter cette musique agreste. Évariste reconnut Robespierre. Il le retrouvait pâli, amaigri, le visage durci et traversé de plis douloureux. Et il songea : « Quelles fatigues, et combien de souffrances ont laissé leur empreinte sur son front? Qu'il est pénible de travailler au bonheur des hommes ! A quoi songe-t-il en ce moment ? Le son de la vielle montagnarde le distrait-il du souci des affaires ? Pense-t-il qu'il a fait un pacte avec la mort et que l'heure est proche de le tenir ? Médite-t-il de rentrer en vainqueur dans ce Comité de salut public dont il s'est retiré, las d'y être tenu en échec, avec Couthon et Saint-Just, par une majorité séditieuse ? Derrière cette face impénétrable quelles espérances s'agitent ou quelles craintes ? »

Pourtant Maximilien sourit à l'enfant, lui fit d'une voix douce, avec bienveillance, quelques questions sur la vallée, la chaumière, les parents que le pauvre petit avait quittés, lui jeta une petite pièce d'argent et reprit sa promenade. Après avoir fait quelques pas, il se retourna pour appeler son chien qui, sentant le rat, montrait les dents à la marmotte hérissée.

« Brount ! Brount ! »

Puis il s'enfonça dans les allées sombres.

Gamelin, par respect, ne s'approcha pas du promeneur solitaire ; mais, contemplant la forme mince qui s'effaçait dans la nuit, il lui adressa cette oraison mentale :

« J'ai vu ta tristesse, Maximilien ; j'ai compris ta pensée. Ta mélancolie, ta fatigue et jusqu'à cette expression d'effroi empreinte dans tes regards, tout en toi dit : "Que la terreur s'achève et que la fraternité commence ! Français, soyez unis, soyez vertueux, soyez bons. Aimez-vous les uns les autres..." Eh bien ! je servirai tes desseins ; pour que tu puisses, dans ta sagesse et ta bonté, mettre fin aux discordes civiles, éteindre les haines fratricides, faire du bourreau un jardinier qui ne tranchera plus que les têtes des choux et des laitues, je préparerai avec mes collègues du Tribunal les voies de la clémence, en exterminant les conspirateurs et les traitres. Nous redoublerons de vigilance et de sévérité. Aucun coupable ne nous échappera. Et quand la tête du dernier des ennemis de la République sera tombée sous le couteau, tu pourras être indulgent sans crime et faire régner l'innocence et la vertu sur la France, ô père de la patrie ! »

L'Incorruptible était déjà loin. Deux hommes en chapeau rond et culotte de nankin, dont l'un, d'aspect farouche, long et maigre, avait un dragon sur l'œil et ressemblait à Tallien, le croisèrent au tournant d'une allée, lui jetèrent un regard oblique et, feignant de ne point le reconnaître, passèrent. Quand ils furent à une assez grande distance pour n'être pas entendus, ils murmurèrent à voix basse :

« Le voilà donc, le roi, le pape, le dieu. Car il est Dieu. Et Catherine Théot est sa prophétesse.

— Dictateur, traître, tyran ! il est encore des Brutus.

— Tremble, scélérat ! la roche Tarpéienne est près du Capitole. »

Le chien Brount s'approcha d'eux. Ils se turent et hâtèrent le pas.

V. CHOUANS ET VENDÉENS LITTÉRAIRES

Le type du Chouan ou du Vendéen, souvent allègrement confondus, ne peut que fasciner l'écrivain. Figure du peuple et de la tradition, redoutable et insaisissable combattant, être fruste et lié à la nature, il séduit et inquiète, captive et étonne. Alors que l'ouvrier, cet autre barbare, devra attendre longtemps son entrée en littérature, le paysan de l'Ouest, insurgé et catholique, rebelle et royaliste, trouve vite place dans le roman.

Influencé par Walter Scott et Fenimore Cooper, Le Dernier Chouan ou la Bretagne en 1800 *(1829), qui deviendra* Les Chouans* *en 1845, combine un tableau d'histoire et le roman d'une passion. Les paysans insurgés y prennent une dimension peu flatteuse. Arriérés, proches de l'animalité, superstitieux, ils font preuve d'un obscurantisme aveugle. Ils renvoient à une campagne délaissée, à la traîne du progrès (texte 21). Balzac reprend le thème vendéen dans* Une Ténébreuse Affaire** *(1841) et* Béatrix *(1839-1845).*

Texte 21

Pendant que le détachement traversait la vallée, le soleil levant avait lentement dissipé ces vapeurs blanches et légères qui, dans les matinées de septembre, voltigent sur

* Disponible dans la même collection.
** Disponible dans la même collection.

les prairies. A l'instant où les soldats se retournèrent, une invisible main semblait enlever à ce paysage le dernier des voiles dont elle l'aurait enveloppé, nuées fines, semblables à ce linceul de gaze diaphane qui couvre les bijoux précieux et à travers lequel ils excitent la curiosité. Dans le vaste horizon que les officiers embrassèrent, le ciel n'offrait pas le plus léger nuage qui pût faire croire, par sa clarté d'argent, que cette immense voûte bleue fût le firmament. C'était plutôt un dais de soie supporté par les cimes inégales des montagnes, et, placé dans les airs pour protéger cette magnifique réunion de champs, de prairies, de ruisseaux et de bocages. Les officiers ne se lassaient pas d'examiner cet espace où jaillissent tant de beautés champêtres. Les uns hésitaient longtemps avant d'arrêter leurs regards parmi l'étonnante multiplicité de ces bosquets que les teintes sévères de quelques touffes jaunies enrichissaient des couleurs du bronze, et que le vert émeraude des prés irrégulièrement coupés faisait encore ressortir. Les autres s'attachaient aux contrastes offerts par des champs rougeâtres où le sarrasin récolté se dressait en gerbes coniques semblables aux faisceaux d'armes que le soldat amoncèle au bivouac, et séparés par d'autres champs que doraient les guérets des seigles moissonnés. Çà et là, l'ardoise sombre de quelques toits d'où sortaient de blanches fumées, puis les tranchées vives et argentées que produisaient les ruisseaux tortueux du Couesnon, attiraient l'œil par quelques-uns de ces pièges d'optique qui rendent, sans qu'on sache pourquoi, l'âme indécise et rêveuse. La fraîcheur embaumée des brises d'automne, la forte senteur des forêts, s'élevaient comme un nuage d'encens et enivraient les admirateurs de ce beau pays, qui contemplaient avec ravissement ses fleurs inconnues, sa végétation vigoureuse, sa verdure rivale de celle d'Angleterre, sa voisine dont le nom est commun aux deux pays. Quelques bestiaux animaient cette scène déjà si dramatique. Les oiseaux chantaient, et faisaient ainsi rendre à la vallée une suave, une sourde mélodie qui frémissait dans les airs. Si l'imagination recueillie veut apercevoir pleinement les riches accidents d'ombre et de lumière, les horizons vaporeux des montagnes, les fantastiques perspectives qui naissaient des places où manquaient les arbres, où s'étendaient les eaux, où fuyaient de coquettes sinuosités; si le souvenir colorie, pour ainsi dire, ce dessin aussi fugace que le moment où il est pris, les personnes pour lesquelles ces tableaux ne sont pas sans mérite auront une image imparfaite du magique spectacle par lequel l'âme encore impressionnable des jeunes officiers fut comme surprise.

Pensant alors que ces pauvres gens abandonnaient à regret leur pays et leurs chères coutumes pour aller mourir peut-être en des terres étrangères, ils leur pardonnèrent involontairement un retard qu'ils comprirent. Puis, avec cette générosité naturelle aux soldats, ils déguisèrent leur condescendance sous un feint désir d'examiner les positions militaires de cette belle contrée. Mais Hulot, qu'il est nécessaire d'appeler le commandant, pour éviter de lui donner le nom peu harmonieux de chef de demi-brigade, était un de ces militaires qui, dans un danger pressant, ne sont pas hommes à se laisser prendre aux charmes des paysages, quand même ce seraient ceux du paradis terrestre. Il secoua donc la tête par un geste négatif, et contracta deux gros sourcils noirs qui donnaient une expression sévère à sa physionomie.

— Pourquoi diable ne viennent-ils pas? demanda-t-il pour la seconde fois de sa voix grossie par les fatigues de la guerre. Se trouve-t-il dans le village quelque bonne Vierge à laquelle ils donnent une poignée de main?

— Tu demandes pourquoi? répondit une voix.

En entendant des sons qui semblaient partir de la corne avec laquelle les paysans de ces vallons rassemblent leurs troupeaux, le commandant se retourna brusquement comme s'il eût senti la pointe d'une épée, et vit à deux pas un personnage encore plus bizarre qu'aucun de ceux emmenés à Mayenne pour servir la République. Cet inconnu, homme trapu, large des épaules, lui montrait une tête presque aussi grosse que celle d'un bœuf, avec laquelle elle avait plus d'une ressemblance. Des narines épaisses faisaient paraître son nez encore plus court qu'il ne l'était. Ses larges lèvres retroussées par des dents blanches comme de la neige, ses grands et ronds yeux noirs garnis de sourcils menaçants, ses oreilles pendantes et ses cheveux roux appartenaient moins à notre belle race caucasienne qu'au genre des herbivores. Enfin, l'absence complète des autres caractères de l'homme social rendait cette tête nue plus remarquable encore. La face, comme bronzée par le soleil et dont les anguleux contours offraient une vague analogie avec le granit qui forme le sol de ces contrées, était la seule partie visible du corps de cet être singulier. A partir du cou, il était enveloppé d'un sarrau, espèce de blouse en toile rousse plus grossière encore que celle des pantalons des conscrits les moins fortunés. Ce sarrau, dans lequel un antiquaire aurait reconnu la *saye (saga)* ou le *sayon* des Gaulois, finissait à mi-corps, en se rattachant à deux fourreaux de peau de chèvre par des morceaux de bois grossièrement travaillés et dont quelques-uns gardaient leur écorce. Les peaux de biques, pour parler la langue du pays, qui lui garnissaient les jambes et les cuisses, ne laissaient distinguer aucune forme humaine. Des sabots énormes lui cachaient les pieds. Ses longs cheveux luisants, semblables aux poils de ses peaux de chèvres, tombaient de chaque côté de sa figure, séparés en deux parties égales, et pareils aux chevelures de ces statues du Moyen Age qu'on voit encore dans quelques cathédrales. Au lieu du bâton noueux que les conscrits portaient sur leurs épaules, il tenait appuyé sur sa poitrine, en guise de fusil, un gros fouet dont le cuir habilement tressé paraissait avoir une longueur double de celle des fouets ordinaires. La brusque apparition de cet être bizarre semblait facile à expliquer. Au premier aspect, quelques officiers supposèrent que l'inconnu était un réquisitionnaire ou conscrit (l'un se disait encore pour l'autre) qui se repliait sur la colonne en la voyant arrêtée. Néanmoins, l'arrivée de cet homme étonna singulièrement le commandant ; s'il n'en parut pas le moins du monde intimidé, son front devint soucieux ; et, après avoir toisé l'étranger, il répéta machinalement et comme occupé de pensées sinistres : — Oui, pourquoi ne viennent-ils pas ? le sais-tu, toi ?

— C'est que, répondit le sombre interlocuteur avec un accent qui prouvait une assez grande difficulté de parler français, c'est que là, dit-il en étendant sa rude et large main vers Ernée, là est le Maine, et là finit la Bretagne.

Puis il frappa fortement le sol en jetant le pesant manche de son fouet aux pieds du commandant. L'impression produite sur les spectateurs de cette scène par la harangue laconique de l'inconnu ressemblait assez à celle que donnerait un coup de tam-tam frappé au milieu d'une musique. Le mot de harangue suffit à peine pour rendre la haine, les désirs de vengeance qu'exprimèrent un geste hautain, une parole brève et la contenance empreinte d'une énergie farouche et froide. La grossièreté de cet homme taillé comme à coups de hache, sa noueuse écorce, la stupide ignorance gravée sur ses traits, en faisaient une sorte de demi-dieu barbare. Il gardait une attitude prophétique et apparaissait là comme le génie même de la Bretagne, qui se relevait d'un sommeil de trois années, pour recommencer une guerre où la victoire ne se montra jamais sans de doubles crêpes.

— Voilà un joli coco, dit Hulot en se parlant à lui-même. Il m'a l'air d'être l'ambassadeur de gens qui s'apprêtent à parlementer à coups de fusil.

Après avoir grommelé ces paroles entre ses dents, le commandant promena successivement ses regards de cet homme au paysage, du paysage au détachement, du détachement sur les talus abrupts de la route, dont les crêtes étaient ombragées par les hauts genêts de la Bretagne ; puis il les reporta tout à coup sur l'inconnu, auquel il fit subir comme un muet interrogatoire qu'il termina en lui demandant brusquement : — D'où viens-tu ?

Son œil avide et perçant cherchait à deviner les secrets de ce visage impénétrable qui, pendant cet intervalle, avait pris la niaise expression de torpeur dont s'enveloppe un paysan au repos.

— Du pays des *Gars*, répondit l'homme sans manifester aucun trouble.

— Ton nom ?

— *Marche-à-terre.*

— Pourquoi portes-tu, malgré la loi, ton surnom de Chouan ?

Marche-à-terre, puisqu'il se donnait ce nom, regarda le commandant d'un air d'imbécillité si profondément vraie, que le militaire crut n'avoir pas été compris.

— Fais-tu partie de la réquisition de Fougères ?

A cette demande, Marche-à-terre répondit par un de ces *je ne sais pas*, dont l'inflexion désespérante arrête tout entretien. Il s'assit tranquillement sur le bord du chemin, tira de son sarrau quelques morceaux d'une mince et noire galette de sarrasin, repas national dont les tristes délices ne peuvent être comprises que des Bretons, et se mit à manger avec une indifférence stupide. Il faisait croire à une absence si complète de toute intelligence, que les officiers le comparèrent tour à tour, dans cette situation, à un des animaux qui broutaient les gras pâturages de la vallée, aux sauvages de l'Amérique ou à quelque naturel du cap de Bonne-Espérance. Trompé par cette attitude, le commandant lui-même n'écoutait déjà plus ses inquiétudes, lorsque, jetant un dernier regard de prudence à l'homme qu'il soupçonnait d'être le héraut d'un prochain carnage, il en vit les cheveux, le sarrau, les peaux de chèvres couverts d'épines, de débris de feuilles, de brins de bois et de broussailles, comme si ce Chouan eût fait une longue route à travers les halliers. Il lança un coup d'œil significatif à son adjudant Gérard, près duquel il se trouvait, lui serra fortement la main et dit à voix basse :

— Nous sommes allés chercher de la laine, et nous allons revenir tondus.

Les officiers étonnés se regardèrent en silence.

Il convient de placer ici une digression pour faire partager les craintes du commandant Hulot à certaines personnes casanières habituées à douter de tout, parce qu'elles ne voient rien, et qui pourraient contredire l'existence de Marche-à-terre et des paysans de l'Ouest dont alors la conduite fut sublime.

Le mot *gars*, que l'on prononce *gâ*, est un débris de la langue celtique. Il a passé du bas-breton dans le français, et ce mot est, de notre langage actuel, celui qui contient le plus de souvenirs antiques. Le *gais* était l'arme principale des Gaëls ou Gaulois ; *gaisde* signifiait armé ; *gais*, bravoure ; *gas*, force. Ces rapprochements prouvent la parenté du mot *gars* avec ces expressions de la langue de nos ancêtres. Ce mot a de l'analogie avec le mot latin *vir*, homme, racine de *virtus*, force, courage. Cette dissertation trouve son excuse dans sa nationalité ; puis, peut-être, servira-t-elle à réhabiliter, dans l'esprit de quelques personnes, les mots : *gars, garçon, garçonnette, garce, garcette*, généralement proscrits du discours comme mal séants, mais dont l'origine est si guerrière et qui se montreront çà et là dans le cours de cette histoire. — « C'est une fameuse garce ! » est un éloge peu compris que recueillit madame de Staël dans un petit canton de Vendômois où elle passa quelques jours d'exil. La Bretagne est, de toute la France, le pays où les mœurs gauloises ont laissé les plus fortes empreintes. Les parties de cette province où, de nos jours encore, la vie sauvage et l'esprit superstitieux de nos rudes aïeux sont restés, pour ainsi dire, flagrants, se nomment le pays des Gars. Lorsqu'un canton est habité par nombre de Sauvages semblables à celui qui vient de comparaître dans cette Scène, les gens de la contrée disent : les Gars de telle paroisse ; et ce nom classique est comme une récompense de la fidélité avec laquelle ils s'efforcent de conserver les traditions du langage et des mœurs gaëliques ; aussi leur vie garde-t-elle de profonds vestiges des croyances et des pratiques superstitieuses des anciens temps. Là, les coutumes féodales sont encore respectées. Là, les antiquaires retrouvent debout les monuments des Druides. Là, le génie de la civilisation moderne s'effraie de pénétrer à travers d'immenses forêts primordiales. Une incroyable férocité, un entêtement brutal, mais aussi la foi du serment ; l'absence complète de nos lois, de nos mœurs, de notre habillement, de nos monnaies nouvelles, de notre langage, mais aussi la simplicité patriarcale et d'héroïques vertus s'accordent à rendre les habitants de ces campagnes plus pauvres de combinaisons intellectuelles que ne le sont les Mohicans et les Peaux rouges de l'Amérique septentrionale, mais aussi grands, aussi rusés, aussi durs qu'eux. La place que la Bretagne occupe au centre de l'Europe la rend beaucoup plus curieuse à observer que ne l'est le Canada. Entouré de lumières dont la bienfaisante chaleur ne l'atteint pas, ce pays ressemble à un charbon glacé qui resterait obscur et noir au sein d'un brillant foyer. Les efforts tentés par quelques grands esprits pour conquérir à la vie sociale et à la prospérité cette belle partie de la France, si riche de trésors ignorés, tout, même les tentatives du gouvernement, meurt au sein de l'immobilité d'une population vouée aux pratiques d'une immémoriale routine. Ce malheur s'explique assez par la nature d'un sol encore sillonné de ravins, de torrents, de lacs et de marais ; hérissé de haies, espèces de bastions en terre qui font, de chaque champ, une citadelle ; privé de routes et de canaux ; puis, par l'esprit d'une population ignorante, livrée à des préjugés dont les dangers seront accusés par les détails de cette histoire, et qui ne veut pas de notre moderne agriculture. La disposition pittoresque de ce pays, les superstitions de ses habitants excluent et la concentration des individus et les bienfaits amenés par la comparaison, par l'échange des idées. Là point de villages. Les constructions précaires que l'on nomme des logis sont clairsemées à travers la contrée. Chaque famille y vit comme dans un désert. Les seules réunions connues sont les assemblées éphémères que le dimanche ou les fêtes de la religion consacrent à la paroisse. Ces réunions silencieuses, dominées par le *Recteur*, le seul maître de ces esprits grossiers, ne durent que quelques heures. Après avoir entendu la voix terrible de ce prêtre, le paysan retourne pour une semaine dans sa demeure insalubre ; il en sort pour le travail, il y rentre pour dormir. S'il y est visité, c'est par ce recteur, l'âme de la contrée. Aussi, fut-ce à la voix de ce prêtre que des milliers d'hommes se ruèrent sur la République, et que ces parties de la Bretagne fournirent cinq ans avant l'époque à laquelle commence cette histoire, des masses de soldats à la première chouannerie. Les frères Cottereau, hardis contrebandiers qui donnèrent leur nom à cette guerre, exerçaient leur périlleux métier de Laval à Fougères. Mais les insurrections de ces campagnes n'eurent rien de noble et l'on peut dire avec assurance que si la Vendée fit du brigandage une guerre, la Bretagne fit de la guerre un brigandage. La proscription des princes, la religion détruite ne furent pour les Chouans que des prétextes de pillage, et les événements de cette lutte intestine contractèrent quelque chose de la sauvage âpreté qu'ont les mœurs en ces contrées. Quand de vrais défenseurs de la monarchie vinrent recruter des soldats parmi ces populations ignorantes et belliqueuses, ils essayèrent, mais en vain, de donner, sous le drapeau blanc, quelque grandeur à ces entreprises qui avaient rendu la chouannerie odieuse et les Chouans sont restés comme un mémorable exemple du danger de remuer les masses peu civilisées d'un pays. Le tableau de la première vallée offerte par la Bretagne aux yeux du voyageur, la peinture des hommes qui composaient le détachement dés réquisitionnaires, la description du gars apparu sur le sommet de La Pellerine, donnent en raccourci une fidèle image de la province et de ses habitants. Une imagination exercée peut, d'après ces détails, concevoir le théâtre et les instruments de la guerre; là en étaient les éléments. Les haies si fleuries de ces belles vallées cachaient alors d'invisibles agresseurs. Chaque champ était alors une forteresse, chaque arbre méditait un piège, chaque vieux tronc de saule creux gardait un stratagème. Le lieu du combat était partout. Les fusils attendaient au coin des routes les Bleus que des jeunes filles attiraient en riant sous le feu des canons, sans croire être perfides; elles allaient en pèlerinage avec leurs pères et leurs frères demander des ruses et des absolutions à des vierges de bois vermoulu. La religion ou plutôt le fétichisme de ces créatures ignorantes désarmait le meurtre de ses remords. Aussi une fois cette lutte engagée, tout dans le pays devenait-il dangereux : le bruit comme le silence, la grâce comme la terreur, le foyer domestique comme le grand chemin. Il y avait de la conviction dans ces trahisons. C'était des Sauvages qui servaient Dieu et le roi, à la manière dont les Mohicans font la guerre. Mais pour rendre exacte et vraie en tout point la peinture de cette lutte, l'historien doit ajouter qu'au moment où la paix de Hoche fut signée, la contrée entière redevint et riante et amie. Les familles, qui, la veille, se déchiraient encore, le lendemain soupèrent sans danger sous le même toit.

A l'instant où Hulot reconnut les perfidies secrètes que

trahissait la peau de chèvre de Marche-à-terre, il resta convaincu de la rupture de cette heureuse paix due au génie de Hoche et dont le maintien lui parut impossible. Ainsi la guerre renaissait sans doute plus terrible qu'autrefois, à la suite d'une inaction de trois années. La Révolution, adoucie depuis le 9 thermidor, allait peut-être reprendre le caractère de terreur qui la rendit haïssable aux bons esprits. L'or des Anglais avait donc, comme toujours, aidé aux discordes de la France. La République, abandonnée du jeune Bonaparte, qui semblait en être le génie tutélaire, semblait hors d'état de résister à tant d'ennemis, et le plus cruel se montrait le dernier. La guerre civile, annoncée par mille petits soulèvements partiels, prenait un caractère de gravité tout nouveau, du moment où les Chouans concevaient le dessein d'attaquer une si forte escorte. Telles étaient les réflexions qui se déroulèrent dans l'esprit de Hulot, quoique d'une manière beaucoup moins succincte, dès qu'il crut apercevoir, dans l'apparition de Marche-à-terre, l'indice d'une embuscade habilement préparée, car lui seul fut d'abord dans le secret de son danger.

Le silence qui suivit la phrase prophétique du commandant à Gérard, et qui termine la scène précédente, servit à Hulot pour recouvrer son sang-froid. Le vieux soldat avait presque chancelé. Il ne put chasser les nuages qui couvrirent son front quand il vint à penser qu'il était environné déjà des horreurs d'une guerre dont les atrocités eussent été peut-être reniées par les Cannibales. Le capitaine Merle et l'adjudant Gérard, ses deux amis, cherchaient à s'expliquer la crainte, si nouvelle pour eux, dont témoignait la figure de leur chef, et contemplaient Marche-à-terre mangeant sa galette au bord du chemin, sans pouvoir établir le moindre rapport entre cette espèce d'animal et l'inquiétude de leur intrépide commandant. Mais le visage de Hulot s'éclaircit bientôt. Tout en déplorant les malheurs de la République, il se réjouit d'avoir à combattre pour elle, il se promit joyeusement de ne pas être la dupe des Chouans et de pénétrer l'homme si ténébreusement rusé qu'ils lui faisaient l'honneur d'employer contre lui. Avant de prendre aucune résolution, il se mit à examiner la position dans laquelle ses ennemis voulaient le surprendre. En voyant que le chemin au milieu duquel il se trouvait engagé passait dans une espèce de gorge peu profonde à la vérité, mais flanquée de bois, et où aboutissaient plusieurs sentiers, il fronça fortement ses gros sourcils noirs, puis il dit à ses amis d'une voix sourde et très émue : – Nous sommes dans un drôle de guêpier.

Balzac, *Les Chouans*, texte de 1845.

*Pour sa première œuvre en prose, Alexandre Dumas, avant un article sur « la Vendée après le 29 juillet 1830 » (*Revue des Deux-Mondes, *1831) – Il avait été chargé par La Fayette d'organiser des gardes nationales dans la région – et un roman,* La Vendée et Madame *(1833), choisit un épisode romantico-romanesque, l'amour du futur général Marceau pour une jeune et belle vendéenne, et peint dans* Blanche de Beaulieu ou la vendéenne*, l'un des récits des* Nouvelles contemporaines *(1826), rebaptisé* La Rose rouge *pour La* Revue des Deux-Mondes *en 1831, et recueilli en 1835 dans les* Souvenirs d'Antony*, la rencontre du soldat et d'un paysan vendéen (texte 22). Il situera aussi dans le décor des guerres de Vendée un de ses romans de cape et d'épée,* Les Louves de Machecoul*(1858), et écrira également* Le Drame de Quatre-vingt-treize, scènes de la vie révolutionnaire *(1851) ainsi que* Les Blancs et les Bleus *(1867-1868) dont il tirera un drame en 1869.*

Texte 22

Celui qui, dans la soirée du 15 décembre 93, serait parti de la petite ville de Clisson pour se rendre au village de Saint-Crépin, et se serait arrêté sur la crête de la montagne au pied de laquelle coule la rivière de la Moine, aurait vu, de l'autre côté de la vallée, un étrange spectacle.

D'abord, à l'endroit où sa vue aurait cherché le village perdu dans les arbres, au milieu d'un horizon déjà assombri par le crépuscule, il eût aperçu trois ou quatre colonnes de fumée qui, isolées à leur base, se joignaient en s'élargissant, se balançaient un instant comme un dôme bruni, et, cédant mollement à un vent humide d'ouest, roulaient dans cette direction, confondues avec les nuages d'un ciel bas et brumeux. Il eût vu cette base rougir lentement, puis toute fumée cesser, et, des toits des maisons, des langues de feu aiguës s'élancer à leur place avec un frémissement sourd, tantôt se tordant en spirales, tantôt se courbant et se relevant comme le mât d'un vaisseau. Il lui eût semblé que bientôt toutes les fenêtres s'ouvraient pour vomir du feu. De temps en temps, quand un toit s'enfonçait, il eût entendu un bruit sourd; il eût distingué une flamme plus vive, mêlée de milliers d'étincelles, et, à la lueur sanglante de l'incendie s'agrandissant, des armes luire, un cercle de soldats s'étendre au loin. Il eût entendu des cris et des rires. Il eût dit avec terreur : Dieu me pardonne, c'est une armée qui se chauffe avec un village!

Effectivement, une brigade républicaine de douze ou quinze cents hommes avait trouvé le village de Saint-Crépin abandonné et y avait mis le feu.

Ce n'était point une cruauté, mais un moyen de guerre, un plan de campagne comme un autre; l'expérience prouva qu'il était le seul qui fût bon.

Cependant une chaumière isolée ne brûlait pas; on semblait même avoir pris toutes les précautions nécessaires pour que le feu ne pût l'atteindre. Deux sentinelles veillaient à la porte, et, à chaque instant, des officiers d'ordonnance, des aides de camp entraient, puis bientôt sortaient pour porter des ordres.

Celui qui donnait ces ordres était un jeune homme qui paraissait âgé de vingt à vingt-deux ans; de longs cheveux blonds, séparés sur le front, tombaient en ondulant de chaque côté de ses joues blanches et maigres; toute sa figure portait l'empreinte de cette tristesse fatale qui s'attache au front de ceux qui doivent mourir jeunes. Son manteau bleu, en l'enveloppant, ne le cachait pas si bien qu'il ne laissât apercevoir les signes de son grade, deux épaulettes de général; seulement ces épaulettes étaient de laine, les officiers républicains ayant fait à la Convention l'offrande patriotique de tout l'or de leurs habits. Il était courbé sur une table, une carte géographique était déroulée sous ses yeux, il y traçait au crayon, à la clarté d'une lampe qui s'effaçait elle-même devant la lueur de l'incendie, la route que ses soldats allaient suivre. C'était le général Marceau, qui, trois ans plus tard, devait être tué à Altenkirchen.

— Alexandre! dit-il en se relevant à demi... Alexandre!

éternel dormeur, rêves-tu de Saint-Domingue, que tu dors si longtemps?

— Qu'y a-t-il? dit en se levant tout debout et en sursaut celui auquel il s'adressait et dont la tête toucha presque le plafond de la cabane; qu'y a-t-il? est-ce l'ennemi qui nous vient?... Et ces paroles furent dites avec un léger accent créole qui leur conservait de la douceur même au milieu de la menace.

— Non, mais un ordre du général en chef Westermann qui nous arrive.

Et, pendant que son collègue lisait cet ordre, car celui qu'il avait apostrophé était son collègue, Marceau regardait avec une curiosité d'enfant les formes musculeuses de l'Hercule mulâtre qu'il avait devant les yeux.

C'était un homme de vingt-huit ans, aux cheveux crépus et courts, au teint brun, au front découvert et aux dents blanches, dont la force presque surnaturelle était connue de toute l'armée, qui lui avait vu, dans un jour de bataille, fendre un casque jusqu'à la cuirasse, et, un jour de parade, étouffer entre ses jambes un cheval fougueux qui l'emportait. Celui-là n'avait pas longtemps à vivre non plus; mais, moins heureux que Marceau, il devait mourir loin du champ de bataille, empoisonné par l'ordre d'un roi. C'était le général Alexandre Dumas, c'était mon père.

— Qui t'a apporté cet ordre? dit-il.

— Le représentant du peuple Delmar.

— C'est bien. Et où doivent se rassembler ces pauvres diables?

— Dans un bois, à une lieue et demie d'ici; vois sur la carte : c'est là.

— Oui; mais sur la carte il n'y a pas les ravins, les montagnes, les arbres coupés, les mille chemins qui embarrassent la vraie route, où l'on a peine à se reconnaître, même dans le jour... Infernal pays!... Avec cela qu'il y fait toujours froid.

— Tiens, dit Marceau en poussant la porte du pied et en lui montrant le village en feu, sors, et tu te chaufferas... Hé! qu'est-ce là, citoyens?

Ces paroles étaient adressées à un groupe de soldats qui, en cherchant des vivres, avaient découvert, dans une espèce de chenil attenant à la chaumière où étaient les deux généraux, un paysan vendéen qui paraissait tellement ivre, qu'il était probable qu'il n'avait pu suivre les habitants du village lorsqu'ils l'avaient abandonné.

Que le lecteur se figure un métayer à visage stupide, au grand chapeau, aux cheveux longs, à la veste grise ; être ébauché à l'image de l'homme, espèce de degré au-dessous de la bête ; car il était évident que l'instinct manquait à cette masse. Marceau lui fit quelques questions ; le patois et le vin rendirent ses réponses inintelligibles. Il allait l'abandonner comme un jouet aux soldats, lorsque le général Dumas donna brusquement l'ordre d'évacuer la chaumière et d'y enfermer le prisonnier. Il était encore à la porte : un soldat le poussa dans l'intérieur ; il alla, en trébuchant, s'appuyer contre le mur, chancela un instant en oscillant sur ses jambes demi-ployées ; puis, tombant lourdement étendu, demeura sans mouvement. Un factionnaire resta devant la porte, et l'on ne prit pas même la peine de fermer la fenêtre.

— Dans une heure nous pourrons partir, dit le général Dumas à Marceau ; nous avons un guide.

— Lequel ?

— Cet homme.

— Oui, si nous voulons nous mettre en route demain, soit. Il y a, dans ce que ce drôle a bu, du sommeil pour vingt-quatre heures.

Dumas sourit : — Viens, lui dit-il. Et il le conduisit sous le hangar où le paysan avait été découvert ; une simple cloison le séparait de l'intérieur de la cabane, encore était-elle sillonnée de fentes qui laissaient distinguer ce qui s'y passait, et avaient dû permettre d'entendre jusqu'à la moindre parole des deux généraux, qui, un instant auparavant, s'y trouvaient :

— Et maintenant, ajouta-t-il en baissant la voix, regarde.

Marceau obéit, cédant à l'ascendant qu'exerçait sur lui son ami, même dans les choses habituelles de la vie. Il eut quelque peine à distinguer le prisonnier, qui, par hasard, était tombé dans le coin le plus obscur de la chaumière : il gisait encore à la même place, immobile. Marceau se retourna pour chercher son collègue : il avait disparu.

Lorsqu'il reporta ses regards dans la cabane, il lui sembla que celui qui l'habitait avait fait un léger mouvement, sa tête était replacée dans une direction qui lui permettait d'embrasser d'un coup d'œil tout l'intérieur. Bientôt il ouvrit les yeux avec le bâillement prolongé d'un homme qui s'éveille, et il vit qu'il était seul.

Un singulier éclair de joie et d'intelligence passa sur son visage.

Dès lors il fut évident pour Marceau qu'il eût été la dupe de cet homme, si un regard plus clairvoyant n'avait tout deviné. Il l'examina donc avec une nouvelle attention : sa figure avait repris sa première expression, ses yeux s'étaient refermés, ses mouvements étaient ceux d'un homme qui se rendort ; dans l'un d'eux, il accrocha du pied la table légère qui soutenait la carte et l'ordre du général Westermann, que Marceau avait rejeté sur cette table : tout tomba pêle-mêle ; le soldat de faction entr'ouvrit la porte, avança la tête à ce bruit, vit ce qui l'avait causé, et dit en riant à son camarade : — C'est le citoyen qui rêve.

Cependant celui-ci avait entendu ces paroles, ses yeux s'étaient rouverts, un regard de menace poursuivit un instant le soldat ; puis, d'un mouvement rapide il saisit le papier sur lequel était écrit l'ordre, et le cacha dans sa poitrine.

Marceau retenait son souffle ; sa main droite semblait collée à la poignée de son sabre, sa main gauche supportait avec son front tout le poids de son corps, appuyé contre la cloison.

L'objet de son attention était alors posé sur le côté ; bientôt, en s'aidant du coude et du genou, il s'avança lentement, toujours couché, vers l'entrée de la cabane ; l'intervalle qui se trouvait entre le seuil et la porte lui permit d'apercevoir les jambes d'un groupe de soldats qui se tenaient devant. Alors, avec patience et lenteur, il se remit à ramper vers la fenêtre entr'ouverte ; puis, arrivé à trois pieds d'elle, il chercha dans sa poitrine une arme qui y était cachée, ramassa son corps sur lui-même, et, d'un seul bond, d'un bond de jaguar, s'élança hors de la cabane. Marceau jeta un cri : il n'avait eu le temps ni de prévoir ni d'empêcher cette fuite. Un autre cri répondit au sien ; celui-là était un cri de malédiction. Le Vendéen, en tombant hors de la fenêtre, s'était trouvé face à face avec le général Dumas ; il avait voulu le frapper de son couteau, mais celui-ci, lui saisissant le poignet, l'avait ployé contre sa poitrine, et il n'avait plus qu'à pousser pour que le Vendéen se poignardât lui-même.

— Je t'avais promis un guide, Marceau ; en voici un, et intelligent, je l'espère. — Je pourrais te faire fusiller, drôle, dit-il au paysan ; il m'est plus commode de te laisser vivre. Tu as entendu notre conversation, mais tu ne la reporteras pas à ceux qui t'ont envoyé. — Citoyens, — il s'adressait aux soldats que cette scène curieuse avait amenés, — que deux de vous prennent chacun une main à cet homme et se placent avec lui à la tête de la colonne : il sera notre guide ; si vous apercevez qu'il vous trompe, s'il fait un mouvement pour fuir, brûlez-lui la cervelle et jetez-le par-dessus la haie.

A. Dumas, *Blanche de Beaulieu*, 1826.

Barbey d'Aurevilly apparaît lui-même comme une sorte de Chouan attardé, frénétiquement contre-révolutionnaire. S'il présente L'Ensorcelée *(1854) comme faisant partie d'« une suite de romans qu'(il) doit publier plus tard sous un nom collectif, la guerre de la Chouannerie », il confère à ce sanglant épisode un caractère de plus en plus mystérieux, comme si le travail du temps métamorphosait l'histoire en légende.* Le Chevalier des Touches *(1864) raconte l'équipée des Douze (texte 23).*

Texte 23

« [...] Or, à l'époque dont je vais vous parler, monsieur de Fierdrap, la grande guerre, ainsi que nous appelions la guerre de la Vendée, était malheureusement finie. Henri de La Rochejaquelein, qui avait compté sur l'appui des populations normandes et bretonnes, avait, un beau matin, paru sous les murs de Granville ; mais, défendu par la mer et ses rochers encore mieux que par les réquisitionnaires républicains, cet inaccessible perchoir aux mouettes avait tenu ferme et, de rage de ne pouvoir s'en rendre maître, La Rochejaquelein, à ce moment-là, dit-on, dégoûté de la vie, était allé briser son épée sur la porte de la ville, malgré le canon et la fusillade, puis il avait remmené ses Vendéens. Du reste, si, comme on l'avait cru d'abord, Granville n'avait pas fait de résistance, le sort de la guerre royaliste aurait-il été plus heureux ?... Nul des chefs Normands – et je les ai tous très bien connus –, qui avaient, dans notre Cotentin, essayé d'organiser une Chouannerie à l'instar de celle de l'Anjou et du Maine, ne le pensait, même dans ce temps où l'inflammation des esprits rendait toute illusion facile. Pour le croire, ils jugeaient trop bien le paysan normand, qui se battait comme un coq d'Irlande pour son fumier et dans sa basse-cour, mais à qui la Révolution, en vendant à vil prix les biens d'émigrés et les biens d'Église avait précisément offert le morceau de terre pour lequel cette race, pillarde et conservatrice à la fois, a toujours combattu, depuis sa première apparition dans l'Histoire. Vous n'êtes pas Normand pour des prunes, baron de Fierdrap, et vous savez, comme moi, par expérience, que le vieux sang des pirates du Nord se retrouve encore dans les veines des plus chétifs de nos paysans en sabots. Le général *Télémaque*, comme nous disions alors, c'est-à-dire, de son vrai nom, le chevalier de Montressel, qui avait été chargé par M. de Frotté d'organiser la guerre dans cette partie du Cotentin, m'a souvent répété combien il avait été difficile de faire décrocher du manteau de la cheminée le fusil de ces paysans, chez qui l'amour du roi, la religion, le respect des nobles ne venaient que bien après l'amour de leur *fait* et le besoin d'avoir de *quay sur la planche**. “Tous les intérêts de ces gens-là sont des intérêts”, me disait, dans son dépit, le chevalier, qui n'était pas de Normandie. Et il ajoutait, M. de Montressel : “Si la chair de Bleu s'était vendue au prix du gibier sur les marchés de Carentan ou de Valognes, pas de doute que mes lambins dégourdis n'en eussent bourré leurs carnassières, et ne nous eussent abattu, à tout coin de haie, des républicains, comme ils abattaient, dans les marais de Néhou, des canards sauvages et des sarcelles !”

« Et si je reviens sur tout cela, monsieur de Fierdrap, quoique vous le sachiez aussi bien que moi, c'est que vous n'étiez plus là, vous, quand nous y étions, et que je me sens obligée, avant d'entrer dans mon histoire, de vous rappeler ce qui se passait en cette partie du Cotentin, vers la fin de 1799. Jamais, depuis la mort du Roi et de la Reine, et depuis que la guerre civile avait fait deux camps de la France, nous n'avions eu, nous autres royalistes, le courage, sinon plus abattu, au moins plus navré... Le désastre de la Vendée, le massacre de Quiberon, la triste fin de la Chouannerie du Maine avaient été la mort de nos plus chères espérances, et si nous tenions encore, c'était pour

* De quoi sur la planche.

l'honneur; c'était comme pour justifier la vieille parole : "On va bien loin quand on est lassé!" M. de Frotté, qui avait refusé de reconnaître le traité de la Mabilais, continuait de correspondre avec les princes. Des hommes dévoués passaient nuitamment la mer et allaient chercher en Angleterre, pour les rapporter à la côte de France, des dépêches et des instructions. Parmi eux, il en était un qui s'était distingué entre les plus intrépides par une audace, un sang-froid et une adresse incomparables : c'était le chevalier Des Touches.

« Je ne vous peindrai pas le chevalier... Vous le disiez, il n'y a qu'un instant, à mon frère, vous l'avez connu à Londres et vous l'appeliez *la Belle Hélène*, beaucoup pour son enlèvement, et un peu aussi pour sa beauté; car il avait, si vous vous en souvenez, une beauté presque féminine, avec son teint blanc et ses beaux cheveux annelés, qui semblaient poudrés, tant ils étaient blonds! Cette beauté, dont tout le monde parlait et dont j'ai vu des femmes jalouses, cette délicate figure d'ange de missel, ne m'a jamais beaucoup charmée. J'ai souvent raillé sur leurs admirations enthousiastes Mlles de Touffedelys et bien d'autres jeunes filles de ce temps, qui regardaient le chevalier de Langotière comme un miracle, et l'auraient volontiers nommé la *belle des belles*, comme du temps de la Fronde, on disait de la duchesse de Montbazon. Seulement, tout en raillant, je n'oubliais pas que cette mignonne beauté de fille à marier était doublée de l'âme d'un homme; que sous cette peau fine, il y avait un cœur de chêne et des muscles comme des cordes à puits... Un jour, dans une foire, à Bricquebec, j'avais vu le chevalier, traité de *Chouan* avec insolence, sous une tente, faire tête à quatre vigoureux paysans, dont il tordit les *pieds de frêne* dans ses charmantes mains, comme si ç'avaient été des roseaux! Je l'avais vu, pris brutalement à la cravate par un brigadier de gendarmerie taillé en hercule, saisir le pouce de cet homme entre ses petites dents, ces deux si jolis rangs de perles! le couper net d'un seul coup et le souffler à la figure du brigadier, tout en s'échappant par un bond qui troua la foule ameutée autour d'eux; et depuis ce jour-là, je l'avoue, la beauté de ce terrible coupeur de pouce m'avait paru moins efféminée! Depuis ce jour-là aussi, j'avais appris à le connaître, au château de Touffedelys, où, comme je vous le disais, baron, nous avions notre quartier général le mieux caché et le plus sûr. Êtes-vous allé quelquefois à Touffedelys, monsieur de Fierdrap?... Vos domaines, à vous, n'étaient pas de ce côté, et de ce pauvre château ruiné, il ne reste pas maintenant une seule pierre! C'était un assez vaste manoir, autrefois crénelé, un débris de construction féodale, qui pouvait abriter une troupe nombreuse entre ses quatre tourelles, et dont les environs étaient couverts de ces grands bois, le vrai nid de toutes les Chouanneries! qui rappelaient, par leur noirceur et les dédales de leurs clairières, ce fameux bois de Misdom où le premier des Chouans, un Condé de broussailles, Jean Cottereau, avait toute sa vie combattu. Situé à peu de distance d'une côte solitaire, presque inabordable à cause des récifs, le château de Touffedelys semblait avoir été placé là, comme avec la main, en prévision de ces guerres de partisans à moitié éteintes et que nous essayions de rallumer! Tout ce qui avait résolu de reprendre et de continuer cette malheureuse guerre interrompue, tout ce qui repoussait dans son âme d'oppressives pacifications, tout ce qui pensait que des combats de buisson et de haie pouvaient mieux réussir qu'une guerre de grande ligne, devenue d'ailleurs impossible, tous ceux qui voulaient brûler une dernière cartouche contre la Fortune, l'ignoble et lâche Fortune! et s'enterrer sous leur dernier coup de fusil, venaient, de toutes parts, se réunir et se concerter dans ce fidèle château de Touffedelys. Les chefs de cette arrière-Chouannerie, qui eut son dénouement, hideusement tragique, à la mort de Frotté, massacré dans le fossé de Verneuil, y arrivaient sous toutes sortes de déguisements, et maintes fois ils s'y abouchèrent avec les derniers survivants de la Chouannerie du Maine écrasée. Afin de désorienter le soupçon, le château, qui n'avait plus que deux châtelaines, bien peu inquiétantes, à ce qu'il semblait, pour la République, était le refuge de quelques femmes de la contrée dont les pères, les maris, les frères avaient émigré, et qui, n'ayant voulu ou pu les suivre, évitaient, en vivant à la campagne, au milieu des paysans chez lesquels un vieux respect pour leurs familles existait encore, ce qu'elles n'eussent pas évité dans les villes : le gouffre toujours béant des maisons d'arrêt.

Barbey d'Avrevilly, *le Chevalier des Touches*, 1864.

Plus proche de nous, Jean de La Varende (1887-1959) chante la Normandie, les vertus rurales, celles de la noblesse provinciale et la tradition, tout en dénonçant la décadence du monde contemporain. Si, paradoxalement, son œuvre ne raconte guère d'épisodes de la chouannerie normande, elle montre les survivances des mentalités et célèbre tout un héritage (texte 24).

Texte 24

LES DERNIERS CHOUANS

(18 février 1906)

Au poète Louis Foisil,
l'avant-dernier.

I

Le ciel était éraillé de nuages trop clairs. Le vent qui les cardait restait dans les hauteurs, et l'énorme pays, calme, semblait attendre.

....

Le curé, planté au coin d'un labour, faisait un lent demi-tour d'horizon, laissait traîner ses yeux globuleux sur les terres, les herbages maigres ; puis il parlait ; puis il se taisait : il paraissait recueillir les choses que lui aurait dites cette glèbe, les traduire, ensuite, avec effort. Le vieillard était un peu difforme, de graisse ou d'enflure, avec un masque vineux qui bourgeonnait, sous un beau front. Jacques de Galart l'écoutait dans une attention extrême :

— Le curieux, monsieur de Galart, c'est qu'en cette terre de chouannerie, on les trouve bonapartistes ! Napoléon III... voyez-vous... il leur a donné des routes et il *a construit les Halles*... Les Halles, basilique des légumes, Panthéon des carottes ! Monsieur... « Alors, disent-ils, celui-là fut un *bon*. »

Il se chargea le nez d'une prise :

— Mais quand même, leur goût monarchique n'est point tout à fait défaillant ; le Napoléon troisième reste pour eux le dernier des rois... Ce coin de Normandie fut tellement royaliste, monsieur. Le pauvre Frotté y trouvait ses meilleures gens.

Et le curé s'enfonça dans cette histoire de Frotté, si fortement gravée dans l'imagination populaire, mais que Galart connaissait mieux que lui. Le jeune homme se serait pourtant bien gardé d'interrompre les épreuves du fusillé de Verneuil ; se serait bien gardé, même, de répliquer. Il tirait beaucoup des vieillards, et savait les écouter. En face de ces êtres, où déjà la ruine vitale apparaissait, il avait la sensation de sonder un terrain de fouilles, terriblement instable, qu'un rien éboulerait, fermerait... De quelles précautions fallait-il user ! Ces histoires, qu'il arrivait à exhumer hors l'encombrement mémorial, n'étaient-elles pas aussi délicates que des statuettes, des argiles roses ?... aussi friables ? Il devinait, *voyait* les lentes images se dégager, péniblement sortir des cervelles indurées, infiltrées... un geste eût suffi pour ruiner toute la découverte !

⁂

Le destin de Frotté remuait toujours — et fortement — le cœur de Galart. Il avait le sentiment presque physique du chef royaliste, pour avoir si souvent prié devant le monument étrange de Verneuil. Oui, dans l'église de la Madeleine, au mur sud, les sept beaux compagnons sont figurés en haut-relief sur une stèle de marbre, petite mais émouvante. Il est là, élégant et fin devant ses jeunes chefs ; l'Italien*, sans doute, qui les a ciselés, a tout reproduit dans le carrare, depuis les broderies des uniformes royaux jusqu'aux boucles de cheveux, si soigneusement calamistrés. L'imagination est saisissante, car, derrière cette coquetterie, ces gens prêts pour le bal, on ressent atrocement l'horreur du champ boueux, où, face à la plaine infinie, on les massacra... De la fange, du sang, et des cheveux épars sur ces belles têtes éclatées ! O réprobation éternelle ! Même les cabaretiers, les galopins des rues, se souviennent qu'on les a tués par trahison. Pour soutenir le fronton de la stèle on voit deux torches, renversées, certes ! abattues ? peut-être ! mais qui flambent encore, et furieusement !

Tandis que parlait l'abbé, Galart se répétait l'épitaphe latine, si musicale, si fière :

* Non, c'est David d'Angers.

D.O.M.
Sicut Machabaei
Perierunt hac in urbe
Anno MDCCC, Die XVIII Februari...

Oh ! 18 février ! Aujourd'hui même... et il y avait seulement cent six ans ! Tellement frappé par la coïncidence, il ne put s'empêcher de couper la parole au vieillard pour la lui faire remarquer.

Le prêtre hocha la tête :

— Ah ! oui... cent six ans... Mon âge et le vôtre ajoutés... Ni loin ni vieux. (Il frappa du pied.) Et c'est sur cette même route qu'ils passèrent puisqu'on les amena d'Argentan*. Durent venir en fourgon clos et dans le secret ; sans ça ils n'eussent jamais atteint Verneuil : toutes les plantes (haies) auraient vomi du chouan ! Oh ! ce pays, race batailleuse et violente s'il en fut jamais ! Et soudaine et cacharde... Nous voyons là mille journaux de terre et pas âme qui vive, dessus... Eh bien ! croyez-moi... sont cent paires d'yeux qui nous mirent !

« Mais vous connaissez le solage, assurément, monsieur ; beaucoup de vot' parenté fut par ici ; mon grand-père les nommait bien : rudes hommes, vifs mais *cœurus*.

....

A chaque discours important le curé s'arrêtait. Quelle fatigue pour Jacques, qui pèlerinait à pied sur le vieux sol et gardait encore dans les jambes le rythme de ses longues marches ! Il faudrait renoncer à joindre Laigle avant la nuit, mais tout abandonner pour cette *fouille-là* ; d'autant plus que le vieil homme reprenait :

— On en disait sur eux... on en dit encore... Vot' grand-mère était bien une demoiselle de Tainchebraye ?

— Mon arrière-grand-mère, rectifia machinalement le jeune homme, mais le ressort était poussé et continua d'animer le vieillard :

— Et pardon ! en effet je confonds les jeunesses... Nos maisons étaient pleines d'histoires sur les MM. de Tainchebraye, père et fils ; mon père à moi avait même connu le père, qu'on nommait, sauf votre respect : Tainchebraye-la-Pipe. Il avait été marin avant d'être cavalier, et doux homme, mais qui prit le goût du meurtre aux émeutes de Cherbourg, pour défendre son ami et chef, qu'il ne put

* Non, d'Alençon, mais ces paroles ont été respectées.

préserver du réverbère, mais qu'il vengea, court et sec, il paraît... Oh là!... Il voyait du sang, c't'homme, au mot République! Ce fut lui qui mena dans le pays les grandes attaques de diligences. Jamais pris et prenant toujours.

« Il fumait, sans mettre bas sa pipe hors le manger ni le sommeil, et l'habitude lui en venait de son ancien métier. Eh bien! croyez-moi, monsieur, de qui je le tiens ne mentait point, par honneur, sûr! mais aussi par défaut d'inventer, eh bien, très vite tous les tabacs devinrent trop fades pour monsieur vot' grand-père; alors, il saupoudrait sa carotte avec de la poudre de chasse mouillée : sa pipe pétillait comme un feu de branches, et, derrière lui, ça puait le soufre!... Un rude batailleur, et un capitaine qu'il fut! L'avait monté tous les gens avec des chevaux à lui, vifs, qui venaient du haras qu'il soignait; les gendarmes pouvaient bien courir : ils ne voyaient pas longtemps leur dos... mais, marchez! préféraient la chose, n'étant point le côté des carabines!

« Monsieur vot' grand-père mourut pas de chance; il mourut d'un os de conil (lapin) qui lui resta dans la gorge, lui creva le gosier, après cinq jours qu'on ne put le lui retirer. Et, pire que de mourir, lui coûtait de finir ainsi : il jurait : "Un vieux chasseur comme moi, tué par un lapin!"

***

Le curé reprit péniblement haleine. Jacques écoutait tête basse; sourire, comme il se devait, lui coûta un effort, tellement ces récits l'absorbaient. Le vieillard continua :

— Bon chrétien quand même : comme il ne pouvait recevoir Notre-Seigneur, avec son os — même en viatique — il demanda qu'on lui approchât la Sainte Hostie pour la baiser; ce qu'il fit et mourut... N'aurait point manqué un prêtre assermenté et, pour les gendarmes qu'il vous jetait à la marnière, ne l'eût point fait sans eau bénite ni chanter sur eux la prose « *Languentibus in purgatorio* », qu'il affectionnait — et clamait comme un tonnerre!

Le prêtre souffla encore un peu, intimement amusé, et se souriant à lui-même; il reprit en branlant le chef :

— ... Valait tout de même mieux que son fils, dont m'excuse, le fameux Nez de Cuir. Malgré son nez coupé et son visage détruit, ses blessures des Russes, en a-t-il détourné des malheureuses : on dit encore dans le pays « Amoureux comme un masque »... et ça vient de lui, car il portait masque comme vous le savez, bien sûr?

— Oui, dit Jacques, assez faiblement pour ne pas troubler la rêverie parlée du prêtre, mais nous l'avons mal connu à cause des brouilles. Il était voltairien, n'est-ce pas?

— P't-être bien... Ne croyait guère... Cependant il ne refusa pas l'extrême-onction : « Si cela vous fait plaisir ou profit », qu'il dit; mais des huit onctions, n'en put recevoir que sept; on ne pouvait l'oindre aux narines à cause de son masque, qu'il ne quitta même pas durant son agonie... L'est mort dessous; l'est enterré avec... Et sur sa tête d'os, aujourd'hui, le masque dans sa tombe doit être toujours serré... L'âge l'avait assagi; son passé l'aurait dû poursuivre... Allez donc comprendre? Dans quelle famille n'avait-il pas apporté le trouble; eh bien! pour être aimé, personne comme lui!

« Ah! pays de chouans et d'hommes durs et de filles enragées.

Le curé avait stoppé tout près d'un gros buisson noir qui bordait la route; il le désigna.

— Les échos de ce que je dis doivent retentir là-dedans... la marnière, monsieur : un cimetière de haine. Dans ces temps on ne *tirait* plus, le loisir en manquait, mais on fit le contraire! Le pays n'est qu'un réseau de conduits. Vous connaissez assurément le dit-on : « Dans l'Ouche plus de routes dessous encore que dessus » et Dieu sait seul le nombre des chemins qui divisent nos héritages, en cette terre pauvre. Tout cela a été foré par les anciens, plus crochants à l'ouvrage que les jeunes. Puis on dit maintenant que la marne enrichit le père pour ruiner le fils... les fils le disent, du moins... Les vieux guillochèrent la campagne comme un guêpier! Près de vous, on raconte l'histoire du chien des Jonquerêts-de-Livet, qui tomba en marnière et fut retrouvé trois jours après, au fond d'un autre trou, près de Landepereuse, à une bonne lieue de là. Ils le quérirent et remontèrent au péril de leur vie, car ils ne sont point jaloux de l'effort quand il doit peu durer.

« On ne sait plus rien du grand réseau; on a perdu les cartes. Oui, à la fin de l'Ancien Régime, furent dressées des cartes souterraines. M. le doyen de Verneuil me l'a certifié : trois ou quatre, confiées à des notables.

J. de La Varende, *Les Manants du Roi*, Plon, 1938.

— Oui, [illegible] assez [illegible] on ne [illegible] [illegible]

[illegible]

[illegible] toute [illegible] qui [illegible]

[illegible] cela [illegible] que [illegible] bien [illegible] [illegible]

[illegible] Madrid [illegible]

[illegible]

VI. REPÈRES BIOGRAPHIQUES

(Sigles des œuvres : P = poésie ; T = théâtre ; R = roman ; A = autre)

1802	Naissance à Besançon de Victor-Marie Hugo, troisième fils du capitaine Léopold Hugo, né à Nancy, officier des armées révolutionnaires, et de Sophie Trébuchet, nantaise, « vendéenne », de famille plutôt républicaine. Abel est né en 1798 et Eugène en 1800.
1802-1804	A Paris, Mme Hugo se lie avec le général Lahorie, qui conspire contre Bonaparte.
1807	Mme Hugo et ses enfants rejoignent Léopold en Italie, dans le royaume de Naples.
1808	Alors que Léopold rejoint Joseph Bonaparte, nouveau roi d'Espagne, Sophie et les enfants restent quelque temps à Naples avant de rentrer à Paris.
1809	Ils s'installent aux Feuillantines, et Sophie héberge Lahorie, proscrit. Léopold est nommé général.
1810	Léopold est fait comte, et Lahorie est arrêté.
1811	Sophie et les enfants partent pour Madrid, où leur père, qui demande le divorce, met ses fils en pension. Déjà Victor noue une idylle avec la petite Pepita.
1812	Mme Hugo retourne aux Feuillantines avec Eugène et Victor. Lahorie est fusillé pour avoir participé à la conspiration du général Malet.
1813	Retour de Léopold. Sophie s'installe rue des

Vieilles-Thuileries (aujourd'hui du Cherche-Midi), près de ses amis Foucher, dont la fille Adèle est née en 1803.

1814 Léopold défend Thionville, et la procédure de divorce s'engage.

1815 Léopold place Eugène et Victor à la pension Cordier, près de Saint-Germain-des Prés, et les confie à sa sœur. Victor écrit ses premiers poèmes.

1816 Placé en demi-solde, Léopold s'installe à Blois. Eugène et Victor, toujours en pension, font leur classe de philosophie à Louis-le-Grand.

1817 Victor obtient une mention au concours annuel de l'Académie française. Leur père les destinant à Polytechnique, Eugène et Victor passent en mathématiques spéciales.

1818 Séparation légale des époux Hugo : les enfants sont confiés à leur mère. Eugène est couronné par l'Académie des Jeux floraux de Toulouse, alors que Victor ne reçoit aucun prix. Autorisés par leur père, les deux frères entament des études de droit. Victor écrit la première version de *Bug-Jargal* (R).

1819 Victor, dont le premier poème publié s'intitule « Les Destins de la Vendée », obtient le Lys d'or des Jeux floraux de Toulouse pour « Le Rétablissement de la statue de Henri IV ». Commencent ses amours avec Adèle Foucher. Les trois frères fondent *Le Conservateur littéraire*, qui paraîtra jusqu'au 31 mars 1821. Victor écrit un article sur Walter Scott.

1820 Victor commence ses *Lettres à la fiancée*, reçoit 500 francs de Louis XVIII pour son « Ode sur la mort du duc de Berry », mais se voit refuser par sa mère son mariage avec Adèle. Leurs familles interdisent aux jeunes gens de se voir et de correspondre. Publication de *Bug-Jargal*, première version. Victor noue de nombreuses relations dans l'intelligentsia et les milieux romantiques (Chateaubriand, Lamennais, Lamartine, Vigny...).

1821 Sophie Hugo meurt. Victor peut revoir Adèle

et renoue progressivement avec son père, remarié.

1822 Victor, pensionné royal, épouse Adèle et publie son premier recueil, *Odes et poésies diverses* (P). Le soir des noces, Eugène fait une crise. Il sera interné à la fin de l'année. Le drame *Inès de Castro* (T) est interdit.

1823 Publication de *Han d'Islande*, roman noir et frénétique. Premier numéro de *La Muse française*, revue du romantisme, qui paraîtra pendant une seule année.

1824 Après un premier enfant qui n'a pas vécu, naissance de Léopoldine. Nodier réunit le Cénacle. Hugo publie ses *Nouvelles Odes* (P).

1825 Hugo reçoit la Légion d'honneur.

1826 Naissance de Charles. Publication de la deuxième version de *Bug-Jargal* et des *Odes et ballades* (P).

1827 Sainte-Beuve devient l'intime du couple Hugo, qui s'installe rue Notre-Dame-des-Champs, où se tient le nouveau Cénacle. Publication de *Cromwell* (T) et de sa *Préface*, manifeste romantique, ainsi que de l'« Ode à la colonne de la place Vendôme », qui consacre le mythe napoléonien.

1828 Mort de Léopold. Naissance de Victor, dit François-Victor. Édition définitive des *Odes et ballades*.

1829 Pourtant reçu à la Comédie-Française, le drame *Marion Delorme* (T) est interdit. Publication des *Orientales* (P) et du *Dernier Jour d'un condamné* (R). Victor Hugo refuse un poste officiel.

1830 Bataille d'*Hernani* (T). Naissance d'Adèle. Sainte-Beuve et Adèle Hugo entament leur liaison, au su de Victor qui laisse faire.

1831 Publication de *Notre-Dame de Paris* (R, publié dans la collection « Lire et Voir les classiques »), des *Feuilles d'automne* (P), et première de *Marion Delorme*, enfin autorisée.

1832 La famille Hugo s'installe place Royale (aujourd'hui Maison Victor Hugo, place des Vosges). Interdiction du *Roi s'amuse* (T).

1833 Victor Hugo rencontre Juliette Drouet. Première de *Lucrèce Borgia* (T) et de *Marie Tudor* (T).

1834 Victor et Juliette voyagent ensemble. Publication de *Littérature et philosophie mêlées* (A) et de *Claude Gueux* (R).

1835 Nouveau voyage de Victor et de Juliette. Victor se brouille définitivement avec Sainte-Beuve. Première d'*Angelo, tyran de Padoue* (T), publication des *Chants du crépuscule* (P).

1836 Victor et Juliette voyagent derechef. Adèle et Sainte-Beuve s'éloignent l'un de l'autre. Double échec à l'Académie française. L'opéra *Esmeralda*, dont Hugo a écrit le livret, échoue.

1837 Mort d'Eugène à l'asile. Victor accomplit son voyage annuel avec Juliette. Publication des *Voix intérieures* (P).

1838 Hugo signe un premier contrat pour la publication de ses œuvres complètes. La somme équivaut à 5 millions de nos francs. Création de *Ruy Blas* (T).

1839 Nouvel échec à l'Académie. Outre leur habituel voyage, Victor et Juliette s'engagent par une sorte de mariage secret.

1840 Comme à l'ordinaire, échec à l'Académie et voyage avec Juliette. Publication des *Rayons et les ombres* (P) et du *Retour de l'Empereur* (P) à l'occasion du transfert des cendres de Napoléon Ier.

1841 Victor Hugo est enfin élu à l'Académie.

1842 Victor Hugo fait connaissance de Léonie Biard et de Louis-Philippe. Publication du *Rhin*, journal de voyage.

1843 Le 4 septembre, Léopoldine et son mari, Charles Vacquerie, épousé en février, se noient dans la Seine, à Villequier. Échec des *Burgraves* (T). Victor devient l'amant de Léonie.

1844 Hugo soutient la candidature de Sainte-Beuve à l'Académie et s'entretient régulièrement avec Louis-Philippe.

1845 Il est nommé pair de France. Le mari de Léonie fait constater le flagrant délit d'adultère, mais, sur intervention du roi, renonce à sa plainte. Victor Hugo échappe aux poursuites, alors que Léonie est emprisonnée. Victor Hugo entame *Les Misères* (R), qui deviendront *Les Misérables*.

1846 Le nouveau membre intervient à la Chambre des Pairs, notamment pour la liberté de la Pologne.

1847 La vie de Hugo se partage entre la Chambre des Pairs, la compagnie du roi, la vie familiale, les amours avec Léonie, les nouvelles rencontres, la difficile relation avec Juliette...

1848 Partie prenante dans les événements révolutionnaires, après avoir été partisan de la régence, élu à la Constituante, avoir participé aussi pacifiquement que possible à la répression de juin, Victor Hugo évolue vers des idées de gauche.

1849-1850 Élu à la Législative, il rompt progressivement avec la droite.

1851 Il prend parti contre Louis-Napoléon, ses fils sont arrêtés pour des articles séditieux. Léonie envoie les lettres de Victor à Juliette, désespérée. Victor Hugo dénonce le coup d'État du 2-Décembre. Il doit quitter Paris, Juliette le rejoint à Bruxelles.

1852 Publication du pamphlet *Napoléon-le-Petit* et installation à Jersey.

1853 Le cercle Hugo est initié par Delphine de Girardin aux tables tournantes. Publication en Belgique et en France des *Châtiments* (P).

1854 Victor Hugo compose de nombreux poèmes.

1855 La famille Hugo et Juliette doivent quitter Jersey pour Guernesey.

1856 Publication des *Contemplations* (P). Adèle, la fille, donne des signes de dérangement mental. Victor Hugo achète Hauteville House.

1857 Écriture de nombreux poèmes.

1858 L'exil s'assombrit. Les deux Adèle se rendent à Paris.

1859 Publication de la première série de *La Légende des siècles* (P). Hugo refuse l'amnistie promulguée par Napoléon III.

1860 Victor et Juliette mènent une vie quasi familiale, la famille étant le plus souvent absente. *Les Misérables* avancent.

1861 Voyage en Belgique et en Hollande en compagnie de Juliette. Victor laisse pousser sa barbe et achève *Les Misérables*, pour lesquels il signe un contrat.

1862 Publication des *Misérables* (R), le succès est immense. Nouveau voyage avec Juliette et Charles.

1863 Adèle, la fille, part rejoindre le lieutenant Pinson, auquel elle se croit fiancée, et échoue à La Barbade. Elle sera internée à Paris en 1872. Publication de *Victor Hugo raconté par un témoin de sa vie*, souvenirs recueillis par sa femme, et auxquels Victor a fortement collaboré. Victor et Juliette renouent avec leur habitude du voyage annuel.

1864 Publication de *William Shakespeare* (A), ouvrage inclassable sur le génie et la mission de l'écrivain. Nouveau voyage. Adèle, l'épouse, revient à Guernesey, et y reste deux mois.

1865 Adèle Hugo s'installe avec ses deux fils à Bruxelles. Charles se marie. Publication des *Chansons des rues et des bois* (P).

1866 *Mille Francs de récompense* (T), qui ne sera publié qu'en 1934, *Les Travailleurs de la mer* (R). Séjour à Bruxelles.

1867 *Paris*, introduction au guide de l'Exposition universelle. Voyage en Hollande.

1868 Séjour à Bruxelles, mort d'Adèle. Victor accompagne jusqu'à la frontière le convoi funèbre. Naissance de Georges, fils de Charles.

1869 Victor Hugo préside à Lausanne le Congrès de la paix. Naissance de Jeanne, fille de Charles. Publication de *L'Homme qui rit* (R), composition de pièces de théâtre. Les fils Hugo fondent à Paris le journal d'opposition *Le Rappel*.

1870 Victor Hugo rentre à Paris au lendemain de la proclamation de la République. Nouvelle édition des *Châtiments*.

1871 Élu député à l'assemblée de Bordeaux, Victor Hugo démissionne, accompagne le convoi funèbre de Charles dans Paris insurgé, se rend à Bruxelles, où il accueille des communards proscrits. Il doit s'exiler à Luxembourg, puis rentre à Paris, après avoir été battu aux élections.

1872 Il multiplie les interventions en faveur des communards. Publication de *L'Année terrible* (P). Après un nouvel échec aux élections, qui sera sa dernière tentative devant le suffrage universel, retour à Guernesey, où il commence la rédaction de *Quatrevingt-Treize*.

1873 Retour à Paris. Mort de François-Victor Hugo.

1874 Publication de *Quatrevingt-Treize* (R) et de *Mes fils* (P).

1875 Publication de *Actes et paroles* (A).

1876 Victor Hugo devient sénateur de la Seine et propose sans succès l'amnistie des communards.

1877 *La Légende des siècles* (P, nouvelle série); *L'Art d'être grand-père* (P); *Histoire d'un crime* (A), sur le coup d'État du 2-Décembre.

1878 Congestion cérébrale et convalescence à Guernesey. L'activité proprement créatrice s'arrête. Publication du *Pape* (P).

1879 Mort de Léonie Biard. Voyage à Villequier. L'amnistie des communards est partiellement adoptée. Victor Hugo s'installe avenue d'Eylau.

1880 L'amnistie est véritablement adoptée. Publication de *L'Ane* (P) et de *Religion et religions* (A).

1881 Célébrations officielles pour la quatre-vingtième année de Victor Hugo. Une partie de l'avenue d'Eylau reçoit son nom. Publication des *Quatre Vents de l'esprit* (P).

1882 Réélection triomphale au Sénat. Publication de *Torquemada* (T).

1883 Mort de Juliette Drouet. Publication de la version définitive de *La Légende des siècles*.

1884 Dernière déclaration publique de Victor Hugo devant la statue de la Liberté de Bartholdi.

1885 Victor Hugo meurt le 22 mai. Ses obsèques nationales mobilisent une foule considérable qui l'accompagne au Panthéon.

1886 Publication de *La Fin de Satan* (P) et du *Théâtre en liberté*.
1888-1893 Publication du recueil *Toute la lyre* (P).
1891 Publication de *Dieu* (P).
1898 Publication des *Années funestes* (P).
1901 Publication des *Lettres à la fiancée* (A).
1902 Publication de *Dernière Gerbe* (P).
1913 Publication de *Choses vues*, journal de Hugo.

VII. BIBLIOGRAPHIE SÉLECTIVE EN FRANÇAIS

1. Éditions de *Quatrevingt-Treize*

Édition originale, Paris, Michel Lévy, 19 février 1874, 3 vol. in-8° .

Dans l'édition dite définitive des œuvres de Hugo, Paris, Hetzel-Quantin en 48 vol., *Quatrevingt-Treize* paraît en 1880.

Dans l'édition de l'Imprimerie nationale, Paris, Ollendorf-Albin Michel en 45 vol., il paraît en 1924.

Éditions modernes :

Classiques Garnier, éd. Jean Boudout, 1963.

« L'Intégrale », Le Seuil, *Romans*, vol. 3, présentation de Henri Guillemin, 1963.

Œuvres complètes de Victor Hugo, édition chronologique sous la direction de Jean Massin, Club français du livre, tome XV/1, 1970. Importante présentation de Guy Rosa.

Œuvres complètes, sous la direction de Jacques Seebacher, *Romans III*, Robert Laffont, coll. Bouquins, présentation de Yves Gohin, notices et notes de Yves Gohin, Bernard Leuilliot, Jean Gaudon, 1985.

On peut consulter également l'édition présentée par Yves Gohin, Gallimard, coll. Folio, 1979, et celle présentée par Jean Body, Garnier-Flammarion, 1965.

2. Études d'ensemble sur Hugo (limitées aux présentations générales récentes et à l'œuvre romanesque).

ALBOUY Pierre, *La Création mythologique chez Victor Hugo*, Corti, 1966.

BÉNICHOU Paul, *Les Mages romantiques*, Gallimard, 1988.

BUTOR Michel, « Victor Hugo romancier », *Tel Quel*, nº 16, 1964.

LASTER Arnaud, *Victor Hugo*, Belfond, 1984.

MAUREL Jean, *Victor Hugo philosophe*, P.U.F., coll. « Philosophies », 1985.

PIROUÉ Georges, *Victor Hugo romancier ou les dessus de l'inconnu*, Denoël, 1964.

SEEBACHER Jacques, « Envers du langage, envers de la société dans le roman hugolien », dans *La Lecture sociocritique du texte romanesque*, Toronto, 1975.

VAN TIEGHEM Paul, *Dictionnaire de Victor Hugo*, Larousse, 1970, rééd. 1985.

A noter l'intérêt des longues notices qui scandent l'édition chronologique Massin, en particulier Charles MAURON, « Les personnages de Victor Hugo — étude psychocritique », tome II ; Pierre MOREAU, « Les deux univers de Hugo : le visible et l'invisible », tome III ; Paul HALBWACHS, « Le poète de l'histoire », tomes VII et X ; Georges PIROUÉ, « Le jeu des rôles dans l'œuvre de Victor Hugo », tome XV-XVI/1.

Pour une bibliographie détaillée, voir l'article « Hugo » de Guy Rosa dans le *Dictionnaire des littératures de langue française*, Bordas, 1984.

3. Études sur *Quatrevingt-Treize*

BERNARD C., *Le Chouan romanesque. Balzac, Hugo, Barbey d'Aurevilly*, P.U.F., coll. « Écritures », 1988.

BROMBERT Victor, « Sentiment et violence chez Hugo : l'exemple de *Quatrevingt-Treize* » *Cahiers de l'Association internationale des Études françaises*, nº 26, 1974.

GEORGEL Pierre, « Vision et imagination plastique dans *Quatrevingt-Treize* », *Les Lettres romanes*, février 1965.

JUIN Hubert, « Hugo romancier : une conscience mise à nu », *Cahiers de l'Association internationale des Études françaises*, nº 19, 1967.

LEUILLIOT Bernard, « La loi des tempêtes », *Hugo le fabuleux*, colloque de Cerisy, Seghers, 1985.

« *Quatrevingt-Treize* dans *Les Misérables* », *Romantisme*, nº 60, 1988.

MAUREL Anne, « L'histoire et l'écriture du roman dans *Les Chouans* et *Quatrevingt-Treize* », *Europe*, nº 715-716, nov.-déc. 1988.

MAUREL Jean, « Victor-Marie, femme à barbe », *Revue des Sciences humaines*, nº 156, 1974.

ROSA Guy, « Massacrer les massacres », *L'Arc*, nº 57, 1974.

« *Quatrevingt-Treize* ou la critique du roman historique », *Revue d'Histoire littéraire de la France*, mars-juin 1975.

Vendée, Chouannerie, Littérature (colloque d'Angers 12-15 décembre 1985), Presses de l'université d'Angers, 1988.

4. Documents

Dans l'immense bibliographie consacrée à la Vendée et à la chouannerie, et parmi les ouvrages les plus récents, on peut signaler l'excellence des livres de Jean-Clément MARTIN :

Blancs et Bleus dans la Vendée déchirée, Découvertes-Gallimard, 1986;

La Vendée et la France, Le Seuil, coll. « L'Univers historique », 1987;

La Vendée de la mémoire (1800-1980), Le Seuil, 1989.

On lira aussi avec profit, de Roger DUPUY, *De la Révolution à la chouannerie*, Flammarion, 1988.

VIII. FILMOGRAPHIE

1909 : *Un mariage dans la Terreur*, Viggo Larsen, DK, qui s'inspire d'une pièce contemporaine de Sophus Michaelis, combine à une trame issue de *A Tale of Two Cities*, de Dickens, des éléments empruntés à Hugo.

1914 : Albert Capellani, achevé par le célèbre homme de théâtre André Antoine, en 1920-1921, FR. Restauré et reconstitué en 1983-1986 par Philippe Esnault. Durée : 180 mn.

1961 : adaptation pour la télévision, Claude Santelli.

Sur ces œuvres, voir Sylvie Dallet, *La Révolution française et le cinéma*, Paris, Lherminier, Éditions des Quatre-Vents, 1988.

SCÉNOGRAPHIE

Autorisé par Hugo, Paul Meurice adapta *Quatrevingt-Treize* pour la scène. Le drame fut représenté à la Gaîté le 28 décembre 1881. Il comportait 4 actes et 12 tableaux, et fut joué jusqu'en avril 1882.

La polonaise Stanislawa Przybyszewska (1901-1935), auteur de *L'Affaire Danton* (1929), a laissé une pièce en un acte intitulée *Quatre-Vingt-Treize*.

Outre ces transpositions, *Quatrevingt-Treize* a inspiré : le 14 février 1904 : un prélude symphonique de F. Casadessus ;

en 1914 : une tournée d'Antoine, interdite par la censure ;
en 1935 : un opéra de H. Cain sur une musique de C. Silver ;
en 1959 : une représentation populaire à Clins (Indre) sur un découpage en vingt séquences de M. Philippe ;
en 1979 : un spectacle au château de Fougères, dirigé par M. Philippe.

TABLE DES MATIÈRES

LIVRE TROISIÈME

HALMALO

LIVRE QUATRIÈME

TELLMARCH

DEUXIÈME PARTIE

A PARIS

LIVRE PREMIER

CIMOURDAIN

LIVRE DEUXIÈME

LE CABARET DE LA RUE DU PAON

LIVRE TROISIÈME

LA CONVENTION

TROISIÈME PARTIE

EN VENDÉE

LIVRE PREMIER

LA VENDÉE

LIVRE DEUXIÈME

LES TROIS ENFANTS

LIVRE TROISIÈME

LE MASSACRE DE SAINT-BARTHÉLEMY

LIVRE QUATRIÈME

LA MÈRE

LIVRE CINQUIÈME

IN DÆMONE DEUS

LIVRE SIXIÈME

C'EST APRÈS LA VICTOIRE QU'A LIEU LE COMBAT

LIVRE SEPTIÈME

FÉODALITÉ ET RÉVOLUTION

DOSSIER HISTORIQUE ET LITTÉRAIRE

Imprimé en France
par Maury-Eurolivres S.A. - 45300 Manchecourt
Dépôt légal décembre 1992 - N° d'imprimeur : 92.11.M1131

PRESSES POCKET - 12 avenue d'Italie, 75627 Paris Cedex 13
Tél. 44.16.05.00

OUVRAGES
DE LA COLLECTION
« LIRE ET VOIR LES CLASSIQUES »

HONORÉ DE BALZAC
Les Chouans
Le Colonel Chabert
Eugénie Grandet
La Femme de trente ans
Histoire des treize
Illusions perdues
Le Lys dans la vallée
La Peau de chagrin
Le Père Goriot
Splendeurs et misères des courtisanes
Une Ténébreuse Affaire (février 93)

CHARLES BAUDELAIRE
Les Fleurs du mal

BEAUMARCHAIS
Le Barbier de Séville/Le Mariage de Figaro/La Mère coupable (mai 93)

CHARLOTTE BRONTË
Jane Eyre

PIERRE CORNEILLE
Le Cid
Horace (avril 93)

ALPHONSE DAUDET
Contes du lundi
Les Lettres de mon moulin
Le Petit Chose

DENIS DIDEROT
Jacques le Fataliste

GUSTAVE FLAUBERT
L'Éducation sentimentale
Madame Bovary

THÉOPHILE GAUTIER
Le Capitaine Fracasse
Le Roman de la momie

MAURICE GENEVOIX
Le Roman de Renard

HOMÈRE
Odyssée

VICTOR HUGO
Les Contemplations
Les Misérables (trois tomes)
Notre-Dame de Paris
Quatrevingt-treize

CHODERLOS DE LACLOS
Les Liaisons dangereuses

MADAME DE LA FAYETTE
La Princesse de Clèves

JEAN DE LA FONTAINE
Fables

LAUTRÉAMONT
Les Chants de Maldoror/Poésies

EUGÈNE LE ROY
Jacquou Le Croquant

JACK LONDON
Croc-Blanc

MACHIAVEL
Le Prince

GUY DE MAUPASSANT
Bel-Ami
Boule de Suif et autres récits de guerre
Contes de la bécasse et autres contes de chasseurs
Fort comme la mort (juin 93)
Le Horla
La Maison Tellier et autres histoires de femmes galantes
Pierre et Jean
Le Rosier de Madame Husson et autres contes roses (juin 93)
Une Vie

Prosper Mérimée
Carmen et autres histoires d'Espagne
Colomba, Mateo Falcone : Nouvelles corses

Molière
L'Avare (mars 93)
Le Bourgeois gentilhomme
Dom Juan
Le Malade imaginaire (mars 93)
Le Tartuffe

Charles de Montesquieu
Lettres persanes

Alfred de Musset
Lorenzaccio

Gérard de Nerval
Les Filles du feu

Nodier/Gautier/Mérimée
Récits fantastiques

Edgar Allan Poe
Histoires extraordinaires
Nouvelles histoires extraordinaires

Abbé Prévost
Manon Lescaut

Marcel Proust
Un amour de Swann (février 93)

François Rabelais
Gargantua

Jean Racine
Andromaque
Britannicus (mai 93)
Iphigénie (avril 93)
Phèdre

Raymond Radiguet
Le Diable au corps

Jules Renard
Poil de Carotte

Arthur Rimbaud
Œuvres

Edmond Rostand
Cyrano de Bergerac

Jean-Jacques Rousseau
Rêveries d'un promeneur solitaire

Bernardin de Saint-Pierre
Paul et Virginie

George Sand
La Mare au diable
La Petite Fadette

Stendhal
Armance
La Chartreuse de Parme
Le Rouge et le noir

Stevenson
L'Île au trésor

Jules Vallès
L'Enfant

Jules Verne
Le Château des Carpathes
Michel Strogoff
Le Tour du monde en quatre-vingts jours
Vingt mille lieues sous les mers
Voyage au centre de la terre

Voltaire
Candide et autres contes
Zadig et autres récits orientaux

Oscar Wilde
Le Portrait de Dorian Gray

Émile Zola
L'Assommoir
La Bête humaine
Au Bonheur des dames
La Curée
La Fortune des Rougon
Germinal
La Joie de vivre
Nana
L'Œuvre
Pot-Bouille
Thérèse Raquin
Le Rêve
Le Ventre de Paris